20 April 2015

Für Dich, Rosemarie,
zum Andenken und
zum Nachdenken –

Ulrike

Friedrich-Wilhelm von Hase (Hg.)

Hitlers Rache

Das Stauffenberg-Attentat und seine
Folgen für die Familien der Verschwörer

SCM

Hänssler

SCM

Stiftung Christliche Medien

Der SCM-Verlag ist eine Gesellschaft der Stiftung Christliche Medien, einer gemeinnützigen Stiftung, die sich für die Förderung und Verbreitung christlicher Bücher, Zeitschriften, Filme und Musik einsetzt.

© der deutschen Ausgabe 2014
SCM Hänssler im SCM-Verlag GmbH & Co. KG · 71088 Holzgerlingen
Internet: www.scm-haenssler.de · E-Mail: info@scm-haenssler.de

Umschlag: Porträtfoto Friedrich-Wilhelm von Hase, © SCM Hänssler / Sophia Wald
Umschlaggestaltung: Kathrin Spiegelberg und Amos Herter
Satz: Satz & Medien Wieser, Stolberg
Druck und Bindung: CPI – Ebner & Spiegel, Ulm
Gedruckt in Deutschland
ISBN 978-3-7751-5537-3
Bestell-Nr. 395.537

Meinen Eltern in Erinnerung
an das Erlebte und Durchlittene

»*Das Furchtbarste ist zu wissen,
daß es nicht gelingen kann
und daß man es dennoch für unser Land
und unsere Kinder tun muß.*«

Berthold Schenk Graf von Stauffenberg,
kurz vor dem 20. Juli 1944

»*Ich habe keine Furcht, ich bin innerlich mit mir fertig,
ich werde aufrecht und stolz allem entgegensehen,
Gott bitten, daß er mir seine Kraft nicht entzieht,
und mein letzter Gedanke wirst Du
und meine Kinder sein.*«

Heinrich Graf von Lehndorff,
Abschiedsbrief

Inhalt

Geleitwort – *Friedrich von Jagow* 11
Vorwort des Herausgebers 13

1. Berichte von Zeitzeugen 21
  1.1 Die Rache des Regimes an der Familie von Hase 21
    Er sollte Goebbels verhaften –
    Generalleutnant Paul von Hase 21
    Margarethe von Hase – die Ehefrau 22
    Baronin Ina von Medem – die ältere Tochter 33
    Maria-Gisela Boehringer – die jüngere Tochter 34
    Alexander von Hase – der ältere Sohn 42
    Friedrich-Wilhelm von Hase – der jüngere Sohn 56
    Karl-Günther von Hase – der Neffe 69
  1.2 »Der Absturz kam schnell und brutal« –
    Berthold Schenk Graf von Stauffenberg 80
  1.3 Aus dem Tagebuch einer Zwölfjährigen –
    Christa von Hofacker 95
  1.4 »Ich war mit 15 Jahren der Älteste« –
    Wilhelm Graf von Schwerin von Schwanenfeld 108
  1.5 »Dort war richtig was los« – Erinnerungen eines
    Elfjährigen – *Albrecht von Hagen* 113
  1.6 Nur noch Erinnerungsbruchstücke –
    Nicolai Freiherr Freytag von Loringhoven 119
  1.7 Ein schwerer Abschied –
    Gottliebe Gräfin von Lehndorff 123
  1.8 »Noch heute Narben« –
    Rainer Johannes Christian Goerdeler 134
  1.9 »Getrennt von meinen Kindern, gerettet durch die
    Wehrmacht« – *Fey von Hassell* 147

2. Beiträge der Forschung 161
    2.1 Der Staatsstreich vom 20. Juli 1944 –
          Joachim Scholtyseck 161
    2.2 Generalleutnant Paul von Hase (1885–1944) –
          Roland Kopp 183
    2.3 Christlicher Glaube und militärischer Widerstand
          gegen Hitler – *Hans-Joachim Ramm* 210
    2.4 Gebunden an den Fahneneid? – *Roland Hartung* 228
    2.5 Vor dem Volksgerichtshof – *Arnim Ramm* 252
    2.6 Die Sippenhaft als Repressionsmaßnahme –
          Johannes Salzig 285
    2.7 Legitimation des Widerstandes im
          Nachkriegsdeutschland – *Rüdiger von Voss* 309

3. Ein Blick von außen:
   Zivilcourage – *Asfa-Wossen Asserate* 325

4. Anhang 341
    4.1 Liste der Bad-Sachsa-Kinder 341
    4.2 Antwort Heinrich Himmlers auf das Gnadengesuch
          Helene von Hintzes 343
    4.3 Textnachweis 344
    4.4 Bildnachweis 346
    4.5 Autorenbiografien 347

Geleitwort

Der gescheiterte Staatsstreich vom 20. Juli 1944 jährt sich 2014 zum siebzigsten Mal. Ein besonderer Anlass, der mutigen Tat des jungen Stauffenberg, seiner Kameraden und Freunde sowie der zahllosen Opfer von Hitlers Racheorgie zu gedenken, die auf das gescheiterte Attentat folgte.

Der Gang der Ereignisse ist dank jahrelanger Forschung hinreichend bekannt und wurde immer wieder in bedeutenden Monografien und Einzeluntersuchungen dargestellt. Weniger bekannt ist dagegen das individuelle Schicksal vieler Familien, deren Väter und Angehörige am notwendigen Räderwerk der militärischen und zivilen Vorbereitung einer Unternehmung von diesem Umfang beteiligt waren. Auf dieses menschlich anrührende Thema möchte das vorliegende Buch mit seinem bewusst gewählten Titel »Hitlers Rache« die allgemeine Aufmerksamkeit lenken.

Der Ausgangspunkt der vorliegenden Publikationen war das bisher kaum bekannte Schicksal der Familie des Berliner Wehrmachtkommandanten Generalleutnant Paul von Hase. Er spielte bei der Durchführung des Staatsstreiches in der Reichshauptstadt eine zentrale Rolle, verfügte er doch über die notwendigen Truppen zur Umsetzung der Walküreplanung. Entsprechend brutal war nach dem Scheitern des Staatsstreiches die Reaktion des Regimes, als Hases Rolle bekannt wurde. Nicht nur gegen ihn, sondern auch gegen seine engere und weitere Familie richtete sich die Rachsucht der Machthaber.

Um das entworfene Bild zu vervollständigen, wurden außerdem bewegende Zeugnisse aus dem familiären Umfeld weiterer Verschwörer des 20. Juli 1944 herangezogen. Aus den umfangreichen Zeitzeugenberichten wurden vor allem solche von Kindern derjenigen Widerstandskämpfer ausgewählt, die als Sippenhäftlinge nach Bad Sachsa verschleppt und dort festgehalten wurden. Es wird geschildert, welche Folgen diese Sippenhaft für die Kinder und Angehörigen haben sollte. Mit diesen zum Teil bisher unveröffentlichten Zeugnissen der Betroffenen wird der beispiellose Rachefeldzug des NS-Regimes gegen die Familien der Verschwörer nunmehr einer breiten Öffentlichkeit zugänglich.

Im zweiten Teil des Buches erläutern Experten geschichtliche Hintergründe, die durch eine Darstellung der politischen und gesellschaftlichen Rezeption des Widerstandes im Nachkriegsdeutschland ihre Abrundung finden.

Der Herausgeber und zahlreiche der in diesem Buch vertretenen Autoren gehören der 1973 gegründeten Forschungsgemeinschaft 20. Juli 1944 e.V. an. Diese widmet sich der wissenschaftlichen Erforschung der Geschichte des Widerstandes gegen den Nationalsozialismus. Das Ziel ihrer Arbeit, in enger Verbundenheit mit der Stiftung 20. Juli 1944, ist es, die Bedeutung des Widerstandes gegen das NS-Regime in der Öffentlichkeit wachzuhalten und zur Rezeption der Geschichte des Widerstandes anzuregen.

Als derzeitiger Vorsitzender der Forschungsgemeinschaft 20. Juli 1944 e.V. ist mir das Erscheinen dieses Buches deshalb eine besondere Freude. Und ich wünsche mir, dass es seinen Beitrag zur Wahrnehmung des Widerstandes als leuchtendes Fanal für die Existenz eines »anderen Deutschlands« in dunkelster Zeit leistet.

Friedrich von Jagow
Vorsitzender Forschungsgemeinschaft 20. Juli 1944 e. V.

Vorwort des Herausgebers

Der verzweifelte Versuch, am 20. Juli 1944 durch einen militärischen Staatsstreich die Herrschaft Hitlers und seiner sinistren Gefolgschaft doch noch zu stürzen, schlug fehl. Doch die Rache des Regimes sollte von fürchterlicher Unbarmherzigkeit und Konsequenz sein, wie dies vom Diktator und seinem treuen Vasall, Heinrich Himmler, drohend verkündet und in die Tat umgesetzt wurde. Mehr als 110 Todesurteile wurden in den folgenden Wochen verhängt, in bestialischer Weise vollstreckt und teilweise gefilmt, damit sich der »Führer« an der Vernichtung seiner Feinde im Kreise seiner Getreuen ergötzen konnte.

Zur Rechenschaft gezogen wurden auch vollständig Unbeteiligte, nur weil sie Namensträger waren, das heißt zur »Sippe« eines der »Verräter« an »Führer und Volk« gehörten. Von dieser »Sippenhaft« waren nicht nur Erwachsene betroffen, sondern auch Jugendliche und sogar Kleinkinder, die die Gestapo den Eltern entführte und unter falschem Namen zu einem unbekannten Ort verschleppte.

Auf diese perfide Weise wollten Heinrich Himmler und die Fahnder des Reichssicherheitshauptamtes noch einmal den psychologischen Druck auf die noch lebenden Anverwandten der Mitverschwörer erhöhen sowie natürlich die »Verräter« bestrafen. Im Übrigen wollte man aber auch ein deutliches Zeichen setzen, um den Widerstandswillen möglicher Regimegegner bereits im Keim zu ersticken.

Die Vorbereitungen des Staatsstreichs und sein Verlauf sind dank intensiver Forschungen inzwischen im Detail bekannt. Weniger bekannt sind in vielen Fällen die Schicksale der Verschwörerfamilien, sieht man von Stauffenbergs einmal ab. Auf deren Sippe konzentrierte sich bekanntlich die Wut des Regimes in besonderer Weise, obwohl der Attentäter ja bereits am Abend des 20. Juli zusammen mit General Friedrich Olbricht und anderen standrechtlich erschossen worden war.

Durch die Veröffentlichung von Zeitzeugenberichten und einigen Biografien wurde im Laufe der Jahre das anrührende Schicksal weiterer Angehöriger aus dem Kreis der mit dem 20. Juli verbundenen Familien beleuchtet. Und eben hier möchten wir mit unserem Buche ansetzen, um eine noch bestehende Lücke zu schließen.

Den Ausgangspunkt bildet das tragische Soldatenschicksal des Wehrmachtkommandanten von Berlin, Generalleutnant Paul von Hase. Paul von Hase war vermutlich an den militärischen Planungen nicht im Einzelnen beteiligt, zählt jedoch zu den Schlüsselfiguren des Aufstandes in der Reichshauptstadt; verfügte er doch über die Befehlsgewalt über Truppen, die bei der Umsetzung des Walküreplans notwendig waren – z. B. bei der Verhaftung der Größen des Regimes durch Stoßtrupps. An Hases furchtbarem Ende sowie dem – der Allgemeinheit weniger bekannten – Schicksal seiner Familie wird dargestellt, wie sich das Regime mit seinen bekannten Methoden an den »Hauptschuldigen« zu rächen wusste. Es wird deutlich, welche Risiken und Konsequenzen ein »Ja« zur aktiven Teilnahme am Widerstand eben auch für die Angehörigen nach sich gezogen hat.

Durch bisher unveröffentlichte Aufzeichnungen der Familie des Wehrmachtkommandanten wird der 20. Juli 1944 mit seinen Folgen in seiner menschlichen Dimension ganz neu lebendig. Dazu tragen neben dem erschütternden Brief der ältesten Tochter Ina vom 8. August 1944 die Berichte bei, die seine Frau und zwei der drei erwachsenen Kinder – Maria und Alexander – hinterlassen haben. In der Berliner Wehrmachtkommandantur, Unter den Linden 1, wohnten sie an einem der zentralen Orte des Geschehens. So erlebten sie die Stunden des Staatsstreichversuchs aus unmittelbarer Nähe, wurden aber erst am 1. August durch die Gestapo verhaftet, um dann wochenlang als Untersuchungs- und Sippenhäftlinge in den Gefängnissen in Berlin-Moabit und in der Lehrter Straße festgehalten und verhört zu werden – zusammen mit weiteren Angehörigen der Verschwörer.

Der Herausgeber dieses Buches, das heißt der jüngste Sohn Paul von Hases, war damals gerade sieben Jahre alt. Er wurde von der Gestapo mit weiteren Kindern der am Staatsstreich beteiligten Männer nach Bad Sachsa verschleppt und in einem eigens dafür beschlagnahmten NSV-Kinderheim unter anderem Namen festgehalten.

Aber auch noch entferntere Namensträger der Familie bekamen nach dem 20. Juli 1944 die Rachemaßnahmen des Regimes zu spüren, wovon der Bericht des Neffen Paul von Hases, Karl-Günther von Hase, berichtet.

Soweit das verwandtschaftliche Umfeld der Hases von Interesse ist, muss vor allem auf die lebendigen Beziehungen hingewiesen werden, die zu Bonhoeffers und Schleichers bestanden, die ebenfalls in Berlin wohnten. Dietrich Bonhoeffers Mutter Paula war ja eine Cousine Paul von Hases. Rüdiger Schleicher wiederum hatte am 15. Mai 1923 Dietrich Bonhoeffers Schwester Ursula geheiratet. Dass eine christlich-protestantisch geprägte Grundlage das Weltbild und das Handeln dieser Familien bestimmten, ist bekannt. Für ihre nicht nur politisch, sondern auch sittlich religiös begründete Regimegegnerschaft mussten diese Familien einen hohen Preis entrichten, bei Bonhoeffers und Schleichers sogar noch in den letzten Tagen des Krieges.

Insgesamt wurden im Zuge der sogenannten »Sippenhaft« in einer konzertierten Gestapoaktion aus dem ganzen Reichsgebiet 46 Kinder der Verschwörerfamilien im Alter von nur wenigen Monaten bis zu 15 Jahren nach Bad Sachsa verschleppt. Dort wurden die Kleinen über Monate, zum Teil sogar bis zum Kriegsende festgehalten.

Und um für die geplante Publikation das Bild von der Sippenhaft in Bad Sachsa noch weiter zu vervollständigen, bat der Herausgeber einige seiner ehemaligen Lagergefährten, ihr Erleben zu schildern. Keiner der fünf angesprochenen Schicksalsgenossen – es handelt sich um B. Schenk Graf von Stauffenberg,

W. Graf von Schwerin von Schwanenfeld, A. von Hagen, N. Freiherr Freytag von Loringhoven, R. J. C. Goerdeler – versagte sich dem Ansuchen. In großzügiger Weise half dem Herausgeber auch Frau Christa Miller, geborene von Hofacker. Die Genannten überließen dem Herausgeber ältere Aufzeichnungen oder brachten zu Papier, was ihnen noch im Gedächtnis haften geblieben war. Für die hiermit verbundenen Mühen sei allen auch an dieser Stelle noch einmal herzlichst gedankt. Für das weitere Verständnis des Lesers erschien es notwendig, jeder Person eine kurze Einführung voranzustellen, die der Herausgeber verfasst hat.

Eine Quelle von besonderer Bedeutung liegt uns in Form der längeren Aufzeichnungen der erwähnten Christa von Hofacker vor, aus der hier ausführlich geschöpft wurde. Denn unter der Überschrift »Unsere Zeit in Sachsa« mit dem Untertitel: »Mutti zur Erinnerung an unsere lange Trennung« verfasste sie bereits 1946, also nur kurze Zeit nach ihrer Befreiung, einen menschlich sehr anrührenden, längeren Bericht über ihre Zeit in Bad Sachsa, den sie ihrer Mutter zu Weihnachten 1946 überreichte.

Zumindest in der Gesamtbeurteilung der Lagerverhältnisse stimmen unsere Berichte weitgehend überein. Sie besagen, dass die Behandlung der kleinen »Gestapogeiseln« durch die »Erzieherinnen«, zumindest oberflächlich betrachtet, sicher nicht unmenschlich war, wie es dies in einem Konzentrationslager vermutlich schon eher der Fall gewesen wäre.

Aber es muss doch daran erinnert werden, dass die willkürlich in das Kinderheim verschleppten kleinen Jungen und Mädel über Wochen und sogar Monate von der Außenwelt abgeschnitten waren, also über keine detaillierten Nachrichten über das Schicksal ihrer Familien verfügten.

So lebten sie Tag für Tag dahin, bedrückt von einem Zustand großer Ungewissheit und Sorge über den Ausgang ihrer Gefangenschaft. Der erwähnte Bericht der kleinen Tochter Hofackers schildert diese bedrückende Atmosphäre zwischen Angst und Hoffen in ergreifender Weise.

Unter den Sippenhäftlingen in Bad Sachsa befanden sich auch drei Töchter des Grafen Lehndorff, Nona (7 Jahre), Vera (5) und Gabriele (1). Den bewegenden Abschiedsbrief ihres Vaters an seine Frau, ein tief bewegendes Zeugnis christlicher Innerlichkeit, glaubten wir dem Leser nicht vorenthalten zu dürfen.

Mehr als zehn Bad-Sachsa-Kinder waren noch nicht oder gerade einmal zwei Jahre alt. Gerade für diese Kleinen hätte sich eine Zwangsadoption durch regimetreue Ehepaare aus den Reihen der SS angeboten – aus dem Blickwinkel der Machthaber sogar relativ »problemlos«. Die älteren Kinder hätte man auch noch auf eine Napola[1] schicken können, was vielleicht auch im Reichssicherheitshauptamt erwogen wurde. Es war dies bekanntlich ein Verfahren, das nur wenige Jahre später, ebenfalls aus politischen Gründen, noch einmal in der DDR praktiziert wurde!

Von besonderem Interesse ist auch die ergreifende Schilderung des Schicksals der Familienangehörigen des Oberbürgermeisters von Leipzig, Carl Goerdeler, die ebenfalls eigens für diese Publikation von seinem Enkel, Rainer J. Chr. Goerdeler, angefertigt wurde. Exemplarisch steht dieser Bericht für die Leiden der Mitglieder einer Familie des zivilen Widerstands unter der Rache des Regimes.

Zur Ergänzung unserer Zeitzeugenberichte über die Sippenhaft der Verschwörerkinder in Bad Sachsa wurden hier noch Auszüge aus dem ergreifenden Bericht von Fey von Hassell, der Tochter des im Anschluss an den 20. Juli 1944 hingerichteten Botschafters Ulrich von Hassell, übernommen. Sie schildern einen anderen, sehr dramatischen Verlauf der Verfolgung der Regimegegner und ihrer Kinder durch Himmler und seine SS – mit beinahe tödlichem Ausgang.

Um die hier zusammengestellten Zeitzeugenberichte dem Leser noch verständlicher zu machen und sie in einen historischen Kon-

---

[1] Abkürzung für »Nationalpolitische Erziehungsanstalt«, Internatsschulen, in denen das Regime eine Führungsschicht nach seinen Vorstellungen erziehen wollte.

text zu stellen, erklären ausgewiesene Fachleute in kürzeren Beiträgen spezielle historische, juristische und sogar theologische Hintergründe. Durch gezielte Literaturhinweise ermöglichen diese Artikel dem interessierten Leser ein weiteres Eindringen in den jeweiligen Themenkreis.

So skizziert J. Scholtyseck in einem ausgreifenden Beitrag die allgemeine Entwicklung, die schließlich zum Staatsstreich des 20. Juli führte. R. Kopp schildert in einer ausführlichen biografischen Skizze den Werdegang des Wehrmachtkommandanten von Berlin, Paul von Hase, und seinen Weg in den Widerstand. H.-J. Ramm beschäftigt sich mit der Rolle des christlichen Glaubens im militärischen Widerstand gegen Hitler. R. Hartung erörtert das immer wieder angesprochene Problem des Fahneneides, seine Genese und schließlich seine geschickte Indienstnahme durch das NS-Regime. A. Ramm beschreibt die Rolle des berüchtigten Volksgerichtshofs, seine Gründung, seinen Aufbau und seine Tätigkeit unter dem furchtbaren Roland Freisler. J. Salzig behandelt die Sippenhaft als Repressionsmittel des NS-Regimes. Der Gründer der Forschungsgemeinschaft »20. Juli 1944«, R. von Voss, stellt die schwierige Rezeptionsgeschichte des deutschen Widerstands und die ihm zukommende Würdigung im Nachkriegsdeutschland dar.

Den Abschluss der Artikelreihe bilden die Ausführungen von A.-W. Asserate zur Frage der Zivilcourage, die Stauffenberg und Tresckow, aber auch viele andere Männer des militärischen und zivilen Widerstands bewiesen, als sie – oftmals nach inneren Kämpfen – zu der Auffassung gelangten, das Attentat gegen Hitler müsse in jedem Falle gewagt werden, *coûte que coûte*, ganz unabhängig von der Aussicht auf Erfolg. Besonders interessant wird die Perspektive, die Asserate als äthiopischer Prinz als Beobachter mit internationalem Hintergrund gleichsam also von außen auf eine nicht nur in Deutschland eher spärlich anzutreffende Charaktereigenschaft wagt.

Den hier aufgeführten Verfassern der einzelnen Beiträge schuldet der Herausgeber größten Dank.

Sehr verbunden für ihre Mitarbeit sind wir auch der jetzt in England lebenden Historikerin Angelica von Hase, die aus den unlängst erschienenen Erinnerungen ihres Vaters, Karl-Günther von Hase, mit Umsicht herauszog, was für dieses Buch von Interesse sein konnte. Denn hier wird der Gang der Ereignisse und ihre Wertung aus der Warte eines jungen, patriotischen Frontoffiziers beleuchtet, fernab vom Geschehen.

Die im vorliegenden Buch publizierten Fotos stammen zum Teil aus Privatbesitz, zum Teil aus öffentlich zugänglichen Beständen. In diesem Zusammenhang gilt unser besonderer Dank der Gedenkstätte Deutscher Widerstand in Berlin und ihrem Leiter, Prof. Dr. Johannes Tuchel, sowie Frau Dr. Petra Behrens, die uns mit fachlichen Auskünften unterstützten und uns Fotos und Archivmaterial aus ihren Beständen zur Verfügung stellten.

Unseren Dank verdient ebenso Carmen Matussek, die mit größtem Einsatz die Redaktionsarbeiten betreute.

In gleicher Weise setzte sich Lutz Ackermann, Lektor bei SCM Hänssler, von Beginn an für das Gelingen des Projektes ein. Dem Herausgeber war er stets ein äußerst hilfsbereiter und versierter Gesprächspartner.

Gedankt sei schließlich dem Verlag SCM Hänssler. Das große Interesse des Publikums an der neuen, dort erschienenen deutschen Fassung der Bonhoeffer-Biografie von Eric Metaxas ließ in der Verlagsleitung den Gedanken entstehen, zum 70. Jahrestag des 20. Juli 1944 mit einer weiteren Publikation aus dem familiären Umkreis Bonhoeffers hier noch einmal anzuknüpfen. So entstand ein Buch, das, ausgehend vom tragischen Schicksal seines Onkels Paul, die Ereignisse des 20. Juli 1944 zum Gegenstand hat – insbesondere das sich daran anschließende Los zahlreicher Familienangehöriger, das durch bisher unbekannte private Zeugnisse lebendig wird.

Friedrich-Wilhelm von Hase
April 2014

1. Berichte von Zeitzeugen

1.1 Die Rache des Regimes an der Familie von Hase

Er sollte Goebbels verhaften – Generalleutnant Paul von Hase

Generalleutnant Paul von Hase,[1] Wehrmachtkommandant von Berlin von 1940 bis zum 20. Juli 1944, gehörte zur kleinen Gruppe von Wehrmachtsoffizieren im Generalsrang, die aktiv am Staatsstreich beteiligt waren. Seine schon vor dem Kriege ablehnende Haltung gegenüber dem NS-Regime wurde durch die sogenannte Fritsch-Affäre des Jahres 1938, die ihn wie alle näher Eingeweihten entsetzte, eine endgültige.

Hases regimekritische Haltung änderte sich auch nicht in den folgenden Jahren, als er, nach kurzem Fronteinsatz in Polen und Frankreich, 1940 Wehrmachtkommandant von Berlin wurde. Der antikirchliche und judenfeindliche Kurs der Nazis waren für den national-konservativen Offizier, der aus einer alten Theologenfamilie stammte, nicht tolerabel. Und soweit Hase es vermochte, setzte er sich auch in seiner Berliner Zeit immer wieder für Hilfesuchende und vom Regime bedrohte Menschen ein, darunter bekanntlich auch für seinen Neffen Dietrich Bonhoeffer.[2]

In Erinnerung sind dem Herausgeber noch Äußerungen seiner Mutter aus den Sechzigerjahren des vorigen Jahrhunderts. Sie sagte ihm, dass sein Vater die Chancen des Gelingens des Staatsstreichs, an dessen konkreten Planungen er offenbar nicht unmittelbar beteiligt war, eher

---

[1] Den einzelnen Zeitzeugenberichten wurden zum besseren Verständnis kurze einführende Texte durch den Herausgeber vorangestellt.

[2] Andererseits zwang ihn seine in die Öffentlichkeit wirkende militärische Position, gelegentlich zu Äußerungen und Handlungsweisen, die nur vor diesem Hintergrund und dem Zwang der Verhältnisse verständlich werden (s. Roland Kopps Beitrag »Generalleutnant Paul von Hase« im vorliegenden Buch, S. 183ff.).

skeptisch beurteilt habe. Aber die Verschwörer kannten Paul von Hase so weit, dass sie davon ausgingen, im entscheidenden Moment auf ihn zählen zu können. Und es wäre ihm auch nicht in den Sinn gekommen, sich in extremis von der Sache loszusagen und seine Freunde zu verraten. Denn das wäre der Preis gewesen, um sich und seine Familie zu retten.

Bei der militärischen Umsetzung der Pläne der Operation Walküre in der Reichshauptstadt kam Hase sogar eine Schlüsselrolle zu. Verfügte er doch über Truppen, die das Regierungsviertel abriegeln und Minister Goebbels in seinem Amtssitz verhaften sollten. Der Plan scheiterte, nicht zuletzt, weil die Bombe Stauffenbergs in der Wolfsschanze den Diktator nicht getötet hatte.

Nach Aussagen von Pfarrer Harald Poelchau, der in Plötzensee mit den zum Tode Verurteilten vor ihrem letzten Gang sprechen konnte, seien am 8. August 1944 sowohl Generalfeldmarschall Erwin von Witzleben als auch Generalleutnant Paul von Hase »vollkommen gefasst« und als »überzeugte Christen in den Tod« gegangen.[3] Einen Abschiedsbrief zu schreiben blieb Hase versagt!

Weiterführende Informationen findet der Leser im Beitrag von Roland Kopp, »Generalleutnant Paul von Hase«, im vorliegenden Buch (S. 183 ff.).

Margarethe von Hase – die Ehefrau

Der vorliegende Text ist ein Auszug aus den unveröffentlichten, in den frühen Sechzigerjahren des vergangenen Jahrhunderts für ihre Angehörigen verfassten Lebenserinnerungen der Margarethe von Hase, geborene Baronesse von Funck. Das gesamte Manuskript umfasst 186 Schreibmaschinenseiten und endet mit der hier abgedruckten Schilderung des 20. Juli und der Wochen danach.

---

[3] Vgl. Roland Kopp, Hase, Karl Paul Immanuel von, in: Harald Schultze (Hg.), Andreas Kurschat (Hg.), Claudia Bendick (Mitarbeit), »Ihr Ende schaut an ...«. Evangelische Märtyrer des 20. Jahrhunderts. Leipzig: Evangelische Verlagsanstalt, 2006, S. 298-299.

Sehr ernst sah mein Mann in die Zukunft.

Nachdem ich bei Freunden auf dem Lande gewesen war, kehrte ich am 13.7.44 wieder nach Berlin zurück. Dort fiel mir auf, daß mein Mann mit seinen Gedanken sehr beschäftigt war. Schließlich erzählte er mir, daß ein Attentat auf Hitler geplant sei. Den Namen des Grafen Stauffenberg nannte er mir gegenüber aber nicht. Er erzählte mir jedoch, daß er am 13. Juli zum Generalobersten Olbricht befohlen war, wo ihm eröffnet wurde, daß ein Attentat auf Hitler geplant sei. Um das deutsche Volk vor der endgültigen, schwersten Katastrophe zu bewahren, bliebe, da Hitler wahnsinnig sei, kein anderer Ausweg mehr übrig. Mein Mann setzte hinzu: »Ich glaube, daß es zu spät ist, und sterbe ich, so sage Dir, daß ich zu den letzten preußischen Offizieren der kaiserlichen Armee gehörte, der ich bis zu meinem Tode treu bin.«

Ich bezweifle, daß mein Mann Näheres wusste, da möglichst Wenige eingeweiht sein sollten.

Als am frühen Nachmittag des 20. Juli 1944 General Olbricht mit den Worten »Es ist so weit« meinen Mann anrief, gab mein Mann das Stichwort »Walküre« an die ihm unterstellten Truppenteile durch. Nach Eintreffen der Kommandeure in der Kommandantur, hielt mein Mann den anwesenden Offizieren eine kurze Ansprache. Er sagte: »Der Führer ist tot, die vollziehende Gewalt geht in die Hände des Heeres über.« Dieser Satz genügte für die Gestapo, mir bei den Verhören stets vorzuhalten, daß damit der Beweis erbracht sei, die Offiziere waren beim Hören dieser Rede für den Putsch, andernfalls hätten sie doch darauf bestehen müssen, daß Göring, der ja der Stellvertreter des Führers war, Hitlers Nachfolger geworden wäre, niemals aber durfte das Heer die vollziehende Gewalt ausüben. So trat der vernunftwidrige Fall ein, daß ich, da ich diese Offiziere zu entschuldigen versuchte, auch das Verhalten des Majors Remer verteidigte.

Major Remer, der Kommandeur des Wachbataillons Berlin, hatte von meinem Manne den Befehl bekommen, das Regierungsviertel zu umschließen und niemand durchzulassen, weder einen

Minister, Gauleiter noch sonst wen. Diesen Befehl hatte Major Remer durchgeführt und meinem Mann danach gemeldet, daß das SS-Hauptamt am Anhalter Bahnhof noch verstärkt zu sichern sei. Ohne Widerspruch der anwesenden Offiziere, zu denen Major Remer gehörte, bildete mein Mann unterdessen 30 Stoßtrupps zur Verhaftung der Größen des sogenannten »Dritten Reichs« (s. Völkischer Beobachter).

Da kam gegen 18 Uhr die Meldung durch den Rundfunk, daß der Anschlag auf Hitler misslungen ist. Nach dieser Durchgabe ging Herr Remer eine Stunde in Berlin spazieren; inzwischen hatte Oberleutnant Dr. Hagen, der an diesem Tage mit Remer im Kasino zu Mittag gegessen hatte und dann zu Goebbels gefahren war, Remer einen Leutnant in die Kommandantur nachgeschickt, der diesem eröffnen sollte, umgehend zu Goebbels zu kommen. Ohne meinen Mann davon in Kenntnis zu setzen, fuhr Major Remer nun zu Goebbels, nicht wissend, wie sich Goebbels ihm gegenüber verhalten würde, da er doch mit seiner Truppe das Regierungsviertel, in dem sich Goebbels befand, umstellt hatte. Remer sagte sich wohl, daß Goebbels viel zu klug sei, um an die Darstellung zu glauben, der Befehl meines Mannes hätte einem geplanten Putsch der ausländischen Arbeiter gegolten. Remer ließ sich von einem Zug Soldaten begleiten, denen er den Befehl gab, ihn nötigenfalls mit Gewalt herauszuholen, wenn er nicht innerhalb zwanzig Minuten zurück sein würde. Goebbels wußte, in welcher Gefahr er sich befand, und sah Rettung nur durch einen Offizier des Heeres; großartige Versprechungen machte Goebbels, wenn sich Remer gegen seinen Vorgesetzten, den Kommandanten von Berlin, stellen würde. Nachdem Remer die Schwenkung vorgenommen hatte, glaubte er wohl, daß die größte Stunde seiner militärischen Laufbahn gekommen sei. Mit allen Mitteln mußte er verhindern, daß Zeugen für sein Verhalten vorhanden waren; deshalb veranlaßte er, daß die engsten Mitarbeiter meines Mannes gesondert festgesetzt wurden. Damit ist es auch zu erklären, daß der Oberstleutnant i. G. Schöne, Major Graf Schack und Hauptmann i.G. Hayessen zum Tode verurteilt wurden. Welche seelischen Qualen mußten diese Männer noch über sich ergehen lassen, da alle Angehörigen der Männer des 20. Juli in Sippenhaft kamen. Hätte da Remer, der ja der mächtige Mann des Tages geworden war, nicht wenigstens der ritterliche Gedanke kommen müssen, sich schützend vor die Witwen und Waisen zu stellen? Ob solch ein Mann kein Gewissen hat? Oder ob er, und wenn es auch erst in seiner Todesstunde ist, seine Handlungsweise vor Gott bereuen wird?

Inzwischen hatte Goebbels die Verbindung mit dem Führer-Hauptquartier herstellen lassen. Major Remer erhielt nun die weiteren Befehle unmittelbar von Hitler. Während Graf Stauffenberg sich mit äußerster Kraftanstrengung bemühte, die schon auf Berlin rollende Truppe voranzutreiben, setzte die Gegenwirkung Remers ein. Generaloberst Beck, General Olbricht und Generaloberst Höppner waren zu Meuterern erklärt worden, alles schien verloren. Da der Stoßtrupp, der Goebbels verhaften sollte, nicht zurückgekehrt und wohl von Remer abgefangen worden war, faßte mein Mann den Entschluß, persönlich Goebbels zu verhaften, um die Reichshauptstadt dennoch in seine Hand zu bekommen. Zu dieser Stunde ließ Major Remer Soldaten mit gefällten Bajonetten die Kommandantur besetzen und in unsere Wohnung eindringen. Alle, die wir uns in der Kommandantur befanden, wurden festgesetzt. Die Nacht vom 20. zum 21. Juli 1944 werde ich nie vergessen; Soldaten mit Handgranaten in den Stiefeln bewachten uns. Wie sehr aber sorgte ich mich um meinen Mann; ihm war es nicht gelungen, Goebbels zu verhaften. So war mein Mann, ohne es zu ahnen, mitten in die Truppe der Gegenaktion hineingefahren. Der Obersturmbannführer Huppenkothen soll im Auftrag Himmlers meinen Mann verhaftet und an einem mir unbekannten Ort festgesetzt haben. Am 8. August 1944 wurde mein Mann vom Volksgerichtshof als Feind des Nationalsozialismus zum Tode verurteilt. In dieser für mich unvergeßlichen Nacht des 20./ 21. Juli 1944 dachte ich an das Bild der Erschießung der Schill'-

schen Offiziere[4]; einige sitzend, einige stehend, sah man ihnen an, daß sie wußten, welches Schicksal ihnen bevorstand.

Im Schreibzimmer meines Mannes in der Kommandantur »Unter den Linden« befanden sich: Oberstleutnant Schöne sowie die beiden anderen, von meinem Mann besonders geschätzten Offiziere, Major Graf Schack und Hauptmann i. G. Hayessen; der Letztgenannte durfte den Schreibtischstuhl meines Mannes nicht verlassen, an jeder Seite stand auf persönlichen Befehl des Majors Remer ein Soldat mit aufgepflanztem Bajonett. Eine Erklärung hierfür dürfte sein, daß Hauptmann Hayessen bei jedem Gespräch, das mein Mann im Laufe des Tages mit Major Remer führte, zugegen war; zu diesen Zeitpunkten stand es noch günstig für die Offiziere des 20. Juli. Hayessen, als Zeuge, sollte mundtot gemacht werden. Wie schwer war es für mich, das alles mitzuerleben! Meine Tochter Maria (20 J.), mein Sohn Alexander (19 J.) und ich durften die Kommandantur während zwei mal 24 Stunden nicht verlassen.

Am 1. August 1944 wurde ich, und einige Stunden später wurden meine beiden Kinder von der Gestapo verhaftet. Bei meiner Verhaftung wollte ich einen Sommermantel anziehen, was mir der Gestapomann verbot. Ich fragte ihn, ob ich gleich erschossen würde. Diese Frage sei, so sagte man, ein Eingeständnis meiner Schuld. Begleitet von den beiden Gestapobeamten wurde ich in das Arbeitszimmer meines Mannes geführt, wo sein Schreibtisch völlig durchwühlt wurde. Da mein Mann niemals etwas Belastendes besessen hatte, konnte auch nichts gefunden werden. Aber für mich trat etwas Belastendes ein; ich selber hatte am 19. Juli das Behörden-Hitlerbild, das im Arbeitszimmer meines Mannes hängen mußte, abgehakt und mit dem Gesicht gegen die Wand gestellt. Einer der Gestapoleute fuhr mich mit den Worten an: »Wes-

---

[4] Elf Offiziere aus dem Freikorps des preußischen Majors Ferdinand von Schill (1776 bis 1809) wurden am 16. September 1809 von französischen Truppen in Wesel standrechtlich erschossen.

halb steht das Bild des Führers mit dem Gesicht gegen die Wand gelehnt?« Zum Glück hatte ich ja Zeit gehabt, mich auf diese Frage vorzubereiten, und ich stellte mit ruhiger Miene die Gegenfrage, wie es wohl käme, daß die Fenster mit den Rahmen herausgefallen seien, doch wohl durch die Bombenangriffe.

Ich wurde in das Gefängnis nach Berlin-Moabit gebracht und kam in eine Einzelzelle des Ganges, wo die zum Tode Verurteilten untergebracht waren. Jede Nacht wurden aus den Nebenzellen Frauen zur Hinrichtung abgeholt; diejenigen, die zu schwach waren, um gehen zu können, wurden auf einen Wagen gelegt und so aus dem Gefängnis geschafft. Unbeschreiblich war das Schreien der gequälten Opfer, nie kann ich das vergessen. Wir blieben auch während der schweren Fliegerangriffe auf Berlin in den Zellen. Neben uns, in einem Seitenflügel, kamen bei einem solch schweren Bombenangriff viele der unglücklichen Gefangenen ums Leben. Ständig bangte ich um meine mitgefangene Tochter Maria und ich fragte mich, ob auch sie zu den Toten gehöre; ich hatte sie vorher aus meinem Zellenfenster, das kein Glas mehr hatte, auf dem Gefängnishof gesehen. Die seelischen Qualen waren entsetzlich schwer und oft war es mir, daß ich sie länger nicht ertragen könne. Ich erfuhr weder etwas über meinen Mann noch über unsere Kinder.

Erst nach einigen Wochen Einzelhaft wurde ich verhört. Die Verhöre begannen abends und wurden am nächsten Morgen sehr früh fortgesetzt. Noch jetzt erscheint es mir als ein Wunder, daß ich einem Verhör, das von fünf Kommissaren geführt wurde und einen ganzen Tag dauerte, standgehalten habe. Einer der Kommissare schüttelte mich bei seinen Worten: »Sie regen sich ja gar nicht auf.« Nun fing die Gestapo an, mit anderen Mitteln auf mich einzuwirken. Der Kommissar schrie mich an, dann zeigte er eine triumphierende Miene: »Ihre Tochter hat uns schon gestanden, daß sie alles wusste; sie hatte doch die geheimen Befehle Ihres Mannes für ihn getippt.« Ich erwiderte dieser Bestie: »Ich weiß, daß Sie ein Opfer haben wollen, schlagen Sie mich in Stücke, aber verschonen Sie mein unschuldiges Kind.«

Vom Schicksal meines Mannes erfuhr ich noch immer nichts. Eines Tages wurden mehrere verhaftete Damen für das politische Verbrecheralbum photographiert. Ich sah da die Gräfin York [sic], die neben mir stand; sie war erst viel später eingeliefert worden. Ich konnte nur wenige Worte mit ihr sprechen und fragte sie: »Was ist mit unseren Männern?«, und sie erwiderte: »Sie sind zusammen hingerichtet worden.« Da die Gräfin mir nichts sagen durfte, mußte ich all meine Kräfte zusammennehmen, um mir nichts anmerken zu lassen.

Eine innere Beruhigung war es für mich, daß ich ganz kurz vor dem 20. Juli mit einem befreundeten Pfarrer über das beabsichtigte Attentat habe sprechen können. Ich fragte ihn: »Habe ich die Wahrheit zu sagen, wenn ich bei einem etwaigen Mißlingen des Anschlags in die Hände der Gestapo falle?«, und er sagte zu mir: »Diesen Verbrechern gegenüber brauchen Sie nicht die Wahrheit zu sagen.«

Unser Jüngster, mein siebenjähriger Sohn Friedrich-Wilhelm, wurde um elf Uhr nachts von zwei Gestapoleuten aus dem Bett gerissen und fortgebracht. Wie wir später erfuhren, wurde er mit anderen Kindern der wegen des Anschlags vom 20. Juli Verhafteten nach Bad Sachsa (Harz) in ein Kinder-KZ gebracht. (...)

Eines Tages betrat ein Pfarrer meine Zelle; es bedeutete auch für ihn eine große Gefahr. Pfarrer Poelchau brachte mir die letzten Grüße meines Mannes; dann sagte er, ich müsse nun auch bald vor Gott stehen, und gab mir einen Spruch für diesen letzten Gang. Gott aber hat es anders gewollt; ganz unerwartet waren wir eines Tags frei. Am Vormittag dieses Tages wurde die Zellentür geöffnet, und die einzige nette Beamtin, Frau H., flüsterte mir zu: »Heute werden Sie eine große Freude haben.« Ich verstand sie nicht und dachte darüber nach, was sie wohl meine, vielleicht würde mir etwas Wärmeres zum Anziehen gebracht? Ich war doch im Sommerkleid verhaftet worden und fror nun sehr, war es doch inzwischen Oktober[5][sic] geworden. Als Lager diente eine Holz-

---

[5] Laut Maria-Gisela Boehringer war es schon im September so kalt geworden.

28

pritsche, die am Tage hochgeklappt und angekettet wurde, und eine dünne Decke. Der Holztisch und eine Bank ohne Lehne waren am Fußboden befestigt. Da wir kein Fensterglas mehr hatten, gab es nirgendwo eine wärmere Ecke. Nach einiger Zeit kam Frau H. wieder und rief mir zu: »Kommen Sie mit, Sie dürfen nun die Zelle mit Ihrer Tochter teilen.« Ich wußte wirklich nicht, wie mir da zumute war, ich sollte meine Tochter Maria wiedersehen! Die Freude überwältigte mich fast. Wir eilten nun die Treppen hinab und hinauf zur Zelle 44[6][sic]. Die Tür wurde aufgerissen, und meine Maria stand vor mir; sprachlos sah sie mich an, es war fast zu viel für uns beide. Meine so sehr geliebte Maria, nun stand sie wirklich vor mir. Da trat eine andere Beamtin ein und sagte nur, sich an uns beide wendend: »Sie sind frei«! –

Als wir auf den Flur hinaustraten, standen auch mehrere andere Damen, die zu den Verhafteten des 20. Juli gehörten, da. Uns wurden jetzt die Ringe und all das, was uns bei der Einlieferung abgenommen worden war, wieder ausgehändigt. Danach wurden wir mit einem Kraftwagen zu einer SS-Dienststelle in die Meineckestraße in Berlin-Wilmersdorf gefahren. Hier wurden wir in einen Raum gewiesen, in dem wir warten sollten. Da fragte ein Gestapomann eine der schon anwesenden Damen: »Wie finden Sie diesen Raum?« Die Gefragte begriff nicht recht, was mit dieser Frage beabsichtigt sei, und meinte nur: »Nun, wie soll ich mich schon hier fühlen?«, worauf der Mann weiter fragte: »Heimelt Sie dieser Raum nicht sehr an?«. Da sie auch diese Frage nicht verstand, setzte der Kommissar zynisch hinzu: »Hier hat doch Ihr Mann vor seiner Hinrichtung gesessen!« –

Ich wurde dann in ein sehr elegantes Zimmer geführt; trotz der ständigen Fliegerangriffe lagen überall echte Teppiche, und sehr bequeme Sessel standen an den Tischen. Ein Sturmbannführer wandte sich mit folgenden Worten an mich: »Der Reichsführer SS läßt Ihren jüngsten Sohn, der nun anders heißt, also nicht mehr den Namen seines Vaters führt, auf seinem Gute erziehen.«

---

[6] 41 (Angabe Maria-Gisela Boehringer).

War das noch menschlich? Nur mit aller Kraft konnte ich mich aufrechterhalten [sic] und fragte, wo er sich denn befinde; seelenruhig antwortete er: »Das darf ich Ihnen nicht sagen.« Warum bin ich denn nicht hingerichtet worden, daß ich auch noch diese Seelenqual erdulden muß?, so fragte ich mich. Der Sturmbannführer fuhr fort: »Sie wissen, daß Sie nichts mehr besitzen, auf Grund des Urteils des Volksgerichtshofs ist Ihr Vermögen und alle anderen Werte zu Gunsten des Staates eingezogen worden. Ihre bisherige Wohnung dürfen Sie nicht mehr betreten; sollten Sie in Berlin bleiben, dann haben Sie sich jeden Tag bei der Polizei zu melden.« Nachdem meiner Tochter Maria dasselbe eröffnet worden war, durften wir die Meineckestraße verlassen. Auf der Straße überlegten wir, wohin wir nun gehen könnten, und wir entschlossen uns, Schleichers um Rat zu fragen. Frau Schleicher, geb. Bonhoeffer, war eine Nichte meines Mannes. Ein furchtbares Gefühl war es für mich, anderen Menschen zur Last zu fallen und ihnen vielleicht noch Schwierigkeiten zu bereiten. Zögernd klingelten wir an der Haustür. Und nun geschah etwas, was mir immer unvergeßlich bleiben wird: Schleichers empfingen uns mit nicht zu beschreibender Herzlichkeit. Als ich Rüdiger Schleicher gegenüber betonen wollte, wie schwer es mir ist, zu ihnen zu kommen, wissen wir doch wirklich nicht, wohin wir uns wenden sollten, erwiderte er in seiner vornehmen Weise: »Es ist uns eine Ehre, daß Ihr kommt, ich hatte mich nach Euch erkundigt, aber es wurde mir gesagt, daß Ihr hingerichtet seid.« Kaum saßen wir, da läutete der Fernsprecher, und die Gestapo fragte, ob wir dort seien. Ich wollte fort, aber meine Tochter meinte, wir werden ja doch überall gefunden. Am nächsten Tage, als wir am Frühstückstisch saßen, wurde sehr stark an der Haustür geklingelt, und herein stürzten Gestapoleute mit vorgehaltenen Revolvern. Durch unsere Freilassung wollte man also nur erfahren, wer uns aufnimmt, also zu uns gehört. Der Schwager des Hausherrn, der gekommen war, uns zu begrüßen, wurde verhaftet und später auch Professor Schleicher. Daß wir somit Ursache des Todes dieser ritterlichen Herren waren, die uns so hilfsbereit zur Seite standen, werde ich bis zu meinem Tode nicht überwinden können. Welche Seelengröße beweist unsere Nichte mir gegenüber, die für meine Selbstvorwürfe immer nur tröstende Worte findet.

Inzwischen hatten wir erfahren, daß Himmlers, die in ihrem Berliner Hause ausgebombt wurden, unsere eigene, von uns völlig mit Möbeln usw. ausgestattete Wohnung in Berlin, Unter den Linden 1, bezogen hatten. Für die Abgestumpftheit dieses gefühllosen Ehepaares spricht doch die Tatsache, daß es sogar unser Schlafzimmer selbst bewohnte.

Nun wurde auch unser ältester Sohn Alexander aus der Haft entlassen, und es gelang ihm, in das Panzergrenadierregiment nach Schwedt a.d. Oder zu kommen. Wie sehr hatte ich mich auch um ihn gesorgt, hatten doch die Gestapoleute während der Autofahrten geprahlt, wen sie alles »im Gestapogefängnis erschossen« hätten und »daß sie alle drankommen«. Es schien ihnen Freude zu machen, hervorzuheben, daß sich Alexander noch in diesem Gefängnis befindet. Diese Teufel hatten die Absicht, mich für die Verhöre zu zermürben. An dieser Stelle ist es mir eine Ehrenpflicht, den Namen des Heerespsychologen, Herrn Dr. Simoneit, zu erwähnen, der sich selber anbot, Alexanders Vormund zu werden, und das, um ihn zu retten, obgleich er damit sein eigenes Leben aufs Spiel setzte. Von meinen vier Kindern wurde nur meine älteste Tochter Ina, verehelichte Medem, nicht verhaftet; sie wurde zwar stundenlang verhört, und an seelischen Qualen blieb auch ihr nichts erspart. Man bedenke, daß meine Tochter einen wenige Monate alten Sohn hatte und ihr Mann sich mit seiner Truppe im schwersten Osteinsatz gegen die Bolschewisten befand. So war meine Tochter in diesen schweren Monaten völlig allein; sie selbst meinte später einmal: »Ihr wart alle wie von einem Vulkan verschluckt und ich stand ganz allein.« Die sehr große Freude, am 2. April 1944 einen Medem'schen Enkel durch Gottes Güte zu erleben, wurde meinem Manne noch einige Monate vor seinem Tode zuteil. Nach vielen Jahren hatte meine Tochter das große Glück, ihren auch von mir sehr geschätzten Mann aus schwerster Kriegsgefangenschaft zurückzuerhalten. So darf auch ich aus vollem Herzen dem Schicksal für meine beiden Enkel Gerrit und Albert von Medem dankbar sein.

Lange, schwere Wochen folgten zwar für uns, und dennoch wußte ich Gott nicht genug zu danken, daß er mir meinen sehr geliebten jüngsten Sohn Friedrich-Wilhelm wiedergab. Wie gleichgültig war es mir da, daß uns alles genommen war. Meine älteste Tochter hatte auf eine Papiertüte die mir unvergeßlichen Worte geschrieben: »Die Habe meiner Mutter«. In einem meiner Tochter und mir überlassenen Zimmer eines Fremdarbeiters versteckt, hatten wir, nachdem wir zwischendurch in einem Pfarrhause aufgenommen wurden, den Einzug der Amerikaner erlebt, die zu unseren Befreiern wurden.

Wenn ich meine Erinnerungen hiermit beschließe, möchte ich es mit den Worten tun, die meine Freundin Ilse Braune in mein Gästebuch schrieb: »Schließlich sind es doch die Beziehungen der Menschen untereinander, die dem Leben seinen Wert geben.« Die Richtigkeit dieser Worte lernt man erst in Zeiten der Not richtig verstehen. Vielen Menschen möchte ich hiermit innigst danken für all die Liebe und Herzensgüte, die sie mir nach dem 20. Juli 1944 bewiesen haben; und da liegt es mir am Herzen, besonders meine Freundin Ilse Braune und meine langjährige Hausgenossin, Fräulein Martha Burghausen, zu nennen.

Nun liegt ein langer Lebensweg hinter mir; Jahr um Jahr verging. Wie viel Leid und Not ich auch erlebt habe, die eine Gewissheit bleibt in mir, daß wir die Kraft haben, das Leben zu bestehen, nur durch unseren christlichen Glauben, denn

Ein Mensch ist in seinem Leben wie Gras,
er blühet wie eine Blume auf dem Felde,
wenn der Wind darüber gehet,
so ist sie nimmer da,
und ihre Stätte kennet sie nicht mehr.
(103. Psalm, V. 15/16)

Baronin Ina von Medem – die ältere Tochter

Ina von Medem, Jahrgang 1922, die älteste Tochter Paul von Hases, die seit dem 21. März 1942 mit Viktor Baron von Medem verheiratet war und bemerkenswerterweise nicht in Untersuchungs- und Sippenhaft genommen wurde, schrieb folgenden verzweifelten Brief an ihre Schwiegermutter.

Berlin, den 8. August 44
Nachts

Liebe Mutter!
Ich bin an der Grenze des Erträglichen. Papi ist in wenigen Stunden nicht mehr. Aber keine Kugel, kein Grab. Er darf, um die Strafe zu erhöhen, nicht schreiben und bekommt auch <u>nichts</u>. Morgen will ich mit allen Mitteln versuchen vorgelassen zu werden, glaube es aber nicht. Erttel[7] ist für mich nicht zu sprechen, niemand ...
Was wird aus Mutti, Maria und Alexander? Sie sind seit 8 Tagen fort, und zwar getrennt voneinander. Wir wissen nicht wo und bekommen keine Auskunft, als dass ich auch bei ihnen auf das Ernsteste gefasst sein muss.
Nebensächlich ist, dass Wohnung usw., alles verloren ist. Was aus den Möbeln und etwas Geld wird, entscheidet die Justiz.
Martha, Hildegard müssen wohl fort und weitere.
Eine Familie ist ausgelöscht.

Deine <u>Ina</u>

---

7 Oberstleutnant Dr. Holm Erttel, Adjutant Paul v. Hases.

Maria-Gisela Boehringer – die jüngere Tochter

Maria-Gisela Boehringer, die jüngere Tochter Paul von Hases, war zur Zeit des Attentats gerade einmal 20 Jahre alt und hatte mit dem Studium der Wirtschaftswissenschaften an der Friedrich-Wilhelms-Universität in Berlin begonnen. Heute lebt sie mit ihrer Familie in den Vereinigten Staaten von Amerika. Telefonisch teilte sie für diese Veröffentlichung ihre Erinnerungen mit und stellte ihr Tagebuch zur Verfügung, das hier auszugsweise wiedergegeben wird.

Maria berichtet: »Meine Mutter, Margarethe von Hase, geb. Baronesse von Funck, eine Deutschbaltin, lebte mit ihrer Familie bis zum Ersten Weltkrieg in Riga und floh in der Silvesternacht 1917/18 vor den Wirren der Russischen Revolution nach Deutschland.«

Maria beschreibt ihre deutsch-baltische Mutter als sehr antikommunistisch und dazu sehr »antinazi« *eingestellt. Sie habe nicht einmal* »eine rote Schleife im Haar der Kinder geduldet«. *Maria erinnert sich, dass die Mutter den Kindern in ihrer bildhaften Ausdrucksweise zu sagen pflegte, dass Kommunismus und Nazismus sich durchaus ähnelten, im Grunde zwei Seiten der gleichen Medaille seien.*

Marias Erinnerungen an ihre Kindheit und Jugend und vor allem an den geliebten Vater sind eher dunkel und fragmentarisch, wobei hier durchaus eine Art von Verdrängung stattgefunden haben mag, um durch das Vergessen mit dem Erlittenen besser fertigzuwerden.

Der Vater war, so berichtet sie, dienstlich sehr beansprucht, zunächst als Divisionskommandeur an der Front, dann aber auch in Berlin, sodass wenig Zeit für die vier Kinder blieb.

Was wusste die Familie von den Attentatsplänen? Es könnte sein, Mutti habe etwas gewusst, aber keinesfalls sie oder ihre Geschwister. Denn bei irgendeiner Mitwisserschaft der Familie wäre die Gefahr für alle einfach viel zu groß gewesen.

Maria erinnert sich aber an einen Spaziergang und an ein seltsames Gespräch mit ihrem Vater, in dem es um die Zukunft der Familie ging. Da habe ihr Vater plötzlich gesagt, während sich die Gesprächsstimmung sehr verdüsterte: »›Du wirst sehen, ich erlebe es nicht.‹ *Nun schritten wir energischer voran und ich hatte das Gefühl, dass ihn ir-*

gendetwas sehr bewegte. Ich hätte den Vater gerne danach gefragt, aber
dann tat ich es doch nicht und er sagte auch nichts weiter.«
  Wie erinnert Maria sich an den 20. Juli 1944? »*Wir saßen in unserer*
Wohnung, die sich an die Diensträume unseres Vaters anschloss. Ge-
gen 11.00 Uhr abends erschien der Ia[8] unseres Vaters, Major W. von
Massenbach-Salleschen: ›Eine Besprechung bei Goebbels, Herr Gene-
ral. Wenn Sie es wünschen, dann begleite ich Sie.‹ Das war das letzte
Mal, dass wir unseren Vater gesehen haben.«
  Hier beginnen die Tagebuchaufzeichnungen.

Schicksalswende!!
Ich schlief und träumte,
das Leben wär Freude:[9] __

20.7.1944
Gegen 7 Uhr Bekanntgabe durch den Rundfunk. Gegen 5 Uhr
Kdt. [Kommandantur] Umstellt durch »Grossdtld«[10].
Alarmstufe II. Bajonette gegen uns. Papi fährt zum General-
kommando. Gegen 11 Uhr abends in meinem Zimmer. Essen wird
durch Massenbachs Nachricht gestört: Bei Goebbels eine Lagebesprechung, Herr General! Wollen Herr General hinfahren? Ich
fahre dann mit. Ohne Lebewohl zu sagen, ein Abschied für immer. Wer hätte es gedacht?
Nächste 3 Tage nichts mehr zu hören nach der Verhaftung
durch SS. Dann ein hoffnungsfreudiger Brief: Ende der Woche
komme ich, dann feiern wir meinen Geburtstag nach. Wie langsam und doch schnell vergehen die Tage. Jeder Tritt und Schritt
könnte es sein – doch immer wieder die Enttäuschung. Wie hart
ist so ein Warten. Ende der Woche wieder ein Brief. An höchster

---

[8] Der Ia oder 1. Generalstabsoffizier war vom Divisionsstab aufwärts verantwortlich
für Führung, Organisation und Ausbildung. In der Division war er zugleich der Chef
des Stabes (Dienstgrad Major i.G. / Oberstleutnant i.G.).
[9] Zitat von Rabindranath Thakur, bengalischer Dichter und Philosoph.
[10] »Großdeutschland« hieß das von Major Remer befehligte Wachbataillon.

Stelle wird entschieden: »Mit Stumpf und Stiel auszurotten!« Wer denkt an diese grausigen Worte?!
Allmählich lernt man nun seine Mitmenschen kennen.

1. August 1944
Gegen 6 Uhr zwei Gestapobeamte. Mutti soll zum Verhör mitgehen.
Zwei Stunden später. Gedankenverloren sitze ich auf meinem Sofa. Ein rosa letzter Sonnenschimmer breitet sich über den Abendhimmel. Alles ist ruhig und still. Da – es klingelt. Ich öffne: Wir sind wiedergekommen, rufen Sie bitte Ihren Bruder. Ein letzter Gang bis zu dessen Schlafzimmer: Alexander, zwei Herren von der Gestapo! –
Sachen für 1–8 Tage gepackt und ein letztes Lebewohl von der Heimat, Hildegard[11] und Bohnes[12] und dann geht es mit dem Auto einem ungewissen Ziel entgegen.
Altmoabit, Frauenuntersuchungsgefängnis!!
Dunkle Gänge, kurzer Abschied von Alexander, dann einer Frau übergeben. Durch endlose Gebäude geführt, alles gut verschlossen. Kurze Personalienaufnahme und dann:
Zelle 41 Station II.
Nächster Morgen beginnt um 6 Uhr. Ein Bad unterbricht den Vormittag. Kurz vor 12 Uhr eine Schüssel Suppe. Gegen 8 Uhr Brot und dünne Grießsuppe. So der Tagesablauf unterbrochen durch eine halbe Stunde Freizeit von $1/2$9 – 9 Uhr am Vormittag. Ein ewiger Rundgang hintereinander im Hof.
»Die ersten Tage sind die Schlimmsten«, doch dieses finde ich nicht, man erfasst den Ernst auch nicht und glaubt an eine baldige »Befreiung« und eine Fahrt mit dem »Kaffeebraunen« zur neuen Heimat. Das Wiedersehen mit Papi lässt alles andere verblassen.
9. August: »Ich weiß nicht, was soll es bedeuten, daß ich so

---

[11] Köchin der Familie.
[12] Bursche von General Paul von Hase.

36

traurig bin«.[13] Ewig gehen mir diese Worte durch den Kopf. Eine unerklärliche Traurigkeit befällt mich.

Doch eintönig vergehen die Stunden und Tage. Tagsüber Strümpfe stopfen für Soldaten und Waisenhäuser und nach der Abendsuppe wird noch schnell gelesen. Doch was? Jeden Mittwoch erhält man ja nur 2 Bücher, eins um die dtsche [sic] Gesinnung zu heben und das andere ein Roman. Als ich um ein drittes bat, wurde es abgeschlagen, da die guten Bücher jetzt zu sehr in Umlauf wären. Mit dem 20.7. hatte die Bibliothek von Moabit nicht gerechnet. So sah ich mich nach etwas anderem um. Da am Abend die Aufsicht nicht so streng war, sah ich mir die Wände etwas genauer an, indem ich auf meinen Stuhl kletterte und nun die Initialen meiner Vorgängerinnen las. Vor mir waren 3 Französinnen in meiner Zelle, übereinander mussten die Armen wohl geschlafen haben. Ihre Matratzen lagen noch in der linken Ecke.

»Nur mit Entsetzten wach ich morgens auf«[14]... steht es an der Türschwelle. Wer ist wohl so Faust-bewandert gewesen?

Ich möchte bittere Tränen weinen, den Tag zu sehen, der mir in seinem Lauf nicht einen Wunsch erfüllen wird, nicht Einen ...[15]

Doch dieses ist wohl auch zu viel verlangt, jede Sekunde denke ich ja auch nur an Papi und wann oder wie werde ich ihn je sehen?

Nur der gewinnt eine Schlacht, der fest entschlossen ist, sie zu gewinnen.[16]

Eine Woche später.

Wieder einmal ist Badetag. Ich gehe, von der Wärterin gefolgt, in den Keller, wo auch schon andere Frauen warten. Die linke Kellerseite ist die Strafabteilung. Ein ewiges Dunkel, nie Licht zu sehen.

Doch wir biegen rechts ab. Die vorderste Wanne ist die schönste, und so strebe ich gleich dahin, da dort aber meistens die Beam-

---

[13] Anfang des Gedichts »Lorelei« von Heinrich Heine aus dem Zyklus »Die Heimkehr« 1823.
[14] Nach Johann Wolfgang von Goethe, »Faust«.
[15] Ebd.
[16] Nach Leo Tolstoi, »Krieg und Frieden«.

tin steht, so ist der Andrang dahin nicht stark. Mit den Blicken begrüße ich Frau Schumann, eine Gefangene, die schwarzgeschlachtet hat und nun 2 Jahre erhalten hat, später ist sie nach Leipzig gekommen.

Ich ziehe mich aus, da kommt sie herein, macht sich am Wasser zu schaffen und flüstert:»Mädel, wein nicht, dein Vater ist tot!«, und dabei schluckt sie selber still vor sich hin. Schon ertönt aber auch der Ruf:»Nicht sprechen, wenn ihr sprecht, müsst ihr sofort heraufgehen.«

Mir war alles egal, wie betäubt ging ich herauf. Nie werde ich wohl diesen Sonnabendvormittag vergessen. Kaum bin ich oben, so muß ich zur Verwaltung gehen. Man will die Anschriften und genaueren Daten unserer Verwandten wissen. Doch mir dreht sich noch alles, ich kann kaum richtig antworten, geschweige die richtigen Geb.Daten angeben, sie mir auszurechnen bin ich auch nicht in der Lage. Es ist ja auch alles so belanglos geworden.

Sonntagmorgen ist Gottesdienst, doch wir»Politischen« dürfen nicht hingehen. So sitze ich still auf meinem Stuhl, sehe durch die Gitterfenster zum Akazienbaum und weiter zu dem gelben dicken Turm mit der Alarmsirene.

Eigentümlich wirkt die beinah monotone Stimme des Predigers und der Gesang dieser Gemeinde auf mich. Tod und Leben wieder einmal eng nebeneinander. Was mag uns allen nun noch bevorstehen? Mutti in Station I, Zelle V. Alexander in der Lehrter Str., und was aus den anderen geworden ist, wissen wir nicht. An das »Gebet um Kraft« von Walter Flex muss ich immer unwillkürlich denken. »Nicht wo Du hast gestanden, fragt man in jener Welt; doch wie Du hast gestanden, wohin Du warst gestellt!« Werde ich je in die Freiheit wiederkommen, oder steckt man mich in ein Konzentrationslager? Den Wert der Freiheit versteht man wohl erst jetzt, wo man nicht mehr dort hingehen kann, wohin man möchte.

Die Gedanken kreisen viel um den Tod und das »Nachher«. Was sagen wohl andere Menschen darüber, man möchte viel lesen, doch jetzt hat man nichts, vorher hatte man nie Zeit für solche Sachen, aber jetzt, wo man jeden Augenblick doch auf alles gefasst sein muss?

Ob er's denn wisse, was dann drüben käme, voll Neugier fragte einer so den Tod. Der schwieg verlegen, wurde dann sehr rot, als ob er seiner Unkenntnis sich schäme, und sagte: Nein! Was wisse denn das Schrot im Herz des Hasen, wenn's im Sprung ihn lähme, das holde Licht aus seinen Augen nähme? Er selber esse nur armselig Brot des Angestellten, sei ein Jägerknecht ...[7]

Der Tod nur ein Jägerknecht, meint ein Dichter, ob er recht behält? Einmal wird sich die Frage lösen, doch was mag bis dahin alles noch geschehen?

Und diese Gedanken bleiben weiterhin unerforschliche Rätsel.

Stifter spricht von der Lücke, die der Tod reißt: Wenn uns ein Gegenstand der Liebe aus dem Leben entrückt ist, so empfindet das Herz oft eine unermessliche Vereinsamung. Trostgründe sind da unrecht angebracht, sie füllen die Leere nicht aus, aber Liebe, die uns entgegenkommt, verhüllt doch wenigstens den Abgrund. _[18]

Liebe durch die Wärterinnen?

Doch die Lücke muß getragen werden, und der Schmerz muß als eine weise Anordnung Gottes hingenommen werden. Denn es gibt nichts Läuterndes für das menschliche Herz als ihn. Der Schmerz ist ein heiliger Engel und durch ihn sind Menschen größer geworden als durch alle Freuden der Welt.

Und was heilt nun die Schmerzen?

Die Zeit etwa?

Melodien heilen unsre Schmerzen
und das Glück,
Das verlorene, bringen sie zurück;
Balsam sind sie unsern kranken Herzen.

---

[7] Georg Bitting, »Der Jägerknecht«.
[18] Nach Adalbert Stifter.

Von der Erde, wo wir rastlos fronen
Sklaven gleich,
tragen sie uns in ein Strahlenreich
wie auf Flügeln seliger Dämonen.
Rauschet, rauschet fort, ihr Zauberlieder!
Weltenfern,
Sinkt die Erde, unser blutger Stern
Und die Liebe selber perlt hernieder.

Dies die Meinung Ricarda Huchs.

Maria beschreibt ihre Gefühle nach dem 20. Juli als eine Art tiefer Hilflosigkeit. »*Die Kommandantur war zunächst durch Soldaten mit Maschinengewehren, die auf die Straße gerichtet waren, besetzt, dann wurden sie umgedreht. Bald stand auch eine Wache, mit einem Gewehr bewaffnet, vor unserer Wohnungstür. Zunächst durften wir unsere Privaträume nicht verlassen. Aber dann wurde diese Maßnahme wieder aufgehoben.*« *In dieser Situation habe die treue Köchin Hildegard einige von Marias Schmuckstücken an sich genommen, um diese ihr später wieder zukommen zu lassen, wurde doch der gesamte Besitz der Familie zunächst einmal beschlagnahmt.*

In der Untersuchungshaft, so berichtet Maria, habe sie überhaupt keinen Außenkontakt gehabt und habe fast zwei Monate mit niemandem ihrer Schicksalsgenossinnen sprechen können. Denn die politischen Gefangenen wurden in Einzelzellen verwahrt. In Marias Nachbarzelle saß die Frau von General Friedrich Olbricht und in ihrer Nähe befand sich auch die Schwester von Regierungsrat Dr. Hans Bernd Gisevius. Wer sonst noch in ihrem Zellentrakt war, hat sie nie in Erfahrung bringen können.

Sehr belastend war es natürlich für die Häftlinge, dass sie während der zahlreichen Luftangriffe in ihren verschlossenen Zellen bleiben mussten. Nur einmal erhielt Maria Besuch vom Gefängnispfarrer Harald Poelchau, von dem bei dieser Gelegenheit geführten Gespräch ist ihr aber nichts mehr in Erinnerung geblieben. Während ihrer gesamten Haft wurde Maria nur einmal von einem Gestapobeamten verhört.

Vermutlich erwartete man von ihr keine für die Aufklärung dienlichen Aussagen.

Wie bereits aus den Tagebucheintragungen deutlich wird, hatte Maria während der Haft keine Möglichkeit, seelisch mit der furchtbaren Nachricht vom Tode ihres Vaters fertigzuwerden, die ihr unter der Hand zugetragen wurde. »*Ich war auf diese furchtbare Nachricht einfach nicht vorbereitet*«, *so erinnert sie sich heute.* »*Ich weinte nicht einmal. Es war einfach zu viel für mich. Und natürlich durfte ich keine Reaktion auf die mir zugetragene Nachricht zeigen. Wäre es doch sonst für meine Informantin und für mich höchst gefährlich gewesen.*« *Außer der Nachricht, die ihr im Vorbeigehen zugeflüstert wurde, hatte sie noch eine andere Informationsquelle.* »*Wir erhielten nämlich*«, *so erinnert sie sich,* »*anstelle von Toilettenpapier größere Zeitungsstücke. Und in einem hier abgedruckten Artikel stand zu lesen, wer alles von den Verschwörern bereits am 8. August 1944 hingerichtet worden sei. Offenbar hatte irgendjemand*«, *so berichtet Maria,* »*gerade diesen Artikel für mich ausgeschnitten und mir zukommen lassen.*«

»*Glücklicherweise wurden meine Mutter und ich am gleichen Tag, es war der 30. September 44, wieder aus dem Gefängnis entlassen.*

Da wir nicht wussten, wohin wir uns wenden sollten, dazu sämtlicher Mittel beraubt waren und der Familienbund uns ausgestoßen hatte, ging Mutti mit mir zu Schleichers. Klaus Bonhoeffer, Dietrichs Bruder, kam heraus und ging mit Mutti im Garten spazieren, um sicher zu sein, dass er nicht belauscht würde; ich selber war auch nicht dabei.

Anschließend fuhren wir zu Tante Hanna nach Dedeleben zu ihrem Rittergut. Mein jüngster Bruder, Friewi, war in Bad Sachsa gewesen. Ich selber war nicht da, als er am 6. Oktober 44 ebenfalls nach Dedeleben zurückkehrte.

Bis die Amerikaner kamen, blieben wir in Dedeleben bei der Tante. Dort wurde unsere Mutter auch einige Male von amerikanischen Offizieren interviewt. Sie hatten von unserem Schicksal gehört und waren folglich sehr freundlich, was hier dankbar erwähnt sei.

Nach einiger Zeit sagte einer der amerikanischen Offiziere zu mir, dass die Russen bald Dedeleben besetzen würden, was auch tatsächlich am 1. Juli 1945 geschah. Auf Grund der Nachricht, dass auch dieser Teil Deutschlands bald zur SBZ, d.h. zur Sowjetischen Besatzungszone, gehören würde, riet meine Mutter ihren Freundinnen: ›Bringt euer Hab und Gut in Sicherheit‹, d.h. in die künftige Westzone. Sie folgten diesem Rat nicht und wurden so noch 1945, nachdem die kommunistische Herrschaft einmal etabliert war, zwangsenteignet.

Rasch entschlossen bereitete unsere Mutter dagegen unsere Flucht weiter nach Westen vor, und zwar nach Bad Driburg, wo wir von Graf und Gräfin Oeynhausen, den Besitzern des Thermalbades und Freunden der Eltern, herzlich aufgenommen wurden. So waren wir zunächst einmal in Sicherheit.

Allmählich gewöhnten wir uns auch an die neue Umgebung. Ich nahm in Heidelberg meine Universitätsstudien wieder auf, aber diesmal waren es nicht die Wirtschaftswissenschaften, sondern Fremdsprachen, die ich nun am Dolmetscherinstitut belegte.«

Maria erinnert sich noch heute mit großer Dankbarkeit an Dr. Howarth Hong, Senior Field Representative der Lutheran World Federation und Professor am Saint Olaf College in Northfield in Minnesota. Dr. Hong vermittelte ihr bereits 1948 ein Stipendium in die USA. »Dort wurde ich mit unvergleichbarer Herzlichkeit und großer Gastfreundschaft aufgenommen und musste immer wieder von meinen Erlebnissen berichten, Rundfunk- und Zeitungsinterviews geben. Am 28. Dezember 1951 heiratete ich einen amerikanischen Theologen deutscher Herkunft in New York und so wurde mir das Land zur neuen Heimat.«

Alexander von Hase – der ältere Sohn

Alexander von Hase war am 20. Juli 1944 gerade einmal 19 Jahre alt und studierte an der Friedrich-Wilhelms-Universität in Berlin Geschichte. Die hier berichteten Ereignisse wurden auf die wiederholten Bitten des Herausgebers schließlich von ihm zu Papier gebracht und im Februar 1999 abgeschlossen. Dieser Zeitzeugenbericht ist folglich in großem zeitlichen Abstand zu den vom Autor erlebten Ereignissen entstanden. Aber Alexander von Hase, ein gelernter Historiker, besaß ein

ganz außerordentliches Gedächtnis für Personen und Gegebenheiten.
Und verständlicherweise hatten sich die hier mitgeteilten dramatischen
Ereignisse tief und bleibend in seine junge, höchst empfindsame Seele
eingeprägt und immer wieder aufbrechende, schmerzende Spuren für
den Rest seines Lebens hinterlassen. Der Bericht zeichnet sich durch
eine erstaunlich distanzierte Betrachtung des Erlebten aus. Vielleicht
war es sogar für ihn heilsam, dass er kurz vor seinem Lebensende diese
so schmerzlichen Ereignisse noch einmal rational durchdringen sowie
ordnen und niederschreiben musste.

(1)

Bekanntlich widersprachen sich am Nachmittag und am Abend
des 20. Juli die Nachrichten hinsichtlich der Frage, ob das Stauffenberg-Attentat gelungen sei oder nicht. Dieses veranlasst [sic]
meinen Vater, Generalleutnant Paul v. Hase, das Generalkom-
mando am Hohenzollernplatz aufzusuchen, um sich Gewissheit
über die Lage zu verschaffen. Als er von dort etwa gegen 22 Uhr
zurückkehrte, war die Kommandantur von Einheiten des Wachbataillons umstellt. Ohne Rücksicht darauf, dass die Verantwortlichen des Einschließungskommandos versuchten, ihm den Weg
zu verlegen, bahnte er sich zu seinem Dienstsitz Bahn [sic], in
dem sich auch seine Dienstwohnung befand. Etwa gegen 23 Uhr
bekam er die Anweisung, sich in das Propaganda-Ministerium zu
begeben, das zugleich Sitz des Reichsverteidigungskommissars
war. Als solcher wirkte Joseph Goebbels – es zeigte sich die Zuordnung aller Reichsbehörden auf die Partei – in seiner Eigenschaft
als Gauleiter von Berlin. Etwa im gleichen Augenblick, in dem er
die Anweisung erhielt, sich zu dem Amtssitz des Reichsverteidigungskommissars zu begeben, hörte er auch, dass die Spitzen des
Aufstands Beck, Olbricht und Hoepner zu »Meuterern« erklärt
worden seien und sich General Reinecke zum Angriff auf das
OKH anschickte. Damit stand außer Zweifel, dass der Aufstand
gegen Hitler zusammengebrochen sei. Bei seiner Fahrt zu Goebbels nahm sich mein Vater Major v. Massenbach mit, um ihm
Adjutantendienste zu leisten. Obwohl er sich hinsichtlich der von

43

ihm ergriffenen Maßnahmen, die auf die Auflösung des NS-Staates zielten, auf Befehl der Bendlerstraße, also des OKH, berufen konnte, war das ihm entgegengebrachte Misstrauen natürlich groß. So war er bei seiner Fahrt zu dem Goebbelsministerium von einem zweiten Wagen begleitet, in dem zwei Feldwebel des Wachbataillons mit entsicherten Maschinenpistolen saßen. Nachdem wir in den Nachtstunden Hitlers hass- und racheerfüllte Rede hörten, fürchteten wir, vorab meine Mutter, er könnte sofort erschossen worden sein. Ich stand damals kurz vor meiner Einberufung zum Militär.

Solange sich mein Vater in der Kommandantur befand, war diese durch Soldaten eines der ihm unterstellten Landesschützen-Bataillone abgesichert. Da die Landesschützen ihre Gewehre nach außen gerichtet hielten, zielten sie auf die Soldaten des Wachbataillons, die ihre Gewehre ihrerseits auf die Landesschützen gerichtet hatten. Es war eine Lage ziemlich ohne Vergleich. Die sich mit ihr verbindenden Gefahren wurden in der Nacht beseitigt, indem die Landesschützen den Befehl zum Abrücken erhielten. Kurz darauf rückten die Soldaten des Wachbataillons in die Kommandantur ein, die an allen wesentlichen Punkten von ihnen besetzt wurde. Doch betraten sie unsere Wohnung nicht. Im Verlauf der Nacht verfügte Oberstleutnant i.G. Schöne, der nicht zu den Mitwissern der 20.-Juli-Verschwörung zählte, die Verhaftung von Major Hayessen. Es handelte sich um einen jungen Generalstabsoffizier, der nach Durchgabe des Stichworts »Walküre« von General Olbricht der Kommandantur zugeordnet worden war. Zwei Unteroffiziere hielten jetzt die Gewehre auf ihn gerichtet. Meine Mutter bekam auf ihre Bitte hin die Erlaubnis, ihm etwas zu essen zu geben. In den Morgenstunden übernahm Oberst Manitius in seiner Eigenschaft als Kommandant von Spandau vertretungsweise die Geschäfte meines Vaters. Ihm folgte am 22. Juli General Hofmeister, der Jahre zuvor einmal als Ia zur Kommandantur Berlin gezählt hatte. Obschon er im Geruch stand, der Partei und besonders des SS nahezustehen, gab er sich höflich und korrekt.

Es war wohl General Hofmeister, der den Befehl erteilte, die Einschließung der Kommandantur aufzuheben, sodass man sich wieder schwierigkeitslos auf die Straße begeben konnte. Einer der Ersten, der uns besuchen kam, war Major von Massenbach, der uns erzählte, dass mein Vater als Gefangener aus dem Goebbelsministerium abtransportiert worden sei. Sein Wagen wäre von Panzern begleitet worden, wohl um einen möglichen Befreiungsversuch zu verhindern. An den folgenden Tagen kam auch General v. d. Lochau, der um die Mitte der Zwanzigerjahre, als der Verstorbene als Kompaniechef in Wünsdorf im I. R. 9 [sic][19] stand, sein Bataillonskommandeur gewesen war. Endlich kam auch am 26. oder 27. Juli der Generalrichter Dr. Rosencrantz.[20] Er versicherte meiner Mutter in meiner Gegenwart, dass unerachtet der Arretierung meines Vaters durch die Gestapo ein Prozess gegen ihn nur vor dem Reichskriegsgericht sattfinden könnte. Es sei wohl anzunehmen, dass der meinem Vater wohlbekannte Oberreichskriegsanwalt Dr. Kraell ihn nur mit größter Vorsicht zum Objekt einer Anklage machen würde. Als er dies erörterte, öffnete sich die Tür zu dem Wohnraum, in dem wir saßen, und herein traten zwei Beamte der Geheimen Staatspolizei. Sie hatten einen Haussuchungsbefehl, der nicht der erste in seiner Art war. Da sie die Personalien des hohen Militärjuristen erfragten, dürfte es für sie ein Leichtes gewesen sein, sich eine Vorstellung von dem zu machen, über das gesprochen wurde. Fraglos werden sie nicht gezögert haben, ihre Begegnung mit Dr. Rosencrantz bei meiner

---

[19] Das vornehme Infanterieregiment 9, auch mit leichter Ironie wegen seines hohen Anteils adeliger Offiziere »Graf 9« genannt, stand in der Tradition des Kaiserlichen Alexander-Garderegiments zu Fuß. Aus seinen Reihen stammten viele der am Widerstand beteiligten Offiziere, darunter Generalmajor Henning v. Tresckow, Oberleutnant der Reserve Fritz Dietlof Graf von der Schulenburg, aber auch Hitlers Wehrmachtadjutant Generalleutnant Rudolf Schmundt. Zum Infanterieregiment 9 siehe auch S. 180.
[20] Dr. Helmut Rosencrantz, Chefrichter des Berliner Wehrmachtkommandanturgerichts, ein NS-Gegner, »jemand der gemeinschaftlich mit General v. Hase in der Stille wirksam und erfolgreich gegen die Willkürjustiz kämpfte«, R. Kopp, Paul von Hase, S. 182; vgl. auch S. 46f. und 193f., Anm. 40 im vorliegenden Buch.

Mutter zur Meldung zu bringen. Es dürfte die maßgeblichen Persönlichkeiten in ihrem Vorhaben bestärkt haben, den Prozess gegen die militärischen Hauptverschwörer des 20. Juli dem Volksgerichtshof zu übertragen.

Von meinem Vater selbst erhielten wir am 23., 24. und 27. Juli je einen Brief, den uns ebenfalls Gestapobeamte übergaben. Sie deuteten an, dass die über ihn verhängte Ehrenhaft diskutable Züge trug. Zudem legten sie die Vermutung nahe, dass sich mein Vater in einem Villenvorort Berlins befand, wobei wir wohl richtig auf Wannsee tippten. Angesichts der sich stellenden Fragen suchte meine Mutter den bekannten Berliner Rechtsanwalt Graf Rüdiger v.d. Goltz auf. Goltz hatte sich 1938 als Verteidiger des Generalobersten Freiherrn v. Fritsch einen Namen gemacht. Zudem war er uns verwandt, da er durch seine Mutter Hannah v. Hase an unserer väterlichen Familie hing. Doch Goltz, dem bereits die Verteidigung Dohnanyis oblag, wollte sich nicht mit der noch heikleren Verteidigung meines Vaters belasten. So blieb es nur beruhigend, dass Prof. Rüdiger Schleicher, der mit Ursula Bonhoeffer verheiratet war, eine ähnliche Meinung wie Dr. Rosencrantz vertrat. Nämlich dass ein Prozess gegen meinen Vater wohl nur vor dem Reichsgericht stattfinden könne, zumal dieses im Rahmen der Wehrmacht für alle Fragen des Hoch- und Landesverrats zuständig war. Schleicher war Professor für Luftrecht und trug die Uniform eines Militärrichters im Oberstenrang.

Es war wohl so, dass die Mehrzahl der intellektuell ausgerichteten Elite mit dem Attentat sympathisierte. Dennoch bleibt es erstaunlich, dass mich der bekannte Bismarckforscher, Prof. Schüssler, nach einer wohl am 25. Juli stattgefundenen Vorlesung zu sich rief und von seinem Bedauern über das Misslingen des Attentats sprach (»Warum hat der Stauffenberg dem Hitler nicht zwei Bomben unter den Tisch gestellt?«). War doch in diesem Augenblick noch nichts offiziell über die Beteiligung meines Vaters an der Verschwörung bekannt geworden. Kommentierend sprach Schüssler von seinen Beziehungen zu dem Althistoriker Alexander Stauffenberg, der sein Kollege in Würzburg gewesen war, und mutmaßte zu Recht, dass es Beziehungen zwischen Walter Elze, dem Militärhistoriker der Friedrich-Wilhelms-Universität, und Klaus Stauffenberg geben müsse, da beide aus dem George-Kreis hervorgegangen seien. Elze war durch sein 1936 erschienenes Werk über Friedrich den Großen, das ihn vornehmlich als Feldherrn würdigte, damals sehr bekannt.

(2)

Am Nachmittag des 1. August kamen zwei Beamte der Gestapo, um meine Mutter zu arretieren. Man sagte ihr dabei, wie das wohl bei solchen Gelegenheiten üblich ist, dass ihre Verhaftung nur einige Stunden dauern würde und sie am Abend schon wieder zu Hause sei. Als sie um 20 Uhr noch nicht daheim war, beschlich meine Schwester Maria-Gisela und mich eine rechte Unruhe. Wir einigten uns darauf, dass wenn meine Mutter nicht in einer halben Stunde käme, ich Dr. Rosencrantz anrufen sollte, um seinen Rat und seine Hilfe zu erbitten. Noch bevor es so weit war, kamen die gleichen Beamten, die die schon erwähnte Verhaftung erwirkt hatten, wieder, um die Arretierung meiner Schwester und die meine vorzunehmen. Um möglichst wenig Aufsehen zu erregen, ordneten sie an, dass der Bursche meines Vaters, der sich nach wie vor bei uns befand, den Koffer meiner Schwester zum Auto tragen solle, damit der Kommandanturwache unsere Verhaftung möglichst entging. Wir fuhren zuerst zu dem Frauengefängnis Berlin-Moabit, wo wir Maria-Gisela absetzten. Danach fuhren wir in die nur für Männer bestimmte Gefängnisverwaltung Dienst tat. [sic][21] Er bezog mein Bett mit blau-weiß gestreiftem Leinen. Dabei erzählte er mir, dass Feldmarschall v. Witzleben, was mich nicht wenig erschreckte, in das Gefängnis der Prinz-Albrecht-Straße eingeliefert worden sei. Mit einer gewissen Bonhomie fügte er hinzu, dass nach vielleicht schwierigen Anfängen ich mich auf

---

[21] Gemeint ist, dass Alexander von Hase sich in Gestapobegleitung zur Verwaltung des Wehrmachtsuntersuchungsgefängnisses in der Lehrter Straße (Moabit) begab, wo seine Aufnahme erfolgte. Welcher Diensttuende hier gemeint ist, ist nicht klar. Es könnte sich um den Kalfaktor handeln, von dem wenig später die Rede ist.

die Dauer mit dem Gefängnissystem abfinden würde. Kaum hatte mich der Calfaktor verlassen, schaute ich mich des Näheren in meiner Zelle um. Dabei bemerkte ich nicht ohne Sorge, dass die sich hinter meinem Bettgestell erhebende Wand rot vor Wanzen war. Doch ergaben sich daraus keine besonderen Komplikationen, da Wanzen wohl nur dann zu attackieren beginnen, wenn man sie selbst zuvor angegriffen hat. Auf der gegenüberliegenden Wand erblickte ich mit Glassplittern vorgenommene Einschreibungen, die Rückschläge auf die Zeit ermöglichten, in der sich meine Vorgänger in der mir jetzt eigenen Zelle befanden. Der Raum selbst, der etwa 10 qm überdeckte, enthielt einen kleinen Tisch mit einem Schemel, auf dem ich, wie man mir schon am folgenden Tag beibrachte, tagsüber Platz zu nehmen hätte. Sei es doch den Häftlingen verboten, sich vor 22 Uhr auf ihr Bettgestell zu legen. Über dem Tisch war eine Lampe von großer Leuchtkraft angebracht, deren Schein während der Nacht auf den Kopf des Schlafenden fiel. Diesem selbst war es untersagt, die Hände unter die Bettdecke zu legen. Offenbar fürchtete man, er könne sich die Pulsadern mit den Fingern öffnen, was wohl auch schon in einzelnen Fällen geschehen war.

Wir hatten am Abend des 19. Juli, berührt von dem, was zu erwarten stand, ein Glas Sekt getrunken. Mit diesem sollte sich mein Vater von uns verabschieden, da er nicht an den Erfolg des anstehenden Staatsstreichs glaubte. Da ich davon überzeugt war, dass kein Mitglied unseres Hauses der Gestapo davon Kunde geben würde, glaubte ich nicht, dass es möglich sei, mir eine gewisse Mitwisserschaft hinsichtlich des Attentats nachzuweisen. So hoffte ich, schon am nächsten Tag in die Freiheit entlassen zu werden. Doch beruhte dieses auf einer totalen Illusion. Denn vermochte mir auch niemand in der Folgezeit eine Mitwisserschaft hinsichtlich des Attentats nachzuweisen, so zog sich doch die Untersuchung durch [sic] viele Wochen hin. Denn es verging fast ein ganzer Monat, bis es zu meiner ersten Vernehmung durch einen zivilen Gestapobeamten kam. Die davor liegende Wartezeit war äußerst belastend, da ich weder Lese- noch Schreiberlaubnis besaß und niemals spazieren geführt wurde, sodass die Einzelhaft den Charakter einer psychischen Folter annahm. Um mit dieser fertig-zuwerden, sagte ich mir, soweit mir bekannt, ganze Partien aus der klassischen und romantischen deutschen Literatur auf bzw. suchte dreistellige Zahlen miteinander zu multiplizieren. Doch vermochte ich mich damit immer nur kurzfristig abzulenken. So fiel ich schließlich mehr oder minder einer dumpfen Verzweiflung anheim. Dabei verstand ich den Petrus de Vinea, den in Un-gnade gefallenen Kanzler Kaiser Friedrichs II., dass er in seinem Kellerverlies gegen die Wand lief, um sich den Schädel zu zer-trümmern. Eine weitere Belastung drohte sich für mich nach ei-nem Fliegerangriff zu ergeben, bei dem das Fenster meiner Zelle Schaden genommen hatte. Denn um mich angeblich vor der Zug-luft zu bewahren, bot man mir an, dieses mit einem Holzverschlag zu versehen, der mich in weitgehendes Dunkel gehüllt hätte. Dass ich das heuchlerische Angebot ablehnte, versteht sich von selbst. Zu den wenigen Abwechslungen, die mir zuteilwurden, zählte das Fotografieren für das Verbrecheralbum, wo ich den höchst sym-pathischen Dr. H. K. Fritzsche kennenlernte, der später durch vie-le Jahre hindurch als persönlicher Referent von Bundestagsprä-sident Dr. Gerstenmaier wirkte. Dazu traten die Umzüge im Gefängnis selbst, wo ich dem vorerwähnten Major v. Massenbach, aber auch auf den Rittmeister v. Hösslin begegnete [sic]. Hösslin, der ein Regimentskamerad von Stauffenberg war, war einer der am besten wirkenden jungen Offiziere, die mir je begegnet sind. Seine Fronterfahrungen waren durch das Ritterkreuz und die Är-melstreifen des Afrikakorps nachgewiesen. Er wurde, bald nach-dem wir uns im Gefängnis in der Lehrter Straße gesehen hatten, hingerichtet.

Das Sichverhalten [sic] meiner Bewacher war sehr unterschied-licher Natur. Die uniformierten Mannschaften, die meist volks-deutschen Ursprungs waren, betrugen sich korrekt. Das Beneh-men der im Unteroffizier- bzw. Feldwebelrang stehenden SS-Führer war sehr verschieden. Manche legten hinsichtlich der Ge-fangenen ein gewisses Mitgefühl an den Tag, andere begegneten ihnen mit großer Brutalität. Ich weiß nicht, ob solche Generalisierungen zutreffend sind, aber ich hatte den Eindruck, dass sich der SD[22] menschlicher als die Gestapo verhielt. Es ist mir ein physischer Übergriff in Erinnerung geblieben. Dieser ergab sich dadurch, dass ein mir wohlgesonnener Scharführer, unerachtet des Lese- und Schreibverbots, zwei Bücher brachte, um mir besser die Zeit vertreiben zu können. Etwa drei Wochen danach wurden sie bei einer Zellkontrolle bei mir entdeckt. Der mit der Zellkontrolle beauftragte SS-Führer ließ mich an die Wand stellen und die Hände auf den Rücken legen. Dann versetzte er mir 13 oder 14 gezielte Faustschläge an empfindlicher Stelle. Die Zelle verlassend erklärte er mir, dass, wenn ich den Vorgang zur Meldung brächte, er mich bei seinem nächsten Wachrundgang erschießen würde. Da ich ein arg zerschlagenes Gesicht hatte, wurde ich von dem ihm folgenden Wachhabenden auf den Vorgang angesprochen. Da ich mich mehr oder minder in einem Zustand der Erpressung befand, erklärte ich, dass ich des Nachts aus dem Bett gefallen sei. Man glaubte es mir nicht, verzichtete aber darauf, den Vorgang weiter zu untersuchen. Ich wurde zu einem Arzt gebracht, der mir erlaubte, mich hinzulegen, und mir zu Kaltwasserumschlägen riet. Ich stand damals kurz vor meiner Entlassung und so kam ich über die Sache schnell hinweg.

Während meiner etwa zehnwöchigen Haftzeit wurde ich dreimal hinsichtlich der Frage meiner Mitwisserschaft zum 20.-Juli-Attentat vernommen. Die Vernehmungen selbst wurden von Zivilchargen durchgeführt, die sich durch betont schlechte Manieren auszeichneten. Sie steckten voller Rankünen gegenüber den Vertretern der traditionellen Gesellschaftskreise und ließen dieses auch klar durchblicken. Wissend, dass die Untersuchungsgefangenen großen Hunger hatten, ließen sie es sich vor Vernehmungsbeginn gut schmecken, indem sie große Butterbrote verzehrten. Über das Schicksal meines Vaters, das für mich völlig im Dunkeln blieb, hörte ich nichts. Ich musste das Vernehmungs-

---

[22] Abkürzung für Sicherheitsdienst des Reichsführers SS, ein Zweig der SS.

protokoll ungelesen unterschreiben. Eine vierte Vernehmung, zu der ich geführt wurde, trug offensichtlich mit Rücksicht auf mein jugendliches Alter weltanschauliche Züge. Sie wurde von einem Kommissar vorgenommen, der akademische Bildung verriet. Dabei wollte er vorzüglich wissen, ob ich H. St. Chamberlains »Grundlagen des 19. Jahrhunderts« gelesen hätte, der ja, nächst Gobineau, auch zu den Wegbereitern einer rassistisch orientierten Geschichtsbetrachtung zählte und der Schwiegersohn Richard Wagners war. Da ich Chamberlain auch in Gestalt seiner großen biographischen Studien über Wagner, Kant und Goethe eingesehen hatte, vermochte ich seine Thesen gut zu beleuchten. Dabei konnte ich auch Persönliches miteinbeziehen, da ich im Januar 1942 Gast der schon damals schwer erkrankten Frau Eva Chamberlain, also der Witwe des berühmten Autors, in Bayreuth gewesen war. Die Einladung verdankte ich Graf Gilberto Gravina, der zu dem Freundeskreis meiner Eltern zählte und auf die Ehe von Hans v. Bülow mit Cosima Liszt, der späteren Frau Richard Wagners, verwies. Das Interesse an meinem Bayreuth-Besuch spürend, erwähnte ich auch in der fraglichen Vernehmung, dass mir Frau Chamberlain Einblick in den Nachlass ihres Mannes gewährt hatte. Dabei hätte ich einen Briefentwurf von ihm an »unsern Führer« in den Händen gehabt, der bislang – und wie es ja wohl auch bis heute der Fall ist – zu dem ungedruckten Nachlass seines Urhebers zählte. So endete die fragliche Vernehmung in einer mich befriedigenden Form, zumal der Kommissar – war es der bekannte Dr. Lange? – versicherte, dass ich nicht zu befürchten brauchte, in einer Haftanstalt unterzugehen. Als ich in das Gefängnis zurückgebracht wurde, leuchtete mir plötzlich eine Taschenlampe entgegen, hinter der die Umrisse einer Frau sichtbar wurden. Zu meiner größten Überraschung wurde am nächsten Morgen das mir geltende Lese- und Schreibverbot aufgehoben. Gleichzeitig wurde mir ein kleines Päckchen überreicht. In ihm befand sich der berühmte, damals viel gelesene Roman von Ina Seidel »Das Wunschkind«, umrahmt von einigen Plätzchen, wie man sie in jenen Tagen kaum noch zu Gesicht bekam. Ein beigefügter Brief war von einer Frau Dr. Kriechhauff unterzeichnet, die mich wenige Monate zuvor mit einer Diphtherie in der Charité behandelt hatte und sich dabei als die Dame vorstellte, die mich am Abend zuvor angeleuchtet hatte. Sie hatte, wie sie mir damals erzählte, im Hause des berühmten Max Planck verkehrt und wohl auch dessen Sohn, den Staatssekretär Erwin Planck, gut gekannt. Erwin Planck, der ein Schulkamerad meines Vaters gewesen war, sollte auch noch zu einem Opfer der Freisler-Justiz werden. Worauf sich ohne Rücksicht darauf der Einfluss von Dr. Kriechhauff im Gefängnis gründete, blieb mir ein Rätsel. Bei der Entlassung aus der Lehrter Straße, die einen Tag später erfolgte, wurde mir mein Einberufungsbefehl übergeben und ein Brief der Gestapo an meinen Bataillonskommandeur beim Pz.-Gren.-Rgt. 83 in Schwedt. Ich selbst musste, ähnlich wie Trenck bei seiner Entlassung aus der Festung Magdeburg, unterschreiben, dass, wenn ich mich über das Erlebte äußerte, ich mit der Todesstrafe zu rechnen hätte.

(3)

Ich war nun wieder frei, aber es stellte sich damit auch die Frage, was ich unternehmen sollte. Denn in Schwedt wurde ich erst am folgenden Tag erwartet. So kam ich auf den gewiss aus der Rückschau naiv anmutenden Gedanken, in die Kommandantur zurückzukehren, um dabei etwas Aufschlussreiches über das Geschehene zu erhalten. Da ich nicht erkannt sein wollte, drückte ich mich so gut es ging an der Wand vorbei. Dann ging ich im ersten Stock zur Wohnung meiner Eltern, die inzwischen irgendwelchen Büros zugeordnet war und in der sich noch einzelne Möbelstücke von uns befanden. Endlich lief ich in den zweiten Stock, um den außerordentlich netten Regierungsamtmann Schöngalla, der hier seit 40 Jahren Dienst tat, und seine Frau aufzusuchen. Ich vermochte bei ihnen auf einen guten Empfang zu zählen, zumal ich auch ihrer Tochter, die hinreißend gut Klavier spielte, eng verbunden war. Ich war häufig bei ihr in ihrer Wohnung in Friedenau gewesen. Schöngallas enttäuschten mich nicht, aber ich verabschiedete mich bald wieder von ihnen, um sie nicht unnütz durch meine Anwesenheit zu belasten. Enttäuschen tat mich auch nicht der mir von einer vormilitärischen Ausbildung beim Wachbataillon nahestehende Unteroffizier Joseph Skuballa, der ungewöhnlich hohe militärische Auszeichnungen hatte. Er kam auch sofort am nächsten Tag auf den Bahnhof, um mich bei der Reise nach Schwedt zu verabschieden. Leider scheint er schon bald danach bei einem Fronteinsatz gefallen zu sein. Vor einer Kontaktaufnahme mit den meinen Namen tragenden Verwandten schreckte ich zurück. Denn wie ich bereits von der Gestapo erfuhr, hatten sie sich in einer überaus opportunistischen Weise nach der Ausstoßung meines Vaters aus der Wehrmacht (4. August 1944) mit dem Dritten Reich identifiziert. So kam ich auf den Gedanken, Rüdiger und Ursula Schleicher einen Besuch zu machen, von denen ich wusste, dass sie fest hinter der Sache des 20. Juli standen. Sie waren mir gleichfalls verwandt, aber trugen nicht meinen Namen. Von ihnen, die unweit des Bahnhofs Heerstraße lebten, wurde ich mit vollendeter Güte und Aufmerksamkeit bedacht, die mir unvergesslich geblieben sind. Ursula Schleicher bat auch sogleich ihre Brüder Klaus und Karl-Friedrich Bonhoeffer zu sich, von denen Klaus, ähnlich wie Rüdiger Schleicher, schon einige Tage danach verhaftet werden sollte. Das Interesse von Klaus Bonhoeffer, der sich über die Gefahr, in der er schwebte, nicht täuschte, galt vornehmlich den Bedingungen der Haft. Von Schleichers, die den DNB-Bericht über den Volksgerichtshofprozess vom 7. und 8. August in Form eines Zeitungsberichts aufbewahrt hatten, hörte ich zum ersten Mal Genaueres über das Ende meines Vaters und die ihm vorangehenden Ereignisse. Mein Erscheinen bei der Truppe in Schwedt war nicht durch irgendwelche Inkorrektheiten belastet. Dabei ergab es sich hier sehr schnell, dass ich aus dem Gefängnis kam und eine Haftanstalt auch meine Mutter und meine Schwester in sich barg.[23] Mein Kompaniechef und mein Bataillonskom-

---

[23] Alexander v. Hase war aus dem Männergefängnis in der Lehrter Straße entlassen worden. Seine Mutter und seine Schwester Maria waren dagegen im Frauengefängnis in Berlin-Moabit inhaftiert gewesen und von dort – evtl. sogar am gleichen Tag – wieder entlassen worden.

mandeur begegneten mir wohlwollend. Bei dem Ersten kam auch die Dankbarkeit mit ins Spiel. Denn ihm, dem einstigen Berufsunteroffizier, hatte mein Vater, wie er mir auch sogleich erzählte, den Eingang in die Offizierslaufbahn eröffnet. Bei der Tauglichkeitsuntersuchung, die der Regimentsarzt ohne Anwesenheit Dritter bei mir vornahm, ließ er mich selbst zuerst durch die Tür gehen und schrieb mich erst einmal – ich war bis auf Haut und Knochen abgemagert – für zwei Wochen dienstunfähig. Zum R. O. B.[24] vorgeschlagen, weigerte sich der Regimentskommandeur, Oberst Püschel, aus jenem Vorschlag eine Ernennung zu machen und überließ die Entscheidung der Division. Kurz darauf wurde ich nach Dänemark versetzt, um eine nähere Ausbildung als Panzergrenadier zu erfahren. Zu Ende des Novembers 1944 wurde ich erneut von einer Diphtherie befallen, in das Militärlazarett nach Bad Silkeborg gebracht und verlebte hier vergleichsweise angenehme Wochen. Nur fühlte ich mich stark durch das Vorrücken der sowjetischen Streitkräfte belastet, die seit dem Durchbruch von Baranow in kürzester Zeit große Teile Ostdeutschlands in die Hand bekommen hatten. Kaum war ich zu Anfang Februar 1945 aus dem Lazarett entlassen, wurde ich sogleich zu dem Personalamt des Heeres nach Lübben im Spreewald bestellt. Die Bestellung erwies sich offenbar als notwendig, da auch der Militärbefehlshaber von Dänemark vor meiner Ernennung zum R. O. B. zurückgeschreckt war. Bei einer Durchfahrt durch Berlin sah ich in einem Stadtbahnwagen den langjährigen deutschen Militärattaché in Washington, General v. Boetticher, sitzen. Ich hatte ihn, anlässlich seiner Rückkehr aus Amerika, in der Kommandantur erlebt. Da ich wusste, dass sein Schwiegersohn amerikanischer Professor war, fragte ich ihn in der denkbar höflichsten Form, ob ich ihn wohl ansprechen dürfte, da ich ihm schon einmal bei meinen Eltern vorgestellt worden sei. Er ging sehr freundlich und liebenswürdig darauf ein, wollte aber naturgemäß Näheres dazu erfahren. So nannte ich ihm auch meinen Namen und vorzüglich

---

[24] Reserveoffiziersbewerber.

den meines Vaters. Er verzog keinen Augenblick das Gesicht und bat mich, nach einem längeren Gespräch, ihn meiner Mutter sehr zu empfehlen. Da wusste ich, dass selbst der beste Kenner der amerikanischen Militärverhältnisse in der deutschen Wehrmacht auf einen Sieg Hitlers nicht mehr das Mindeste gab. Am nächsten Tag reiste ich nach Lübben im Spreewald weiter, wo ich überraschend Frau Anneliese Schmundt, die Witwe des Generals, auf der Straße traf. Sie bat mich sofort zu einem Tee nach Hause. Erwägt man, dass General Schmundt und mein Vater, die ja beide die Uniform des I. R. 9 getragen hatten, als Repräsentanten zweier einander entgegengesetzter politischer Tendenzen ums Leben gekommen waren, so hatte unsere Begegnung etwas überaus Bewegendes. Dieses umso mehr, da Frau Schmundt, ein in jeder Weise gütiger und kluger Mensch, fern der Grausamkeiten des Dritten Reichs stand und Hitler mit keinem freundlichen Wort bedachte. Interessant war mir, von ihr zu hören, dass ihr verstorbener Mann noch auf dem Totenbett bemüht gewesen sei, meinen Vater zu retten. Dass aber dieses daran gescheitert sei, dass er, wie auch andere, sich restlos zu seinem Tun bekannt hätte. Noch bevor sie mich verließ, rief sie Admiral v. Puttkammer an und bat ihn, mir einen Tag Urlaub zum Besuch meiner Mutter zu gewähren, die ich seit unserer Inhaftierung nicht mehr gesehen hatte. Am folgenden Tag wurde ich General Burgdorf, der jetzt Chef des Heerespersonalamts war, durch Major Wahnschaffe vorgestellt. Dabei ahnte ich natürlich nicht, dass er und General Meisel es gewesen waren, die Feldmarschall Rommel auf Befehl Hitlers zum Selbstmord durch die Einnahme einer Giftampulle genötigt hatten. Das Gespräch mit General Burgdorf dauerte nur wenige Minuten. Es lief darauf hinaus, dass die Entscheidung meiner Sache, ob R.O.B. oder nicht, schlussendlich unter die Kompetenz des Führers falle. So wurde ich nach Dänemark zurückbeordert, wo ich in den folgenden Wochen einem intensiven Wachdienst oblag. Inzwischen zeichnete sich die sowjetische Offensive auf Berlin ab, der die deutsche Seite mit dem Aufgebot aller ihrer verfügbaren Reserven zu begegnen versuchte. So sollte auch die Einheit, bei der ich mich jetzt befand, an die bedrohte Front geworfen werden. Ich war bereits beim Tornisterpacken, als ein Feldwebel mit lauter Stimme nach dem Panzer-Grenadier v. Hase rief. Als ich mich bei ihm meldete, erklärte er mir kurz, dass ich auf Befehl der Division zur Verfügung des Führers in Dänemark bliebe. So blieben auch, da Hitler naturgemäß jetzt anderes zu tun hatte, als sich mit dem Schicksal eines knapp Zwanzigjährigen zu befassen, meine Verhältnisse bis zum Kriegsende in der Schwebe. Eine glücklichere Lösung konnte sich für mich aller Wahrscheinlichkeit nach gar nicht ergeben. Sie hat mir wohl mit Sicherheit das Leben gerettet.

Friedrich-Wilhelm von Hase – der jüngere Sohn

Friedrich-Wilhelm von Hase, der jüngste Sohn Paul und Margarethe von Hases, war zum Zeitpunkt der Sippenhaft gerade sieben Jahre alt geworden. Der folgende Bericht wurde für das vorliegende Buch aus der Erinnerung geschrieben.

Am 20. Juli 1944 war die Wehrmachtskommandantur im Zentrum Berlins bekanntlich einer der operativen Schauplätze des Umsturzversuchs. Denn im ersten Stock des repräsentativen Baues »Unter den Linden 1« befanden sich die Diensträume meines Vaters, der unmittelbar an der militärischen Durchführung der Walküre-Befehle beteiligt war. Hier befand sich aber auch unsere großzügig angelegte Privatwohnung, wo ich ab 1940 zunächst mit meinen Eltern und Geschwistern wohnte, wenn ich in Berlin war und nicht gerade auf dem Land.

Die räumliche Nähe zwischen dem dienstlichen Bereich der Kommandantur und der privaten Sphäre brachten es mit sich, dass der kleine Friewi, wie ich genannt wurde, mehr als andere Kinder seines Alters vom beeindruckenden militärischen Zeremoniell der Wehrmacht mitbekam, das sich in unmittelbarer Nähe auf den Linden abspielte und das wir vom Balkon unserer Wohnung aus direkt miterleben konnten.

Und war bei uns »hoher Besuch« angesagt, was immer wieder vorkam, so wurde der Jüngste, festlich mit einem Matrosenanzug angetan, auch manchmal von den stolzen Eltern vorgeführt. Dass der damals fünf- bis sechsjährige Junge durchaus zackig auftreten konnte, dafür sorgten schon die Soldaten in der Wachstube am Eingang der Kommandantur, die sich seiner gerne annahmen und ihm erste »militärische Umgangsformen« beibrachten.

Natürlich war es für den Kleinen höchst eindrucksvoll, wenn er gelegentlich in Begleitung seines Vaters die Kommandantur betrat und der Wachhabende zackig Meldung machte! Und mit großem Interesse verfolgte er die natürlich propagandistisch geschickt inszenierten Siegesmeldungen der deutschen Wehrmacht an allen Fronten im Fernsehen, gehörten wir doch zu den Privilegierten, die bereits einen eigenen Fernsehapparat besaßen.

Mit den zunehmenden Bombenangriffen wurde die Lage, zumal im Zentrum der Stadt, auch für uns immer gefährlicher. Und so erinnere ich mich noch genau, dass auf dem flachen Dach der Kommandantur zum Schutz vor Brandbomben eine dicke Sandschicht aufgeschüttet wurde und außerdem zur nahe vorbeifließenden Spree Feuerwehrschläuche gelegt wurden. Besonders furchterregend waren die Nachtangriffe, die mit einem durchdringenden Sirenengeheul eingeleitet wurden. Schon bald darauf suchten Scheinwerfer den Himmel nach feindlichen Flugzeugen ab, auf die sich, hatte man sie erfasst, das Feuer der Flugabwehr richtete.

Die Einschläge rund um uns rückten immer näher. Und unvergessen ist mir bis heute die am 1. März 1943 schwer getroffene St.-Hedwigs-Kathedrale, deren Dachstuhl lichterloh brannte. Das von züngelnden Flammen eingerahmte Kreuz auf der Kuppel erschien uns, die wir dies aus großer Nähe beobachten konnten, wie ein Unheil ankündigendes Menetekel.

Im ersten Stock der Kommandantur spielten sich auch für unsere Familie dramatische Stunden ab, die meine Mutter (geb. 1898), meine Schwester Maria (geb. 1923) und mein Bruder Alexander (geb. 1927) aus unmittelbarer Nähe erlebten. Meine älteste

Schwester Ina (geb. 1922) war seit dem 21. März 1942 mit Viktor Baron von Medem verheiratet. Zu den zahlreichen Gästen auf der noch in großem Stil begangenen kirchlichen Hochzeit gehörten natürlich auch Bonhoeffers mit Sohn Dietrich und Schleichers. Meine Schwester Ina, deren Mann im Juli 1944 als Oberleutnant an der Ostfront stand, war dagegen während des uns hier beschäftigenden Zeitabschnitts nicht in Berlin, denn auch sie war mit ihrem kleinen Sohn Gerrit (geb. 2. April 1944) aufs Land ausgewichen. Aus uns unerklärlichen Gründen wurde sie nicht in gleicher Weise vom Strudel der Ereignisse erfasst wie der Rest der Familie. Zwar vernahm die Gestapo auch sie, aber die Haft blieb ihr erspart, wie ihrem jungen Ehemann, der lediglich von seinem Divisionskommandeur auf sehr zivile Weise, wie er später berichtete, »befragt« wurde. Der Nachweis fiel ihm nicht schwer, dass er in keiner Weise in die Planungen des Umsturzversuchs eingeweiht war.

Am 20. Juli und in den Tagen danach befand ich mich fern der Familie, wie übrigens die meiste Zeit während des Krieges. Die zunehmenden angloamerikanischen Bombenangriffe, die ab 1943 verstärkt Berlin erreichten, hatten es nämlich den Eltern ratsam erscheinen lassen, mich aufs Land nach Dedeleben bei Oschersleben zu verschicken. Denn dort, im Harzvorland, besaßen zwei mit uns seit dem Ersten Weltkrieg befreundete Damen, Johanna von Freyhold-Hünecken, genannt Tante Hanna, und ihre unverheiratete Schwester Ilse Braune, meine geliebte Tante Ilse, ein repräsentatives Rittergut. Und dort war ich während des Krieges immer wieder viele Wochen zu Gast, zwar weitab vom Rest der Familie, aber doch bestens umsorgt von Martha Burghausen, meiner lieben »Dada«, der Kinderfrau.

Auf dem schönen Besitz der Tanten verlief das Leben auch während des Krieges zunächst recht ungetrübt, so jedenfalls empfand ich es. Ich trieb mich voller Neugierde überall auf dem großen Gutshof herum, besuchte die Felder und half bei der Ernte. Aber die scheinbar unbeschwerte Situation war natürlich trügerisch und sollte sich schon bald abrupt verändern.

Ich erinnere mich noch recht gut: Im August 1944 unternahm die Tante Ilse mit ihrem gerade einmal siebenjährigen »Friewi«, also mit mir, eine Harzreise zu verschiedenen Sehenswürdigkeiten. Auf dem Programm standen u.a. die Rosstrappe bei Thale und die suggestive Baumannshöhle bei Wernigerode, wobei wir, wenn ich mich richtig entsinnen kann, auf der Westerburg, dem Besitz von Wahnschaffes, die mit den Tanten befreundet waren, übernachteten. Dass es sich bei dieser »Besichtungstour« womöglich um den Versuch handelte, mich dem drohenden Zugriff der Gestapo durch ständiges Hin- und Herreisen zu entziehen, wurde mir erst Jahre später bewusst. Die List der Tante sollte freilich nicht viel nutzen. Denn natürlich wurde man auch meiner bald habhaft. So erinnere ich mich noch recht genau, wie im August, es mag der 17. gewesen sein, des Nachts, gegen 22.30 Uhr, zwei Gestapobeamte erschienen, um mich abzuholen. Tante Ilse packte in aller Eile noch einige Habseligkeiten von mir zusammen und unterdrückte dabei ihre Tränen, um mich nicht noch weiter zu beunruhigen, wie ich mich genau erinnere. Aber natürlich gelang ihr dies nur unvollständig. Denn zu merkwürdig waren für den kleinen Jungen die Umstände der überstürzten nächtlichen »Abreise«, von der vorher ja keine Rede gewesen war, und überhaupt die ganze Atmosphäre.

Die fremden Männer traten mit mir eine Bahnreise an. Und so begann für mich eine »Nachtpartie« mit unbekanntem Ziel. Der Zug hielt länger in Nordhausen, vielleicht, weil wegen der ständigen Bombenangriffe die Verbindungen unterbrochen waren. Ich wurde jedenfalls im Bahnhofsgebäude von meinen Begleitern zunächst einmal in einen kleinen, kärglich eingerichteten Raum gebracht, wo man mich auf ein Feldbett zur Ruhe legte. An Schlafen war nicht zu denken. Denn natürlich war ich von den Ereignissen aufgewühlt und meine verständliche Angst wurde zusätzlich durch die Anwesenheit eines Totenschädels verstärkt, der auf einem Spind stand und bedrohend in meine Richtung glotzte. Ich empfand dies als ein nichts Gutes verheißendes Vorzeichen, das sich mir übrigens bis zum heutigen Tage tief eingeprägt hat. Und es sind vielleicht diese Ängste, die bewirkten, dass ich in einer verständlichen Reaktion vieles zunächst aus meinem Gedächtnis verdrängt habe, was ich in der Folgezeit erlebte. So kann ich mich nicht mehr daran erinnern, wie wir schließlich das Ziel unserer Reise erreichten, nämlich Bad Sachsa am Südharz, und wie und von wem ich dort empfangen wurde. Hier, am äußersten Ende eines kleinen Kurortes, und zwar im Borntal, hatte das Reichssicherheitshauptamt ein 1935/36 erbautes Jugenderholungsamt, das bereits 1936 von der Nationalsozialistischen Volkswohlfahrt (NSV) übernommen worden war, für seine Zwecke requiriert. Denn an diesem eher unauffälligen Ort – heute befindet sich dort das »Kinderkrankenhaus im Borntal« – sollten die Kinder der Verschwörer des 20. Juli, die man aus »Vorsorge« ihren inhaftierten Eltern weggenommen hatte, untergebracht werden, und zwar unter Wahrung größtmöglicher Anonymität.

Und dieses »von ganz oben« verordnete Stillschweigen versuchte man auch von Seiten der Heimleitung in jeder Weise zu wahren. So bestand mit dem kleinen Ort und seinen Bewohnern, soweit ich mich erinnere, kein Kontakt. Und ich bezweifle, dass man dort überhaupt wusste, wer die kleinen Gäste waren, die nach und nach ins Heim eingeliefert wurden.

Die großräumige Anlage, in einer lieblichen Wald- und Wiesenlandschaft gelegen, bestand aus mehreren im lokalen Baustil errichteten Landhäusern. Der in jener Zeit obligatorische Fahnenmast gehörte dazu und natürlich die gehisste Hakenkreuzflagge. Der Innenausbau der Gebäude sowie deren Einrichtung waren dem Gesamtstil angepasst: Ich erinnere mich noch an unseren größeren Schlafsaal mit den nebeneinandergestellten Betten und den geräumigen Speisesaal.

In dieses »Landheim« trafen ab August 1944 nach und nach etwa 46 Kinder aus ganz verschiedenen »Reichsteilen« ein. Man hatte sie ihren Eltern weggenommen, weil diese, soweit sie noch lebten, im Gefängnis waren und sich folglich nicht um sie kümmern konnten. Hinzu kam sicher die Absicht, die inhaftierten Angehörigen durch das Entführen ihrer Kinder noch einem zusätzlichen psychologischen Druck auszusetzen.

Die Mehrzahl der unfreiwilligen Heimbewohner, nämlich Buben und Mädel, war im Alter zwischen fünf und zehn Jahren. Der Älteste war gerade 15, die kleinsten dagegen noch im Babyalter. So ist es verständlich, dass man uns in verschiedenen Häusern der Anlage unterbrachte, mich übrigens in Gebäude zwei. Aber nicht nachvollziehbar ist es, warum sich auch Geschwister nur eingeschränkt sehen konnten, wie dies berichtet wird.

Um die Anonymität der neuen Bewohner nach Möglichkeit zu wahren und sie vor angeblichen »Anfeindungen von Seiten Dritter« zu schützen, so jedenfalls die zynische offizielle Sprachregelung, hatte man sich für uns unverfängliche »Decknamen« ausgedacht. Die Stauffenbergs hießen »Meister«, die Hofackers »Franke«, die Schwerins »Seifert« und die Goerdelers »Hofmann«. Welchen Namen man mir verpasste, vermag ich nicht mehr anzugeben.

Der Gauamtsleiter der NSV und die Heimleiterin, eine stramme Parteigenossin namens Köhler, kannten natürlich unsere wirkliche Identität. Und diese hatte man auch auf Karteikarten mit weiteren uns betreffenden Daten festgehalten. Denn deutsch korrekt war auch in Bad Sachsa die »Buchführung« des Regimes, und dies bis zum bitteren Ende.

Dass spätere Generationen diese teilweise noch erhaltenen Unterlagen verwenden könnten, um daraus wichtige Anhaltspunkte bei der Aufarbeitung des Sippenhaftkomplexes zu gewinnen, lag vermutlich außerhalb der Vorstellungskraft all jener, die zunächst diese banalen Verwaltungsarbeiten auszuführen hatten und die vermutlich noch immer auf den »Endsieg« hofften.

Viele von uns waren natürlich zu alt, um durch die Verleihung neuer Namen ihre ursprüngliche Identität zu vergessen. So erinnere ich mich noch deutlich, dass mir ein neunjähriger Schicksalsgenosse, mit dem ich mich besonders angefreundet hatte, schon bald in breitem Österreichisch eröffnete, er heiße jetzt zwar »Müller«, aber sein richtiger Name laute Nicolai Freytag von Loringhoven und ebendieser stehe im Übrigen ja auch mit Wäschetinte auf der Innenseite seiner Lederhose geschrieben. Dass der Nici mir dieses unerkannt gebliebene Beweismittel seiner tatsächlichen Identität mit einem gewissen Triumph vorführte, ist mir noch gut in Erinnerung. Wie ich selbst diesen Namenswechsel aufnahm und welche Gedanken ich mir dabei machte, vermag ich nicht mehr zu sagen. Hier hat mich meine Erinnerung wie gelegentlich im Stich gelassen.

Beeindruckend ist in diesem Zusammenhang auch die folgende Geschichte, die mir jetzt, also nach fast 70 Jahren, Nicis Bruder, Axel Freytag von Loringhoven, berichtete, der damals gerade einmal acht Jahre alt war. Er hatte nämlich durch Zufall herausbekommen, dass Kinder mit dem Namen Stauffenberg unter uns waren sowie Kinder mit weiteren Namen von sogenannten »Vaterlandsverrätern«, die im Zusammenhang mit dem Attentat auf Hitler durch die Presse gegangen waren. Das war vor allem den Älteren unserer Gruppe nicht entgangen und darüber tauschten sie sich untereinander aus. Natürlich war ich mit meinen gerade einmal sieben Jahren noch zu klein, um an solchen in aller Heimlichkeit geführten Gesprächen teilzunehmen, wie ich überhaupt daran zweifele, zu jenem Zeitpunkt bereits Näheres über das Schicksal meines Vaters in Erfahrung gebracht und somit den wahren Grund meiner Verschleppung realisiert zu haben.

Eine der Pflegerinnen hatte ein solches »konspiratives« Gespräch mitbekommen und pflichtbewusst der Heimleiterin angezeigt. Und nun geschah etwas höchst Beunruhigendes: Der kleine Axel wurde noch am gleichen Abend vor eine Art »Femegericht«, wie er sich heute mir gegenüber ausdrückte, zitiert. Die Betreuerinnen, in ihre strengen Schwesternuniformen gekleidet, saßen bei Kerzenschein an einem länglichen Tisch und erwarteten ernst blickend den verängstigten Axel. Dieser musste nun diesen »Respektspersonen« hoch und heilig geloben, niemals mehr irgendeinen der echten Namen seiner Mitgefangenen in den Mund zu nehmen! Aber auch solche Maßnahmen zeigten nur eine eher beschränkte Wirkung.

Alle diejenigen von uns, die mit ihren Geschwistern oder mit ihren Vettern und Cousinen im Heim waren, hatten es natürlich etwas leichter als ich, weil sie sich gegenseitig ein wenig Mut machen konnten, wann immer sie sich trafen. Ich dagegen war zunächst auf mich allein gestellt und konnte bestenfalls auf den Zuspruch meiner kleinen neuen Freunde, wie Nici und Axel, hoffen und mit ihnen meine Sorgen und Ängste besprechen. Denn natürlich lasteten die Trennung von meiner Familie und die Ungewissheit über ihr Schicksal schwer auf mir, wie dies ja auch bei den anderen Internierten der Fall war.

Ein Problem bestand für uns, die wir natürlich nicht in die Schule geschickt wurden, darin, irgendeine Art von Beschäftigung zu finden. So erinnere ich mich noch an gemeinsame »Kücheneinsätze«. Wir saßen dabei im Freien und putzten Frischgemüse für den Mittagstisch und so verging uns gemeinsam die Zeit. Im Übrigen versuchte jeder in einer ihm angemessenen Art, sich das Leben abwechslungsreicher zu gestalten, wobei unser Bewegungsspielraum natürlich beschränkt war. Durften wir doch das ziemlich große Heimgelände nicht ohne Begleitung verlassen. Und um uns von etwaigen Fluchtplänen abzuhalten, die ja sowieso illusorisch gewesen wären, wurde von der Heimleitung eine Warnung vor den gefährlichen, schwarz-weiß gestreiften »Zebras« verbreitet. Gemeint waren damit angeblich in ihrer Sträflingskleidung entlaufene Gefangene, die sich in den Wäldern versteckt hielten und die, so unsere Bewacherinnen, auch für uns gefährlich werden könnten, wenn sie unserer habhaft würden. Aber solche fantastischen Erzählungen beeindruckten uns nicht sonderlich. Denn natürlich gingen wir, freilich unter Aufsicht, in den nahe gelegenen Wald, wo einige von uns sich sogar kleine Hütten errichteten, wie mir von meinen Freunden von damals glaubhaft berichtet wurde.

Unvergessen ist mir eine kleine Blessur am rechten Ringfinger, die ich mir durch die ungeschickte »Bearbeitung« eines Bierflaschenverschlusses zuzog, als ich mir eine kleine Schleuder herstellen wollte, wie andere meiner Kameraden. Der aus Keramik hergestellte Teil des Verschlusses zersplitterte unter meinen Schlägen und verletzte mich. So blutete ich heftig, blieb aber gleichwohl recht tapfer. Denn stets die Haltung zu bewahren hatte mich mein bewunderter Vater schon von klein auf gelehrt. Von einer der Schwestern wurde ich also auf der Krankenstation fachgerecht verarztet. Zurück blieb allerdings eine kleine Narbe, die mich noch Jahre später an meine Zeit in Bad Sachsa erinnern sollte.

Viele Jahrzehnte sind inzwischen verflossen, aber im Rückblick habe auch ich den Eindruck, als wäre ich in Bad Sachsa keiner wirklich schlechten Behandlung, körperlichen Züchtigung oder gar hinterhältigen und bösartigen Schikanen durch unsere »Erzieherinnen« ausgesetzt gewesen. Und Ähnliches berichteten mir auch andere aus unserem Kreis wie Berthold Stauffenberg, Alfred Hofacker und die bereits genannten Brüder Freytag-Loringhoven. Aber für manche der kleinen Internierten war die Zeit unserer unfreiwilligen Gefangenschaft offenbar bedrückender.

So möchte ich es nicht ausschließen, dass bei vielen von uns, die wir in Bad Sachsa über Wochen und Monate vollständig isoliert, also ohne Nachrichten von zu Hause und ohne Kenntnis des Schicksals unserer Eltern, zu leben hatten, gewisse Traumata zurückgeblieben sind, mit denen später jeder auf seine Art versuchen musste fertigzuwerden. Dem einen gelang dies besser, dem anderen weniger gut. Und eben dies kam zutage, als 1998, also nach über einem halben Jahrhundert, auf einem Treffen der ehemalig in Bad Sachsa Internierten noch einmal offen über die Erlebnisse während unserer Sippenhaft gesprochen wurde. Es zeigte sich, dass in vielen Fällen mit einem soldatischen »Zähne zusammenbeißen und durch!« eben nicht alles zu bewältigen war. Zu tief waren die Verwundungen, auch wenn man für gewöhnlich nicht darüber sprechen wollte oder konnte.

Mein Aufenthalt in Bad Sachsa währte fast zwei Monate und endete am 6. Oktober 1944. So hatte ich sogar noch Glück, denn andere aus unserem Kreis wurden dort noch wesentlich länger festgehalten. Natürlich lebten wir alle irgendwie in Ungewissheit, weil eben niemand ahnen konnte, was man von Seiten des Regimes noch alles mit uns vorhatte. Aber vielleicht wusste dies zu diesem Zeitpunkt noch nicht einmal der Reichsführer SS Heinrich Himmler, der sich die Sippenhaft bekanntlich als Maßnahme der kollektiven Rache gegenüber den Angehörigen der »Verräterclique abtrünniger Offiziere« ersonnen hatte.

Wie sich meine Entlassung vollzog und was unmittelbar danach geschah, ist seltsamerweise wieder vollständig aus meinem Gedächtnis gelöscht. So erinnere ich mich nicht einmal mehr daran, wer mich nach Dedeleben auf das Rittergut der Tanten zurückbrachte.

Dort traf ich endlich meine von den traumatischen Ereignissen stark gezeichnete Mutter wieder. Genau erinnere ich mich daran, dass sie in Schwarz gekleidet war und immer wieder unvermittelt in Tränen ausbrach, was mich verständlicherweise sehr berührte. Und in einer ähnlichen Verfassung war besonders meine älteste Schwester Ina, die es sogar ihr Leben lang nicht verwinden konnte, was man ihrem geliebten Vater angetan hatte.

Ich selber erinnere mich leider nur höchst undeutlich an meinen Vater, mit dem ich auf Grund der kriegsbedingten Ereignisse nur wenig Zeit gemeinsam verbrachte, dessen schreckliches Ende mich gleichwohl bis heute bewegt.

Nach dem 20. Juli hatten wir natürlich keine Bleibe mehr und auch kein Geld, denn alles war beschlagnahmt worden, und dies erschwerte noch einmal unsere Situation, die wir übrigens mit vielen anderen Familien der Widerständler teilten. So war es unser großes Glück, dass die Dedelebener Tanten den Mut besaßen, uns jetzt Verfemte bei sich mit unvergesslicher Selbstverständlichkeit und großer Herzlichkeit erneut aufzunehmen, und uns dabei in keiner Weise unsere höchst prekäre Lage spüren ließen.

Für mich war auch meine liebe Kinderfrau, Martha Burghausen, die »Dada«, wieder zur Stelle. In guten Tagen kam sie zu uns, in schlechten Tagen hielt sie uns unbeirrt die Treue! Auch dies ist nicht vergessen.

Mein damals 20-jähriger Bruder Alexander, der bis zuletzt als einfacher Panzergrenadier in Dänemark stationiert war, stieß nach kurzer Gefangenschaft erst wieder zu uns, als wir bereits im Westen waren. Wir anderen verbrachten die letzten Monate des Krieges, der nun immer spürbarer wurde und immer näher heranrückte, in Dedeleben. Hier konnte ich auch tagsüber die über uns hinwegziehenden Bombergeschwader beobachten und gelegentlich sogar kleine Luftkämpfe unmittelbar miterleben, was mir noch gut im Gedächtnis geblieben ist. Höchst bedrohlich klang nun immer öfter das durchdringende Heulen der Sirenen und das Feuern der schweren Eisenbahnflak, die im wenige Kilometer entfernten Jerxheim stationiert war. Wenn sie schoss, zitterten bei uns die Glasfenster und gelegentlich fiel durch den Luftdruck sogar die Verdunkelung herab.

Ein unheimliches Schauspiel von ganz besonderer Art bot sich uns, wenn sich nach schweren Bombenangriffen, so etwa auf Magdeburg und auf Braunschweig, der Nachthimmel allmählich blutrot verfärbte. Was dieses infernalische Szenario, an das ich mich noch gut erinnere, zu bedeuten hatte, ahnte auch ich.

In Dedeleben wurden schließlich sogenannte »Panzersperren« errichtet, an deren Aussehen ich mich noch gut erinnern kann, um den Vormarsch der Amerikaner aufzuhalten, ein natürlich vergebliches Bemühen. Und jetzt, in der allerletzten Phase des Krieges, erlebten wir noch einmal ungewisse Stunden. Denn nicht ganz unbegründet war unsere Angst, die SS könne versucht sein, an der Sippe des »Volks- und Vaterlandsverräters« Paul von Hase sozusagen in letzter Minute noch einmal blutige Rache zu nehmen. So versteckten wir uns vorsichtshalber in der Wohnung eines belgischen Zwangsarbeiters namens Romme, der in einem abgelegenen Nebengebäude des Gutshofes mit seiner Frau lebte.

Vor diesem Hintergrund ist es verständlich, dass wir mit großer Erleichterung den Einmarsch der amerikanischen Truppen am 11. April 1945 in Dedeleben begrüßten. Eine Zeit ständiger existenzieller Bedrohung war für uns zunächst einmal zu Ende. Ich erinnere mich dankbar an unsere amerikanischen Besatzer, mit denen wir bald Freundschaft schlossen und die uns Kinder freigiebig mit Süßwaren und Care-Paketen versorgten.

Als wir aber von amerikanischer Seite erfuhren, dass im Zuge eines großräumigen Gebietsrevirements auch Dedeleben bald der sowjetischen Besatzungszone zugeschlagen würde, flohen wir erneut mit der uns verbliebenen Habe weiter nach Westen. Die Rote Armee rückte bereits am 1. Juli 1945 ein. Und als Baltin, die bereits 1917 Hals über Kopf aus ihrer geliebten Heimat fliehen musste, hatte meine Mutter ihr Leben lang eine geradezu panische Angst vor den Bolschewisten sowie Kommunisten und ihren leidvoll erfahrenen Herrschaftsmethoden, zu denen die Enteignungen gehörten. So kamen wir schließlich nach Bad Driburg in Westfalen. Denn dorthin hatten uns Freunde der Eltern, die Grafen Oeynhausen, die Besitzer des Bades waren, eingeladen.

Hier begannen wir schließlich ein neues Leben zunächst in materiell sehr bescheidenen Verhältnissen. Aber dank des Lebensmutes, der Tatkraft und der Zielstrebigkeit meiner Mutter ging es langsam wieder bergauf mit uns. Nun galt es, für mich eine passende Schule zu finden. Ab April 1948 besuchte ich bis zum Abitur 1957 das Landschulheim am Solling bei Holzminden, wo übrigens drei Schulenburgs und eine Tresckow ebenfalls untergekommen waren.

Die hier aus meiner Sicht berichteten Erlebnisse um den 20. Juli und dessen Folgen waren auch für mich zunächst so traumatisch, dass ich lange Zeit nicht darüber sprechen oder gar schreiben konnte und wollte. Und schwer zu tragen an der Last der Vergangenheit hatten auch meine weiteren Familienangehörigen.

Besonders niederdrückend für uns alle war es, dass bekanntlich in der ersten Nachkriegszeit der Aufstand des 20. Juli 1944 noch keineswegs die ihm zukommende allgemeine Würdigung und Anerkennung gefunden hatte. Und eben dies bekamen wir, wenn auch in subtiler Weise, immer wieder zu spüren. Meine Mutter ertrug dies alles mit Würde und hielt unserem Vater auch geistig die Treue. So sprach sie fast täglich von ihm und in einer solchen Intensität, dass sein Bild und sein mutiges Handeln vor meinen inneren Augen noch sehr an Gestalt gewann. So war ich buchstäblich fassungslos, als mich erst unlängst eine Dame in aller Naivität fragte, ob wir, also die Familie, meinem Vater seine Teilnahme an der Verschwörung nicht verübelt hätten, habe diese Entscheidung doch fatale Konsequenzen für uns alle gehabt. Gefasst gab ich zur Antwort, es seien nun fast siebzig Jahre vergangen, aber eine solche Sichtweise der Dinge sei mir und den Meinen stets fremd gewesen.

Eine große Genugtuung und Freude war es für meine Mutter, dass die alten Regimentskameraden meines Vaters aus dem berühmten Kaiser-Alexander-Regiment und dem die Tradition fortsetzenden IR 9 treu zu ihr standen. Die alten Herren kamen einmal im Jahr zu uns nach Bad Driburg, um damit ihrem ermordeten Regimentskameraden die Ehre zu erweisen. Wobei hier angemerkt sei, dass bekanntlich aus den Reihen des IR 9 immerhin 23 Offiziere stammten, die aktiv am Widerstand gegen Hitler und sein Regime beteiligt waren. Aber auch viele andere Freunde aus besseren Tagen hatten uns nicht vergessen und neue Freunde kamen hinzu. So in Bern die Familie von Oberstbrigadier Dr. iur. Hans Ulrich von Erlach, aus altem Berner Geschlecht, die mich ab 1948 jedes Jahr über die Ferien bei sich in Muri aufnahm. Eine Freundschaft begann, die bis heute fortdauert.

Gleichwohl mag es zu denken geben, dass meine Mutter ihre letzten Lebensjahre glücklich in Spanien verbrachte, dass meine Schwester Maria bereits 1948 als junge Stipendiatin nach Amerika ging. Sie heiratete einen amerikanischen Theologen und Pastor und fand eine neue Heimat. Mein Bruder Alexander ließ sich in Frankreich nieder, und ich erlebte in Italien, wo ich mit offenen Armen aufgenommen wurde, als Archäologe quasi eine »Wiedergeburt« und heiratete in Rom 1964 Maria Aurora Salto, eine Italienerin.

Dass die Bundesrepublik Deutschland sich seit Jahren nachdrücklich zum 20. Juli und seinen Opfern bekennt, erfüllt mich mit Freude, Dankbarkeit und Stolz.

Karl-Günther von Hase – der Neffe

Karl-Günther von Hase, Jahrgang 1917, veröffentlichte 2010 seine Erinnerungen, in denen er auch die Folgen der Sippenhaftung beschreibt. Hase war im Juli 1944 als Major i. G. und Ia[25] des 76. Armeekorps in Predappio, Oberitalien, stationiert. Seine hier wiedergegebenen Erlebnisse aus dieser Zeit zeigen die Sicht eines jungen Generalstabsoffiziers, der, fern der Ereignisse, in Italien vom misslungenen Attentat auf Hitler erfährt und zunächst seine Zweifel an der Opportunität des Staatsstreichs hegt, wie viele andere im Felde.

Allein auf Grund der Verwandtschaft zu Paul von Hase, seinem Onkel, verfällt auch der junge Berufsoffizier schließlich der Sippenhaft. Dies bedeutet für ihn zunächst einmal den Ausschluss aus dem Generalstab und in der Folge eine Versetzung an die Ostfront zur Verteidigung der Festung Schneidemühl, einem höchst gefährlichen Einsatz. Seine Eltern, die ebenfalls nichts mit der Verschwörung zu tun hatten, wurden gleichwohl im Zuge der Sippenhaftung für mehrere Wochen in der Lehrter Straße und in Moabit gefangen gehalten.

Der Sommer 1944 wird für mich persönlich immer zu den Zeiten gehören, die mir unvergessen bleiben und in denen sich Dinge ereigneten, die sich fundamental auf den weiteren Verlauf meines Lebens auswirkten. Das Schicksal hat mich in dieser Zeit zu meiner Frau geführt, was ich wohl als das größte Glück empfinde. Fast gleichzeitig hat das Hitler-Attentat vom 20. Juli 1944 meinen weiteren Werdegang in der Wehrmacht und unmittelbaren Lebensweg grundlegend beeinflusst.

Mit Hauptmann Heinz von Schultzendorff, einem Kameraden vom Generalstabslehrgang an der Kriegsakademie in Hirschberg, und seiner Frau Christa-Maria fuhr ich Mitte Mai 1944 nach Baden-Baden, wo wir im Anschluss an meine Abschlussprüfung ge-

---

[25] Der Ia oder 1. Generalstabsoffizier war vom Divisionsstab aufwärts verantwortlich für Führung, Organisation und Ausbildung. In der Division war er zugleich der Chef des Stabes (Dienstgrad Major i. G. / Oberstleutnant i. G.); die Abkürzung »i. G.« bedeutete »im Generalstab«.

meinsam ein paar Tage Urlaub verbringen wollten. Dorthin kam auch Christa-Marias Schwester, die 1925 in Königsberg geborene Renate Stumpff. Rena arbeitete zu dieser Zeit, wie viele Frauen ihrer Generation, an der »Heimatfront« als Krankenschwester. Ich hatte Rena schon ein paar Tage vor unserer Reise in Berlin kennengelernt und war sehr angetan von ihr.

Kaum hatten wir vier unsere Reise angetreten, fand ich im Hotel ein Telegramm vor – es war ein Frontbescheid, dem ich in den nächsten Tagen nachkommen musste.

In den folgenden Stunden überstürzten sich die Ereignisse. Bedrückt überlegten wir bei einer Tasse Tee, was wir noch alles zusammen unternehmen konnten. Wir zählten die Minuten. Ich hatte das Gefühl, die nächsten zwei Tage sehr intensiv nutzen zu müssen, um zu einer Vorentscheidung zu kommen, was unsere Zukunft anging. Wir hatten uns gerade erst kennengelernt und ahnten doch, dass mehr aus unserer Bekanntschaft werden würde. Viele Fragen gingen mir durch den Kopf: Würde ich lebend von der Front zurückkommen? Sollte ich mich jetzt, an diesem Tag, entscheiden, mich für immer zu binden? Das Telegramm beschleunigte den Entscheidungsprozess, zum Warten und langen Abwägen blieb keine Zeit. Bei unserer Verabschiedung kamen wir überein, uns gegenseitig als Verlobte zu betrachten, und schieden in Baden-Baden voneinander.

Ich fuhr zunächst nach Berlin zu meinen Eltern, wo ich auf meine neue Verwendung wartete. Keine 24 Stunden später erhielt meine – noch inoffiziell – Verlobte ein Einschreiben von mir. Ich hatte das Bedürfnis gehabt, ihr zu sagen, wie schön die letzten Tage gewesen waren. Darüber hinaus verlor ich keine Zeit und suchte umgehend Renas Vater in seinem Gefechtsstand in Oberwesel auf, um ihn um die Hand seiner Tochter zu bitten. Ich brachte meinen Antrag vor, und Renas Vater griff kurzerhand zum Telefon, um seine Tochter anzurufen und sie nach ihrer Meinung in dieser Angelegenheit zu fragen. Zu meiner großen Freude willigte sie ein.

Ich fuhr nach Italien und trat zwei Tage später in Predappio, an der adriatischen Küste, meinen Dienst an, nachdem ich zum Major im Generalstab und Ia des dort stationierten 76. Armeekorps ernannt worden war. Mein Vorgesetzter und kommandierender General war der Befehlshaber Venezianische Küste, Joachim Witthöft. Wenige Tage nach meiner Ankunft in Predappio, es war der 20. Juli 1944, hörten wir nachts in unserem Gefechtsstand in der Nachrichtensendung des »Großdeutschen Rundfunks« von einem Attentat auf Adolf Hitler. Die Mitteilung traf uns alle unvermittelt. Es wurden Namen der Attentäter genannt, und ich erschrak, als ich den Namen meines Onkels und Patenonkels Paul von Hase, des Stadtkommandanten von Berlin, hörte. Er war verhaftet worden und sollte dem Volksgerichtshof überstellt werden. Völlig im Unklaren über seine persönlichen Beweggründe und die Hintergründe war mir schnell klar, dass ich im Zuge der Ermittlungen zumindest vernommen werden würde und sich gewisse Folgen ergeben würden. Ich war in diesem Moment und in den folgenden Tagen hin- und hergerissen zwischen Sympathie und Verehrung für meinen Onkel und Zweifeln, ob den an allen Fronten kämpfenden deutschen Soldaten zu diesem Zeitpunkt das richtige Signal gegeben und der beste Dienst erwiesen worden war. Aus der Sicht des Soldaten befürchtete ich im ersten Moment, dass eine Führungslosigkeit eine baldige Kriegsniederlage nach sich ziehen würde.

Aus heutiger Sicht, die die Kenntnis über alle Gräuel, Schrecken und Verbrechen des Hitler-Regimes einschließt, bin ich stolz auf die deutschen Widerstandskämpfer, die unter Einsatz ihres eigenen Lebens den Versuch gewagt haben, Hitler zu töten und das Regime zu stürzen. Nur unter Einbeziehung des Stadtkommandanten in die Umsturzpläne und der Unterstützung seiner Truppen konnte die Abriegelung des Regierungsviertels, die Besetzung der Ministerien und die Verhaftung der maßgeblichen politischen Führungspersönlichkeiten durchgesetzt werden. Seine religiöse Prägung und die verwandtschaftliche Beziehung zu Dietrich Bonhoeffer – die Mutter Dietrich Bonhoeffers, Paula von

Hase, war eine Cousine meines Onkels und meines Vaters – brachten Paul von Hase in Berührung mit Regimegegnern um den evangelischen Theologen und Wortführer der Bekennenden Kirche, Bonhoeffer.

In Italien diente mit mir Oberstleutnant Gerd von Tresckow, der ältere Bruder eines anderen am Attentat Beteiligten, des Generalmajors Henning von Tresckow. Als Gerd von Tresckow und ich vom Attentat hörten, vertrauten wir uns unserem General an und äußerten ihm gegenüber unsere Bedenken. Er musste uns melden.

Schließlich wurden Tresckow und ich zur Personalabteilung des Generalstabes des Heeres in Berlin bestellt. Ich musste mich beim Chef der Amtsgruppe P2 des HPA, General Ernst Maisel, melden. Diese Amtsgruppe befasste sich mit weltanschaulicher Erziehung, politischen Angelegenheiten sowie Ehren- und Gerichtsverfahren. Der eigentliche Chef des Heerespersonalamtes, General Rudolf Schmundt, war beim Attentat vom 20. Juli tödlich verletzt worden.

General Maisel befragte mich, wie ich zu dem Attentat stünde und was ich davon gewusst hätte. Ich sagte ihm wahrheitsgemäß, dass ich zum ersten Mal davon durch die Radiomeldung in Italien erfahren hatte. Meine innere Zerrissenheit konnte ich nicht verbergen. Davon zeigte sich Maisel nicht sonderlich beeindruckt, doch für eine Verhaftung hatte er nichts Konkretes gegen mich in der Hand. Damit war die Vernehmung beendet. Mir wurde eröffnet, ich sei im Generalstabsdienst nicht mehr tragbar, weil ich Angehöriger einer am Attentat beteiligten Familie wäre. Mein weiteres Schicksal, so Maisel, läge nun in den Händen des Reichsführers SS Heinrich Himmler. Dass ich selbst nichts gewusst hatte, spielte keine Rolle. Die Personalabteilung des Generalstabes entzog mir das Vertrauen, und die Sippenhaft[26] wurde durchgesetzt.

Nun ergab sich der Zufall, dass ich im Rahmen der Vernehmung auf Feldwebel Karl Witte traf – meinen guten Freund seit

---

[26] Bzw. »Sippenhaftung«.

frühesten Schultagen. Er arbeitete in einem Büro des Generalstabes. Karl sagte mir vertraulich, ich hätte mich bei der Befragung ungeschickt ausgedrückt und sollte auf mich aufpassen, denn Maisel hatte sich abfällig über mich geäußert. In diesem Moment wurde mir klar, dass ihm der angekündigte Ausschluss aus dem Generalstab längst nicht genügte. Bis zur weiteren Klärung wurde ich beurlaubt und sollte eine Verwendung im Truppendienst an der Ostfront finden.

Gerd von Tresckow wurde verhaftet. Sein Bruder Henning von Tresckow hatte sich am 21. Juli 1944 das Leben genommen, um nicht bei der zu erwartenden Untersuchung die Namen anderer preisgeben zu müssen.

Mein Onkel wurde am 8. August 1944 wegen Hoch- und Landesverrats zum Tode durch Erhängen verurteilt und wenige Stunden nach Verkündung des Urteils in Berlin-Plötzensee hingerichtet. Gerd von Tresckow nahm sich am 6. September 1944 im Berliner Gefängnis Lehrter Straße das Leben. Ich war tief erschüttert.

In Berlin wartete ich auf weitere Befehle. Bis zum 15. November 1944 gehörte ich zwar noch offiziell dem Stab Befehlshaber Venezianische Küste an, ich kehrte aber nicht mehr nach Italien zurück. Mein kommandierender General äußerte sich, ungeachtet der Vorgänge in Berlin, in meinem Abschlusszeugnis positiv über mich. Ein kleiner Trost, dass in der Truppe militärische Leistungen und taktisches Können zählten und nicht die vermeintliche politische Einstellung. Dennoch traf mich der Ausschluss aus dem Generalstab tief, und ich war verbittert und enttäuscht.

Aber noch mehr beunruhigte mich die Situation meiner geliebten Eltern. Sie befanden sich im Zuge der Sippenhaft seit Wochen in Gestapohaft. Meine Eltern, die sich niemals etwas hatten zuschulden kommen lassen und die immer auf der Seite des Rechts gestanden hatten, unschuldig im Gefängnis zu wissen, war ein regelrechter Schock. Wieder zuhause, versuchte ich meine Eltern aus den Gestapo-Gefängnissen in Berlin-Moabit und Lehrter Straße freizubekommen. Bei den entsprechenden Stellen beteuerte ich mehrfach ihre Unschuld und ihre Unkenntnis von dem Attentat, ohne jedoch zu ihnen vorgelassen zu werden.

Ich weiß nicht, ob es mein Erfolg war, jedenfalls kam meine Mutter nach insgesamt sechs oder acht Wochen frei. Ich war überglücklich, sie wiederzusehen, wenngleich die Freude überschattet wurde durch die Sorge um meinen Vater. Ihn hielt man länger fest, weil er Bruder eines Attentäters und darüber hinaus seit Jahren Parteiverweigerer war.

Schon bald nach der Machtergreifung im Januar 1933 hatte mein Vater eine Mitgliedschaft in der NSDAP abgelehnt. Er war der Meinung, als Polizeioffizier, der für Ordnung und Sicherheit verantwortlich ist, für alle Bürger da sein zu müssen. Eine Mitgliedschaft in einer Partei hätte ihn, das ahnte er, in einen Interessenkonflikt gebracht. Da er aber 1933 als Stabschef der Berliner Polizei in relativ hoher Stellung war und die Nationalsozialisten einen regimetreuen Mann auf diesem Posten haben wollten, wurde mein Vater nicht, wie vorgesehen, zum Kommandeur der Landespolizei befördert, sondern im Juni 1934 in den vorzeitigen Ruhestand versetzt.

Im Nachhinein ist es erstaunlich, dass er nicht auch hingerichtet worden ist. Während der Haft war es ihm Ende September 1944 gelungen, zwei Nachrichten aus dem Gefängnis zu schmuggeln. Schließlich wurde auch er entlassen. Er galt weiterhin als verdächtig, wurde auf höhere Weisung von der Firma Siemens entlassen und in seiner Bewegungsfreiheit eingeschränkt. Bis zum Kriegsende vermied mein Vater regimekritische Äußerungen, doch seine Gedanken waren für uns klar erkennbar. Sein Bruder Paul war für ihn ein ehrenvoller Mensch und Soldat gewesen. Vermutlich hatte er meinen Vater nicht in die Pläne eingeweiht, um ihn nicht zu gefährden. Bis ins Mark trafen ihn die verleumdenden Kommentare der gleichgeschalteten Presse.

Meine Eltern haben später nicht gerne über das letzte Kriegsjahr und ihre Inhaftierung gesprochen. Sie sagten zwar, es sei ihnen kein Leid angetan worden, sie sind offenbar nicht geschlagen worden und hatten auch ausreichend zu essen. Aber für Menschen, für die das Wort »Gefängnis« von jeher ein Schreckenswort gewesen war, war diese Erfahrung selbst, und dann auch noch unschuldig einzusitzen, sehr schlimm. Hinzu kam, dass Onkel Paul während der Haft meines Vaters hingerichtet wurde und meine Eltern nicht Abschied von ihm hatten nehmen können. Die Familie meines Onkels, meine Vettern und Cousinen und meine Tante Deta – sie wurde als Frau eines »Verräters« gebrandmarkt – wurden ebenfalls inhaftiert. Die gesamte Habe der Familie war konfisziert, das Vermögen eingezogen worden. Nach ihrer Entlassung aus der Haft blieben meiner Tante die Wohnräume in der Kommandantur verwehrt. Das Ehepaar Himmler war inzwischen dort eingezogen.

Die Beziehung zu meiner Verlobten Renate Stumpff wurde durch das Attentat nicht beeinflusst. Mein zukünftiger Schwiegervater, Generaloberst Hans-Jürgen Stumpff, entzog mir nicht sein Vertrauen. Nach dem 20. Juli 1944 war er zum Oberbefehlshaber aller Verbände der Luftwaffe innerhalb des Reiches ernannt worden. Als solcher war er für die Verteidigung Deutschlands gegen die alliierten Bombenangriffe zuständig. In seiner Position wäre es für ihn ein Leichtes gewesen, unsere Verlobung aufzuheben, schon alleine, um sich beruflich eine gute Beurteilung zu sichern. Aber er griff überhaupt nicht in das Glück seiner Tochter ein, und unser Verhältnis blieb vollkommen ungestört bestehen.

Ich habe oft versucht, das Attentat zu bewerten. Aus Sicht des Soldaten und aus Sicht des Neffen. Die Einschätzung hat im Laufe der Zeit einen Wandel erfahren, der zurückzuführen ist auf den Erkenntnisgewinn der vergangenen Jahrzehnte. Zunächst fragte ich mich, ob mein Onkel in dem Moment, im Sommer 1944, das Richtige getan hatte. Ich hatte das Gefühl, das Attentat wurde in der Truppe, gerade bei den einfachen Soldaten, mit großer Zurückhaltung aufgenommen. Kaum einer in der Truppe wusste wirklich, wie schwierig und verzweifelt die militärische Lage zu dieser Zeit schon war. Auch ich machte mir davon keine richtige

Vorstellung. Obwohl die Zeichen der Zeit klar erkennbar waren – die Landung der Alliierten in der Normandie im Juni 1944 hatte schon stattgefunden, und die ersten großen Schlachten in Frankreich mit erheblichen Verlusten auf deutscher Seite waren im Gange, im Osten wurden wir immer weiter zurückgedrängt –, hofften wir immer noch, den Krieg gewinnen zu können. Mit einem Attentat, dessen Erfolg zu einer, wie wir glaubten, Schwächung der Heeresleitung geführt hätte, musste man sich erst einmal auseinandersetzen. In dem Moment aber, in dem das Attentat misslang, war es eher gefährlich als hilfreich. Dieses Risiko nahmen die Verschwörer bewusst in Kauf.

Gleichwohl spürte ich, dass es von denjenigen, die es zu verantworten hatten, also auch von meinem Onkel, nicht aus ehrgeizigen oder persönlichen Motiven heraus geplant und ausgeführt worden war. Denn sie alle waren ehrenhafte Männer, die ihrem Land durch Selbstlosigkeit helfen wollten. Erst später stellte sich heraus, dass ihr Vorhaben richtig gewesen war. Doch unmittelbar nach dem Bekanntwerden hatte ich zunächst meine Zweifel. Auch meine Mutter sprach mir gegenüber ihre Bedenken offen aus. Die politische Bedeutung des Attentats war für sie sekundär; sie hatte nach den Erfahrungen im Gefängnis schlicht und einfach Angst um ihre eigene Familie, vor allem um das Wohl ihrer eigenen Kinder.

Unmittelbar nach dem Attentat traf der Familienbund unserer Familie in Berlin unter Vorsitz von Georg von Hase eine Entscheidung, die nicht von allen Mitgliedern getragen wurde: Paul von Hase wurde am 17. August 1944 wegen seiner Beteiligung am Attentat vom 20. Juli aus dem Familienbund ausgeschlossen. Georg von Hase fürchtete Repressionen für die sich in der Haft befindende – sowie die engere und weitere – Familie und konnte sich mit dem Attentat auf Hitler nicht persönlich identifizieren. Sein Entschluss, zu dem er von politischer Seite nicht gedrängt worden war, war später Grundlage für Spannungen innerhalb unseres Familienbundes. Der Vorfall zeigte, dass unsere weitreichende Familie in ihrer Einstellung zum Nazi-Regime nicht homogen war.

Auch hier gab es die ganze Bandbreite von überzeugten National-sozialisten bis hin zu Widerständlern.

Das Heerespersonalamt entschied am 8. November 1944, mich zum 15. November in die Führerreserve OKH Berlin zu versetzen. Eine Wiederverwendung im Generalstab blieb vorerst aus und sollte »von der Entscheidung des Führers abhängig« gemacht werden. Während der Herbst- und Wintermonate 1944 wartete ich auf meine weitere Verwendung. Dabei hatte ich Gelegenheit, Rena an Weihnachten 1944 in Bad Berka zu besuchen, wo sie mit ihrer Mutter wohnte und als Rot-Kreuz-Schwester in einem Lazarett arbeitete. Dort verlobten wir uns offiziell am 30. Dezember.

In den ersten Januartagen 1945 erhielt ich die Mitteilung, zur Vorbereitung für den Einsatz an der Ostfront die Artillerieschule Groß Born in Pommern besuchen zu müssen. Enttäuschung und vorübergehende Verbitterung waren die Folge. Für einen kurzen Moment wünschte ich mir, nicht zu dieser Familie von Hase zu gehören, was natürlich Unsinn war. Aber ich wusste tatsächlich nicht, wie ich mich am besten verhalten sollte. Nicht nur meine militärische Laufbahn war durch die Sippenhaft abrupt beendet worden, nun sollte ich auch noch an der Ostfront »aufgerieben« werden.

Derweil spitzte sich im Osten die militärische Situation immer dramatischer zu. Nach Beginn des sowjetischen Großangriffs im Januar 1945 wurde die Artillerieschule in Groß Born aufgelöst und das Personal sowie alle verfügbaren Verbände und Lehrtruppen an die Ostfront entsandt. Ohne die Schule besucht zu haben, erhielt ich einen sofortigen Marschbefehl nach Schneidemühl, im Vorfeld der Pommernstellung gelegen. Die Sippenhaft[27] bestand weiterhin, denn es war bekannt, dass Frontaufenthalte dieser Art selten gut ausgingen.

Ich trennte mich schweren Herzens von meiner Verlobten. Es herrschte wie immer Verdunkelung, doch es war eine schneeklare Nacht, in der sie mich zum Bahnhof brachte. Die Trennung fiel

---

[27] S. Anmerkung S. 68.

uns sehr schwer. Zum Glück wussten wir nicht, dass es ein Abschied für fünf Jahre sein würde.

In der zur Festung erklärten Stadt Schneidemühl wurde ich dem Stab der Festungskommandantur zugeteilt. Beim Anmarsch auf die tief verschneite Stadtmitte lief mir ein schwarzer Kater über den Weg. Da ich ebenso wie meine Mutter ein bisschen abergläubisch veranlagt war, fürchtete ich, dies sei ein schlechtes Omen.

In Schneidemühl angekommen, erwartete mich schon ein Telegramm. Ich wurde sofort an die Front abkommandiert. Der beste Weg, mich zu beseitigen, war, mich als »Kanonenfutter« in die vorderste Reihe zu schicken. Mein Kommandeur in Schneidemühl, Oberst Heinrich Remlinger, ließ sich davon nicht beeindrucken und führte den Befehl nicht aus. So blieb ich auf dem neuen Posten als Leiter der Operativabteilung.

Zu meinem Vorgesetzten, Oberst Remlinger, entwickelte ich nach diesem ersten Vertrauensbeweis ein gutes Verhältnis. Ich wurde als Ia der Festungskommandantur verwendet und hatte damit wieder eine generalstabsähnliche Stellung inne. In der Not wurde auf meine Verwendungseinschränkung und den Versuch, mich wegen der Sippenhaft[28] aus dem Generalstabsdienst herauszuhalten, keine Rücksicht mehr genommen.

Ich organisierte die gesamte Verteidigung der Festung, von der Versorgung über die Weiterleitung der Flüchtlinge bis hin zur Stärkung der Abwehr. Unser Ziel war es, wie ein »Wellenbrecher« zu wirken, damit der russische Vormarsch aufgehalten werden konnte. Obwohl mir durch die Entlassung aus dem Generalstab Misstrauen in meine politische Zuverlässigkeit deutlich zum Ausdruck gebracht worden war, sah ich es als meine Pflicht an, an der Verteidigung mit aller Kraft mitzuwirken.

Nach der Verteidigung der Stadt im Januar und Februar und dem Ausbruch aus Schneidemühl am 13. Februar 1945 geriet Major i.G.

---

[28] S. Anmerkung S. 68.

Karl-Günther von Hase am 15. Februar 1945 in sowjetische Gefangen-
schaft. Der erste Briefkontakt mit der Heimat erfolgte 1946. Nach einer
Odyssee durch verschiedene russische Lager wurde Hase im Dezember
1949 aus der Kriegsgefangenschaft entlassen.

Die kirchliche Trauung mit Renate Stumpff fand am 30. Dezember
1949 in Rendsburg, Schleswig-Holstein, statt.

1.2 »Der Absturz kam schnell und brutal« – Berthold Schenk Graf von Stauffenberg

Claus Schenk Graf von Stauffenberg (15. November 1907 – 20. Juli 1944)[1] ist zu Recht die bekannteste Persönlichkeit des militärischen Widerstands gegen das Hitlerregime. Er gehörte zwar nicht zu den frühesten Hitlergegnern, handelte später jedoch umso entschlossener. Geprägt wurde der charismatische Offizier durch seine christlich-katholische Herkunft sowie den Einfluss des Dichters Stefan George. Nachdem Stauffenberg die Judenverfolgungen sowie die Besatzungspolitik mit eigenen Augen gesehen hatte, änderte er seine Einstellung radikal. Durch seine Ernennung zum Stabschef im Allgemeinen Heeresamt 1943 erlangte der Schwerstverwundete gleichwohl Zugang zum engen Beraterkreis um den Diktator. So gelang es ihm, den Sprengstoff im hermetisch abgeriegelten Führerhauptquartier Wolfsschanze zu deponieren.

Doch das Attentat scheiterte. Noch in der Nacht vom 20. zum 21. Juli wurden mehrere Beteiligte im Hof des Bendlerblocks in Berlin erschossen: Stauffenberg und seine engen Mitverschworenen General Friedrich Olbricht, Oberst Albrecht von Mertz sowie Stauffenbergs Adjutant, Werner von Haeften. Generaloberst Beck machte von der Möglichkeit des Freitodes Gebrauch, die Generaloberst Fromm ihm einräumte. Die Rache des Regimes traf die Familie des Attentäters mit besonderer Wucht. Stauffenbergs junge Frau, die mit ihrem fünften Kind schwanger war, wurde verschleppt – in einen Zellenblock vor den Toren des KZ Ravensbrück. Die Kinder Berthold (geb. 1934), Heimeran (geb. 1936), Franz Ludwig (geb. 1938) und Valerie (geb. 1940) wurden nach Bad Sachsa gebracht. Der älteste Sohn Berthold, damals zehn Jahre alt, beschreibt in der Rückschau die für seine Familie dramatischen Erlebnisse.[2]

---

[1] Vgl. Peter Hoffmann, Stauffenberg und der 20. Juli 1944. München: C.H. Beck, 2. Aufl. 2007; ders., Claus Schenk Graf von Stauffenberg. Die Biographie. München: Pantheon, 2007.

[2] Der Text basiert auf einem Vortrag Graf von Stauffenbergs (2011), der im Wallstein Verlag, Göttingen, unter dem Titel »Auf einmal ein Verräterkind« (2012) abgedruckt und für die vorliegende Publikation überarbeitet wurde.

Meine Brüder und ich haben uns den konsequent befolgten Grundsatz gesetzt, dass wir nicht öffentlich über den Widerstand als solchen reden. Wir waren damals Kinder, wir wussten nichts von den Aktivitäten meines Vaters und seiner Gefährten, und was wir heute wissen, ist jedem zugänglich. Würden wir aber darüber sprechen, könnte es doch für authentisch angesehen werden, bloß weil es von einem Stauffenberg kommt. Dies hielten wir aber für unredlich. Dafür hoffe ich auf Verständnis.

Aber wie war das damals für einen Acht-, Neun-, Zehnjährigen? 1944 wohnten wir in Bamberg. Das war eine durch und durch katholische Stadt. Aber auch sie war fest im Griff der Nazis. 1943 waren wir von Wuppertal, wo mein Vater bei Kriegsbeginn Generalstabsoffizier in einem Divisionsstab war, in das Haus meiner mütterlichen Großeltern gezogen.

Schon 1942 waren wir vor den Fliegerangriffen zu meiner väterlichen Großmutter in Lautlingen, einem kleinen Dorf auf der Schwäbischen Alb, ausgewichen. Es war eine katholische Exklave, in der die Nazis keinen festen Stand hatten, die Gutsherrschaft angesehen war, und vom Krieg, vor allem dem in der Heimat, nicht allzu viel zu spüren war. Die Bomberströme zogen über uns hinweg, die gelegentlichen Fliegeralarmübungen waren eine Farce, und neben den üblichen allgemeinen Einschränkungen und Rationierungen waren es eigentlich nur die Requiems für die Gefallenen, bei denen ich oft ministriert habe, die einen Jungen den Ernst der Lage spüren ließen. Spätestens mit neun Jahren habe ich regelmäßig die Zeitung gelesen. Die Lokalzeitung hieß »Der Wille«, Organ der NSDAP für den Kreis Balingen. Meine Großmutter hielt außerdem das ehemals liberale Stuttgarter Neue Tagblatt, das aber dann vom Nazi-»NS-Kurier« geschluckt wurde, angeblich aus Gründen der Papierersparnis. Natürlich habe ich der Propaganda geglaubt, auch an den Endsieg, und wurde überhaupt mehr oder weniger zu einem kleinen Nazi. Zwar gab es da unseren Rottenburger Bischof Johannes Baptista Sproll, der von den Nazis vertrieben worden war und seine Hirtenbriefe aus dem bayerischen Exil schrieb. Dies wurde als Unrecht empfunden, aber den Widerspruch habe ich mir damals nicht richtig klargemacht.

In Bamberg ging es dann nicht mehr ganz so leger zu. Zum üblichen »Heil Hitler« zu Unterrichtsbeginn kam einmal in der Woche eine Art nationalsozialistische Morgenandacht. Die – meist älteren und teilweise wohl schon aus der Pension zurückgeholten – Lehrer trugen das Parteiabzeichen und wurden auf der Straße mit Nazigruß und »Heil Hitler« gegrüßt, was dem einen oder anderen vielleicht peinlich war. Als der größte Teil meiner Klasse pflichtmäßig in das »Jungvolk« eintrat, wollte ich, der ich drei Tage nach dem Stichtag geboren war, mich freiwillig melden und auch mit dem »Fähnlein« durch Bamberg marschieren. Meine Mutter hat das aber mittels einer Verschwörung mit dem alten Hausarzt – ich war zu schnell gewachsen und sehr dünn – hintertrieben. Die Nazipropaganda war nun viel stärker spürbar. Ich erinnere mich noch an die überall angemalten Schattenmänner »Feind hört mit« und die von uns begeistert gelesenen – heute würde man sagen – »Cartoons« vom »Kohlenklau« und der »miesen Liese« mit sehr eingängigen Versen. Bombenangriffe gab es zwar in Bamberg noch nicht – nur zweimal fielen zwei Bomben mehr oder weniger aus Versehen am Stadtrand. Aber die Fliegeralarme nahmen ständig zu, dann auch tags, und der »Drahtfunk« – eine Art Kabelradio über das Telefonnetz – schaltete dann um auf Luftlagemeldungen. Ein großer Teil meiner Aufnahmeprüfung ins humanistische Gymnasium unmittelbar vor den Sommerferien 1944 fand im Luftschutzkeller statt. Und es gab immer mehr Gefallene. Nicht wenige meiner Klassenkameraden, darunter viele Bombenevakuierte, vor allem aus Hamburg, waren bereits Kriegswaisen, und es wurden immer mehr. Aber das Leben fand ja sowieso weitgehend ohne Väter statt. Mein Vater war nur 1943 während seines Genesungsurlaubs nach seiner schweren Verwundung in Afrika längere Zeit zu Hause, noch in Lautlingen. Danach habe ich ihn noch dreimal gesehen: zwei Tage an Weihnachten, bei der Beerdigung meines Großvaters im Januar und für etwa eine Woche Urlaub im Juni 1944. Aber all das – und noch nicht einmal die alliierte Invasion im Juni 1944 – hat mich nicht in meinem Glauben an den Endsieg beirrt, und nun gab es ja auch noch die »Vergeltungswaffe« V1. Natürlich hatte ich keine Ahnung von dem, was mein Vater plante und vorbereitete, und noch weniger, dass meine Mutter Bescheid wusste. Auch sie musste sich tarnen und ließ nie ihre Gegnerschaft zu den Nazis erkennen, allerdings auch keine Begeisterung für sie. Und man realisierte, wenn auch undeutlich, was passieren konnte, wenn man nicht mitspielte. Die Zeitungen waren voll von Berichten über Sondergerichtsprozesse wegen Hörens von Feindsendern, Schwarzschlachtens und Ähnlichem, die oft mit Todesurteilen endeten. Über Konzentrationslager habe ich, wenn auch im Flüsterton, gehört, aber es wusste niemand, was dort passierte, und man wollte es wohl auch nicht wissen.

Warum ich das so breit schildere? Weil ich in der Rückschau glaube, dass dies meine entscheidende Erfahrung während des Naziregimes war. Ich habe erlebt, wie sogar die Jüngsten durch eine geschickte Mischung von Propaganda, Erlebnissen und dabei ständiger subtiler Drohung zu einem willfährigen Teil der Maschinerie gemacht werden konnten. Der Absturz kam dann schnell und brutal.

Mitte Juli 1944 fuhren wir – meine Mutter und wir vier Geschwister – in die Sommerferien zu meiner väterlichen Großmutter nach Lautlingen. Wie wir heute wissen, war das meinem Vater gar nicht recht, aber meine Mutter wollte an den Plänen nichts mehr ändern, ob ihrer Schwiegermutter zuliebe oder um nicht einen Hinweis über ihre eigene Kenntnis von den Plänen meines Vaters zu geben – ich weiß es nicht. Meine mütterliche Großmutter blieb allein im Haus zurück. In Lautlingen waren schon ständig die Kinder meines Onkels Berthold, in dessen Berliner Wohnung mein Vater mit wohnte. Meine Tante, die zwischen Berlin und Lautlingen pendelte, war auch da. Am 21. Juli hörte ich im Radio von einem verbrecherischen Anschlag auf den Führer, aber meine Fragen wurden ausweichend beantwortet, und von da an versuchten die Erwachsenen, meinen nächstjüngeren Bruder und mich vom Radio fernzuhalten. Mein Großonkel Oberst Nikolaus Graf Üxküll, ehemals Generalstabsoffizier der k.u.k. Armee[3], wurde mit uns auf einen langen Spaziergang geschickt, auf dem er uns von seinen Erlebnissen auf der Großwildjagd in Afrika erzählte. Natürlich wussten wir nicht, dass er selbst Mitglied der Verschwörung war, und ich frage mich noch heute, was ihm wohl während dieses Spaziergangs durch den Kopf gegangen ist. Auch er ist später vom Volksgerichtshof verurteilt und hingerichtet worden. Am 22. nahm dann meine Mutter meinen Bruder und mich beiseite und eröffnete uns, dass es mein Vater gewesen war, der den Anschlag auf Hitler verübt hatte. Auf meine Frage, warum er denn den Führer töten wollte, sagte sie, er habe geglaubt, es für Deutschland tun zu müssen. Sie selbst hat übrigens später geglaubt – und so hat es meine Schwester in ihrem Buch geschrieben –, sie hätte uns auf unsere Fragen gesagt: »Da hat sich der Papi wohl geirrt«, aber mein Bruder und ich sind uns einig, dass sie das nicht gesagt hat. Auch sagte sie uns, dass sie wieder ein Kind erwartete. Für mich brach eine Welt zusammen. Wir hatten unseren stets fröhlichen Vater nicht nur über alles geliebt, er war auch absolute Autorität gewesen, natürlich wegen seiner Abwesenheit meist nur zitierte. Und nun das! Ich glaube, ich bin bis zum Frühjahr 1945 nie mehr richtig zu klarem Denken gekommen und habe die Schläge, die dann kamen, einfach so hingenommen. Und sie kamen rasch und hart. Meine Mutter, die man erst in Bamberg gesucht hatte, und mein Großonkel Üxküll wurden in der Nacht zum 23. verhaftet und in der Folge nach Berlin gebracht, in der folgenden Nacht meine Großmutter und ihre Schwester, die Rotkreuz-Oberin gewesen war, verhaftet und im Amtsgerichtsgefängnis in Balingen inhaftiert. Die Großtante kam übrigens bald frei, durfte aber nicht nach Lautlingen zurück. Meine Großmutter wurde im November 1944 in Hausarrest entlassen. Das Dorf stand

---

[3] Abkürzung für »kaiserliche und königliche Armee«, wie die österreichischen Streitkräfte offiziell genannt wurden.

zu ihr, und nie gab es so oft etwas im Haus zu reparieren – natürlich ein Vorwand, um trotz Besuchsverbot zu ihr zu gelangen. Aber zurück zum Juli. Wir Kinder blieben mit unserer Kinderschwester und der Haushälterin meiner Großmutter allein zurück, und zwei Gestapo-Beamte residierten nun im Haus. Im Radio und in den Zeitungen wurde nun täglich hasserfüllt über die Verschwörung berichtet, und bald auch über den ersten Volksgerichtsprozess, in dem mein Onkel Berthold einer der Angeklagten war. Nun war es ein Glück, dass wir in Lautlingen waren, denn das Dorf stand, natürlich nur heimlich, zum größten Teil zur Herrschaft. Dennoch mussten wir uns als Ausgestoßene fühlen, und dieses Gefühl werde ich nie vergessen. Am 16. August kam dann der Befehl, dass wir Kinder – ich zehn Jahre alt, meine Brüder acht und sechs Jahre alt, meine Schwester dreieinhalb Jahre, mein Vetter und meine Cousine sechs und fünf Jahre alt – am nächsten Tag in ein Kinderheim gebracht werden sollten. Eilends wurden die wenigen Sachen gepackt, die wir für die Ferien dabeihatten. Die Haushälterin nahm uns zum Pfarrer, der uns seinen Segen gab. Er sagte uns auch, dass wir wahrscheinlich Schweres durchmachen müssten. Wir sollten aber nie vergessen, wofür mein Vater gehandelt habe. Erst später ist mir klar geworden, wie mutig diese Worte waren.

Am nächsten Morgen ging es zunächst nach Stuttgart, das in der Nacht gerade wieder einmal bombardiert worden war. Wir verbrachten den Tag in der Gestapo-Leitstelle im inzwischen weidlich diskutierten »Hotel Silber« und bestiegen am Abend in Begleitung einer Gestapo-Beamtin ein reserviertes Abteil im Nachtzug nach Berlin. Am Morgen stiegen wir in Erfurt um und kamen gegen Mittag in Nordhausen an. Von dort wurden wir per Auto in das Kinderheim gebracht, von dem wir nun erfuhren, dass es in Bad Sachsa im Südharz war. Das Heim im Bornetal am Rande des Städtchens bot sich uns mit seinen schwarzwaldartigen Holzgebäuden sehr pittoresk und eigentlich als eine Idylle dar. Es war von dem bremischen Kaufmann Daniel Schnackenberg gestiftet und 1936, kurz nach der Fertigstellung, enteignet und von der

Bremer NSV als Kinderheim »Bremen« übernommen worden. Von Bremen stammte deshalb auch überwiegend das Personal. Das Heim bestand neben den Wirtschafts- und Verwaltungsgebäuden aus sieben Holzhäusern, die für je etwa dreißig Kinder ausgelegt waren, aufgeteilt nach Altersgruppen und Geschlecht. Als das Heim extra für unsresgleichen geräumt wurde, wurde diese Organisation für uns beibehalten. Warum gerade dieses Heim für unsere – neutral gesagt – Unterbringung ausgewählt wurde? Ich kann darüber nur spekulieren. Dafür sprach sicher, dass es einen abgeschlossenen Bereich bildete und, wenn auch nur knapp, außerhalb eines Ortes lag, ferner dass das Personal, wie gesagt, meist aus Bremen, nicht örtlich verflochten war. Das politische Umfeld mag der Auswahl auch nicht gerade entgegengestanden haben, denn, wie ich erst im Jahre 2000 bei einem Vortrag dort erfahren habe, war Bad Sachsa der »braunste« Ort im gesamten Kreis Grafschaft Hohenstein/Nordhausen, zu dem es damals gehörte. Nach dem Kriege wurde übrigens der thüringische Zipfel Bad Sachsa zur britischen Zone geschlagen und gehört heute zum Kreis Osterode im Harz. Sonst wäre es für uns bis zur Wiedervereinigung nicht mehr zugänglich gewesen.

Wir waren die ersten Ankömmlinge. Ich fand mich – noch allein – in Haus 1 wieder, dem Haus für Buben ab zehn, meine Brüder und mein Vetter in Haus 2 für Buben von sechs bis neun Jahren. Meine Schwester und meine Cousine kamen in das Haus für Mädchen von zwei bis fünf Jahren. So waren wir gleich getrennt, und da die Häuser weitgehend ein Eigenleben führten, sahen wir uns zunächst nur gelegentlich und zufällig. In den nächsten Tagen und Wochen kamen dann weitere Kinder. Wie viele es insgesamt waren, kann ich wegen der Aufteilung auf die Häuser nicht sagen, aber jedenfalls weit unter Kapazität. Ich habe einmal von insgesamt 43 Kindern gelesen. In meinem Haus waren wir maximal zehn. Schon etwa im Oktober durften die ersten wieder nach Hause, vermutlich, weil ihre Mütter aus der Untersuchungshaft entlassen worden waren. Die Nazis haben ja, was nicht jeder weiß, die Sippenhaft keineswegs konsequent, sozusagen »flächen-

deckend« angewandt. Es ist sogar schwer, bei denen, die eingesperrt wurden, und bei denen, die nicht oder nur kurz inhaftiert
waren, ein System zu erkennen.

An Weihnachten – das Heim war inzwischen zu einem Mütter-
genesungsheim gemacht worden – waren wir nur noch so wenige,
dass wir alle zusammen in einem Haus konzentriert waren. Im
Frühjahr 1945 wurde das Heim von der Wehrmacht beschlagnahmt, und es zog die höchst geheime Einheit 00400 ein. Heute
weiß ich, dass das der Stab für die »Vergeltungswaffen« war. Bad
Sachsa war ja ganz in der Nähe des berüchtigten Werks Mittelbau
und des KZ-Lagers Dora, wo nach der Räumung von Peenemünde
die V2-Raketen gebaut wurden. Wir waren nun nur noch 14, davon
sechs Stauffenbergs und drei Vettern und Cousinen Hofacker,
eine mit mir gleichaltrige Tochter des Generals der Artillerie Lindemann, zwei Goerdeler-Enkel und zwei kleine Mädchen Bernardis und Henke. Nun reichte für uns die ehemalige Villa, die als
Krankenstation, »Iso« genannt, diente. Am 3. April, dem Ostermontag, sollten wir, wie wir heute wissen, nach Buchenwald gebracht werden, wo sich unsere erwachsenen Verwandten auf einer
Station ihrer Odyssee vom KZ Stuthof in Ostpreußen über das SS-
Straflager Matzkau – dort ist meine mütterliche Großmutter an
Typhus gestorben – und danach Schönberg im Bayerischen Wald
nach Dachau befanden. Ob sie zu diesem Zeitpunkt wirklich noch
in Buchenwald waren, weiß ich bis heute nicht. Wir kamen dort
auch nie an, denn als wir in einem Wehrmacht-Werkstattwagen
die Außenbezirke von Nordhausen erreichten, wo wir in den Zug
gesetzt werden sollten, begann ein fürchterlicher Bombenangriff –
übrigens der einzige wirkliche, den ich erlebt habe –, und mit der
Zerstörung der Stadt wurde auch der Bahnhof unbenutzbar. Wir
mussten also wieder nach Bad Sachsa zurück und machten dort
einfach da weiter, wo wir vorher aufgehört hatten. Manchmal wurde es ungemütlich, wenn die Tiefflieger nicht nur auf Wehr-
machtsfahrzeuge im Wald, sondern auch in die Erdbeeren vor
dem Iso schossen. Das Gebäude stand am Hang, und der Keller,
der unser einziger Schutz war, war auf der dem Zaun abgewand-

ten Seite ebenerdig, sodass wir die Flieger, meist Mustangs und gelegentlich Lightnings, fliegen und schießen sehen konnten – welch ein Abenteuer! Schließlich kamen am 12. April die Amerikaner. Im Wald gegenüber dem Bornetal wurde noch gekämpft, bis sich die deutschen Kräfte zurückzogen. Angeblich sollen die Amerikaner gedroht haben, die Stadt, die wohl schon übergeben worden war, zusammenzuschießen, was aber in Verhandlungen abgewendet werden konnte. Unser Haus wurde von amerikanischen Soldaten durchsucht, die natürlich nicht wussten, wen sie da vor sich hatten, aber danach ging es wieder im alten Trott weiter. Wir machten Beute unter der Hinterlassenschaft der Einheit 00400 und nun auch weitere Spaziergänge. Nach einiger Zeit erschien der von den Amerikanern neu ernannte Bürgermeister Willi Müller, ein alter Sozialdemokrat, und eröffnete uns, dass wir nun frei seien. Er hat auch veranlasst, wie ich erst anlässlich der Veranstaltung im Jahr 2000 erfahren habe, dass wir nun ordentlich als Einwohner gemeldet wurden. Nichts änderte sich allerdings an unserer Ungewissheit, was aus unserer Familie geworden war und wie es denn weitergehen würde. Unsere verbliebenen beiden Kindergärtnerinnen Hedwig Dominiczak und Margaret Gronau drängten nun nach Hause nach Bremen, wohin sie natürlich mangels anderer Verkehrsmöglichkeiten nur zu Fuß und per Anhalter gelangen konnten. Dann erschien am 11. Juni plötzlich die erwähnte Rotkreuz-Großtante in einem Auto mit französischem Besatzungskennzeichen. Sie hatte schnell einen Bus – mit Holzgasantrieb – organisiert, und dann ging es durch das zerstörte Deutschland zurück nach Lautlingen, wo wir am 13. Juni ankamen.

Wie war nun das Leben im Kinderheim? Die Leiterin Frl. Köhler erschien eher streng und strahlte Autorität aus. Sie trug ständig das NS-Parteiabzeichen. Die Behandlung durch das Personal war aber ausgesprochen freundlich, und niemals wurde uns das Gefühl gegeben, zu einer ausgestoßenen Gruppe zu gehören. Zu besonderem Dank fühle ich mich Frl. Verch verpflichtet. Sie war zunächst stellvertretende Heimleiterin, übernahm dann aber nach dem Wegzug des Müttergenesungsheims die Leitung über unser zusammengeschmolzenes Häuflein. Sie war sehr viel umgänglicher, und wir hatten Vertrauen zu ihr. Die Verantwortung für uns hat sie vorbildlich wahrgenommen und auch noch in der Zeit der Auflösung »den Laden zusammengehalten«. Ebenfalls 2000 habe ich gehört, dass sie später den schon erwähnten neuen Bürgermeister geheiratet hat. Die Verpflegung war wie in der damaligen Zeit üblich. Allerdings gab es keinerlei Kontakte zur Außenwelt, auch kein Radio und keine Zeitung, sodass ich etwa von der Ardennenoffensive um die Jahreswende 1944/45 erst nach dem Kriege erfahren habe. Auch gab es keine Schule und natürlich keine Kirche. Übrigens gab es so eine Art nicht religiöser Tischgebete – ein Spruch, zu dem man sich an den Händen fasste. Ich kann mich nur noch an den kürzesten erinnern. Er lautete »Hau rin!« Nach dem Essen fasste man sich wieder an den Händen und sprach: »Es hat mal wieder gut geschmeckt. Wir danken!«

Ich bin oft gefragt worden, was wir denn so den ganzen Tag gemacht haben. Ich frage mich das heute auch. Hauptsächlich haben wir wohl gespielt, sind spazieren gegangen, haben gebastelt und haben das wenige Vorhandene gelesen. Nach einiger Zeit wurde uns eröffnet, dass wir nun andere Namen hätten, unserer war Meister. Ich selbst hatte aber nie Gelegenheit, diesen auch zu gebrauchen. Es gibt eine Theorie, dass die Namen die von SS-Familien waren, zu denen wir, da ja rassisch wertvoll, nach dem Endsieg kommen sollten. Eine große Belastung war nicht nur die Isolation von der Außenwelt, sondern noch mehr die von der Familie, von der wir nicht wussten, was mit ihr geschehen war. Nur zweimal gab es einen Kontakt. An Weihnachten besuchte uns meine Tante Melitta Gräfin Stauffenberg, geb. Schiller, die Frau des mittleren Bruders meines Vaters, der auch in Sippenhaft gekommen war. Sie selbst war Ingenieurin und Pilotin mit dem Titel Flugkapitän, die ihre eigenen Entwicklungen selbst ausprobierte, mit über 2500 Sturzflügen. Sie war, weil sie gebraucht wurde, schon bald aus der Haft entlassen worden, erklärte sich aber zur weiteren Arbeit nur unter der Bedingung bereit, dass sie ihren Mann besuchen durfte. Sie hatte Gönner, die es ihr ermöglichten, diese Erlaubnis großzügig auszulegen und etwa auch uns und sogar meine Mutter im KZ Ravensbrück zu besuchen. Sie war eine bemerkenswerte Frau, die in der Luftwaffe ungeheures Ansehen genoss, und über sie ist auch ein Buch geschrieben worden. Sie war übrigens nach damaligem Sprachgebrauch »Halbjüdin«, konnte das aber einigermaßen verschleiern und ist auf Veranlassung von Göring »einer Arierin gleichgestellt worden«. Und sie wurde mit dem Eisernen Kreuz II. Klasse und dem Flugzeugführerabzeichen in Gold mit Brillanten ausgezeichnet. Leider ist sie kurz vor Kriegsende auf dem Wege zu einem Besuch bei ihrem Mann, damals in Schönberg im Bayerischen Wald, in der Nähe von Straubing in einem Schulflugzeug abgeschossen worden. Der andere Kontakt war die mit großer Verspätung eingegangene und von Frl. Verch eröffnete Nachricht, dass meine Mutter am 27. Januar eine Tochter bekommen hatte. Am gleichen Tag wurde Auschwitz befreit, und deshalb ist dieser Tag zu dem heute begangenen »Tag des Gedenkens« geworden.

Wie ging es für uns weiter? Wir waren wieder in Lautlingen mit meiner Großmutter. Dort sprach man noch über die Besetzung durch marokkanische Truppen, die einen Tag lang plündern durften, während die Bevölkerung mit Erlaubnis der Eroberer im Schlossgarten und in der Kirche Zuflucht suchte, um sich vor Angriffen und Vergewaltigungen zu schützen. Im Schloss waren noch ein kleines deutsches Lazarett und eine ganze Anzahl evakuierter Gestapo-Familien. Die Franzosen betrieben eine strenge Besatzungspolitik, hatten auch selbst nichts, um einen Schwarzmarkt wie in der amerikanischen Zone zu nähren, und die Gegend wurde von auf dem nahen Truppenübungsplatz Heuberg »befreiten« Wlassow-Russen unsicher gemacht. Diese wurden schließlich repatriiert – ich sehe noch die Züge mit den sowjetischen Parolen –, aber sie sind wohl sämtlich einem düsteren Schicksal entgegengefahren.

Meine Tante kam einen Tag nach uns von Capri über Paris und München. Sie war zusammen mit den übrigen Sippenhäftlingen und vielen anderen prominenten Häftlingen wie Leon Blum, dem

Sohn von Admiral Horthy, dem ehemaligen österreichischen Bundeskanzler v. Schnuschnigg, Pastor Niemöller, Generaloberst Halder, dem ehemaligen Reichsbankpräsidenten Schacht, großenteils mit ihren Frauen, und anderen bei der Auflösung des KZ Dachau nach einer Irrfahrt nach Niederdorf im Südtiroler Pustertal gebracht worden. Dort war ungewiss, was mit ihnen passieren sollte, und die Furcht vor einer Liquidierung ging um. Einem Mithäftling, Oberst Bogislav von Bonin, übrigens einem Jahrgangskameraden meines Vaters, der später in der Vorgeschichte der Bundeswehr eine Rolle spielen sollte, gelang es, einen Kontakt zum Chef des Stabes der Heeresgruppe Süd, General Röttiger, unserem späteren ersten Inspekteur des Heeres, herzustellen. Der schickte einen Offizier, der eine Kompanie herbeiholte, die die SS entwaffnete und etwa eine Woche später die Häftlinge den Amerikanern übergab. Die verfrachteten die ganze Gruppe erst einmal nach Capri und überprüften sie dort. Einige, wie Halder und Schacht, kamen gleich wieder in Haft. Am 29. und 30. April 2005 fand in Niederdorf eine Gedenkfeier statt, zu der ich eingeladen war. Bei dieser Gelegenheit habe ich erfahren, dass die Befreiung noch wesentlich dramatischer und die Lage davor weitaus gefährlicher war, als mir bis dahin bewusst gewesen war. Wo aber war meine Mutter? Erst Anfang Juli erfuhren wir, dass sie in der Nähe von Hof gestrandet war. Nach einer Woche im Amtsgerichtsgefängnis in Rottweil und der Untersuchungshaft im Polizeipräsidium Berlin Alexanderplatz war sie in das KZ Ravensbrück gebracht worden, wo die Gestapo eine Außenstelle unterhielt. Erst 1994 habe ich mir das, was bis dahin russische Kaserne gewesen war, angesehen. Zur Geburt meiner Schwester kam sie in eine Klinik in Frankfurt/Oder, musste aber von dort alsbald wegen der herannahenden Sowjets in einem Lazarettzug evakuiert werden. Dort infizierten sich Mutter und Kind und wurden nach einigem Hin und Her unter dem Namen »Nina Schank« mit Gestapo-Bewachung im katholischen St. Josefs-Krankenhaus in Potsdam untergebracht. Nach beider Genesung sollte sie von dort ein Feldgendarm, also ein Militärpolizist, zu den übrigen Sippenhäftlingen bringen, die damals gerade in Schönberg im Bayerischen Wald waren. Das war aber mit Schönberg bei Plauen verwechselt worden, und nun wollte der Feldgendarm, der einen solchen politischen Auftrag für sowieso unter seiner Würde hielt, aber nach Hause, und so setzte er meine Mutter mit dem Baby einfach in Trogen, einem Dorf bei Hof, ab, wohlversehen mit einer Bescheinigung meiner Mutter über äußerste Pflichterfüllung. Wenig später kamen die Amerikaner, und meine Mutter war als erste der Sippenhäftlinge, wenn auch zufällig, »befreit«. Allerdings hieß das unter den damaligen Umständen keineswegs, dass sie auch frei war, denn das war damals niemand im besiegten Deutschland.

Der Rest ist schnell erzählt. Nach Bamberg konnten wir erst 1953 zurück, denn das Haus, von der SS beschlagnahmt, von dieser bei der Annäherung der Amerikaner verlassen, war durch Beschuss erheblich beschädigt und anschließend ausgeplündert worden – im Wesentlichen von Nachbarn. Meine Mutter hatte hart zu kämpfen, nicht nur, um ihre fünf Kinder durchzubringen, sondern auch, um das Haus wieder aufzubauen und wieder an ihren Besitz zu kommen. Der beschlagnahmte Familienschmuck etwa war erst von den Gestapo-Leuten und dann von Angehörigen des amerikanischen »Counter Intelligence Corps« (CIC) gestohlen worden. Erst 1948 kam er aus den USA zurück, nicht zuletzt durch die tatkräftige Hilfe von U.S. General Wedemeyer, der Lehrgangskamerad meines Vaters im Generalstabslehrgang an der Kriegsakademie gewesen war. Ein Hauslehrer, ein Germanist, der nicht in seine schlesische Heimat zurückkehren konnte und froh war, einen Platz mit genug Essen gefunden zu haben, half uns, die verlorene Schulzeit nachzuholen, und 1947 kam ich ins Internat nach Salem, wo ich eine unbeschwerte Schulzeit verlebte und 1953 mein Abitur machte. Das Bamberger Neue Gymnasium habe ich also nach meiner Aufnahmeprüfung 1944 nie mehr wiedergesehen.

Wie sehe ich heute die Bad Sachsaer Zeit? Nun, wenn ich von den bedrückenden, von mir schon geschilderten Umständen der Ungewissheit über das Verbleiben unserer Familien und über unsere Zukunft absehe, die wie eine dunkle Wolke am Himmel stand, die aber doch nicht immer genau über uns war, habe ich keine schlechte Erinnerung, und auch meine Brüder nicht. Wir wurden gut, ja liebevoll, behandelt, wir waren sozusagen unter uns, und das Leben war zwar einfach, aber bei aller materieller Kargheit nicht schlechter als das der Masse der deutschen Bevölkerung. Anders als Hunderttausenden unserer Altersgenossen blieben uns Bombenangriffe und die Schrecken der Flucht, Vertreibung und der sowjetischen Eroberung erspart, auch die Lautlingens durch die Franzosen, sprich Marokkaner, und, wenn auch nur um Haaresbreite, die der Konzentrationslager. Die dortige Gegend war doch eine geschützte Ecke, und auch von dem berüchtigten Lager Dora und dem unterirdischen Werk Mittelbau, wo die V2-Raketen zusammengebaut wurden, habe ich erst am Tag vor unserer Abreise erfahren. Da war ich sogar mit meiner Großtante kurz dort und kann mich noch an den Eingang zu dem unterirdischen Werk erinnern. Es war ja noch die Zeit vor der Übergabe Thüringens an die Sowjets. Und die Isolation, in der wir lebten und unter der ich auch litt, hatte immerhin den Vorteil, dass wir nicht ständig mit unserem Ausgestoßensein konfrontiert waren. Ein Trauma haben meine Brüder und ich jedenfalls nicht davongetragen. Andere waren da nicht so glücklich und haben diese Zeit bis heute nicht ganz überwunden, wie etwa Wiebke Bruhns, geb. Klamroth, die sich das offensichtlich von der Seele schreiben musste. Auch für meine damals dreieinhalb Jahre alte Schwester muss es ein schlimmes Erlebnis gewesen sein. Wir haben nie darüber gesprochen, als wir noch jung waren, und dann ist sie mit 25 Jahren an Leukämie gestorben.

Als wir Bad Sachsa verließen, wusste ich nicht, dass es fast 30 Jahre dauern würde, bis ich es das erste Mal wiedersah. Vorher hatte sich einfach keine Gelegenheit zum Besuch ergeben. Ich war damals – 1973 – Bataillonskommandeur in Munsterlager, und auf einer Reise in den Sommerurlaub in Süddeutschland fassten wir unter dem Protest meines damals acht Jahre alten jüngsten Sohnes den immer schweren Entschluss, die Autobahn zu verlassen und einen Abstecher dorthin zu machen. Als ich dann das Heim, damals Kinderkrankenhaus, wiedersah, konnte ich gar nicht fassen, wie klein alles war und wie kurz die Abstände zwischen den Häusern.

In der Rückschau waren die Monate von Juli 1944 bis Juni 1945 eine Zeit, die mich mit für mein weiteres Leben geprägt hat und die ich aus diesem Grund nicht missen möchte. Gleiches gilt allerdings für die materiell viel schwerere unmittelbare Nachkriegszeit. Wie die meisten meiner Altersgenossen, besonders die Kriegswaisen, hat uns diese Zeit den Ernst des Lebens in einer Weise vor Augen geführt, die der heutigen jungen Generation, der ich dies deshalb nicht wünschen möchte, versagt bleiben muss. Wir sind sicher früher erwachsen geworden und wussten stets, dass wir frühzeitig auf eigenen Beinen stehen müssten. Das haben wir dann auch getan, und aus uns allen ist etwas Ordentliches geworden. Dankbar bin ich seit 1945 vor allem für eines: dass wir zum Schluss wieder fast alle glücklich vereint waren. Wir trauerten zwar um meine im KZ gestorbene Großmutter, die nicht einmal Stauffenberg hieß, und meine abgeschossene Fliegerin-Tante, aber wie hätte es noch ausgehen können! Zu unserem Abendgebet gehörte fortan der Satz: »Lieber Gott, wir danken Dir, dass Du uns wieder vereint hast.«

Lassen Sie mich mit ein paar persönlichen Bemerkungen schließen. Ich habe über meinen Vater sehr wenig gesagt, und ich konnte auch nicht viel über ihn sagen, denn – genau genommen – habe ich ihn kaum gekannt, jedenfalls nicht so, wie ich denke, dass meine Söhne mich kennen. Mit zunehmendem Alter – ich bin ja nun mehr als doppelt so alt, wie mein Vater je werden durfte – beschäftigt mich doch die Frage, welches Verhältnis sich zwischen uns entwickelt hätte, hätte er überlebt. Ich mag nicht ausschließen, dass wir in manchem verschiedener Meinung gewesen wären. Aber mir bleibt die glückliche Erinnerung an ihn als einen wunderbaren Vater.

1.3 Aus dem Tagebuch einer Zwölfjährigen – Christa von Hofacker

C äsar von Hofacker (11. März 1896 – 20. Dezember 1944) befand sich im Juli 1944 als Oberstleutnant d. R. in Frankreich, wo er mit seinem Vorgesetzten General Carl-Heinrich von Stülpnagel zu den führenden Köpfen des deutschen militärischen Widerstandes zählte. In seinen Jugendjahren hatte Hofacker mit den Nationalsozialisten sympathisiert; 1937 war der promovierte Jurist der NSDAP beigetreten.[1] Unter dem Eindruck des Regimeterrors sowie der wirtschaftlichen Ausbeutung der besetzten Länder schloss er sich dem Widerstand an. – Dank des energischen Einsatzes von Stülpnagel und Hofacker gelang der Umsturz in Paris am 20. Juli. Etwa 1200 Angehörige des Sicherheitsdienstes (SD) und der SS wurden verhaftet. Erst als der Putsch zusammenbrach, weil der »Führer« überlebt hatte, wurde die Aktion rückgängig gemacht. Hofacker schlug eine Fluchtmöglichkeit aus, wurde am 26. Juli verhaftet, am 30. August zum Tode verurteilt und am 20. Dezember in Berlin-Plötzensee hingerichtet.

Seine Frau, Ilse-Lotte, wurde mit ihren Kindern, Eberhard und Anna-Luise, durch mehrere KZs geschleppt und landete schließlich in Südtirol, wo sie zuletzt von der Wehrmacht befreit wurden (s. S. 90ff.). Ihre Kinder Christa (12), Alfred (9) und Liselotte (5 Jahre) wurden dagegen nach Bad Sachsa gebracht. Die folgenden Textauszüge sind wegen ihrer frühen Entstehung 1946 – auf Grundlage eines in Bad Sachsa geführten Tagebuches – von besonderem Wert. Sie stammen aus: »Unsere Zeit in Sachsa – ein ausführliches Tagebuch des vergangenen Jahres. Mutti zur Erinnerung an unsere lange Trennung.«

---

[1] Vgl. Günter Brakelmann, Hofacker, in: H. Schultze (Hg.) u.a., »Ihr Ende schaut an ...«, S. 312-314; G.R. Ueberschär, Cäsar von Hofacker und der deutsche Widerstand gegen Hitler in Paris, in: Frankreich und Deutschland im Krieg (November 1942 – Herbst 1944). Okkupation, Kollaboration, Résistance. Akten des Deutsch-Französischen Kolloquiums. Paris, 22. und 23. März 1999. Bonn: Bouvier, 2000, S. 621-631; Alfred von Hofacker, Cäsar von Hofacker – ein Wegbereiter für und ein Widerstandskämpfer gegen Hitler, ein Widerspruch?. Stuttgarter Stauffenberg-Gedächtnisvorlesung 2009. Göttingen: Wallstein; Stuttgart: Haus der Geschichte, 2010.

Schrecklich war das eintönige Rattern des Zuges. Die Räder rollten, rollten immer weiter erbarmungslos in die Ferne. An Schlafen war nicht zu denken. Alfred saß mir gegenüber, in seinen Mantel gehüllt, doch wußte ich genau, daß auch er nicht schlief. Liselotte lag auf meinen Knien, und ich hörte ihre leisen regelmäßigen Atemzüge.

Meine Gedanken wanderten zurück in die Vergangenheit. Da war der Abend des 30. Juli – jener Abend, an dem Mutter, Eberhard und Anna-Luise geholt worden waren –, die Tage, an denen ich mit den Kleinen und Nadja allein gewesen war, ständig bewacht von der NSV-Schwester oder Frau Müller, diesem entsetzlichen Weib! Trostlos waren diese drei Wochen gewesen, trotz aller Liebe, die uns die Bekannten entgegengebracht hatte. War doch der Gedanke an die anderen so traurig und die Sehnsucht so groß. ... Darauf war der 24. August gefolgt, an dem das »Bleichgesicht« – dieser gräßliche Gestapomann, unter der Tür erschienen war. Er hatte auch damals die anderen mitgenommen. »Ich komme im Auftrag von Berlin und soll die drei Kinder holen. Ich soll sie noch heute in die Nähe von München bringen.« Eiskalt hatten seine Worte geklungen. In Windeseile war das Nötigste gepackt worden, und kaum zwei Stunden später waren wir in den Zug gestiegen.

Ein Heim am Waldrand

Wir waren nach München gefahren und von da aus weiter nach Gauting in ein Kinderheim, wo wir übernachteten. 24 Stunden später saßen wir schon wieder in der Bahn und fuhren zurück nach München. Hier mußten wir drei Stunden in einer NSV-Unterkunft warten, um uns der tosende Lärm des Großstadtbahnhofs: Drei Stunden quälte mich der Gedanke: »Noch bist du in München – in der Stadt, in der auch Mutti und die Geschwister sind –, und du kannst nicht zu ihnen. Du darfst die Kleinen nicht verlassen, du mußt wenigstens ihnen helfen.«

Kaum waren wir wieder eine Weile im Zug gefahren, als eine Sirene heulte. Der Zug bremste und hielt. Fliegeralarm – wir mußten warten. Nun war es ganz still – die Ruhe war noch unerträglicher. Wir fuhren endlich weiter – endlos war die Nacht. Mit Verspätung liefen wir am anderen Morgen in einen Bahnhof ein. »Göttingen« stand auf großen Schildern. Mein Gott, so weit waren wir schon gefahren. Den ganzen Vormittag blieben wir in Göttingen, durch die Verspätung hatten wir den Anschlußzug nach Northeim versäumt. Die Kleinen wurden Gott sei Dank munter und waren, bis wir mittags weiterfuhren, vollkommen aufgetaut.

Nachmittags um drei Uhr stiegen wir an einem kleinen Bahnhof aus. »Bad Sachsa!« Hier sollten wir bleiben. Unser Gepäck ließen wir im Ort, dann ging es auf der Chaussee weiter – bis uns die beiden Begleiterinnen aufklärten. Wir sollten in ein Kinderheim. Das Heim lag ganz am Waldrand und bestand aus zehn reizenden Schwarzwaldhäusern. Von außen wirklich nett. Mit kurzem »Heil Hitler« wurden wir im Büro begrüßt, dann kamen drei Kindergärtnerinnen, und jede nahm einen von uns mit. Wir wurden getrennt. Ich gehörte zu Haus sieben, und zu meinem größten Erstaunen war ich die Zweite, die hier einzog. Utha war schon eine Woche vor mir gekommen, sie war – wie ich – dreizehn Jahre alt. Ihren Nachnamen sagte sie nicht; es war hier wohl Sitte, diesen zu verschweigen.

Der nächste Tag war ein Sonntag. Ich hatte mit Utha in einem Zimmer geschlafen, das nicht gerade gemütlich zu nennen war: zwei Betten, ein Schrank, ein Stuhl. Dieser Sonntag – der erste Tag in Sachsa – verging mit allerlei Gesellschaftsspielen. Ich freundete mich mit Utha an. Am nächsten Tag traf ich Alfred im Büro; er war schrecklich verzweifelt, und ich versuchte, ihn zu trösten. Aber ich konnte ihm ja auch gar nichts Erfreuliches sagen. Rasch wurden wir von der Heimleiterin wieder auseinandergerissen. Trostlos waren diese ersten Tage. Eine Frage nach der anderen tauchte auf: Wo ist Vater – weiß er von uns – lebt er noch? ... Sind die anderen noch in München, überstanden sie bis jetzt die Angriffe? ... und – was soll aus uns werden? Mit Liselotte durfte ich einmal spazierengehen, und es gelang mir, sie wieder fröhlich zu stimmen.

Niemand durfte die Namen wissen

Eines Tages schütteten Utha und ich uns unsere Herzen aus, und es wurde uns auf einmal ganz leicht ums Herz. Utha hatte den Anfang gemacht: »Hör mal Christa, jetzt machen wir aber Schluß; ich glaube, wir rennen beide immer wie die Katze um den heißen Brei. Meine Mutter ist im Gefängnis und deine höchstwahrscheinlich auch!« Dies war der Grundstein zu der innigen Freundschaft, die auch heute noch zwischen uns besteht. Es war Utha von Tresckow, deren kleine fünfjährige Schwester auch in Sachsa war. Heidi. Einige Tage später kam Marlies Lindemann zu uns.

Ich telefonierte jetzt öfter mit Alfred. Liselotte wohnte ein Haus weiter, und ich konnte ihr morgens zuwinken. Oft standen Utha und ich abends auf dem Balkon und schauten auf den Mond. Merkwürdig war der Gedanke, daß Mutti und die Geschwister diesen Mond durch ein vergittertes Fensterchen vielleicht auch sehen würden.

Längst wußten Utha und ich, daß das Heim nur für Kinder vom 20. Juli freigehalten worden war. Waren doch bei den Buben die ganzen Stauffenbergs! ... Jede Woche schrieb ich an Mutti. Mein Geld und alle meine Schreibsachen waren mir genommen worden. Ja, selbst die Bilder von Vater und Mutti hatte ich nie wiedergesehen. Unseren Namen durften wir um Gottes willen niemandem sagen. Dauernd streiften Unbekannte auf dem Gelände herum. Mitte September wurde Haus zwei – wo Alfred wohnte – vollkommen isoliert, weil dort ein Junge Röteln hatte. Ich konnte wieder nicht mit Alfred reden. Er saß die ganze Zeit am Fenster, und wenn ich spazierenging, winkte er mir immer zu. Der Gedanke an Vater half mir viel weiter, denn auch er würde zu leiden haben, und er würde dem Kommenden bestimmt immer mutig ins Auge sehen.

Sie sollten in Napolas

Die Zeit verging. Fast der ganze September lag hinter uns. Liselotte war nach wie vor glücklich, und auch Alfred hatte sich eingelebt. Wir bastelten viel und vertrieben uns die Zeit mit Gesellschaftsspielen. Ende September kam Ingrid v. Seydlitz und etwas später zog Liselotte mit ihren Hausgenossen zu uns. Am selben Tag waren auch die Geschwister Dieckmann angekommen.

Am 4. Oktober wurden Utha und ich zur Heimleiterin gerufen. Sie sagte uns, wir wären jetzt wohl die längste Zeit dagewesen. Das war eine freudige Überraschung. Ganz anders sah jetzt alles aus. Wir sollten bald nach Hause! Der Druck, der auf uns lag, löste sich, und wir wurden richtig froh. Einen Tag später schon wurde Utha feierlichst verkündet, sie solle ihre Sachen packen, sie würden am nächsten Tage mit Heidi nach Potsdam gebracht. Das war ein Jubel.

Nachmittags bearbeiteten wir unsere Kindergärtnerin, und sie sagte uns vieles, von dem wir keine Ahnung gehabt hatten: In Sachsa hätten wir an sich acht Wochen bleiben sollen. Unsere Eltern und großen Geschwister hätten in der Zeit umgebracht werden sollen. Dann sollten wir Älteren in Napolas[2] kommen und die Kleinen in fremde SS-Familien verteilt werden. Unsere Bilder hatte man uns genommen, damit wir unsere Eltern möglichst schnell vergäßen. Nun hatte sich ja aber alles zum Guten gekehrt. Das alles eröffnete sie uns, und noch hinterher schauderten wir bei diesen Gedanken. Ich machte an diesem Tage noch einen langen Spaziergang mit Utha – nach langem Hin und Her hatte man es uns erlaubt. Wir malten uns das Wiedersehen mit zu Hause aus. Unsere Herzen schlugen höher. Der Morgen des 6. Oktober war gekommen, und Utha stand neben meinem Bett – unten wartete schon das Auto. »Behüt' Dich Gott«, sagte sie noch einmal, dann war sie draußen.

---

[2] Abkürzung für »Nationalpolitische Erziehungsanstalt«, Internatsschulen, in denen das Regime eine Führungsschicht nach seinen Vorstellungen erziehen wollte.

Einige Tage später zogen wir alle in ein Haus. Man kann fast sagen: wir Übriggebliebenen. Denn in diesen Tagen war der größte Teil von uns abgereist. Von 48 Kindern waren es noch 18. Es war eine große Erleichterung, daß wir nun alle beisammen waren. Ich bekam sogar mein eigenes kleines Zimmer, das ich mir ganz nach meinem Geschmack einrichten durfte. Wir machten viel gemeinsame Spaziergänge und führten wohl auch kleine Theaterstücke auf. Seit wir alle in Haus drei gezogen waren, war ich die Älteste. Dann folgten Kinder aller Altersgruppen, bis zu einem Jahr. Hier fand ich immer Ablenkung, denn die Kleinen wollten beschäftigt sein. Und das machte mir stets riesigen Spaß. Die Abtransporte wurden immer seltener und unsere Sehnsucht und Angst wurde stärker. Jetzt, nachdem Fräulein Köhler uns all' das Grauenhafte gesagt hatte, quälte mich so manche Nacht der Gedanke, ob wir wohl jemals nach Hause kommen würden. Ich konnte mit niemandem darüber reden. Unter Warten und Hoffen verging der Oktober. Es war schwer, den Mut nicht sinken zu lassen, hatte es doch anfangs geheißen, innerhalb von zwei Wochen wäre das Heim wieder leer, und nun waren schon bald vier Wochen seit Uthas Abreise verflossen.

Die übrigen leeren Häuser waren als Entbindungsheime eingerichtet worden. – Es war schrecklich, wie geheim wir gehalten wurden; keinen Schritt allein vor die Tür, ja mit niemandem reden und um Gottes willen nichts über Namen und Herkunft verlauten lassen. – Ich vergaß zu sagen, daß uns damals die NSV-Schwester auch einen Teil unserer »neuen Namen« genannt hatte. Es war ja klar, daß wir unsere »alten« ausstreichen mußten! Also, da hieß Alfred zum Beispiel »Schulze«, die Stauffenbergs »Meister«, Utha »Wartenberg« und die Seydlitz-Kinder »Barth«, und ich sollte »Franke« heißen. Es war doch grässlich, was diese Verbrecher mit uns vorhatten! Ob wir wohl nie mehr unsere Namen sagen durften? Ob wir uns immer wirklich unserer Herkunft schämen sollten? Nein, nie könnte ich das tun. Auf Vater muß man stolz sein, und auf all die anderen auch!

Die Zeit schien manchmal stillzustehen. Der Geburtstag der

Heimleiterin wurde Anfang November festlich begangen, und sie sagte mir, Mutti und die Geschwister seien schon zu Hause, und sie wartete jeden Tag auf einen Anruf für uns. Oh, wenn ich damals gewußt hätte, wie sehr sie uns betrog! Liselotte lag zwischendurch länger im Bett, weil sie mit Eiterpickeln direkt verpestet war. Dazu kam noch, daß ich Läuse bekam. Noch heute habe ich es gut in Erinnerung, wie verzweifelt ich damals war. Fast jede Nacht war Fliegeralarm, oft auch am Tage. Weil kein Licht gemacht werden durfte, war es ziemlich schwierig, die Kleinen im Dunkeln, nur zeitweise mit Kerzenbeleuchtung, in den Keller zu tragen. Oft war es zu drollig, bis die Kinder erst einmal richtig wach wurden! Die einen zogen an ihren Kopfkissen, anstatt sich die Schuhe zuzubinden, die anderen suchten unterm Bett nach ihren Kleidern, die am Haken hingen. Manche legten sich einfach wieder hin und schliefen weiter. Ich wurde immer schon früher geweckt und half dann den Kindergärtnerinnen.

Lagerweihnacht der Kinder

Mitte November brach eine Windpocken-Epidemie aus. Damals waren wir noch sechzehn, die beiden kleinen Bernardis-Kinder waren inzwischen auch schon geholt worden, und elf Kinder lagen schließlich oben und wurden von uns isoliert. – Am 19. November kam Wilhelm v. Schwerin, um uns zu besuchen. Auch er war erst in Sachsa gewesen, gehörte aber zu den Glücklichen, die schon am 7. Oktober abgefahren waren. Er ging jetzt in Nordhausen ins Internat.

Die Heimleiterin sagte, sie habe erfahren, daß wir jetzt in den nächsten Tagen abreisen würden, da unsere sämtlichen Angehörigen schon zu Hause seien. Ich wartete von einem Tag zum anderen – und wieder war es vergebens.

Am 3. Dezember war der 1. Advent. Und nun begann die Weihnachtszeit mit noch mehr Heimweh. Ich bastelte und handarbeitete viel an Geschenken für die Kleinen. Immer näher rückte der Heilige Abend – immer schwächer wurde die Hoffnung, noch in diesem Jahr wieder zu Hause zu sein. Utha hatte mir ein Neues Testament geschickt, aber es hat mich nie erreicht. – Nachmittags saß ich öfters bei der Gymnastiklehrerin im Zimmer. Wir saßen da zusammen bei einer Kerze. Sie nahm sich meiner sehr an. Und dann kam der Morgen des 24. Dezember, der Morgen des Heiligen Abends – Weihnachten 1944! – Ganz überraschend war Tante Lita Stauffenberg gekommen, aber nur die sechs Stauffenbergs durften zu ihr. Das war schwer für mich. Als sie kam, hatte ich so gehofft, in der Heiligen Nacht mit ihr spazierengehen zu dürfen. Ich kannte die Anschauung der Heimleiterin nicht gründlich genug! Die Kinder blieben bis nachmittags im Bett. Alles war eiskalt, alles ging drunter und drüber, richtig trostlos. Doch es herrschte allgemein gute Stimmung. Ich war schon früh aufgestanden und hatte mein Zimmerchen geputzt und, so gut es ging, weihnachtlich geschmückt. Für Alfred und Liselotte hatte ich ein kleines Tischchen mit Geschenken, die ich für sie hatte, hergerichtet. Um fünf Uhr sollte Bescherung sein. Wir saßen oben in einem kleinen Zimmerchen. Aber das Christkind hatte Verspätung. Es wurde halb sechs und wurde sechs Uhr. Die Kleinen schliefen zwischendurch einmal ein, und die erst so atemlos gewesene Stimmung sank immer mehr. Endlich, um halb sieben Uhr, war es so weit. Geschlossen wanderten wir hinunter, wo die erwachsenen »Ihr Kinderlein kommet« anstimmten. In der einen Ecke des Raumes stand ein Baum mit elektrischen Kerzen. Das wirkte so kalt und abstoßend, verwirrend waren die vielen Drähte, die über das Tännchen geleitet waren. Der Gesang und der ganze Hauch des Heiligen Abends stimmte wehmütig. Alfred neben mir brach fassungslos in Tränen aus – ich konnte ihm nicht helfen.

Ein Päckchen

Neben kleineren Geschenken hatte ich eine Hündin bekommen. Trotz allem freute ich mich riesig. Das Tier war gleich zutraulich. Das Heim hatte fabelhaft viel für jeden aufgebracht. Alle schwammen in Seligkeit – nirgends mehr sah man traurige Gesichter. Als alle Kinder im Bett lagen, gingen die Erwachsenen zur Weihnachtsfeier ins Büro. Ich mußte oben im Kindergärtnerinnenzimmer bleiben und warten, bis alle Kleinen schliefen. »Strupps« saß neben mir und ließ sich streicheln ... Silvester 1944. – Den 5. Tag lag ich nun schon im Isolierhaus. Schon am 2. Weihnachtstag war mir nicht gut gewesen, und dann hatte sich herausgestellt, daß ich Scharlach hatte. – Der Gedanke, sechs Wochen ganz abgeschlossen von den anderen im Bett liegen zu müssen, war gräßlich. Wenn in dieser Zeit auch unsere Abreise möglich würde, so müßten wir doch bis Februar warten. Und von Strupps hätte ich mich auch trennen müssen.

Die Schwester hier im Isolierhaus war furchtbar unfreundlich, vollkommen herzlos. Heimeran Stauffenberg und Marlies Lindemann lagen noch mit mir in einem Zimmer. Langsam verging die Zeit hier. Hin und wieder kamen Alfred und Liselotte vors Haus, und meist gelang es mir, mich ans Fenster zu schmuggeln. Wir schrieben uns eifrig gegenseitig Briefchen, und einmal schrieben sie mir, daß die beiden Seydlitz-Kinder nur [sic] auch zu Hause seien. Das gab wieder Hoffnung, und oft bildete ich mir fest ein, unsere Reiseerlaubnis wäre schon längst da, und man warte nur noch, bis ich gesund sei. Draußen schneite es noch und noch, und die anderen rodelten den ganzen Tag. Mitte Januar durften wir langsam wieder aufstehen. Ich hatte viel gelesen und auch eine Menge Sachen für Alfreds Geburtstag gebastelt. Aber jetzt war ich froh, mich einmal wieder frei bewegen zu können.

Und dann kam ein glücklicher Tag! Es war der 17. Januar 1945. Wir bekamen ein Päckchen von zu Hause. Für mich war ein Bild von den Eltern dabei. Ich fand es erstaunlich, daß so etwas durchgelassen wurde. Dieses Glück, diese Seligkeit. Ich schöpfte wieder Mut: Nun kann das Wiedersehen nicht mehr fern sein!

Ein paar Tage ... war mein Geburtstag [sic]. Ich hatte mir immer eingebildet, die Heimleiterin habe die Post, die ja inzwischen gekommen sein mußte, für meinen Geburtstag aufgehoben. Aber das alles waren nur Illusionen. Nachmittags wollten wir noch etwas gemeinsam spielen, aber es wurde durch die Ankunft zweier kleiner »Unbekannter« verhindert. Keiner wußte, wer sie waren. Es hieß, sie wären auf einem Flüchtlingstransport verlorengegangen, und man habe sie hier in Sachsa gefunden. Es waren 2 Jungens, der eine etwa ¾ Jahr, der andere 3 oder 4 Jahre alt. Beide weinten, waren wohl von einer langen Fahrt übermüdet. Man gab ihnen zu essen, wusch sie und legte sie gleich schlafen. Der ältere, Rainer hieß er, weinte immer: »I mag heim, i mag heim.« Er schwäbelte sehr, und es war mir gleich unerklärlich, wieso ein kleiner Schwabe ein Flüchtling sein sollte! Mir tat das Bürschchen so leid. An einem anderen Tag nahm ich mir den Rainer vor und fragte ihn, ob er denn nicht wisse, wie er hieße. »Doch«, sagte er, »dös weiß i scho. I hoiß Rainer Goerdeler, Johannes, Christian!« Nachdem ich mir das einige Male wiederholen ließ, verstand ich endlich den Namen; gleichzeitig tauchte ein Bild aus einer Illustrierten vor mir auf: Es war eine Wirtsstube, in der Fräulein Schwarz Goerdeler, der auf einem Sofa saß, an SS-Leute verriet. Und da war es mir klar: Das mußten Goerdelers Enkelkinder sein.

Am 10. Februar 1945 fuhren Karin und Hans v. Diddersdorf [sic] nach Hause. Am 13.2. [sic] feierten wir Alfreds Geburtstag. Wir waren an diesem Tage alle recht heiter und vergnügt. Alfred war nun zehn Jahre alt ... 11. März – Vaters Geburtstag. Es war wieder ein schwerer, trauriger Tag. Ich wußte doch gar nichts von ihm, und die Frage, ob er überhaupt noch lebte, quälte mich gerade an diesem Tage sehr. Strupps war nach wie vor lieb und treu. Sie lief mir auf Schritt und Tritt nach ...

Rettender Bombenhagel

Ostermontag. Alles packte, denn am nächsten Tage sollte es nun doch losgehen. Aber es war nicht mehr das ungewisse fremde Heim, das unsere Gedanken sich ausmalten, nein, man blickte direkt glücklich dem Kommenden entgegen. Man hatte uns gesagt, daß wir unsere Mütter und Geschwister – alle Lieben – im »anderen Heim« wiederfinden sollten. Damals ahnten wir noch nicht, daß dieses Heim das KZ-Lager Buchenwald sein sollte!

Aber es kam alles anders: Dienstag um drei Uhr standen wir alle abfahrtsbereit vor dem Wirtschaftsgebäude und warteten auf einen Lkw, der uns nach Nordhausen bringen sollte. Von da aus sollte es dann weiter mit dem Zug nach Weimar gehen. Nach vielem Hin und Her war es endlich soweit. Der Lkw kam sehr verspätet – anstatt um drei Uhr erst um halb vier – und um vier Uhr sollte der Zug schon von Nordhausen abfahren. Wir fuhren in rasendem Tempo davon. Kaum aber hatten wir die Stadt erreicht, fingen die Sirenen an zu heulen. Wir fuhren in den nächsten Seitenweg ein und hielten unter einigen Kastanien. Es brummte wie toll und plötzlich hub ein ohrenbetäubendes Krachen und Pfeifen an. Die Kleinen fingen an zu schreien. Zu einem Knäuel ineinander verschlungen lagen wir vierzehn am Boden, die drei Erwachsenen, die uns begleiteten, schauten einander stumm an. Eine halbe Stunde dauerte der Bombenhagel. Den Zug noch erreichen zu wollen war sinnlos. Außerdem berichteten vorübereilende Leute, daß der Bahnhofsbunker total zugeschüttet sei. So fuhren wir über Ilfeld, Stolberg, also durch den ganzen Harz, wieder zurück nach Sachsa. Dieser Umweg mußte gemacht werden, da der Lkw. [sic] d.h. der Leutnant, der mitfuhr, in Stolberg etwas zu erledigen hatte. Wir waren nur mitgenommen worden, weil Nordhausen auf ihrem Wege lag. Überall, wo wir hinkamen, hatten Bomben das friedliche Leben der Menschen zerstört. In Stolberg, einem reizenden kleinen Fachwerkstädtchen, hielten wir direkt vor einem Krankenhaus. Erschütterndes spielte sich hier ab: Kinder, die nur ein elendes Häufchen mit zwei vollkommen leblosen Beinchen vorstellten, wurden von Schwestern in das Hospital getragen. Sanitäter trugen überdeckte Bahren. Immer wieder stürzten Frauen laut weinend hinzu, rangen verzweifelt die Hände, wenn sie die bleichen, leblosen Gesichter der Verunglückten erkannten. Ich war innerlich schon so fertig von dem Bombenhagel in Nordhausen, wo unser Leben schon fast verloren schien, daß mich dieser Anblick restlos erschütterte. Nach einiger Zeit lag das graue Sachsa wieder vor uns.

Die Front war nur nur [sic] noch 80 km vom Kinderheim entfernt. Wir aber glaubten, die Wehrmacht im Heim würde uns verteidigen. Die nächsten Tage war dauernd Alarm, Nordhausen hatte noch viel durchzumachen. Wir lebten beinahe ganz im Keller. Am nächsten Sonntag war ein schrecklicher, endlos langer Tieffliegerangriff. Draußen war die wilde Hölle los. Es knatterte, sauste, krachte, brummte. Aber das gehörte allmählich schon zur Tagesordnung. Anfang der Woche hörte man schon deutlich die Geschütze donnern. Jeder hatte für alle Fälle ein kleines Köfferchen oder einen Rucksack mit dem Wichtigsten bereit. Auch Lebensmittel waren gepackt für den Fall, daß wir noch im letzten Moment in den Wald mußten. Zuerst rechneten wir sofort mit der Übernahme des ganzen Ortes, dann aber zögerte es sich doch noch bis Donnerstag hinaus. Wir schliefen nur noch angezogen und durften auf keinen Fall das Haus verlassen. Dann aber kam alles ganz plötzlich. Am 12. April 1945 waren 4000 Amerikaner in Sachsa eingezogen. Gott sei Dank hatte die ganze Wehrmacht einen Tag vorher das Heim verlassen. So verlief alles verhältnismäßig ruhig. Wir waren natürlich im Keller und es wurde anfangs tüchtig mit Maschinengewehren geschossen. Das Haus wurde, nachdem die Soldaten gesehen hatten, daß hier ein »Childrenhouse« war, nicht besonders durchsucht ...

Am 4. Mai kam der neue Bürgermeister von Sachsa zu uns ins Haus und rief uns alle zu sich. Er hielt eine »feierliche Ansprache«, in der er uns klarmachte, daß wir von nun an unter seinem Schutz ständen, daß er sich vor allem für unsere baldige Heimkehr einzusetzen gedächte. Er sagte wörtlich:»Und jetzt heißt Ihr wieder so wie früher, Ihr braucht Euch Eurer Namen und Väter nicht zu schämen, denn sie waren Helden!« Das war ein Tag, den ich nie vergessen werde.

In drei bis vier Wochen sollte der Zugverkehr wiederhergestellt sein – dann mußte ja jemand kommen, um uns zu holen. So war das Leben jetzt fröhlicher, denn der große Druck war von uns allen genommen. Am 8. Mai – es war abends – sagte man uns, es sei jetzt wieder Frieden – Deutschland hätte kapituliert ...

Es war der 7. Juni 1945 abends, als der Wagen vorfuhr, aus dem die Oberin Gräfin Üxküll ausstieg. Das waren unvergeßliche Stunden. Tante Üllas mußte erzählen, und wir fragten all das, was wir bisher im Herzen behalten mußten, weil uns keiner Antwort darauf gab. Sie sagte mir erst von Vaters Tod – aber gleichzeitig auch, daß die anderen von den Amerikanern befreit worden [sic] und nun in Süditalien zur Erholung seien! Abends im Bett lag ich noch lange wach, und meine Gedanken kreisten immer um das eine: Vater tot – aber die andern leben – dies ist die letzte Nacht in Sachsa – wir sind frei! Es war gut, daß alles auf einmal über mich hereinbrach, so überwand ich den Schmerz um Vater leichter. Diese Nachricht kam ja auch nicht plötzlich, ich hatte mich schon so lange Monate mit dem Gedanken beschäftigt, und die Hoffnung auf ein Wiedersehen mit Vater war doch allmählich am Erlöschen gewesen. Fast zehn Monate waren wir in Sachsa gewesen. Zehn Monate hatten wir nichts von den anderen gewußt, waren von aller Welt abgeschlossen gewesen.

1.4 »Ich war mit 15 Jahren der Älteste« –
Wilhelm Graf von Schwerin von Schwanenfeld

Zu den profiliertesten Vertretern der jungen Verschwörergeneration gehört der Gutsbesitzer Ulrich-Wilhelm Graf von Schwerin von Schwanenfeld (21. Dezember 1902 – 8. September 1944).[1] Das nationalkonservative Elternhaus und die protestantische Klosterschule Roßleben in Thüringen wurden bestimmend für seinen weiteren Lebensweg. Schon 1938 war er bereit, an dem geplanten Umsturz des Hitler-Regimes teilzunehmen.

Als Leutnant der Reserve nahm Schwerin am Polenfeldzug teil. Bis 1942 gehörte er in Paris zum Stabe des Oberbefehlshabers West in Paris, Generalfeldmarschall von Witzleben, einem der führenden Köpfe der Staatsstreichplanung. Im Februar 1943 wurde Schwerin nach Berlin versetzt und arbeitete für die Abwehr, wo er sich mit Stauffenberg anfreundete.

In der Nacht auf den 21. Juli 1944 hielt sich Schwerin mit einigen Mitverschwörern in Berlin auf, dem Dienstsitz des Befehlshabers des Ersatzheeres, Generaloberst Fromm. Dieser verweigerte sich den Verschwörern. Nach dem Scheitern des Umsturzes wurde Schwerin im Bendlerblock verhaftet und vor dem Volksgerichtshof zum Tode verurteilt. Ungebrochen führte Schwerin »die vielen Morde, die im In- und Ausland geschehen sind« als Rechtfertigungsgrund für seine Widerstandstätigkeit auf. Am 8. September 1944 wurde er hingerichtet.

Schwerins Frau Marianne wurde mit ihren drei Söhnen, Detlef, gerade zwei Monate alt; Christoph (11 Jahre); sowie Wilhelm (15) am 7. August in Sippenhaft genommen und in das Güstrower Gefängnis eingeliefert. Am 14. September wurden Christoph und Wilhelm in das Kinderheim in Bad Sachsa verlegt. Die Entlassung der Familie erfolgte am 7. Oktober. Wilhelm schildert sein Erleben im Folgenden.

---

[1] Vgl. Christoph Graf von Schwerin, Als sei nichts gewesen. Erinnerungen. Berlin: Edition Ost, 1997; Detlef Graf von Schwerin, Die Jungen des 20. Juli 1944. Brücklmeier, Kessel, Schulenburg, Schwerin, Wussow, Yorck. Berlin: Verlag der Nation, 1991; ders., »Dann sind's die besten Köpfe, die man henkt.« Die junge Generation im deutschen Widerstand. München/Zürich: Piper, 2. Aufl. 1994.

Nachdem meine Mutter, Marianne Gräfin von Schwerin von Schwanenfeld, geb. Sahm, meine beiden Brüder (Christoph, elf Jahre, und Detlef, zwei Monate alt) und ich am Montag, 7. August 1944, zu Hause in Göhren, Mecklenburg-Strelitz, verhaftet und nach Güstrow gebracht worden waren, wurden meine Mutter und ich in die Arrestzellen des Landesarbeitshauses (Schloss Güstrow) eingewiesen und meine beiden Brüder in einem Kinderheim, das dem Landesarbeitshaus angeschlossen war, untergebracht.

Am 14. September 1944 gegen Mittag erschienen zwei Beamte der Gestapo aus Schwerin beim Leiter des Landesarbeitshauses, um uns abzuholen. Da ich in einer großen Gärtnerei arbeitete und mein Bruder Christoph im Kinderheim war, mussten wir zunächst zusammengeführt werden und trafen uns im »Schloss« bei Herrn Katschmarek mit einem Herrn Lange.

Dieser eröffnete uns, dass wir unter einem anderen Namen wieder zur Schule gehen müssten. Der neue Name – Seifert – wurde damit begründet, dass der Name meines Vaters in der Presse bekannt geworden wäre. Diesem widersprach ich, da ich in der Gärtnerei jeden Morgen vom Gärtner den »Völkischen Beobachter« zu lesen bekommen hatte und genau wusste, dass unser Name in der Berichterstattung über die Volksgerichtshofprozesse bis dahin nicht genannt worden war.

Wir fuhren also mit zwei Beamten als Begleitung mit der Bahn nach Schwerin in die Gestapozentrale, wo wir auch übernachteten. Zum Abendessen gab es aus unserer damaligen Sicht hervorragendes Gulasch mit Salzkartoffeln, dem wir voll zusprachen, was einen der Beamten zu der Bemerkung veranlasste, dass wir wohl sehr hungrig wären. Nach späterer Aussage meines Bruders soll ich dem Gestapo-Mann geantwortet haben: Ob er schon mal bei sich im Gefängnis gegessen hätte?

Am 15. September frühmorgens fuhren wir dann mit unserer Zwei-Mann-Begleitung im Zug nach Nordhausen, um dort nach Bad Sachsa umzusteigen. Da ich damals in Nordhausen zur Schule ging, trafen wir auch prompt auf dem Bahnsteig Fahrschüler aus meiner dortigen Schulklasse. Ich wusste, dass es in Bad Sachsa ein sehr gutes Internat gab, von dem ich annahm, dass dies unser Ziel wäre, da wir ja zur Schule gehen sollten.

Nach Ankunft in Bad Sachsa schlug ich den Weg zum Internat ein. Mir wurde aber bedeutet, dass wir diese Nacht noch woanders schlafen würden; wir kamen in ein NSV-Heim (Nationalsozialistische Volksfürsorge). In diesem waren, wie sich in den nächsten Tagen herausstellte, circa 40 Kinder von Widerstandsangehörigen im Alter zwischen 13 (Berthold Stauffenberg) und einem halben Jahr untergebracht. Ich war mit 15 Jahren der Älteste.

Haus 1, in das wir gebracht wurden, war für Jungen im Alter ab 10 Jahren. Es gab ein Haus für Säuglinge und Häuser je nach Alter für Mädchen und Jungen. Alle waren in einer sehr schönen, waldartigen Anlage gelegen und im Schwarzwaldstil gebaute Holzhäuser. Hilde Waßmann, die zuständige Kindergärtnerin für Haus 1, nahm uns in Empfang und wies uns unsere Zimmer zu.

Der erste Morgen in Sachsa begann für mich mit einem Spaziergang mit der Heimleiterin, Frau Köhler, die immer eine weiße Trägerschürze verziert mit einem Parteiabzeichen auf ihrem ausgebildeten Busen trug. Sie führte einen Schäferhund an der Leine, den ich dann übernehmen durfte. Sie nahm mir das Ehrenwort ab, dass ich nicht versuchen würde wegzulaufen. Auf meine Frage »Wohin?« kam keine klare Antwort. Außerdem wurde ich angewiesen, weder meinen richtigen Namen noch mein Pseudonym anderen mitzuteilen. So vorbereitet kam ich wieder ins Haus 1 zurück und erfuhr von meinem Bruder, dass er wisse, wie die anderen Kinder hießen. Er war mit einer kurzen Lederhose, die von mir ausgewachsen und durch meine Internatszeit mit Namen gekennzeichnet war, herumgegangen mit der Aussage, er dürfe ja nicht sagen, wie er hieße, aber sie könnten ja seinen Namen lesen, indem er die Klappe der Lederhose herunterklappte, wo mein Name stand.

Damit war die Frage der Namen und fast gleichzeitig die Herkunft geklärt. Dies allerdings nur für mich, da ich viele der Namen in dem berühmten »Völkischen Beobachter« der Gärtnerei in

Güstrow gelesen hatte. Wir waren eine diskutierfreudige Gruppe, besonders wenn die Jüngeren abends im Bett waren. Wir diskutierten besonders mit unserer Kindergärtnerin, die sehr schnell an ihre Grenzen mit der Beantwortung von Fragen kam bzw. kommen musste.

Im Vergleich zur Gefängniszeit in Güstrow war für mich der Aufenthalt in Bad Sachsa sehr viel schwieriger zu ertragen. Aus den Fragen der anderen und ebendiesen Diskussionen wurde mir bewusst, dass auch mein Vater beteiligt war und wahrscheinlich nicht mehr lebte. Die »Gewissheit« darüber erhielt ich erst in einem Traum in Bad Sachsa, in dem ich seine Hinrichtung miterlebte. Ein sehr, sehr trauriges Aufwachen am Morgen und niemand da, mit dem ich darüber sprechen konnte. Mein Bruder Christoph war für ein solches Gespräch wirklich noch zu jung.

Aufgaben wurden uns nicht gestellt. Wir hatten keinen Unterricht, erhielten keine Beschäftigung im Garten, wir lümmelten herum, spielten Räuber und Gendarm und langweilten uns. Verbindung zu den anderen Häusern war verboten, damit auch unklar, wer dort untergebracht war, wenn man nicht wusste, dass Geschwister unserer Jungen dort waren, man sah sich von Weitem.

Um die Zeit auszufüllen, begann ich, anderen Jungen die Haare zu schneiden. Dies ging im Verwaltungsgebäude vor sich. Eine unterhaltsame Tätigkeit angefüllt mit neuen Informationen, wie so beim Friseur üblich. Briefe durften wir nicht schreiben, wohin auch? Zeitungen bekamen wir nicht zu lesen und ein Radio war nicht vorhanden. Ich war also, im Vergleich zu Güstrow, von der Außenwelt sehr viel konsequenter abgeschnitten.

Am Morgen des 7. Oktober erschienen wieder unsere zwei »Freunde« von der Gestapo aus Schwerin, um uns abzuholen, da wir entlassen waren. Mit dem Zug ging es zurück nach Mecklenburg, was länger dauerte, da immer wieder durch Tieffliegerangriffe unterbrochen.

Ich habe dann meine frisierende Tätigkeit noch einmal durchgeführt, als ich im November 1944 aus Nordhausen mit dem Fahrrad kommend einen Besuch in Bad Sachsa machte. Frau Köhler war über meinen Besuch nicht glücklich und wollte mich eigentlich nicht hereinlassen, wurde dann aber von anderen bestürmt und gab nach.

1.5 »Dort war richtig was los« – Erinnerungen eines Elfjährigen – Albrecht von Hagen

Albrecht Bertold Hans von Hagen[1] *(11. März 1904 – 8. August 1944), Oberleutnant d. R., stammte aus dem pommerisch-pro-testantischen Uradel. Zur Weimarer Republik stand er auf eher kritischer Distanz, wie auch andere seiner Standesgenossen. Seine politische Heimat fand er zunächst in der Deutschnationalen Volkspartei (DNVP). Doch der Radikalität Hitlers stand er schon bald in innerer Distanz gegenüber.*

Während des Afrikafeldzuges lernte Hagen 1943 Stauffenberg kennen, der seine kritische Haltung zum Regime erkannte und ihn in die aktiven Umsturzpläne einbezog. Hilfreich war, dass Hagen Ende 1943 in die Organisationsabteilung des Oberkommandos des Heeres unter General Stieff, eines aktiven Hitlergegners, versetzt wurde. Und bald gehörte er auch zu denjenigen, die bei den mehrfach geplanten Anschlägen auf den Führer wertvolle Hilfe bei der Beschaffung des benötigten Sprengstoffs leisteten. Denn trotz des Krieges war dieser natürlich auch nicht jedem Militär zugänglich.

Nach dem Attentat vom 20. Juli 1944 wurde Hagen verhaftet und des »Hoch- und Landesverrats« vor dem Volksgerichtshof angeklagt.[2] Er und die mit ihm Angeklagten wurden zum Tode durch den Strang verurteilt, die Hinrichtungen auf Führerbefehl mit allen Details gefilmt.

Hagens Frau, Erica Marianne, wurde am 31. Juli verhaftet und erst wieder Anfang November auf freien Fuß gesetzt. Seine Tochter Helmtrud, damals beinahe neunjährig, und sein elfjähriger Sohn Albrecht wurden im August 1944 in das Kinderheim in Bad Sachsa gebracht und erst Mitte November 1944 wieder entlassen. Von der Zeit der Sippenhaft in Bad Sachsa berichtet uns Sohn Albrecht.

---

[1] Vgl. Dagmar Albrecht, Mit meinem Schicksal kann ich nicht hadern ... Sippenhaft in der Familie Albrecht von Hagen. Berlin: Dietz, 2001; Carsten Nicolaisen, Hagen, Albrecht Berthold Hans von, in: H. Schultze (Hg.) u.a., »Ihr Ende schaut an ...«, S. 281-282.

[2] Mit ihm standen weitere Verschwörer vor Gericht, s. S. 202, Anm. 78.

Als der Führer seine bekannte »Ausrottungsrede« hielt, waren alle im Haus am Radio dabei. Nicht einmal Mutter ahnte die herannahende Familientragödie. Ich saß in der Halle auf der Treppe zum Obergeschoss und spürte die beklemmende Stimmung unter den Großen. »Der Krieg scheint verloren, kommen die Russen jetzt her?« Eine ängstliche Unruhe zog in das schöne Haus ein. Und dann kam es Schlag auf Schlag.

Keiner in der Familie wusste, dass mein Vater ein persönlicher Freund Graf Stauffenbergs war. Der 20. Juli 1944 verging im Haus wie alle anderen Tage, nur mit der unfassbaren Nachricht über das Attentat auf Hitler und die darauf folgenden Geschehnisse im Radio. Großvater stand direkt am Radio und verfolgte dauernd die Berichte und rief schließlich den Kriegerverein – alte Soldaten aus dem Ersten Weltkrieg – zusammen, marschierte zur Gedenktafel neben der Dorfkirche und hielt dort eine Dankesrede auf das Leben des Führers. Ich trabte sehr beeindruckt nebenher. Das war bunt und bewegend. Aus Kinderaugen war das alles sehr spannend und beeindruckend, nur verstehen konnte ich es nicht, was da so vor sich ging.

Wenige Tage vergingen, bis Mutter von der Gestapo ohne Hinweise über Was, Warum und Wohin abgeholt wurde. Ihre Notizen zu diesem Kapitel, in ihren Schriften »Gratwanderung« und »Kat erzählt«, sprechen für sich. Die Großeltern, die Onkel auf den anderen Höfen, sie alle wurden von der Gestapo in die Gefängnisse geholt, eingesperrt und auf »Mitwisserschaft« überprüft.

Meine Schwester und ich verstanden das alles natürlich nicht; wir wurden im August auch ohne vorherige Ankündigung – mit wenigen Sommerkleidern – von freundlichen Herren abgeholt, »um Mutter zu besuchen«.

Tante Anna – eine kränkliche ältere Dame, die gerade im großen Herrenhaus war – verstand das alles nicht, sollte aber das Gut und die drei Schöning-Jungs führen und den Kontakt überallhin halten; denn auch die Großeltern wurden abgeholt und eingesperrt. Das war zwar viel zu viel für sie, aber so war es halt, und die »Leute« halfen aus, so gut es ging.

Mutter bekamen wir nicht zu sehen. Stattdessen landeten wir über Stettin/Berlin im Harz in Bad Sachsa in einem Kinderheim. Dort standen acht fast leere Häuser. Wir gehörten zu den ersten »Internierten« und wurden vor Ort voneinander getrennt. Hier die Mädels, dort die Buben, und später auch hier die Älteren, dort die Jüngeren und dort die Babys, als sich das Heim mehr und mehr füllte. Neben mir in dem großen Schlafraum war bereits ein Bett belegt. Ein Junge, größer als ich, schlief dort, Berthold (Graf von Stauffenberg) hieß er. Die Nachnamen wurden uns nicht genannt.

Ich erinnere mich gerne an die Zeit in Bad Sachsa. Dort war richtig was los. Viele Jungen, viele Kinder, ich unter den älteren, zumeist sportlicher als die anderen, damit auch entsprechend gefragt. Die Kindergärtnerinnen waren zu mir freundlich, bestimmt – halt so, wie ich es gewohnt war. Wir waren interniert – in Sippenhaft –, aber ich merkte davon nichts; der Zaun war wegen des Bewuchses kaum sichtbar. Wir spürten ihn kaum. Die wenigen Älteren – zwölf bis 14 Jahre alt – wollen heute Ahnungen gehabt haben. Mir haben sie davon dort nichts gesagt, ich war damals elf Jahre alt. Nachrichten und neugierige Fragen an uns gab es nicht; denn das Kinderheim lag auswärts von Bad Sachsa, circa eine Dreiviertelstunde zu Fuß.

Man hatte uns nach außen hin andere Namen gegeben – ich habe davon nichts gemerkt. Und bis heute bleibt ungewiss, wer denn in Bad Sachsa von unserer Verbindung zu »den Attentätern« wirklich wusste. Wer ahnte denn, dass wir dort ursprünglich in »Sippenhaft« zusammengezogen waren, um von dort aus später ausgerottet und umgebracht zu werden?!

Lediglich der Name Stauffenberg tauchte ab und zu auf. Berthold schlief rechts neben mir; er war scheu, älter als ich und damals nicht gerade ein sportlicher Typ. Er könnte gewusst haben, dass sein Vater erschossen worden war, weil der gegen Hitler opponiert hatte. Berthold sprach aber nicht darüber, und ich verdrängte wohl einige Hinweise. Ich erfuhr erst Tage nach meiner Ankunft über eine der Krankenschwestern von seinem und seines

Vaters Schicksal. Zwar berührte mich das, aber nach wenigen Tagen war das Thema irgendwie tabu. Es wäre mir vermutlich unerträglich geworden, neben dem Sohn eines »Attentäters« nachtein, nachtaus zu schlafen. Es kamen weitere Jungen hinzu, wir waren schließlich circa zwölf auf zwei große Schlafräume verteilt. Das gab viel Spaß und Konkurrenzgerangel, nächtlichen Budenzauber und so.

Von Toten und Gewaltakten an der Front hatte ich zwar aus dem Radio gehört, aber so dicht am Geschehen, am Schicksal eines anderen war ich noch nie.

Vaters Todestag – der 8. August 1944 – verging wie alle anderen auch. Es stand zwar in allen Zeitungen, ich las aber noch keine Zeitung und niemand sprach mich an. Das war wohl verboten worden. Auch betroffene Kinder sprachen nicht mit mir über ihre familiäre Tragödie. So behielt ich Fröhlichkeit und Leichtgläubigkeit – bis heute. Wir richteten uns auf längeres Verbleiben ein. Immer mehr Kinder kamen, es wurde immer spannender. Wir versuchten, spielerisch zueinanderzukommen, die Mädels besuchen, hören, wie es den Schwestern ging. Für mich war das mehr ein Spaß am Unternehmen als eine Möglichkeit, miteinander Nachrichten auszutauschen.

Heute sagen andere betroffene »Kinder« aus Bad Sachsa, sie hätten das viel bewusster und viel wissender erlebt. Mag sein, aber bis zu meiner Abreise dort, Mitte November, hatte ich von den Familientragödien nichts geahnt oder gar erfahren.

Ich kam mit meiner Schwester zusammen auf dem Gut meines Großvaters im Spätherbst 1944 wohlbehalten und ahnungslos an. Mutter hatte uns von dem Bahnhof in Redel mit Valuta, ihrem Reitpferd, im »Einspänner« freudig abgeholt. In den ersten Tagen tat sich nicht mehr und nicht weniger, als wenn wir gerade aus längeren Ferien zurückgekommen wären. Die vorweihnachtlichen Arbeiten hatten begonnen; das zeigte sich am Pfefferkuchenteig, der unter der Treppe in der Halle vor sich hin garte und auf meinen Zeigefinger zum täglichen Kosten wartete. Drei riesige Schüsseln mit circa zehn Kilogramm Teig waren es jedes Jahr, so als hätte die Mamsell meinen täglichen heimlichen vorweihnacht-lichen Appetit mit eingeplant.

Die Großen freuten sich über unsere Rückkehr merklich, aber Disziplin musste sein; also rechts und links an die Esszimmertür in halb strammer Haltung und erst die Großen eintreten lassen usw. Die Großen unterstützten meine Ahnungslosigkeit über die politischen Ereignisse in jüngster Vergangenheit. Das dauerte aber nur Tage, denn im Dorf war natürlich bekannt, dass der Sohn des Chefs am Attentat beteiligt gewesen war. Die »Leute« waren unsicher darüber, ob »der Alte« möglicherweise gar nichts von dem Attentat gewusst hatte. So bildeten sich schnell zwei La-ger. Ortsbauernführer Röpke führte das braune Lager an und In-spektor Gruse das loyale. Der Versuch, mich wieder in die Dorf-schule gehen zu lassen, schlug fehl. Die »Leute« und deren Kinder verhielten sich so, wie Herr Röpke und die anderen Parteibonzen im Dorf das vorgaben. Einige Kinder zeigten auf mich und wollten auf einmal meine Gesellschaft nicht mehr. Auch der Sohn des Brennereimeisters kam nur sehr zögerlich ins Haus zum Spielen. Ich durfte nicht mehr an den »Räuber- und Gendarm-Spielen« im Jungvolk teilnehmen. Ich hatte es mit einer mir unverständlichen Gruppen-Isoliertheit zu tun.

Wann und wie meine Schwester und ich über Mutter vom Tod unseres Vaters unterrichtet wurden, da gehen die Erinnerungen der Beteiligten weit auseinander: Aus meiner Sicht hatte Mutter meiner Schwester und mir vom Tode Vaters erst Anfang Januar – also nach Weihnachten – zur Nachmittags-Schlafzeit im Bett er-zählt.

Mir war das in die Glieder gefahren, ich habe bitterlich darüber geweint, dass wir zukünftig keinen Vater mehr haben würden und dass mein Vater ein Attentat auf den Führer versucht hatte. Auf diese Weise hatte sie uns die ganze Weihnachtsfreude eines Kin-des noch einmal möglich machen wollen. Meine Schwester – Helmtrud de Roo – erinnert sich, die Todesnachricht sehr bald nach unserer Rückkehr aus Bad Sachsa erfahren zu haben, weil »Mütterchen« verhindern wollte, dass andere es uns berichten.

Beide Versionen haben berechtigte Gründe, stehen aber in zeitlichem Widerspruch.

Die Wucht der Nachricht, Vater sei tot, traf mich unvorbereitet und hart. Als Elfjähriger spürte ich den Verlust, ich war bitterlich enttäuscht – auch als Pimpf. Aber nüchtern betrachtet währte der Schmerz nicht lange. Wer war denn unser Vater gewesen? Wir hatten ihn vielleicht zehn Mal in unserem Leben bewusst erlebt. Er war uns nicht der Vater, den die meisten Kinder kennen und täglich um sich haben. Er war eine Kinder-Kult-Figur, eine Art unbekanntes Wesen, von dem jeder sprach, den ich aber nur wenige Stunden in letzter Zeit erlebt hatte. Bilder belegen 1939 in Berlin einen Besuch von Vater in der Paulsborner Straße 36. Es gab Flusskrebse, und die haben – noch im offenen Eimer verstaut – in meinen neugierigen Finger gebissen. Vater erklärte mir »Hagensch«, warum die Krebse das gemacht hatten. Skilaufen 1944 in Sankt Anton, dort vor allem intensives Treffen mit Mutter; ich lernte von den Einheimischen Schanzen bauen und springen. Ein Bild belegt ein Treffen vor dem Hause von Opapa mit Vater 1944 in Uniform. Opapa war der Mann im Hause. Ab September 1939 war Vater »im Krieg«. Mutter erreichten – wie ich als 60-Jähriger erfuhr – viele Erzählbriefe aus Frankreich, Afrika, Russland und aus vielen deutschen Standorten. Mutter traf sich so oft wie möglich mit Vater in Berlin. Dort turtelten sie und erlebten ihre Gemeinsamkeit; das ging in Langen nicht. Dort wollte jeder Vater für sich haben. Vater soll immer ernster geworden sein; »Irgendetwas muss da sein« – doch Vater erzählte nichts von den geplanten Attentatsversuchen und deren Vorbereitungen ... und rettete Mutter damit das Leben.

1.6 Nur noch Erinnerungsbruchstücke –
Nicolai Freiherr Freytag von Loringhoven

Wessel Baron Freytag von Loringhoven[1] (22. November 1899 –
26. Juli 1944) war baltischer Herkunft. Seine Gegnerschaft
zu dem nationalsozialistischen Regime entwickelte sich allmählich und verwandelte sich angesichts der Gräueltaten der SS in der
Ukraine ab 1942 in blanken Hass. Durch die Intervention von Admiral
Canaris wurde er 1943 als Oberst i. G. in das Oberkommando der Wehrmacht nach Berlin versetzt und arbeitete für das Amt Ausland der Abwehr.

Kaum bekannt ist, dass Hitler angeblich ein Attentat auf Papst Pius
XII. und den italienischen König plante, das Freytag von Loringhoven
verhindern half. Mit Admiral Canaris sowie Oberst von Lahousen traf
dieser sich im Juli 1943 mit dem Chef des italienischen Geheimdienstes,
General Cesare Amé in Venedig und deckte den Plan auf.[2]

Kurz vor dem 20. Juli 1944 übergab Freytag von Loringhoven den
englischen Sprengstoff und die Zünder für die Bombe an Stauffenberg.
Seine Mittäterschaft an den Attentatsvorbereitungen wurde schon kurz
nach dem Anschlag aufgedeckt. Freytag von Loringhoven nahm sich am
26. Juli 1944 das Leben, um nicht in die Hände der Gestapo zu fallen
und unter Folter kompromittierende Aussagen zu machen. Wie viele
andere Verschwörer auch, hatte er selbst die Erfolgschancen des Attentats gering eingeschätzt, aber gleichwohl den Staatsstreich aus ethischen
Gründen befürwortet. Nach dem 20. Juli 1944 wurde seine Frau, Elisabeth, in das Frauengefängnis Berlin-Moabit eingeliefert. Seine vier Söhne Nicolai (9 Jahre), Axel (8), Wessel (2), Andreas (¾) kamen in das
Kinderheim nach Bad Sachsa.

---

[1] Vgl. Wessel Baron Freytag von Loringhoven. Zum 25. Jahrestag des 20. Juli 1944,
in: Nachrichtenblatt der baltischen Ritterschaften. 11. Jg. (1969). Heft 2 (Juni); Peter
Steinbach (Hg.), Johannes Tuchel (Hg.), Lexikon des Widerstandes 1933–1945. Unter
Mitarbeit von Ursula Adam u.a. München: C.H. Beck, 2., überarb. und erw. Aufl.,
1998, S. 61.
[2] Vgl. Diego Vanzi, »Luglio '43, Hitler voleva eliminare Pio XII«, Avvenire, Dienstag,
16. Juni 2009.

Erinnerungs-Bruchstücke sind noch präsent. Sie dürften zuverlässig sein, denn es gibt keine Details, deren Bearbeitung und Veränderung dem Unterbewusstsein wichtig erscheinen könnten; die Erinnerung ist ja kein Marmorblock – das Unterbewusstsein verändert ja nach Bedarf gern etwas daran.

Dies ist ein Geschehnis wenige Tage nach dem 20. Juli – unsere Mutter war noch nicht von der Gestapo abgeholt worden und wir Kinder – die beiden ältesten acht und neun Jahre alt – hatten vielleicht gerade mal mitbekommen, dass irgendetwas im Gange war ... Aber was? Keine Ahnung!

Unsere Mutter nahm uns an der Hand – »Kommt ins Freie, das sollten wir nicht im Haus besprechen ...« Wir verließen den Garten und gingen auf der Aignerstraße (auf der zehn Monate später die US-Panzer rollen sollten) etwa 200 Meter zu einer unbefestigten Ausweichstelle an der Abzweigung der Salzachstraße – nichts in unmittelbarer Nähe und auch das Haus der NSDAP-Ortsgruppenleiterin K. zwar in Sicht-, aber keinesfalls in Hörweite. Was unsere Mutter uns dann sagte, war nicht die Wahrheit (die wir ohnehin nicht hätten verstehen können), aber bedeutete für uns Kinder eine immense Verbesserung unserer Seelenlage, denn wir erfuhren, dass unser Vater an der Aktion gegen den »Führer« nicht beteiligt gewesen sei, wohl aber die Verantwortung für Untergebene zu tragen hätte, die Derartiges unternommen hätten.

Einige Tage nach unserer Mutter wurden auch wir vier Kinder von der Gestapo abgeholt, der Jüngste, noch Säugling, von einer Beamtin. Mein Bruder Axel saß in der zweiten schwarzen Limousine und wurde – wie er mir später erzählte – befragt, wie man denn bei uns zu Haus über den »Führer« spräche – natürlich nur Gutes, denn wir wurden in der Volksschule tagtäglich mit den Meriten Hitlers indoktriniert. Der glaubwürdigen und überzeugenden Unterrichtung durch unsere Mutter verdankten wir ein ungebrochenes Selbstbewusstsein und die Überzeugung, nur aufgrund eines Irrtums abgeholt worden zu sein, dazu unser Vater am Attentat nicht beteiligt, obschon verantwortlich für schuldige Untergebene.

Die Fahrt nach Bad Sachsa im Harz, wohin wir 20.-Juli-Kinder kamen, ist nicht in der Erinnerung geblieben, wir wurden jedoch zunächst dem Salzburger Gauleiter vorgeführt, der uns überaus freundlich empfing und aus einem Glasschrank einige Zuckerl verabreichte. Am ersten Abend in Bad Sachsa enthielt ein Vortrag der Lagerleiterin die etwas kryptische Weisung, tunlichst die Waldungen zu meiden, da mit zahlreichen »Zebras« zu rechnen wäre. Unter uns Kindern kursierte nachher die klärende Information, dies wären nichts anderes als entsprungene Häftlinge in ihren Streifen-Klamotten.

Nach unserer und unserer Mutter Rückkehr wurde uns zugetragen, dass die vorher erwähnte NSDAP-Ortsgruppenleiterin Frau Kranewettreisser beim Abtransport unserer Familie geäußert hätte: »Aufghängt gehören's!«. Das hinderte sie jedoch in keiner Weise daran, im Mai 1945 nach Einmarsch der Amerikaner bei unserer Mutter mit der Bitte um einen »Persilschein«, der Wohlverhaltensbestätigung, zu erscheinen, womit sie jedoch sehr wenig Erfolg hatte. Im Jahre 1940 hatte sie meinen Bruder und mich – per Fahrrad auf dem Weg zur Volksschule – bei unserem »Grüß Gott« sofort absteigen lassen, um uns das korrekte »Heil Hitler« beizubringen.

Auf unserem Weg zur Volksschule passierten wir jeweils die »Trapp-Villa«, inzwischen »Himmler-Villa« genannt; der neue Hausherr, der Reichsführer SS, schrieb im September 1944, also wenige Wochen nach dem 20. Juli, meiner Großmutter Helene von Hintze einen außergewöhnlichen Brief. Sie hatte ein Gnadengesuch an Hitler gerichtet, welches dieser an Himmler zur Beantwortung weitergereicht hatte. Das Schreiben Himmlers war insofern auffällig, als in der ersten Hälfte der Reichsführer SS in der zu erwartenden staatstragenden NS-Tonlage scharf dozierte, im zweiten Teil dann jedoch, wie verwandelt, sich milde äußerte und seine Vorhersagen sich dann auch tatsächlich realisierten.

Aus Bad Sachsa zurückgekehrt sahen wir die Spuren der ersten Bombenangriffe auf Salzburg, das bislang vollkommen verschont geblieben war. Unser Vater hatte im Winter 1943/44, ein halbes

Jahr vor dem 20. Juli, im OKH Berchtesgaden einem anderen Offizier seine »großen Sorgen um seine Familie« mitgeteilt, was jener zu diesem Zeitpunkt überhaupt nicht verstehen konnte, denn Salzburg war eine Friedensoase. Wie mir jener Offizier nach der Todesanzeige meiner Mutter in der FAZ telefonisch sagte, wäre ihm erst beim 20. Juli sofort klar geworden, auf was sich jene Sorgen gegründet hatten: Es war die Lebensgefahr für seine Familie bei einem Scheitern des Attentats, und – wie mehreren Memoiren zu entnehmen ist – war er skeptisch bezüglich eines Attentat-Erfolgs, aber dennoch von der Notwendigkeit eines Versuchs überzeugt.

Im Übrigen soll Himmler angeblich Hitler davon abgebracht haben, die Familien des 20. Juli auszurotten, wie es zunächst geplant war. Ein Beleg für diese These ist mir jedoch bislang nicht untergekommen.

1.7 Ein schwerer Abschied –
Gottliebe Gräfin von Lehndorff

Zu den Kindern, die von der Gestapo nach Bad Sachsa verschleppt wurden, gehörten auch Marie Eleonore (Nona 7 Jahre), Vera (Veruschka 5 Jahre) und Gabriele (1 Jahr) von Lehndorff. Ihr Vater, im Kriege Oberleutnant der Reserve, hatte sich dem Widerstand zur Verfügung gestellt, obwohl er um den hohen Preis dafür wusste.

Heinrich Graf von Lehndorff-Steinort (22. Juni 1909 – 4. September 1944) erlebte als Adjutant von Generalfeldmarschall von Bock voller Abscheu die deutschen Massaker an der jüdischen Bevölkerung in Borissow bei Minsk,[1] woraufhin er Kontakt zu Generalmajor von Tresckow aufnahm, der führend an der Umsturzplanung beteiligt war. In Lehndorffs Schloss Steinort, wo seit 1941 auch Außenminister von Ribbentrop residierte, fanden – und ohne dass dieser von der Doppelrolle des Hausherrn etwas ahnte – zahlreiche konspirative Treffen statt. Für die Walküre-Planung war Lehndorff als Verbindungsoffizier zum Wehrkreis I in Königsberg vorgesehen.[2]

Nach dem Scheitern des Attentats wurde Lehndorff am 21. Juli 1944 verhaftet. Vor der Ankunft im Berliner Gestapogefängnis unternahm er am 8. August einen vergeblichen Fluchtversuch; zeitgleich nahm die Gestapo seine Frau fest. Lehndorff wollte sich das Leben nehmen, was misslang; am 4. September wurde er in Plötzensee hingerichtet. Seine hochschwangere Frau wurde im Dezember 1944 aus dem Straflager, seine drei Töchter aus Bad Sachsa entlassen.

Erst gegen Kriegsende gelangte der Abschiedsbrief, den Lehndorff kurz vor der Hinrichtung noch verfassen durfte, zu seiner Frau. Dieses spirituelle Vermächtnis eines gläubigen Christen, liebenden Gatten und sorgenden Vaters gehört zu den anrührendsten Dokumenten, die uns der deutsche Widerstand hinterlassen hat.

---

[1] Antje Vollmer, Doppelleben. Heinrich und Gottliebe von Lehndorff im Widerstand gegen Hitler und von Ribbentropp. Frankfurt: Eichborn Verlag, 4. Aufl. 2010, S. 151.
[2] Vgl. auch Jörn Jacob Rohwer/Vera von Lehndorff, Veruschka. Mein Leben. Köln: DuMont, 2011, S. 211.

Mein Geliebtestes von der Welt!

Dieses wird wohl der letzte Brief sein, den Du auf dieser Welt von mir bekommst. Obwohl meine Gedanken seit unserer Trennung Tag und Nacht um Dich kreisen und mein Herz Bände an mein Mausilein füllen könnte, fällt es mir doch schwer, diesen Brief zu schreiben, weil ich befürchte, mit allem Deinem armen geprüften Herzen nur neue Last aufzubürden. Aber trotzdem – Du Engel – sollst Du alles wissen und erfahren, wie Dein Heini die letzten Wochen gelebt und gedacht und gefühlt hat. Bestimmt stellt man sich, ohne selbst so etwas erlebt zu haben, alles viel schlimmer vor, als es ist, wenn die Dinge Tatsache geworden sind und es ein Ausweichen nicht mehr gibt. Meine hierfür glückliche Natur und vor allem die Hilfe des lieben Gottes, um die ich ihn immer gebeten und die er mir in reichem Maße gegeben hat, haben mich alle Belastungen in einer Weise überstehen lassen, wie ich es vorher nie für möglich gehalten hätte. Es vollzieht sich eine völlige Wandlung, wobei das bisherige Leben allmählich ganz versinkt und gänzlich neue Maßstäbe gelten. Du hast dabei sogar durchaus auch Deine kleinen Freuden und ich habe auch Momente gehabt, wo ich richtig vergnügt war. Die Anlässe sind nur eben ganz andere geworden. Ein nettes Wort von einem mitfühlenden Menschen, die Erlaubnis, zu lesen und zu rauchen, gelegentlich der Vorführung zu einer Vernehmung ein paar Schritte über einen sonnigen Hof machen zu können und solcher Kleinigkeiten vielerlei erfreuen einen ganz genau so wie früher eine große Unternehmung oder ein freudiges Ereignis. Da ich meistens etwas Hunger hatte, freue ich mich über ein Stück trockenes Brot oder auf eine dünne Suppe geradeso wie früher auf ein dickes Jagd-Diner. Und es schmeckt dann auch mindestens ebenso gut. Mein Geliebtes – ich schildere Dir das so ausführlich, damit Du nicht denkst, Dein Heini hätte die sechs Wochen dicht an der Verzweiflung an die Zellenwand gestarrt, oder sei wie ein gefangenes Tier im Käfig auf und ab gewandert. So darfst Du Dir bitte diese Zeit nicht vorstellen. Natürlich – mein Einzigstes – hat es auch sehr bittere und traurige Stunden gegeben, wo die Gedanken dann ihre eigenen Wege gingen und ich alle Kraft zusammennehmen musste, um nicht nachzugeben und die Haltung zu bewahren. Ich glaube es aber geschafft zu haben, und auch diese Stunden waren nicht umsonst und sicherlich notwendig, um mich dort hinzuführen, wo ich heute stehe. Ich könnte diesen Zustand nicht besser erklären, als mit dem Bibelspruch:

»Fürchte Dich nicht, glaube nur.«[3] – Bevor ich nun mich mit [Dir] über uns unterhalte, muss ich noch auf zwei Sachen eingehen und Dir erklären, weil ich nicht möchte, dass Du über ihre Motive nicht genau unterrichtet bist. Ich habe zwei große Torheiten begangen. Einmal die Flucht aus Berlin! Es war mehr oder weniger ein spontaner und undurchdachter Einfall, der zur Durchführung kam, als sich plötzlich eine günstige Gelegenheit bot. Ich hatte vor, in die Conower Gegend zu gelangen und dort auf einem der Güter unterzuschlüpfen. Ich hatte mir nicht überlegt, dass ich den Betreffenden damit wahrscheinlich mit hineingerissen hätte. Es ist daher wahrscheinlich gut, dass ich kurz vor Feldberg von der Landwacht wieder gefangen wurde, denn wie ich höre, waren die dortigen Güter schon alle bewacht. Weißt Du – mich überkam so ein starker Drang nach der Freiheit, dass ich einfach nicht anders konnte, als einfach abzuhauen. Diese vier Tage Dir zu schildern in seinen Einzelheiten würde zu weit führen. Jedenfalls hatte ich vier Tage der Freiheit, bin nachts gewandert, habe den Tag in Wäldern geschlafen, von Beeren, Milch und rohem Gemüse gelebt. Genau wie die ausgerissenen russischen Gefangenen! Es ging mir an sich herrlich und ich genoss die Freiheit mit jeder Phase. Einen Haken hatte die Sache allerdings, und das waren meine Halbschuhe, in die natürlich sofort Sand kam und ich mir daher in Kürze die Zehen wundgelaufen hatte, dass ich wirklich nur unter größter Energieentfaltung mich langsam weiterschleppen konnte. Wäre das nicht gewesen, hätte man mich auch nicht gefasst, jedenfalls nicht vor dem Ziel. Aber wer weiß, wozu es gut war! Ich wurde dann von dem netten Förster,

---

[3] Markus 5,36 und Lukas 8,50.

der mich angehalten hatte, noch verpflegt und dann von der Polizei nach Berlin zurückgebracht. Soweit betrifft die Sache nur mich. Wie ich aber erfahren habe, hat meine Flucht sich auch auf Euch ausgewirkt. Mein Einzigstes, das hatte ich mir natürlich nicht überlegt. Der Gedanke, Dir und anderen geliebten Menschen zu allem anderen auch hierdurch Leid zugefügt zu haben, ist mir ganz furchtbar. Ich weiß aber, Ihr werdet mir diese Unüberlegtheit verzeihen.

Nun die zweite Sache – mein Engel – für die ich Dich auch um Verständnis bitten muss, die bis ins Letzte zu erklären aber wesentlich schwerer ist. An dem Tage, als ich morgens um vier Uhr gefasst wurde und dann nach einer nicht schönen Zwischenstation in einem SS-Lager bei Fürstenwalde gegen zehn Uhr ins Gefängnis in der Albrechtstraße abgeliefert und sofort einer längeren Vernehmung unterzogen wurde, war ich auf einmal mit meinen Nerven wirklich fertig. Die vier Tage wenig gegessen, die Anstrengungen wegen meiner Füße, die Aufregung der Gefangennahme, die Überführung nach Berlin und das erste Verhör, in dem mir sofort klar war, dass es über mich nichts mehr zu verheimlichen gab, weil durch Aussagen anderer bereits alles bekannt war, gaben mir einen derben Schock. Nach dem Verhör sollte ich dann etwas schlafen und dann alles schriftlich niederlegen, was ich in dem »Fall« nicht nur von mir (denn das stand ja schon fest), sondern auch über alle anderen Freunde und Kameraden wüsste. Als ich aufwachte, nun kam die ganze Müdigkeit und Desperatheit erst richtig hoch, stand der Gedanke, nun auch noch andere durch meine Aussagen hineinzureißen, als ein einfach unüberwindliches Hindernis vor mir. In Folge meines Zustands fühlte ich mich nicht mehr stark genug, diesem Ansinnen zu widerstehen, andererseits sagte ich mir, dass ich jede Achtung vor mir selbst verlieren würde, wenn ich hierin nachgäbe. Aus dieser verzweifelten Verfassung heraus, halb nicht mehr mit kontrollierten Sinnen, versuchte ich dann dem allen ein Ende zu machen, indem ich mir die Pulsadern öffnen wollte. Ganz dazu kam es nicht, weil es bemerkt wurde. Es war erst ein kleiner Schnitt. Geliebtes – bitte glaube mir – schon am nächsten Tage war mir diese Handlung völlig unfasslich und ich kann auch heute noch nicht verstehen, dass ich diesen Gedanken überhaupt erwogen habe. Es liegt mir wirklich so ferne wie nur irgend etwas. Und dann glaube mir bitte, dass, wenn ich diesen Schritt tat, es bestimmt mit keinem Gedanken in Rücksicht auf mich, sondern nur im Hinblick auf andere geschah. Mein Süßes – ich musste Dir das berichten, denn Du sollst und musst die Zusammenhänge genau kennen. Du hast mich bisher in allem verstanden und ich traue fest darauf, dass du auch in dieser Sache mir richtig nachempfinden kannst. Ich wäre unglücklich, wenn Du es nicht könntest. Innerlich habe ich diesen Zwischenfall sehr schnell überwunden, weil ich ihn irgendwie gar nicht als zu mir gehörig ansah. So, mein geliebter Schatz – jetzt fühle ich mich erleichtert, nachdem Du alles weißt und, wie ich überzeugt bin, auch verstehen wirst.

Nun zu uns beiden – mein armes über alles geliebtes Mausilein. Irgendwie geht doch alles, was sich ereignet hat, über das Fassungsvermögen hinaus. Dass wir inzwischen ein 4. Kind haben, ich es erst acht Tage danach erfahren habe und dieses kleine Menschlein, das doch von mir stammt, nie im Leben sehen werde, kann ich einfach nicht begreifen. Dass alles gut gegangen und Du gesund bist, ist nur der einzigste Trost ... Gib dem kleinen Wurm einen zarten Kuss auf sein Bäckchen von seinem unbekannten Papi, sie wird am wenigsten unter all diesen Traurigkeiten zu leiden haben! Geliebtes – wenn ich Dir zu Anfang schrieb, dass es auch schwere Stunden für mich gegeben habe, so waren es in der Hauptsache die, in denen ich mich mit dem Schicksal meiner so heißgeliebten kleinen Familie beschäftigte. Ich kann eigentlich gar nicht daran denken! Wenn ich überlege, was für eine Situation für Euch und die Eltern durch mich geschaffen worden ist, muss ich gänzlich verzweifeln. Wollen wir uns jetzt nicht alles im Einzelnen ausmalen! Du weißt es so gut wie ich, und helfen kann ich Euch doch gar nicht. Mein Geliebtes – das ist das Entsetzliche an meiner Lage. Euch hilf- und schutzlos zurückzulassen, ohne auch nur mit einem Ratschlag helfen zu können. Ich zerbreche mir den

Kopf, aber wie soll ich Dir einen vernünftigen Ratschlag geben, wo ich doch die herrschenden Umstände gar nicht kenne. Meine einzige Zuversicht ist mein Glaube an Dich, an Deinen Mut und an Dein in der Not starkes Herz. Vollends wahnsinnig würde ich werden, wenn ich auch nur mit einem Gedanken es für möglich hielte, dass Du mir innerlich einen Vorwurf machen könntest. Wenn Du auch vorher von meinen Absichten nicht gewusst hast, so wirst Du doch immer davon überzeugt sein, dass ich nicht leichtfertig Eure Zukunft zerstört habe, sondern einer Idee gedient habe, von der ich geglaubt habe, dass sie eine Rücksicht auf Familie und Privates nicht rechtfertige. Der liebe Gott und das Schicksal haben gegen mich entschieden, aber ich nehme die felsenfeste Überzeugung mit ins Grab, dass Du mich deswegen mit keinem Gedanken richten wirst. Man darf sich auch nicht überlegen, wie wäre es, wenn man anders gehandelt hätte, denn über diesen Überlegungen wird man ganz mürbe. Man kann nichts Geschehenes ungeschehen machen! Weißt Du – Geliebtes – es ist mir in den letzten Wochen so unbedingt klar geworden, dass all unsere Schritte und unser Geschick letztendlich nur vom lieben Gott geleitet werden. Auch in meiner Lage habe ich von Anfang an das ganz bestimmte Gefühl gehabt, dass alles nach Gottes Willen abrollt. Einen schönen Spruch, an dem ich mich oft aufgerichtet habe, lege ich Dir ans Herz wegen seiner Wahrheit: »Sorget nichts, sondern lasst in allen Dingen Euer Bitten und Gebet und Flehen mit Danksagung vor Gott kundwerden.«[4] Und werden unsere Bitten nicht erfüllt, so müssen wir uns sagen, dass Gottes Wege nicht unsere Wege sind und wir nie wissen können, was für uns das Beste ist. Mein Geliebtes – ich werde Dir in dieser Form fremd sein, aber glaube mir, diese Wochen haben mich wirklich *gläubig* gemacht und ich bin unendlich dankbar dafür. Der christliche Glaube und der Glaube an ein »himmlisches Reich« sind das einzigste, was einem in der Not hilft. Ach Mausi – wie oft habe ich an unsere gemeinsamen Versuche gedacht und wie unendlich

---

4 Philipper 4,6.

gerne würde ich mit Dir jetzt über alles sprechen. Der Weg dorthin führt aber wohl nur über Leid und es muss erst einmal alles Alte gewaltsam von einem gerissen werden. Erst dann kann man eine »neue Kreatur«[5] werden. Was für ein sündiger Mensch ich bisher war, ist mir jetzt erst so klar geworden. Es ist sehr viel verlangt, dass der liebe Gott mir das alles verzeihen soll, wo ich doch erst zu ihm gefunden habe, wo die wirkliche Not begann. Aber ich habe ihn oft darum gebeten und glaube, er hat mich erhört. Jedenfalls werde ich in diesem Glauben sterben und ohne Furcht und Angst. Mein Einsegnungsvers »Wachet, stehet im Glauben, seid männlich und seid stark«[6] soll mich bis zuletzt leiten. Eine riesige Hilfe war mir, dass ich in Königsberg wie in Berlin mir eine Bibel beschaffen konnte, die meine Hauptlektüre war. Es ist mein Wunsch und guter Rat an Dich – mein Geliebtes – versuche ernsthaft ein wirklicher Christ zu werden. Es ist bestimmt die stärkste Waffe, die man haben kann. Wenn man will und immer wieder darum bittet, versagt sich der liebe Gott einem auch nicht. Und Dir bestimmt nicht, denn Dein Herz ist so gut. Mein Süßes – ich habe Dir auch dies alles so ausführlich geschildert, weil ich will, dass Du über alles, was mich bis zu meinen letzten Tagen bewegt hat, genau weißt.

Ich bin übrigens nirgends schlecht behandelt worden und habe überall Menschen gefunden, die gut zu mir waren und sich aus ehrlichem Mitgefühl um mich gesorgt haben. Manchmal war ich richtig gerührt darüber. Es gibt überall böse, aber auch viele gute Menschen. Weißt Du – ich habe so oft an unsere Gespräche gedacht, wenn Du mich anhalten wolltest, mehr geistige als irdische Schätze zu sammeln.[7] Wie hast Du nur immer recht gehabt. Wo sind alle irdischen Schätze hin? Vergangen wie eine Dampfwolke! – Das liebe Steinort. Davon wollen wir nicht sprechen, über Erb- und Testamentsdinge hat es keinen Wert zu reden, denn ich

---

[5] 2. Korinther 5,17.
[6] 1. Korinther 6,13.
[7] Vgl. z. B. Markus 10,21 und Lukas 12,33.

weiß nicht, ob überhaupt beziehungsweise was ich zu vererben habe. Ich nehme an, nicht viel! Natürlich gehört alles Dir. Wegen Steinort habe ich ja ein Testament gemacht (wird aber wohl nicht akut sein), worin das Väterchen alle Vollmachten hat. Mit meinen privaten Sachen, die man Euch ja wohl lassen wird, verfahre bitte nach Deinem Gutdünken ... Sonst mach alles, wie Du willst. Vielleicht will einer oder der andere von den Menschen, die mir im Leben nahegestanden haben, ein kleines Andenken haben, dann such bitte etwas jeweils Geeignetes aus. In allen anderen Fragen – wird das Väterchen und der gute Diener Dir wohl am besten helfen. Es wird alles sehr schwer für Dich werden, aber was soll ich nur tun? – Da ich nur *einen* Brief schreiben darf, bitte ich Dich diesen Brief *teilweise* an die geliebten Eltern und an mein Sissilchen geschrieben anzusehen. Einen letzten innigen Gruß sage bitte Mamichen, Papi und Tante Cedi (um die ich mich viel zu wenig gekümmert habe), an Hans (der mir durch seine Überzeugung sehr geholfen und den Grundstein gelegt hat) und an Maria Daelen, die mir eine treue Freundin war und in letzter Zeit öfters Obst und Zigaretten ins Gefängnis geschickt hat. Vor allem Dieter, auf dessen Urteil ich viel gebe und sehr gerne habe, und den ich bitte, sich Eurer anzunehmen. Marion!

Mein Geliebtes, ich kann das alles nur andeuten, hätte natürlich allen noch viel mehr zu sagen, aber ich kann schon kaum mehr schreiben und kann ja auch nicht die ~~ganze Zukunft~~[8] alles in diesem Brief sagen. Das arme Väterchen und Mütterchen tun mir nach Dir am meisten leid. Ich kann daran gar nicht denken! Auch Sissilchen, sie haben mich so sehr geliebt! Umarme sie so toll Du kannst und sage ihnen, dass meine Gedanken bis zuletzt bei ihnen gewesen sind und ich sie wahnsinnig lieb habe. Was hätte ich ihnen noch alles zu sagen. Aber es geht doch nicht. Der Vater war mein einziger wirklicher »Freund«, ich habe sehr sehr an ihm gehangen. Die Skandauer Kinder, mein treues Mütterchen, mein geliebtes Schwesterlein, von ihnen allen nehme ich

---

[8] Im Original gestrichen.

Abschied. Wir werden uns hoffentlich alle beim lieben Gott wiedersehen ... Mein Geliebtes – ich darf jetzt nicht sentimental werden! Ich habe, glaube ich, an alles gedacht, was ich Euch noch sagen wollte.

Und nun mein Allereinzigstes und über alles geliebtes Geschöpf, wollen wir noch ein paar Worte und ein kleines Weilchen ganz für uns alleine haben. Der Gedanke, dass wir beide, die wir doch so ganz zusammengehören, uns nun nie wieder auf dieser Erde sehen sollen, ist für mich unfasslich. Sieben herrliche Jahre haben wir Seite an Seite gelebt und vor allem Herz an Herz. Du bist auch jetzt niemals von mir gewichen. Ich habe immer das feste Gefühl gehabt, dass Du neben mir hergehst und mit diesem Gefühl werde ich bis zur letzten Sekunde bleiben. Wir wollen dankbar sein für alles, was wir aneinander und miteinander gehabt haben, für Dich – mein Geliebtes – ist ja alles viel viel schlimmer als für mich. Für meine Person, dessen sollst Du gewiss sein, fürchte ich den Tod nicht. Ich fürchte ihn nur im Hinblick und in Gedanken an Dich und unsere geliebten süßen Kinder. Wie wirst Du ihnen das alles erklären? Sie sind ja gottlob noch sehr jung und werden das wohl so ganz nicht verstehen, dass ihr Peps nicht mehr da ist. Gib ihnen viele viele Küssis und sage ihnen, Peps säße jetzt auf einem Wölkchen, sehe sie immer und betete für sie. Was wird mal aus den geliebten Töppis werden? Wer weiß, was überhaupt die Zukunft bringt! Um eins bitte ich Dich ... Du wirst die nächste Zeit unendlich traurig sein. Das weiß ich und kann es Dir doch nicht ersparen. Ich weiß auch, dass Du mich bestimmt nie vergessen wirst, aber wenn ihr von mir sprecht, nachdem die Zeit einen gütigen Schleier über den größten Schmerz gelegt hat, tut es mit frohem Sinn und nicht so gewiss traurig verhalten, wie man das meistens erlebt, wenn von Toten gesprochen wird. Ich habe mein kurzes Leben fröhlich (vielleicht zu fröhlich) durchlebt, und möchte, dass man mich auch so in Gedanken behält. Du wirst verstehen, wie ich das meine! – Kein Mensch kann sagen, wie Dein Leben nun weitergehen wird. Wo ich auch bin, werde ich immer für Dich beten. Gebe Gott, dass Dir größeres

Leid in Zukunft erspart bleibt. Du bist das aller aller Liebste, was ich auf dieser Welt zurücklasse ... Hätten wir uns doch wenigstens noch einmal sehen und umarmen können. Es war nicht möglich! Bitte bitte zergräme Dich nur nicht um mein Schicksal. Ich weiß, dass man sich, wenn einem ein lieber Mensch aus der Welt gegangen ist, genau vorzustellen versucht, wie alles im Einzelnen war und was er durchgemacht hat. Ich habe Dir ja schon gesagt: Ich habe keine Furcht, ich bin innerlich mit mir fertig, ich werde aufrecht und stolz allem entgegensehen, Gott bitten, dass er mir seine Kraft nicht entzieht, und mein letzter Gedanke wirst Du und meine Kinder sein. »Des Todes rührendes Bild steht nicht als Ende dem Frommen und nicht als Schrecken dem Weisen.«[9] Ich will mich weder als Frommen noch als Weisen bezeichnen, sehe das Ende aber in diesem Sinne. Diesen hübschen Vers sagte mir heute mein Verteidiger.

Einzigstes – Du glaubst nicht, wie schwer es mir fällt, diesen Brief und damit unser letztes Gespräch zu beenden. Aber mal muss es sein! Wir werden uns über den Tod hinaus so lieb behalten, wie wir uns im Leben geliebt haben! Dieser Brief wird Dir wehtun, aber ich musste doch noch einmal alles mit allen besprechen.

Der liebe Gott beschütze Dich und unsere Kinder auf all Euren Wegen. So umarmt Euch und liebt Euch über alles auf der Welt ... Euer Peps und dein Heini.

Und dann folgten noch, sehr eng und hastig geschrieben, zwei Nachworte:

Unendlich viele Küsse für das ganze Leben! So wie unsere Liebe stets etwas besonderes war, so weiß ich, dass auch Dein Denken an mich immer etwas besonderes bleiben wird. Mein Engel, wenn dieser Brief hier und da vielleicht etwas konfus ist, so liegt das an

---

9 Nach einem Zitat von Johann Wolfgang von Goethe aus »Hermann und Dorothea«.

den so ungewöhnlichen Umständen. Es fiel mir schwer, die Gedanken immer so ganz beisammen zu haben.

Und die letzten Worte sind, ganz oben über den Rand geschrieben:

P.S.: Bin unglücklich, weil mein Herz Dir noch so vieles sagen möchte, aber Papier und Zeit sind zu Ende. So musst Du es Dir denken. Es ist alles nur Liebe und wieder Liebe.

1.8 »Noch heute Narben« –
Rainer Johannes Christian Goerdeler

C arl Friedrich Goerdeler (31. Juli 1884 – 2. Februar 1945) gehört zu den maßgeblichen Persönlichkeiten des nicht militärischen Widerstandes. Nach anfänglichen Sympathien für die nationale Sache distanzierte sich der promovierte Wirtschaftsjurist schon in den Dreißigerjahren immer mehr vom neuen Regime. Entscheidend für seine Haltung waren seine Herkunft aus einem protestantischen, konservativ geprägten Elternhaus sowie sein fester Glaube an einen Staat, der sittliche Normen zu respektieren habe.

Der Konflikt mit dem Regime verschärfte sich schon bald. 1937 trat Goerdeler vom Posten des Oberbürgermeisters von Leipzig zurück, um dagegen zu protestieren, dass die Nazis das Denkmal des jüdischstämmigen Komponisten Felix Mendelssohn Bartholdy entfernt hatten.

1937 wurde Goerdeler Berater bei der Robert Bosch GmbH, was ihm sogar Reisemöglichkeiten ins Ausland verschaffte. Bereits seit 1934 unterhielt er Verbindungen zur Bekennenden Kirche und seit 1935 zum Chef des Generalstabs, Generaloberst Ludwig Beck.

Goerdeler war für den Fall eines gelungenen Umsturzes als Reichskanzler vorgesehen. Allerdings lehnte er aus religiösen Gründen und solchen der Staatsraison ein Attentat auf Hitler strikt ab. Schon vor dem Attentat war die Verhaftung Goerdelers durch die Gestapo bereits beschlossen. Er konnte zwar fliehen, wurde aber verraten und am 12. August verhaftet. Zusammen mit Ulrich von Hassel wurde Goerdeler vom Volksgerichtshof zum Tode verurteilt. Das Urteil wurde erst am 2. Februar im darauffolgenden Jahr vollstreckt, da man hoffte, von ihm noch weitere Hinweise über die Verschwörung erlangen zu können.[1] Sein damals dreijähriger Enkel, Rainer J.C. Goerdeler berichtet im Rückblick vom Schicksal der Familie.

---

[1] Weiterführende Literatur: Marianne Meyer-Krahmer, Carl Goerdeler und sein Weg in den Widerstand. Eine Reise in die Welt meines Vaters. Freiburg i. Br. / Basel / Wien: Herder, 1989; dies., Carl Goerdeler – Mut zum Widerstand. Eine Tochter erinnert sich. Leipzig: Leipziger Universitätsverlag, 1998; Andreas Kurschat, Goerdeler, Carl Friedrich, Dr. iur., in: H. Schultze (Hg.) u.a., »Ihr Ende schaut an ...«, S. 273-75;

An den 12. Juli 1944, den Beginn einer langen Eisenbahnfahrt, kann ich mich nicht mehr erinnern. Doch vor mir liegt die Kopie der amtlichen Abmeldebescheinigung in der Handschrift meiner Mutter und da heißt es, dass Irma Goerdeler, geb. Reuter, Rainer, geb. im März 1941, und Carl Goerdeler, geb. im Oktober 1943, sowie das »Pflichtjahrmädchen« Erika Packroß vom Seeufer in Rauschen-Düne im Samland nach Katharinenplaisir, Post Clee-bronn, in Württemberg verziehen. Auf dem dortigen kleinen Güt-chen, das der Großvater Carl Friedrich Goerdeler, geb. 1884, mit Hilfe von Robert Bosch im Kriege erworben hatte, sind wir am 21. Juli angekommen. Ab der Zwischenstation Leipzig, wo der Großvater uns das letzte Mal gesehen hat, wurden wir begleitet von den 14- und 15-jährigen Tanten Benigna Goerdeler, der jüngs-ten Tochter Carl Friedrich Goerdelers, und Jutta Goerdeler, der jüngsten Tochter Fritz Goerdelers. Unsere Mutter wurde wie die beiden jungen Frauen nach der Verhaftung in Katharinenplaisir am 29. Juli 1944 in das Frauengefängnis Heilbronn gebracht und alle drei machten nach der Verlegung in eine Baude bei Reinerz im Riesengebirge den Weg durch die KZs von Stutthof bei Dan-zig über Buchenwald bis nach Dachau mit (siehe hier S. 89 und 152 ff.).

Nach der Befreiung aus den Händen der SS-Bewachung in Nie-derdorf im Hochpustertal am 30.04.1945 durch Reste der deut-schen Südarmee gerieten sie Anfang Mai zusammen mit anderen Angehörigen der eigenen und anderer Verschwörerfamilien in

---

Christoph Markschies, Carl und Friedrich Goerdeler, in: Joachim Mehlhausen (Hg.), Zeugen des Widerstands. Ehemalige Studenten der Universität Tübingen, die im Kampf gegen den Nationalsozialismus starben. Tübingen: Mohr Siebeck, 2. verb. Aufl. 1998, S. 142-172; Gerhard Ringshausen, Evangelische Kirche und Widerstand, in: Deutscher Widerstand – Demokratie heute. Kirche, Kreisauer Kreis, Ethik, Militär und Gewerkschaften, hg. von Huberta Engel im Auftrag der Forschungsgemein-schaft 20. Juli e.V., Bonn/Berlin, 1992, S. 81-85; Gerhard Ritter, Carl Goerdeler und die deutsche Widerstandsbewegung. Stuttgart: Deutsche Verlags-Anstalt, 4. Aufl. 1984.

amerikanische Hände, um dann zu vierwöchigen Befragungen nach Capri ausgeflogen zu werden.

Ich verstand ab Ende Juli 1944 die Welt in Katharinenplaisir nicht mehr: Außer meinem Säuglingsbruder Carl und dem Königsberger Mädchen Erika gab es niemand, den ich kannte und mit dem ich sprechen konnte. Carl konnte ich nur ohne verbale Reaktion etwas berichten. Aber genau hier setzen die ersten klaren Erinnerungen des damals Dreijährigen ein. Das Pflichtjahrmädchen durfte mich gelegentlich zu Spaziergängen auf den nahe gelegenen Michaelsberg mitnehmen. Ansonsten musste sie wohl auf dem Hof mitarbeiten und war, mir heute nur zu verständlich, auch nicht sehr gesprächig. Schließlich quälte sie sich gleichermaßen ständig mit der Frage, wie es wohl ihrer Familie in Königsberg ginge.

Wenn ich weinend nach der Mutter fragte, wurde ich – wie auch sonst, wenn ich den Anordnungen des Gutspächters und seiner Familie nicht folgte – in den Schweinestall weggesperrt. Natürlich ängstigten mich dort die fetten Säue und ich versuchte immer, mich auf die seitlichen Zementränder zu stellen und an den Metallgitterstäben festzuhalten. Dass die Pächterfamilie sich wie die Eigentümer gerierte, ist verständlich, schließlich hatten die Gestapoleute, die Mutter und die Tanten abgeholt hatten, gesagt, von der Familie Goerdeler würde »nie jemand wieder zurückkommen«!

Was Carl und mir ab November 1944 widerfuhr, ist mir erstaunlicherweise nicht erinnerlich, und zwar in gar keiner Weise. Meine Erinnerungen setzen erst in Bad Sachsa wieder ein. Ich vermute, dass dies eine »wohltätige« Hilfe des Erinnerungsvermögens ist, denn die psychischen Belastungen eines kleinen Kindes bei anhaltender Trennung von den Bezugspersonen, in unserem Fall vorrangig der Mutter, sind hinreichend bekannt. Ein Heimatforscher aus dem Zabergäu, Herr Seizinger, der sich mit der kurzzeitigen Rolle der Familie Goerdeler dort intensiv beschäftigt und dazu publiziert hat, konnte auch nur wiedergeben, was aus der Familie des damaligen Pächters verlautete, dass »im November 1944 die zwei Buben von NS-Schwestern auf höhere Weisung aus Berlin mitgenommen« und abtransportiert wurden. Das genaue Datum ließ sich nicht ermitteln. Es dürfte zwischen den schweren alliierten Luftangriffen auf Heilbronn Anfang November und der Abmeldung von Erika Packroß nach Königsberg am 30.11.1944 gelegen haben. Erika hat dort übrigens ihre Mutter und vier jüngere Geschwister lebend angetroffen, der Vater war bereits im Volkssturm bei der Verteidigung der Stadt gefallen. Sie ist mit der Familie nach einer Irrfahrt über die Ostsee in einem Fischerboot nach Dänemark gelangt und von dort nach zweijähriger Internierung zurück nach Deutschland. Leider war sie zu dem Zeitpunkt, an dem mein Bruder hiervon Kenntnis erhielt, wegen Demenz nicht mehr in der Lage, zu der Zeit in Katharinenplaisir etwas zu berichten.

Vor dem Eintreffen von Carl und mir in Bad Sachsa, das durch das Tagebuch Christa von Hofackers sich exakt auf deren Geburtstag am 7. Februar 1945 datieren lässt, ist unser Verbleib ab November 1944 nicht feststellbar. In Bad Sachsa wurden wir offiziell unter dem Familiennamen »Hofmann« gemeldet und geführt. Meine nach der Pensionierung aus dem Ministerialdienst der Bundesrepublik Deutschland ab 2006 unternommenen Versuche, vielleicht doch festzustellen, ob wir zwischenzeitlich zwangsadoptiert und bei einer linientreuen Familie untergebracht waren oder zwischenzeitlich anderswo »verwahrt« wurden, blieben ergebnislos. Jedenfalls ließen sich aus den ca. 10 km Akten umfassenden Restbeständen des Reichssicherheitshauptamts, die heute neben den Stasi-Akten von der »Gauck-Behörde« verwaltet werden, keinerlei Spuren unter den Namen »Goerdeler« oder »Hofmann« für den fraglichen Zeitraum finden. Dies ist nach Angaben der Gedenkstätte Deutscher Widerstand in Berlin auch nicht verwunderlich, weil dem Reichsführer SS, Himmler, von Hitler die Befugnis übertragen worden war, über Angehörige aus anderen Verschwörerfamilien außer den Stauffenbergs zu entscheiden. Und Himmler, wohl schon um Rettung des eigenen Kopfs durch Geiseln bemüht, war klug genug gewesen anzuordnen, dass keinerlei schriftliche Anordnungen in dieser Angelegenheit erfolgen sollten, sondern nur mündliche. Dies deckt sich mit Angaben aus Bad Sachsa über ausschließlich telefonische Weisungen an das dortige Personal. Die nach einem Besuch in Bad Sachsa, arrangiert von der Forschungsgemeinschaft 20. Juli, 1998 von meinem Bruder Carl unternommenen Versuche, über die noch lebenden Schwestern aus dem Kreis des früheren Personals Auskünfte zu erhalten, waren erwartungsgemäß damals ergebnislos.

Ich kannte natürlich am 7. Februar 1945, einen guten Monat vor meinem vierten Geburtstag, schon oder besser »noch« meinen richtigen vollen Namen »Rainer Johannes Christian Goerdeler« und habe ihn der freundlich mich befragenden Christa Hofacker dann auch genannt, obschon ich mich inzwischen sehr zurückhaltend, ja misstrauisch, gegenüber den meisten anderen dort noch angetroffenen Kindern aus Verschwörerfamilien verhalten haben soll. Auch dies ist für ein kleines Kind, das der Hauptbezugsperson plötzlich entrissen worden war, nur zu verständlich.

Erinnerlich ist mir noch der stramme Ton des Schwesternpersonals in Bad Sachsa und meine insoweit wohl verständlichen Versuche, Fliegeralarme für das unweit gelegene Nordhausen (Lager Dora) nutzend, während des herrlichen Frühjahrs 1945 in den umliegenden Wald auszubüchsen. Entsprechende Sanktionen folgten dann. Dagegen kann ich aus der eigenen Erinnerung oder Bekundungen anderer Kinder nicht sagen, ob Carl und ich zu denen zählten, die im März 1945 zu einem anderen »Betreuungsort«, nämlich dem KZ Buchenwald, gebracht werden sollten, wo die Mehrzahl der Überlebenden aus den Verschwörerfamilien als »Ehrenhäftlinge der SS« zusammengezogen worden war. Die Aktion, die wenigstens eine partielle Familienzusammenführung hätte bringen können, scheiterte wegen der schweren Bombardierungen Nordhausens ohnehin und die betroffenen Kinder wurden nach Bad Sachsa zurückgefahren.

Die Befreiung Bad Sachsas durch amerikanische Soldaten am 12. April und die feierliche Ansprache des neuen Bürgermeisters am 4. Mai an die verbliebenen 46 Kinder (»Ihr braucht Euch Eurer

Namen und Eurer Väter nicht zu schämen ...«) sind völlig aus meinem Bewusstsein verschwunden. Das Einzige, was mir sehr klar in Erinnerung geblieben ist, war die Abholung aus Bad Sachsa durch unsere Mutter, am 27. Juli 1945 von Hamburg aus mit Hilfe britischer Besatzungsoffiziere. Bad Sachsa, das bis Kriegsende zu Thüringen gehört hatte, war nämlich glücklicherweise inzwischen der englischen Besatzungszone zugeordnet worden.

Diesen Tag gegen Ende Juli 1945 werde ich nicht vergessen, schließlich zählten Carl und ich zu den letzten noch in Bad Sachsa verbliebenen Kindern, die auf Familienangehörige warteten, die uns holen sollten. Für die von den Amerikanern nach Capri Verbrachten war das erst möglich nach Beendigung der Anhörungen im Juni und Rückführung nach Deutschland über Paris, wo die Bevölkerung gegenüber allen Deutschen wenig freundlich gesinnt war (der Transport erfolgte in offenen LKWs), nach Frankfurt/M. und anschließenden Mühen, sich zu Verwandten durchzuschlagen. Das war für unsere Mutter Hamburg, der letztbekannte Wohnort ihrer Mutter und ihres Bruders. Sie hat sich erfolgreich allein dorthin begeben und die Suche nach ihren Kindern aufnehmen müssen. Unser Vater Ulrich Goerdeler, geb. 1913, hatte sich entschieden, erst seine Mutter, seine Schwestern und die jüngste Cousine nach Katharinenplaisir zu begleiten und ihr Unterkommen dort sicherzustellen, was sich als richtig erwies.

Unserer Mutter ist es nicht leichtgefallen, diese Entscheidung ihres Mannes zu akzeptieren, und das dürfte auch späte Folgen auf das elterliche Verhältnis zueinander gehabt haben. Aber unsere Mutter wollte nicht länger damit warten, ihre Kinder zu suchen und dann glücklich wiederzufinden. Als sie am 27. Juli 1945 in Bad Sachsa eintraf, konnte ich mich vor Freude kaum fassen und tanzte auf einem gepflasterten Hofteil so wild herum, dass ich stürzte und trotz schneller ärztlicher Versorgung noch heute eine Narbe auf meiner rechten Kniescheibe trage. Vorher war ich zeitlich noch eben in der Lage gewesen, meine Mutter an das Bettchen meines Bruders Carl zu führen. Die Mutter war entsetzt, Carl nach genau einem Jahr der Trennung so als »Wickelkind« vorzufinden, wie sie ihn im Juli 1944 hatte verlassen müssen, und nicht plappernd oder herumlaufend.

Meine Mutter erzählte uns viel später, dass wir, besonders ich, noch viele Monate bis ins Jahr 1946 »gefremdelt« und Zeichen von Verlustängsten gezeigt hätten aus Unverständnis darüber, im Juli 1944 einfach »verlassen« worden zu sein. Mir ist es auch viel später in meinem Leben nicht leichtgefallen, diesen Verlust des Urvertrauens zu überwinden und mich der engeren Familie und echten Freunden voll anzuvertrauen, mich einfach ohne jedes Misstrauen »fallen zu lassen«. Auch Verlustängste zeigten sich noch nach Jahren gelegentlich wieder. Und ich kann nicht ausschließen, dass gleichermaßen eine erkennbare Distanziertheit gegenüber fremden Personen mich noch lange in meinem Leben begleitet hat. Mit den elterlichen Aussagen über mein Zutrauen gegenüber anderen Menschen während meiner ersten dreieinhalb Lebensjahre lässt sich das nur in Deckung bringen, wenn der Bruch ab Ende Juli 1944 in die Betrachtung einbezogen wird.

Mein Bruder Carl bedurfte natürlich besonderer Zuwendung von Seiten unserer Mutter, was sie auch nach der Geburt dreier weiterer Kinder von 1946 bis 1950 in bewundernswerter Weise geleistet hat. Natürlich verfügte sie, obschon ausgebildete Kindergärtnerin, nicht über das heute selbstverständliche psychologische Wissen, und sie hatte damals keine der heutigen öffentlichen Unterstützungsmöglichkeiten, die vielleicht schneller geholfen hätten, die Entwicklungshemmnisse zu überwinden. Bruder Carl hatte daher noch lange mit Schulproblemen zu kämpfen, die sicher auch auf die fehlende Zuwendung und Förderung während der Zeit in Bad Sachsa zurückzuführen sind. Erst beim Theologiestudium mit altsprachlichem Nachholpensum hat er seine Lernfähigkeit unter Beweis stellen können.

Unsere geliebte Mutter, die in keiner Weise in die Ereignisse um den 20. Juli wissensmäßig eingebunden war, musste nur, weil sie den Ehenamen Goerdeler trug, bis zum bitteren Ende in Haft bleiben. Sie erfuhr erst 1945 durch die Familie von Stauffenberg dank des »Weihnachtsbesuchs« von Gräfin Melitta in Bad

Sachsa etwas über den wahrscheinlichen Verbleib ihrer kleinen Söhne.

Eine Vielzahl von Gesuchen und Informationsbitten an und über das Reichssicherheitshauptamt (zwingend vorgeschrieben auch bei Familienbriefen, die heute teilweise in unseren Händen sind) blieben bis zum Ende des Dritten Reichs unbeantwortet. So war es wenig verwunderlich, dass die Mutter den Aufenthalt in Capri – anders als Familien, die sich bereits vorher wiedergefunden hatten – nicht genießen konnte.

Erst als sie ihre Mutter und ihren Bruder in Hamburg lebend angetroffen und ihr die Abholung ihrer Kinder aus Bad Sachsa gelungen war, konnte sie etwas aufatmen. Während des langen Weges von der Baude im Riesengebirge bis nach Niederdorf im Hochpustertal hat sie nach Aussagen nicht nur von Familienmitgliedern mit bemerkenswerter Tatkraft und Einsatzbereitschaft Dr. med. Gustav Goerdeler, dem ältesten Bruder Carl Friedrich Goerdelers, assistiert bei der Behandlung von Typhusfällen (z. B. Jutta Goerdelers) oder des mit gefährlichen Abszessen von der Südfront im März 1945 in Buchenwald eingetroffenen Reinhard Goerdeler. Sie hat damit trotz eigener Nierenbeckenentzündungen zur Rettung des Lebens anderer beigetragen und vielleicht so auch ein wenig von der Angst um ihre eigenen Kinder verdrängt oder zumindest in den Hintergrund gedrängt. Sie selbst hat sich zeit ihres Lebens nie dessen gerühmt. Die letzten zehn Jahre ihres Lebens ab 1983 hat sie in gesundheitlich sehr reduziertem Zustand verbracht.

Gustav Goerdeler, ebenfalls nicht in das Wissen um die Attentatspläne eingeweiht, war ebenso wie Irma Goerdeler nur um seines Namens willen in die Sippenhaft einbezogen worden und hat die Last mitgetragen und für andere erleichtert. Mit weißem Arztkittel hatte er in Fällen der Vertretung von Lagerärzten sonst nicht erreichbaren Zugang zu Medikamenten. Einen Neustart als Lungenfacharzt (früher in Jenkau bei Danzig und in Ostpreußen) hat Gustav Goerdeler 1945 nach dem Verlust der Heimat und Neuansiedlung in Schleswig-Holstein nicht mehr versuchen wollen und können. Es fehlte ihm dazu nach dem Mit-Durchgemachten einfach die Kraft.

Unsere Eltern hatten vor 1944 begonnen, sich eine eigene Existenz in Stettin aufzubauen. Die Wohnung wurde im Krieg zerbombt, weniges vom Inventar durch den schwer behinderten Bruder meiner Mutter noch in Sicherheit gebracht, aber nach der Neuaufteilung Europas durch die Alliierten glaubten meine Eltern an einen Neubeginn in Polen nach damaliger Lage der Dinge nicht. Sie versuchten einen Neustart in Hamburg in der zweiten Jahreshälfte 1945, der aber dort meinem Vater in Anwaltskanzleien als Nichthamburger kaum gelingen konnte.

Anders war es dann im ländlich strukturierten Kreis Gifhorn/Niedersachsen, wo man ihn im Gerichtsgefängnis nach der Festnahme im Gefolge des 20. Juli erst einmal vergleichsweise human behandelt hatte und von wo aus ihn nach Kriegsende Bäckermeister Otto Schulze auch darüber informierte, dass der einzige Anwalt und Notar der Kreisstadt nicht aus dem Felde zurückgekehrt war. So begann für die Eltern eine zweite Existenzgründung nach dem Kriege in Niedersachsen, fernab von Ostpreußen oder auch – nach damaliger politischer Lage – von Leipzig.

In Gifhorn wurde unser Vater bald kommunalpolitisch tätig, was ihn schnell in die missliche Lage brachte, bei einer geplanten Koalition seiner Partei mit dem BHE mit dem letzten SA-Chef, Schepmann, Absprachen treffen zu sollen – was sofort einen reißerischen Presseaufmacher für eine viel gelesene Wochenzeitschrift der jungen Republik zur Folge hatte.

Unser Vater wurde in Gifhorn auch als Mitbegründer des ersten Gymnasiums am Ort aktiv, das meine Geschwister und ich in den Folgejahren besuchten. In meiner Klasse, der ersten, die von der Sexta bis zur Oberprima führte, lernte ich ab 1950 als Schüler, dass die Familien aus dem Widerstand gegen Hitler als Vaterlandsverräter galten. In meiner Klasse gehörte zu den Meinungsbildnern der Sohn des letzten Vorsitzenden der Reichsschrifttumskammer. Der vier Jahre ältere Mitschüler – später Partner von Gudrun Ensslin – war damals noch voll der Ideologie des Nationalsozialismus verhaftet. Seine Familie, wie die Mehrheit der anderen Familien der Mitschüler, hatte an die Größe des deutschen Volkes und Reiches und an seinen Führer geglaubt. Der Verlust dessen, was als Mittelpunkt deutscher Existenz gegolten hatte, wurde von der Mehrzahl der Mitschüler und ihrer Familien schwerer gewertet als die unglaublichen Verluste an Leben, Gesundheit, Kulturgütern, menschlichen und rechtsstaatlichen Werten. Schon dies war erstaunlich genug, doch hier zeigte sich, dass Hitlers »Saat« in den Köpfen weit über die Existenz des »Dritten Reichs« fortgewirkt hat! Noch mehr: Kaum einer interessierte sich dafür, was den Familien der Widerständler nach dem 20. Juli widerfahren war, Einzug der Vermögen, für viele der Verlust der Heimat und oft ein bitterer Kampf ums Überleben.

Man beachte: Meine geliebte Großmutter Anneliese Goerdeler, geb. Ulrich, musste fünf Jahre um ihre Pension als Witwe des hingerichteten früheren Leipziger Oberbürgermeisters, Carl Friedrich Goerdeler, kämpfen, ebenso für die Waisenrente der jüngeren Tochter Benigna, die als 15-Jährige den »Marsch durch die KZs« bis nach Niederdorf hatte mitmachen müssen. Dem gegenüber stand die durch die posthume Beförderung des ehemaligen Präsidenten des »Volksgerichtshofs« noch erhöhte Witwenpension der Ehefrau Roland Freislers, die anstandslos weitergezahlt wurde!

Noch schlimmer: Die Schoa wurde weitgehend nicht nur nicht zur Kenntnis genommen, sondern einfach geleugnet, wie auch die Existenz von KZs. So weit meine schulischen Erfahrungen.

Meine Großmutter hat neben meinem Vater, der mit ihr den größten Teil seiner frühesten Kindheit in Rauschen/Samland verbrachte, den Verlust der Heimat mit Königsberg und Rauschen viel stärker empfunden als alle jüngeren Familienmitglieder, und ich erinnere mich lebhaft an die schöne alte Ost- und Westpreußenkarte in ihrem letzten Domizil in Heidelberg, zu der ich ihr mancherlei Fragen stellte. Ferner hat Anneliese Goerdeler erleben müssen und zutiefst bedauert, wie sehr sich der große Freundes- und Bekanntenkreis aus Leipziger Zeiten schon bis 1945 kaum fassbar verkleinerte, sei es aus Vorsicht, sei es aus Opportunismus, am wenigsten sicher aufgrund überzeugter nationalsozialistischer Gesinnung des Leipziger Großbürgertums.

Kurz noch einmal zurück zum Jahr 1945: Die Voraussicht des Großvaters, erst einmal im halbwegs sicheren Südwesten des Reiches durch das Hofgütchen Katharinenplaisir eine Existenzgrundlage für die Familie zu sichern, erwies sich als weise. Auch wenn erst einmal alle am 16. Juli 1945 dorthin Zurückgekehrten mit anpacken durften, um die Landwirtschaft unter Leitung eines heimatvertriebenen schlesischen Gutsverwalters in Gang zu halten. Vorher hatte mein Vater mit dem Ochsenziemer in der Hand den Altpächter vertrieben und aus dessen Wohnung in Cleebronn die entwendeten Wertsachen der Eltern unter Polizeischutz wieder in Besitz genommen.

Und das Katharinenplaisir diente bis zu seinem Verkauf Anfang der Fünfzigerjahre nicht nur als Lebensgrundlage für die Großmutter, die noch minderjährige jüngere Tochter und die Töchter Fritz Goerdelers, sondern war auch Treffpunkt der verbliebenen Familie einschließlich meiner Eltern und Geschwister.

Die wichtigere, emotionale Seite wird ein wenig dadurch beleuchtet, dass die seit 1945 nur noch in Schwarz gekleidete Großmutter neben der totalen Isolationshaft und grausamen Hinrichtung ihres Mannes Carl Friedrich Goerdeler am 2. Februar 1945 den Tod ihres Sohnes Christian nie verwunden hat. Sie hatte mit ihrem Mann, auf Empfehlung des früheren Generalstabschefs der Reichswehr, von Hammerstein, Christian geraten, dahin zu gehen, wo man eher politischen Freiraum vermutete als beim Philologiestudium und im Schuldienst – Christian hatte Lehrer werden wollen. Dann hatten die Eltern ihn überredet, doch den von Christian abgelehnten Fahneneid auf Adolf Hitler zu leisten. Nachdem Christian schließlich als Offizier im besetzten Frankreich versucht hatte, Kameraden zu überzeugen, sich Geiselerschießungen zu verweigern, wurde er von einem Kriegsgericht degradiert und an die Ostfront versetzt. Nur scheinbar war er glimpflich davongekommen – es war ein Todeskommando (Angriffsbefehl des kommandierenden Offiziers mit der untergehenden Abendsonne im Rücken und sichere Zielscheibe für die gegnerischen russischen Kräfte). So ist Christian dann schon am 15. Mai 1942 bei Charkow gefallen und seine Eltern fühlten sich zeit ihres Lebens daran mitschuldig.

Die wirkliche Tragik in Anneliese Goerdelers Leben bestand in ihren wiederholten Versuchen, ihren Mann dazu zu bewegen, seine Widerstandspläne nicht mit der ihm eigenen unerbittlichen Entschlossenheit und Offenheit zu betreiben und damit das Leben der gesamten großen Familie zu gefährden. Dies ist ihr nicht gelungen, aber sie hat vielleicht die Konsequenzen klarer gesehen oder vorausgeahnt als ihr Mann, der bis 1944 voll an letzte Vernunft, seine eigene Überzeugungskraft und wohl auch an eine es gut meinende göttliche Vorsehung geglaubt hatte. Dies war ihr, obwohl sie nie darüber klagte, bis an ihr Lebensende 1961 als nicht endender Schmerz bewusst. Und unser Vater hat uns über die elterlichen Kontroversen, beginnend weit vor dem 20. Juli, erst in seinem letzten Lebensjahrzehnt, den Neunzigerjahren, berichtet.

Unter den Hauptbetroffenen von Hitlers Rache und ihren über das »Dritte Reich« hinausgehenden Fernwirkungen war aber noch ein anderer Teil der Familie, auch wenn dies in der Öffentlichkeit weniger bekannt ist und mir auch erst als Erwachsenem voll bewusst wurde: Carls jüngster Bruder Fritz, verheiratet mit Annelieses Schwester Sabine, war als einziger Vertrauter in der weiteren Familie weitestgehend in die Widerstandspläne und Aktivitäten eingeweiht, ohne sich selbst aktiv daran zu beteiligen. Freilich hatte er die Absetzung als Bürgermeister von Marienwerder durch die Nazis hingenommen und war aufgrund seiner Zuverlässigkeit und Korrektheit im Umgang mit öffentlichen Mitteln zum Stadtkämmerer von Königsberg berufen worden, was die Nazis den eigenen Parteigenossen nicht zutrauten. Fritz hat sich nach dem Tode seiner Frau 1943 stets zu seinem Bruder bekannt und wurde deswegen, wie dieser, nach dem 20. Juli zum Tode verurteilt und einen Monat nach seinem Bruder am 1. März 1945 gehenkt. Der einzige Sohn Dietrich wurde in den letzten Kriegswochen im April

1945 in Pommern schwer verletzt. Er wollte nicht in die Hände polnischer Partisanen fallen und erschoss sich.

Damit standen die drei Töchter ohne Eltern und Bruder da. Jutta, von der ich berichtet hatte, war als 15-Jährige in Katharinenplaisir 1944 mit verhaftet worden und durch die KZs gewandert.

Ihre älteren Schwestern Lore und Heidi hatten zwar an ihren Ausbildungsplätzen in Großstädten während des Krieges »untertauchen« können, aber alle drei erfuhren erst nach Kriegsende vom Tode des Vaters und des Bruders. Die mittlere Tochter litt dann bis zu ihrem Tode über Jahrzehnte an Verfolgungswahn und ihre Depressionen haben unzweifelhaft zu ihrem Ableben beigetragen – aber dies war rund ein halbes Jahrhundert nach Hitlers Tod und dem Ende des »Dritten Reiches«. Eine wahrhaft »späte Rache« an Nachkommen eines bloßen Mitwissers, der sich aber zu seinem Wissen und zu seinem Bruder bekannt hatte.

Die seit den Zeiten der Gestapo herrschende Furcht, überwacht zu werden, etwa beim Telefonieren, ist selbst heute, fast siebzig Jahre nach Hitlers Ende, noch nicht von allen Angehörigen unserer Familie überwunden, die die Nazizeit bewusst miterlebten. (Dies hat nichts mit den heutigen weltweiten NSA-Aktivitäten zu tun.)

Demgegenüber sind die materiellen Verluste, auch die von Wohnort und Heimat, eher gering zu bewerten. Gleichwohl: Als ich 1996, vier Jahre vor seinem Tode, mit meinem Vater in Einlösung eines langjährigen Versprechens nach Königsberg und Rauschen fuhr, wurde mir anhand seiner minutiösen Erinnerungen an den Großvater mütterlicherseits deutlich, wie viel noch meinem Vater an dem lag, was er als Heimat betrachtete.

1.9 »Getrennt von meinen Kindern, gerettet durch die Wehrmacht« – Fey von Hassell

ie Laufbahn von Ulrich von Hassell[1] (12. November 1881 – 8. September 1944) eines herausragenden Diplomaten erreichte mit dem Posten eines deutschen Botschafters in Rom (1932– 1938) ihren Höhepunkt. Doch Divergenzen mit dem NS-Regime führten schließlich zu seiner Abberufung.

Danach arbeitete er bis 1943 als Vorstandsmitglied des »Mitteleuropäischen Wirtschaftstages« und von 1943 bis 1944 für das »Deutsche Institut für Wirtschaftsforschung«, was ihm Bewegungsfreiheit als »geheimer Botschafter des Widerstands« verschaffte, der nach einem Umsturz sogar als Außenminister vorgesehen war.

Am 28. Juli 1944 wurde Hassell aufgrund seiner engen Verbindungen zu den Männern des Widerstands von der Gestapo verhaftet und am 8. September vom Volksgerichtshof zum Tode durch den Strang verurteilt und hingerichtet, obwohl Mussolini bei Hitler für den ehemaligen, in Italien sehr geschätzten Diplomaten interveniert hatte.

Hassells jüngste Tochter Fey, seit 1940 mit dem Italiener Detalmo Pirzio-Biroli verheiratet, schildert in ihren Aufzeichnungen[2] ihre Sippenhaft: Gefangennahme im September 1944 auf dem Familiensitz Schloss Brazzà in Oberitalien; Leidensweg als Sondergefangene und Geisel Himmlers durch mehrere deutsche Konzentrationslager bis Mai 1945; ihre verzweifelte Suche nach ihren Söhnen Corradino (4 Jahre) und Robertino (3), die Ende September 1944 aus einem Hotel in Innsbruck entführt worden waren; und schließlich ihrer aller Rettung.

---

[1] Vgl.: Karl Dietrich Bracher (Hg.), Das Gewissen steht auf. Lebensbilder aus dem deutschen Widerstand 1933–1945. Ges. u. hg. von Annedore Leber in Zus. m. Willy Brandt und Karl Dietrich Bracher. Neu hg. von Karl Dietrich Bracher i. Verb. m. d. Forschungsgemeinschaft 20. Juli e.V. Mainz: v. Hase und Koehler, 1984, S. 359-361; Ulrich von Hassell und Malve von Hassell (Hg.), Der Kreis schließt sich. Aufzeichnungen in der Haft 1944. Berlin: Propyläen, 1994. A. Kurschat, »Ihr Ende schaut an ...«, S. 299-301.

[2] Fey von Hassell, Niemals sich beugen. Erinnerungen einer Sondergefangenen der SS. Aus dem Italienischen von Beatrice Andres. München/Zürich: Piper, 1990.

Die Zeit in Brazzà war relativ ruhig und friedlich verlaufen. Da platzte die Bombe des 20. Juli 1944: das Attentat auf Hitler! Seine »göttliche Vorsehung« habe Hitler gerettet, und noch in der gleichen Nacht sprach er zu »seinem« Volk. Er behauptete, es habe sich bei den Verschwörern um eine kleine Offiziers-Clique gehandelt, an deren Spitze Oberst Graf von Stauffenberg stand, der die Bombe im Führerhauptquartier in Rastenburg zündete. Stauffenberg wurde noch am gleichen Tag verhaftet, und schon am Abend gab General Fromm den Befehl, ihn und seine drei Kameraden – Olbricht, von Haeften, Mertz von Quirnheim – zu erschießen.

Als ich die Nachricht vom Attentat im Radio hörte, durchströmte mich ein Gefühl des Triumphes, weil damit endlich deutlich wurde, dass es in Deutschland Menschen gab, die bereit waren, im Kampf gegen die Diktatur ihr Leben einzusetzen. Sofort aber fiel mir auch Papa ein, und mit Entsetzen dachte ich an seine Untergrundarbeit in Berlin, zudem mir die in den Zeitungen veröffentlichten Namen sehr vertraut vorkamen. Es handelte sich zwar durchwegs um Wehrmachtsoffiziere, aber alle waren Freunde meines Vaters. So sehr hoffte ich, dass die zivilen Widerstandsgruppen vielleicht doch unentdeckt bleiben würden! Wie gefährdet war mein Vater? Wahrscheinlich sehr, aber trotzdem blieb noch eine kleine Hoffnung. Ich konnte kaum erwarten, Nachrichten von zu Hause zu bekommen.

Es verging ein Monat ... Mutti hütete sich, in ihren Briefen irgendwelche Andeutungen über das Attentat zu machen. Was hätte sie auch anderes tun können? Sie sprach nur von »großer Sorge«. Solche Bemerkungen machten mich natürlich sehr nachdenklich, aber mir war nicht klar, welches Gewicht ich ihnen beimessen sollte. Die Reaktion der deutschen Truppen in meinem Haus[3] war bemerkenswert: Zunächst reagierten sie mit versteckter Freude, vielleicht weil sie hofften, dass sich etwas Außergewöhnliches

---

[3] Seit dem Waffenstillstand zwischen Italien und den Alliierten und der darauffolgenden deutschen Besetzung Italiens waren wechselnde deutsche Truppen im Haus der Familie Pirzio-Biroli untergebracht.

ereignen könnte, das dem Krieg ein Ende setzen würde. Nach einigen Wochen der immergleichen Propaganda änderten sie aber ihre Haltung. Für die Misserfolge an allen Fronten wurden nun die Attentäter und ihre Kameraden verantwortlich gemacht. Ein Übriges tat auch die »neue Waffe«, die bald eingesetzt werden sollte und unter dem Namen V2[4] vorgestellt und in den höchsten Tönen gelobt wurde. So wuchsen bei den Soldaten neue Hoffnungen auf einen »End-Sieg«. Über diese unvorstellbare Leichtgläubigkeit war ich so entsetzt, dass es mir kaum mehr gelang, meine Meinung zurückzuhalten. Diese wahnsinnige Naivität![5]

[...]

9. September. Ich lag morgens um 7.30 Uhr noch friedlich im Bett, als es an meiner Tür klopfte. Es war Leutnant Kretschmann[6]. Sein Ausdruck war starr vor Entsetzen, das Gesicht bleich und die Augen weit aufgerissen. Er wagte es nicht, mich anzusprechen. Schließlich fragte ich ihn: »Um Himmels willen, was ist denn passiert?« Er antwortete nur: »Welch ein Glück, dass Sie noch zu Hause sind.« »Ja warum sollte ich denn nicht zu Hause sein?« »Haben Sie denn gestern Abend oder heute früh noch keine Nachrichten gehört?« »Nein, ich hatte Gäste, aber nun sagen Sie mir doch endlich, was passiert ist.« »Ihr Vater ist verhaftet und verurteilt worden. Sie haben ihn gehenkt.« Ohne die geringste Vorbereitung oder Vorsicht warf er mir diese Worte an den Kopf. Ich sollte es noch öfter erleben, dass ich bei Nachrichten von großer Tragweite regelrecht erstarrte. Dass ich überhaupt verstanden hatte, was er gesagt hatte, konnte man mir nur deshalb anmerken, weil ich am ganzen Körper zu zittern begann. Sosehr ich auch immer um Selbstbeherrschung bemüht war – in diesem Fall weigerte sich mein Körper, mir zu folgen. Ohne weitere Umstände

---

[4] »Vergeltungswaffe 2« (V2) oder auch »Wunderwaffe« war die Propagandabezeichnung für die in Deutschland entwickelte ballistische Artillerie-Rakete Aggregat 4, die seit 1944 zum Einsatz kam.

[5] Fey von Hassell, Niemals sich beugen. Erinnerungen einer Sondergefangenen der SS. München/Zürich: Piper Verlag, 1990, S. 99f.

[6] Adjutant, ebenfalls im Haus einquartiert.

gab mir der Adjutant zu verstehen, dass sein Vorgesetzter Dannenberger angeordnet hatte, man dürfe mich keine Minute alleine lassen, denn er würde jede Verantwortung ablehnen, wenn ich das Haus verließe. [...]
Ich bat die beiden Freunde, die bei uns zu Gast waren, uns zu verlassen, und nahm die günstige Gelegenheit wahr, meine vielen Notizbücher in ihrem Gepäck zu verstecken, denn diese Notizbücher hätten den eindeutigen Beweis dafür geliefert, wie sehr ich die Nazis hasste. Als Nonino[7] kam, fielen wir einander in die Arme, und er versuchte, mich zu trösten. Da verlor ich zum ersten Mal die Fassung. Den entsetzten Mienen der Offiziere entnahm ich, dass sie wirklich um mein Leben bangten. Im Grunde meines Herzens war ich jedoch noch immer von einem gewaltigen Optimismus beseelt und voller Hoffnung, heil aus dem allen herauszukommen – der gesegnete Optimismus der Jugend![8]

Fey wird am nächsten Morgen ins Gefängnis nach Udine gebracht. Ihre Kinder muss sie zurücklassen. Nach zehn Tagen Haft wird sie wieder nach Hause zu ihren Kindern gebracht, wo sie unter Arrest steht. Partisanen bieten ihr während dieser Zeit wiederholt Hilfe zur Flucht an, die sie aber ablehnt. Denn sie rechnet nicht mit einer Deportation. Am 26. September erhält sie die Nachricht, dass sie und ihre Kinder nicht verschont bleiben würden. In Innsbruck wird sie von ihren kleinen Söhnen getrennt – eine Szene, die in der italienischen Verfilmung unter dem Namen »I figli strappati« (Die entrissenen Söhne) ergreifend dargestellt wurde. Fey wird von der Gestapo ins Gefängnis gebracht. Krankheiten, Gewalt, Hunger und Selbstmordversuche bestimmen dort den Alltag.

Der nächste Tag, der 22. Oktober, war mein Geburtstag, ich wurde 26 Jahre alt. Da öffnete sich morgens die Zellentür, und die Wache sagte: »Du bist frei.« Es schien das schönste Geburtstagsgeschenk

---

7 Langjähriger Diener der Familie Pirzio-Biroli.
8 Fey von Hassell, Niemals sich beugen, S. 101-103.

meines Lebens – und sollte dann tatsächlich einer der grauenhaftesten Tage meiner Gefangenschaft werden. Ich sammelte meine Sachen zusammen, verabschiedete mich von meinen Zellengefährtinnen, die natürlich neidisch waren, und ging zum Gefängnisausgang hinunter.

Unten erwartete mich ein Gestapo-Mann in Zivil, der sich mit den Worten an mich wandte:»Wir werden eine kleine Reise machen!« Ich fragte sofort, wohin es gehen solle, denn nun machte mich das alles unsicher.

»Ich weiß nur, dass ich Sie nach Schlesien bringen soll.«

»Und meine Kinder?!«

»Wieso? Haben Sie Kinder?«

»Ja, ich habe zwei kleine Kinder. Man hat sie mir bei meiner Verhaftung weggenommen.«

»Tut mir leid, über deren Schicksal weiß ich nicht Bescheid. Ich habe keine Ahnung, wo Ihre Kinder sind. [...]«

Man gab mir den Schmuck, die Uhr und das bisschen Geld zurück, dann ließ man mich lange auf dem Flur warten. Glücklicherweise war ich allein, und so konnte ich in meiner grenzenlosen Verzweiflung meinem Weinen freien Lauf lassen. So viele Tränen hatte ich im Gefängnis unterdrückt, immer neue kamen jetzt dazu. Der Gedanke, nichts von den Kindern zu wissen, trieb mich an die Grenze des Wahnsinns.

In einem überfüllten Zug und bewacht von der Gestapo wird Fey Richtung Schlesien transportiert. Aufgrund der Kriegswirren kommen sie aber nur mit großen Unterbrechungen voran.

Meine Bewacher hatten mir erlaubt, auf dem Trittbrett vor dem Abteil etwas Luft zu schnappen. Dort stand eine freundliche Frau, der es gelang, mir ein Blatt Papier und einen Bleistift zu verschaffen. Auf die eine Seite schrieb ich die Adresse meiner Mutter. Auf die andere, dass man mich nach Osten brächte und ich keine Nachricht von den Kindern hätte. Als wir wieder einmal an einem Bahnhof hielten, warf ich den Zettel auf die Gleise. Tatsächlich erreichte meine Mutter diese Botschaft per Post. Irgendein freundlicher Mensch muss den Zettel gefunden, gelesen und abgeschickt haben.[9]

Im Hotel Hindenburgbaude bei Reinerz wird Fey einer Gruppe weiterer Sippenhäftlinge zugeteilt »acht Stauffenbergs, sechs Goerdelers, drei Hofackers, dem Ehepaar Kuhn und Fräulein Gisevius«.[10] In dem Hotel sind sie einen Monat lang untergebracht und lernen einander kennen, während die Sorge um die Zukunft, um Familienangehörige und besonders die Kinder sie quält. Wie sie später erfahren sollten, wurde in dieser Zeit im KZ Stutthof bereits eigens für die Sippenhäftlinge des 20. Juli eine Baracke errichtet. Dort isoliert man sie von den anderen Häftlingen und verbietet ihnen, sich mit Nachnamen anzusprechen; denn niemand sollte erfahren, wer sie waren.

Unser Gesundheitszustand verschlechterte sich zusehends. Fast alle erkrankten an der Ruhr, so auch ich, und wir mussten wochenlang im Bett bleiben. Als der Kommandant erfuhr, dass so viele von uns erkrankt waren, bekam er es offenbar mit der Angst zu tun. Und so erfuhren wir ein neues, merkwürdiges Detail.

Durch einen Gefangenen, der uns das Holz brachte, erfuhren wir, was über uns im Lager gesagt wurde – in einem Lager verbreiten sich Nachrichten wie vom Winde vorwärtsgetriebenes Feuer: Himmler hatte genaue Anweisungen gegeben, dass keiner von uns sterben sollte. Wir waren Geiseln, und Geiseln sind nur lebendig von Nutzen. Der Kommandant erkundigte sich bei Dr. Goerdeler, welche Medikamente wir bräuchten. Die Medikamente wurden besorgt, und sogar unser Blut wurde untersucht. (Offensichtlich hoffte Himmler im Augenblick des Zusammenbruchs, von den Alliierten das Leben geschenkt zu bekommen, wenn er das unsere erhalten würde.)[11] [...]

---

9   Ebd. S. 126-128.
10 Ebd. S. 131.
11 Ebd. Einschub von S. 153.

Dann kam Weihnachten, und, so unglaublich es klingen mag, sie brachten uns ein Bäumchen! Einige von uns besaßen Kerzen, andere hatten rechtzeitig das Staniolpapier vom Käse aufbewahrt und Sterne daraus gebastelt. Otto Philipp hatte aus Pappe eine Krippe gebaut, in die ich meine Figuren stellte. Sie wurden von einem roten Kerzchen angestrahlt. Dr. Goerdeler erlaubte mir, nach einer gründlichen Desinfektion meiner Kleider[12] an der Feier teilzunehmen. Wir sangen all die alten Weihnachtslieder – und dabei saß uns ein dicker Kloß im Hals. Das letzte Weihnachtsfest hatte ich mit den Kindern in Brazzà gefeiert – Corradino, seine Schreie, als sie ihn in Innsbruck die Treppen hinunterzogen, und Robertino! Wo waren sie? Was machten sie heute? Und noch etwas anderes brachte uns an den Rand der Fassung, die Dankbarkeit, so eng verbunden durch dieses Leid zu wandern. Wir sangen, so fest wir konnten.

Gaggi wurde immer kränker, die Medikamente reichten nicht aus. Trotz der Befürchtungen unseres Kommandanten interessierten sich die SS-Leute natürlich nicht wirklich für unsere Krankheiten. Auch ich kämpfte mittlerweile gegen arge Halsschmerzen und leider hatte ich auch Fieber. Da ich der SS die Medikamente, die ich aus Italien mitgebracht hatte, nicht ausgehändigt hatte, konnte ich mit Chinin dagegen angehen. Gaggi hatte meine Hilfe nötig, und ich musste bei Kräften bleiben. Aber nach einer Woche musste ich mich geschlagen geben, ich hatte hohes Fieber. Gott sei Dank war Elisabeth Stauffenberg einigermaßen wiederhergestellt und übernahm meine Aufgabe. Gleichzeitig mit mir mussten sich Jutta Goerdeler, Mika Stauffenberg, Lotte und Annele Hofacker ins Bett legen. Der SS wurde es nun doch unheimlich, dass so viele von uns krank waren. Sie eröffneten uns, dass im Lager Typhus ausgebrochen war. Blutunter-

---

[12] Nachdem sie sich gerade von der Ruhr erholt hatte, pflegte Fey die an Scharlach erkrankte »Gaggi« im Krankenzimmer. Gemeint ist Marie-Gabriele Schenk Gräfin von Stauffenberg, Tochter von Elisabeth Schenk Gräfin von Stauffenberg und Clemens sen. Schenk Graf von Stauffenberg.

suchungen ergaben, dass Mika, Jutta und ich Typhus hatten, Lotte und Annele Scharlach und Anneliese Goerdeler die Ruhr. Die SS-Wachen ordneten daraufhin an, dass alle Kranken in einem Zimmer unterzubringen seien. Es grenzt an ein Wunder, dass wir uns nicht gegenseitig angesteckt haben, aber vielleicht halten sich sogar Mikroben an gewisse Regeln der Machtverteilung. [...]

Die Typhuskranken, Mika, Jutta und ich, kämpften mit dem Tod. Das Fieber stieg bis 41 Grad, unsere Schläfen klopften unerträglich. Diese bedrohliche, gespenstische Atmosphäre werde ich nie vergessen. Jeden Tag heulten die Sirenen wegen neuer Luftangriffe, und wir blieben ohnmächtig in unseren Betten, da es uns verboten worden war, in den Luftschutzraum zu gehen; in unserem Zustand wäre das sowieso unmöglich gewesen. Nachts hörten wir das Bellen der Hunde, es war ein Alptraum. Wenn sie bellten, bedeutete es, dass Häftlinge einen Fluchtversuch gemacht hatten. Die Hunde kläfften grässlich bei der Verfolgung dieser Ärmsten aller Armen, dann wurden sie eingeholt und von den Tieren gepackt, und man hörte nur noch die durchdringenden, entsetzten Schreie der Häftlinge.[13] [...]

Wegen des Näherrückens der russischen Truppen wird die Gruppe Ende Januar nach Danzig weitertransportiert.

Den Hügel zum Lager hinauf mussten wir durch den tiefen Schnee zu Fuß erklimmen. Wegen unseres gespenstischen Aussehens schickte man Häftlinge, die uns beim Gehen stützen sollten. Es waren schreckliche Typen, die uns den Hügel rücksichtslos hinaufzerrten. Wir waren so schwach, dass ich zweifelte, ob wir diese Anstrengung überleben würden. Aber wieder bestätigte sich meine Überzeugung, dass man dann stirbt, wenn es vom Schicksal beschlossen ist, ungeachtet aller menschlichen Bemühungen. Oben angekommen wurden wir in eine unbeschreiblich schmutzige Baracke geführt. Übelriechende, verbrauchte Luft

---

[13] Fey von Hassell, Niemals sich beugen, S. 148-151.

schlug uns entgegen, denn am Tag zuvor hatten durchmarschierende Truppen dort übernachtet. Unsere Erschöpfung stand uns so deutlich ins Gesicht geschrieben, dass andere Gefangene für uns die Baracke putzen mussten – entsprechend fragwürdig war das Ergebnis. Was konnte man schon von diesen Menschen erwarten? Sie wirkten so elend, wie verhungert in ihren Sträflingskleidern. Wenn etwas Nützliches herumlag, war es natürlich im Bruchteil einer Sekunde verschwunden. Diese Menschen taten mir sehr leid; wir konnten beobachten, dass sie wie Vieh behandelt wurden. Sie mussten jeden Morgen in der eisigen Kälte von fünf bis sieben Uhr Übungen machen, und die SS-Männer hatten den größten Spaß daran, sie durch den Schnee robben zu lassen. [...]

Während der zehn Tage, die wir in diesem Lager verbrachten, weil wir nicht weitertransportiert werden konnten, wurden wir in der Tat so gut ernährt wie nur wenige Menschen in jener Zeit. Wir bemerkten zum zweiten Mal, dass es die SS-Männer bei unserem Anblick – wir waren durch Krankheit und den Transport schon sehr heruntergekommen – mit der Angst zu tun bekamen, einer von uns könnte sterben. Deshalb waren sie so bemüht, uns durch gute Ernährung wieder zu Kräften zu bringen. Uns schien das für unser künftiges Schicksal bedeutungsvoll. Was konnten wir daraus schließen?

Innerhalb der vergangenen Monate hatten wir so etwas wie einen starken »Verfall« bei der SS festgestellt. Die höheren Ränge waren zwar fast durchwegs mit Deutschen besetzt, aber in der Truppe gab es schon viele Ausländer, die nicht überzeugte Nationalsozialisten waren, sondern eher Söldnertruppen, die jederzeit für alles einsetzbar waren – das war Hitlers »Elitetruppe«. Zum anderen überlegten wir: Wenn uns diese SS-Leute die gleiche Verpflegung zukommen ließen, wie sie die SS-Führer erhielten – woraus man erfuhr, was die hohen Tiere der SS nach fünf Jahren Krieg noch zu essen bekamen –, musste das bedeuten, dass Himmlers Befehle absolut ernst gemeint und endgültig waren. Die dritte Überlegung war, dass Hitler, nachdem er die präzise Order gegeben hatte, alle Familien der am Attentat des 20. Juli

Beteiligten zu vernichten, gar nicht ahnte, dass wir alle noch lebten. Deshalb durfte niemand etwas von unserer Existenz wissen, und deshalb war es uns auch streng verboten, unsere Nachnamen auszusprechen. Das Ergebnis unserer Überlegungen war: Wir waren Himmlers persönliche Geiseln – alles andere als eine beruhigende Vorstellung, denn das Leben von Geiseln ist an eine Gegenleistung gebunden, die möglicherweise nicht zu verwirklichen ist.[14]

Fünf Tage später stirbt Anni Lerchenfeld an einer Lungenentzündung. Nach weiteren Transporten auf der Flucht vor den Alliierten trifft die Gruppe im KZ Buchenwald auf weitere Sippenhäftlinge. Fey von Hassell erhält von diesen die endgültige Bestätigung der Hinrichtung ihres Vaters.»... sie ahnten ja nicht, dass in mir noch eine vage Hoffnung gelebt hatte. Ich tat so, als wüsste ich alles ...«[15] Eine der folgenden Stationen ist Schönberg im Bayrischen Wald, wo sie auch Dietrich Bonhoeffer trifft – kurz vor seiner Hinrichtung. Nach Aufenthalten im KZ Dachau und im Durchgangslager Reichenau entkommt die Gruppe, die mittlerweile aus »120 Menschen aus 16 verschiedenen Nationen«[16] besteht, den letzten hastig gefassten Mordplänen der SS und wird am 4. Mai in Niederndorf endgültig durch amerikanische Truppen befreit. Fey muß ohne Nachricht von ihren Kindern nach Italien zurückkehren. Mit ihrem Mann kann sie in ihrem Landsitz, der von britischen Soldaten bewohnt wird, ein Zimmer beziehen. Sie leidet jetzt darunter, von ihren Mithäftlingen getrennt zu sein, mit denen sie so viel verbunden hatte. Es fällt ihr schwer, in ein »normales« Leben zurückzufinden, zumal die Suche nach ihren Söhnen lange erfolglos bleibt.

Wir schrieben den 11. September: Vor einem Jahr war ich verhaftet worden. Ich unterhielt mich gerade im Rosengärtchen neben der Kapelle mit unserem Gärtner Tami, als Nonino mir ein Tele-

---

[14] Fey von Hassell, Niemals sich beugen, S. 157f.
[15] Ebd. S. 170f.
[16] Ebd. S. 187.

gramm brachte. In der letzten Zeit hatte ich öfter Telegramme von Detalmo erhalten, immer mit enttäuschenden Nachrichten, deshalb schenkte ich auch diesem weiter keine Aufmerksamkeit. Während ich mich weiter mit dem Gärtner unterhielt, öffnete ich so nebenbei das Telegramm. Ich begriff dessen Inhalt zunächst überhaupt nicht, las den Text immer wieder, konnte nicht glauben, was da wahrhaftig stand:

DIE KINDER SIND GEFUNDEN WORDEN. SIE SIND BEI DEINER MUTTER. STOP.

Unwillkürlich begann ich zu weinen. Ich zitterte am ganzen Körper und brachte kein Wort heraus. Ich konnte nur stammeln:»Die Kinder! Die Kinder!«, dann rannte ich wie eine Verrückte die Allee entlang zu Noninos Wohnung, schrie allen, denen ich begegnete, zu:»Die Kinder! Die Kinder!« Bei Nonino angelangt, traf ich auf seine Frau Pina und den Verwalter Bovolenta. Noch immer konnte ich nicht richtig sprechen. Unter Tränen wiederholte ich immer nur:»Die Kinder! Die Kinder!« Ich umarmte sie, und auch sie brachen in Tränen aus. Immer wieder umarmten wir einander. Die englischen Soldaten um uns herum verstanden überhaupt nichts, sie hatten keine Ahnung von meinem Kummer gehabt, die Offiziere jedoch hatten davon gewusst und luden mich, als sie von den wunderbaren Neuigkeiten erfuhren, gleich zum Abendessen ein, um das Ereignis zu feiern.[17] [...]

Später erfährt Fey von ihrer Mutter, wie sich die Suche nach den Kindern im Nachkriegsdeutschland zugetragen hat.

»Es war bereits zwei Uhr, als ich das Zimmer erreichte, nur um dort zu erfahren, dass es ganz woanders ein Sonderbüro für die Suche nach verschollenen Kindern gäbe. Ich erklärte dem Beamten, dass ich keine Zeit mehr hätte, andere Büros aufzusuchen, da

---

[17] Ebd. S. 206.

157

meine Aufenthaltsgenehmigung in wenigen Stunden abliefe. Ich muss so verzweifelt ausgesehen haben, dass er Mitleid mit mir bekam und etliche Telefonate für mich führte. Nach vielen, sehr diplomatisch gestellten Fragen – natürlich wollte in dieser Zeit niemand jemals etwas mit der SS zu tun gehabt haben! – gelang es ihm, den Namen einer jungen Frau herauszubekommen, die mehrmals Kindertransporte unter Aufsicht der SS organisiert hatte. Als er sie dann endlich am Telefon hatte, wusste sie natürlich nichts über deine Kinder oder vielmehr, sie wollte sich an nichts erinnern. Erst nach weiteren geschickten Fragen des Beamten war sie bereit, die Namen von vier Heimen und Kindergärten in der Nähe von Innsbruck zu nennen, in welche die Kinder möglicherweise gebracht worden waren. [...]

Corradino muss wohl immer still und zurückhaltend gewesen sein. Nachts habe er oft geweint. Der Kleinere habe erst vor Kurzem begonnen, mit anderen Kindern zu spielen. Im Einlieferungsbuch stand: ›Geschwister Vorhof, Mutter verhaftet‹. Die Kinder hätten oft von ›Pferden‹ erzählt und von ›einem großen Haus‹ und sie hätten erwähnt, dass sie ›einmal‹ in der Küche gegessen hätten. Beide hatten nicht den Eindruck erweckt, Kinder einer Verbrecherin zu sein. Sie hatte sich auch gewundert, dass die Kinder ihren Namen nicht kannten.[18]

Frau Buri erzählte uns auch, dass der ältere Bub sehr sensibel und zart sei und dass sich die beiden niemals, nicht einmal für Augenblicke, getrennt hätten. [...]

Wir versuchten, von ihnen einige Details über das Leben im Kinderheim zu erfahren. Das Einzige, was wir herausbekamen, war, dass sie anfangs in einem kleineren Heim gewohnt hatten und dass man ihnen die Haare kurzgeschnitten hatte.«[19]

---

[18] Man hatte versucht, den Kindern ihre Familiennamen zu nehmen und sie an neue zu gewöhnen, um das Andenken an ihre Herkunft auszulöschen. Vgl. hierzu auch die Berichte der Kinder, die in Bad Sachsa untergebracht waren, in diesem Buch.

[19] Fey von Hassell, Niemals sich beugen, S. 215-219.

Die Familienvereinigung war keine leichte Angelegenheit. Eltern und Kinder waren lange Zeit getrennt gewesen. Der jüngere Sohn erinnerte sich an seinen Vater nur von einem Foto. Fey und Detalmo mussten ihren Söhnen viel Zeit lassen. Bis sie begannen, Details aus der Zeit im Heim zu erzählen, vergingen über zehn Jahre.

Jahrelang verdrängten Corradino und Robertino die Erinnerungen an diese Zeit, und wir hielten es für richtig, sie nicht weiter mit Fragen zu bedrängen. Erst als sie 19 und 20 Jahre alt waren, kehrte die Erinnerung in ihr Bewusstsein zurück. Sie unterhielten sich: »Was hast du eigentlich damals an dem Fenster oben auf der Treppe gemacht?« »Ja, wie, erinnerst du dich denn nicht! Ich hab' es dir doch auch gezeigt: Da lag doch im Brunnen dieser tote Mann. Weißt du nicht mehr, wie der nackte, weiße Arm aus dem Brunnen herausschaute?« Sie erinnerten sich dann auch noch an viele andere Kleinigkeiten, an die ewigen Marmeladenbrote, an die ständigen Bombenangriffe, an das Ostereiersuchen ...[20]

---

[20] Ebd. Fußnote 129, S. 219. – »Niemals sich beugen« wurde in mehrere Sprachen übersetzt. Verwiesen sei insbesondere auf die erweiterte englischsprachige Ausgabe: Fey von Hassell, A Mother's War; hg. von David Forbes-Watt. London: Murray, 1990.

2. Beiträge der Forschung

2.1 Der Staatsstreich vom 20. Juli 1944 – Joachim Scholtyseck

Die Umstände, unter denen die Nationalsozialisten 1933 als »braune Revolutionäre« die Macht übernahmen, stellten für viele Deutsche eine Versuchung dar. Die »Machtergreifung« vollzog sich nämlich als »Triumph geordneter Gewalt«[1] und erfolgte in einer dosierten »Mischung aus pseudogesetzlichen Maßnahmen, Terror, Manipulation und bereitwilliger Kollaboration«.[2] Die NS-Diktatur stellte alles bis dahin Vorstellbare in den Schatten, und selbst jahrhundertelange Traditionen und Erfahrungen hatten nicht auf das »Dritte Reich« vorbereitet:

Allzulange hatte man in Deutschland im gläubigen Vertrauen zu einer »guten Obrigkeit« gelebt; so war man nicht gerüstet für den Fall der Perversion gerechter Herrschaft, für den Unrechtsstaat, die Tyrannis, das Tier aus der Tiefe, die »pompa diaboli«.[3]

Die vom Regime dekretierten Notverordnungen setzten schon im Frühjahr 1933 die Grundrechte außer Kraft und schufen einen Zustand einer »gesetzmäßige[n] Rechtsunsicherheit« (Klaus Hildebrand). Im »Dritten Reich« gab es keine freie öffentliche Auseinandersetzung, kein Recht auf Opposition und keinen Anspruch auf einen nachprüfbaren Prozess. Gegenüber dem totalitären Re-

---

[1] Joachim Fest, Hitler. Eine Biografie. Frankfurt am Main: Ullstein Verlag, 11. Aufl. 2010, S. 551.

[2] Ian Kershaw, Hitler 1889–1936. Stuttgart: Dt. Verl.-Anst., 2. Aufl. 1998, S. 552.

[3] Hans Maier, Politische Religionen. München: Beck Verlag, 2007, S. 162.

gime konnte es letztlich »keine Mitgestaltung, sondern lediglich Unterwerfung oder Widerstand geben«.[4]

In der Hoffnung auf ein Ende des »Parteiengezänks«, auf einen Aufschwung nach der Weltwirtschaftskrise mit ihren sechs Millionen Arbeitslosen und auf eine Revision des »Diktats von Versailles« unterwarf sich eine Mehrheit der Deutschen in einem Zusammenspiel von »Verführung und Gewalt«[5] einem System, in dem das scheinbar Attraktive mit Zwang und Terror verbunden war. Angesichts der Rückkehr Deutschlands auf die Bühne der Weltmächte, die zugleich das Ende der »Schmach von Versailles« bedeutete, sowie angesichts des nationalsozialistischen »Wirtschaftswunders«[6] wurde Hitler bald von einer Welle der Zustimmung getragen. Er war selbst bei vielen derjenigen als »Führer« anerkannt, die dem Nationalsozialismus eigentlich skeptisch gegenüberstanden. Viele von ihnen reagierten jetzt mit »dankbarer Verblüffung« auf die »Erfolge« Hitlers, die einen Opponenten geradezu in die Position eines »querulantischen Nörglers« verwiesen.[7]

Wer sich aktiv gegen Hitler stellte, hatte in der Regel sogleich Verhaftungen und Konzentrationslager zu erwarten und zu erleiden. Auch deshalb gab es keine einheitliche Widerstandsbewegung gegen den Nationalsozialismus. Zuerst wurde der sozialistische und kommunistische Widerstand gebrochen. Nach dem 30. Januar 1933 gehörten diese Männer und Frauen zu denjenigen, die am härtesten verfolgt und ausgeschaltet wurden. Die Abwehrhaltung der Partei des politischen Katholizismus, des »Zen-

---

4 Klaus Hildebrand, Das Dritte Reich. München: Oldenbourg Verlag, 6. Aufl. 2003, S. 5.
5 Vgl. Hans-Ulrich Thamer, Verführung und Gewalt. Deutschland 1933–1945. Berlin: Siedler Verlag, 1986.
6 Zu den Faktoren, die das Ende der Wirtschaftskrise herbeiführten, vgl. Christoph Buchheim, Das NS-Regime und die Überwindung der Weltwirtschaftskrise in Deutschland, in: Vierteljahrshefte für Zeitgeschichte, 56. Jahrgang (2008), Heft 4, S. 381-414.
7 Sebastian Haffner, Anmerkungen zu Hitler. München: Kindler Verlag, 1978, S. 38.

trums«, die vor 1933 ebenfalls eines der Hauptangriffsziele Hitlers gewesen war, war zu diesem Zeitpunkt schon verloren. Der Katholizismus betrachtete die bislang bekämpfte Bewegung als legal an die Macht gekommen und versuchte mit zweifelhaften Kompromissen, seine weltanschauliche Eigenständigkeit unter den totalitären Bedingungen zu bewahren. Die katholische Kirche blieb zwar ein Hauptfeind der Nationalsozialisten, aber sie arrangierte sich mit manchen politischen Vorstellungen Hitlers und trug damit in gewissem Maße zur Reputation des Regimes bei. Weitgehend regimekonform verhielten sich die seit dem Ende des Kaiserreichs 1918 innerlich zerrissenen evangelischen Landeskirchen, und selbst bei der »Bekennenden Kirche«, die in sich ebenfalls ausgesprochen heterogen war, handelte es sich in erster Linie um eine innerkirchliche Opposition und erst in zweiter Linie um eine »Widerstandsbewegung wider Willen«.[8]

Der Euphorie der zahlreichen Anhänger des Regimes stand die Apathie derjenigen gegenüber, die sich mit Hitlers Zielen nicht einverstanden erklären konnten. Opposition und Widerstand[9] stellten allerdings grundsätzlich Ausnahmeverhaltensmuster dar.

---

[8] Ernst Wolf, Die evangelischen Kirchen und der Staat im Dritten Reich. Zürich: EVZ Verlag, 1963, S. 36; vgl. Gerhard Besier, Ansätze zum politischen Widerstand in der Bekennenden Kirche. Zur gegenwärtigen Forschungslage, in: Jürgen Schmädeke (Hg.) und Peter Steinbach (Hg.), Der Widerstand gegen den Nationalsozialismus. Berlin: Siedler Verlag, 4. Auflage 1994, S. 265-280, hier S. 269; vgl. auch Eberhard Bethge, Zwischen Bekenntnis und Widerstand: Erfahrungen in der Altpreußischen Union, in: ebd., S. 281-294.

[9] Angesichts der vielschichtigen und bisweilen auch widersprüchlichen Formen von Widerstand unter diesen spezifischen Bedingungen hat die Forschung eine ganze Reihe von Definitionsvorschlägen gemacht. Überwiegend handelt es sich um sogenannte Stufenmodelle, die ganz verschiedene Grade widerständigen Verhaltens – passiver Widerstand, offener ideologischer Widerstand, Mitwisserschaft an Umsturzvorbereitungen, aktives Vorbereiten einer Zeit nach Hitler sowie die konspirative Verschwörung – abbilden sollen; vgl. Eberhard Bethge, Adam von Trott zu Solz und der deutsche Widerstand, in: Vierteljahrshefte für Zeitgeschichte 11. Jahrgang (1963), S. 213-223. Eine zusammenfassende Kommentierung bei Ulrich von Hehl, Nationalsozialistische Herrschaft. München: Oldenbourg Verlag, 1996, S. 89-100.

Klemens von Klemperer hat einmal festgestellt, dass eine Diktatur die Menschen so in Bedrängnis bringt, dass nur die wenigsten wissen, was zu denken und zu tun ist. »Mitmachen und Anpassen« stellte »die einfachste Lösung dar; Widerstehen die gefährlichste«.[10] Das bittere Urteil des Hitler-Biographen Joachim Fest, letztlich sei die Oppositionsbewegung gegen Hitler ein »Widerstand ohne Volk« gewesen, trifft den Kern der Sache,[11] denn gerade in den Reihen der Hitler-Gegner wurde immer wieder beklagt, dass der Nationalsozialismus im Wesentlichen von den Deutschen selbst getragen werde.

Wer sich angesichts der Verführungsgewalt Hitlers und der Macht der Gestapo dem »Dritten Reich« entgegenstellen wollte, stand meist ganz allein. Ein scheinbar dichtes Netz geheimer Beobachtung und Bespitzelung wurde über jeden Einzelnen und seine Umgebung gebreitet. Vom Blockwart aufwärts über Zellenleiter und Ortsgruppenleiter der Partei war ein System aufgerichtet, um jede Lebensregung, jedes unbedachte Wort zu überwachen. Niemand wusste genau, was geahndet wurde und ob man bereits auf irgendeiner Liste stand. Behördenmacht ohne gesetzliche Beschränkungen erzeugte »im Verein mit einer lizenzierten Denunziation ein Klima der Angst«.[12]

Weil Hitler schon bald fest im Sattel saß, waren es letztlich nur noch die Militärs, die den »Führer« stürzen konnten. Zwar war im Offizierskorps durchaus eine gewisse Zurückhaltung gegenüber dem NS-Staat und seinen plebejischen Elementen vorhanden. In den Dreißigerjahren, in denen sich die Reichswehr bzw. die Wehrmacht geradezu als »grauer Fels in der braunen Brandung«

[10] Klemens von Klemperer, Über Widerstand und Kollaboration oder: Im Angesicht des Absurden, in: Mechtild Gilzmer (Hg.), Widerstand und Kollaboration in Europa. Münster: Lit Verlag, 2004, S. 13-29, hier S. 13.
[11] Joachim Fest, Staatsstreich. Der lange Weg zum 20. Juli. Berlin: Siedler Verlag, 4. Aufl. 1994, S. 337.
[12] Michael Burleigh, Die Zeit des Nationalsozialismus. Eine Gesamtdarstellung. Frankfurt am Main: S. Fischer Verlag, 2000, S. 351; vgl. auch Robert Gellately, The Gestapo and German Society, Oxford: Clarendon Press, 1990.

ansah, überwog bei den allermeisten Offizieren die Überzeugung, in soldatischer Pflichterfüllung und Ergebenheit einem Regime dienen zu müssen, das die Auslöschung der »Schmach von Versailles« zum Programm gemacht hatte.[13] Von der Gunst Hitlers geblendet, erkannten die meisten Offiziere weder den menschenverachtenden Grundzug des Nationalsozialismus, noch bemühten sie sich darum, hinter die Fassade des totalitären Staates zu blicken. Ihrem soldatischen Weltbild zufolge waren politische Führung und Wehrmacht zwei voneinander getrennte Teile eines Ganzen, sie verstanden sich als Soldaten und nicht als Politiker und beschränkten sich auf das rein Militärische.

Daher war in den ersten Jahren nach der »Machtergreifung« die Idee eines Attentats oder eines organisierten Umsturzes zunächst noch unvorstellbar, wenn man von mutigen Taten Einzelner einmal absieht.[14] Nachdem sich die von einigen Skeptikern und Gegnern geäußerte Hoffnung zerschlagen hatte, das NS-Regime werde sich nicht lange an der Macht halten, überwog die Devise, man müsse das NS-System erträglicher gestalten und von seinen vermeintlichen Auswüchsen und den verbrecherischen revolutionären und nepotistischen Elementen säubern. Als sich dies als unmöglich erwies, blieben zaghafte Versuche, sich zu entziehen und in einer Art innerem Exil dem totalitären Geltungsanspruch zu widerstehen. Freilich verstärkte sich in der zweiten Hälfte der Dreißigerjahre der Eindruck, Hitler gehe es außenpolitisch nicht

---

[13] Vgl. die Beiträge in Manuel Becker, Holger Löttel und Christoph Studt (Hg.), Der militärische Widerstand gegen Hitler im Lichte neuer Kontroversen. Münster: Lit Verlag, 2010.

[14] Zahlreiche klassische Werke bieten einen guten Überblick zu den Phasen und Entwicklungen des Widerstands: Peter Hoffmann, Widerstand, Staatsstreich, Attentat. Der Kampf der Opposition gegen Hitler. München/Zürich: Piper Verlag, 4. Aufl. 1985; Peter Steinbach (Hg.), Lexikon des Widerstandes 1933–1945. München: Beck Verlag, 1994; Ger van Roon, Widerstand im Dritten Reich. Ein Überblick. München: Beck Verlag, 1979; Hartmut Mehringer, Widerstand und Emigration. Das NS-Regime und seine Gegner. München: Dt. Taschenbuchverlag, 2. Aufl. 1998; Peter Steinbach, Der 20. Juli 1944. Gesichter des Widerstands. München: Siedler Verlag, 2004.

um Revision, sondern um Krieg. Und innenpolitisch zeigte die Judenverfolgung immer unerbittlicher den Zustand der Rechtlosigkeit.

Die Machenschaften der Nationalsozialisten, die Anfang 1938 den Kriegsminister Generalfeldmarschall Werner von Blomberg und den Oberbefehlshaber des Heeres, Generaloberst Werner von Fritsch, aus den Ämtern manövrierten, weil diese dem Kriegskurs Hitlers im Wege standen, wurden von einigen bürgerlichen Hitler-Gegnern und Offizieren mit Empörung quittiert – Oberst Claus Graf Schenk von Stauffenberg beispielsweise kritisierte die Feigheit der Generalität, die nicht wagte, ihren Kameraden beizustehen. Aber dies blieb eine Ausnahme. Die außenpolitischen Erfolge Hitlers spielten diesem in die Hände. Geradezu verzweifelt bemerkte der Generalstabsoffizier und zögerliche Mitverschwörer Franz Halder, als Hitler – dank der Vermittlung des »Duce« Benito Mussolini – das Münchener Abkommen im September 1938 nach Hause brachte: »Was sollen wir nun noch tun? Es gelingt ihm ja alles!«[15]

Im Zusammenhang der Ereignisse jenes letzten Friedensjahrs hatte sich jedoch die bürgerliche Oppositionsbewegung dynamisiert. Hohe Staatsbeamte, Diplomaten und Militärs handelten erstmals zusammen, um den Diktator Hitler aus dem Amt zu entfernen – im Wunsch vereint, die zunehmende Rechtlosigkeit zu beenden, und in der Erkenntnis, dass Hitler einen verhängnisvollen Weg eingeschlagen hatte. Es ist kein Zufall, dass Paul von Hase in dieser Zeit zum Widerstand Kontakt knüpfte. Die führenden Repräsentanten dieser bürgerlichen Widerstandsbewegung – Liberale, Konservative und Sozialisten – fanden in einem windungsreichen und sich über mehrere Jahre hinziehenden Prozess zusammen. Angetrieben vom »Grundanliegen wiederherzustellender Freiheit« stellten sie ihre nicht unerheblichen Meinungs-

---

[15] Zitiert nach Gerd R. Ueberschär, Generaloberst Franz Halder. Generalstabschef, Gegner und Gefangener Hitlers. Göttingen: Muster-Schmidt Verlag, 1991, S. 34.

unterschiede zurück.[16] Die besondere Leistung der Oppositionellen war, dass sie, die vielfach zunächst den Aufstieg Hitlers begrüßt hatten, sich nicht erst unter dem Zwang der Kriegsumstände, sondern angeregt durch die ständige Auseinandersetzung mit dem nationalsozialistischen Unrecht zu einer Änderung zentraler Überzeugungen und Werte durchrangen.

Die Widerstandszirkel entstammten unterschiedlichen sozialen Milieus und Generationen. Eine ältere Generation – zu ihren wichtigsten Vertretern zählten der ehemalige Generalstabschef des Heeres General Ludwig Beck, der ehemalige Oberbürgermeister von Leipzig Carl Goerdeler und der Diplomat Ulrich von Hassell – stand mit militärischen Führern wie Franz Halder und Erwin von Witzleben in Verbindung und pflegte den Kontakt zum Ausland, auf dessen Hilfe man rechnete und angewiesen war. Diese Älteren hatten in mancher Hinsicht mitgewirkt, die Nationalsozialisten an die Macht zu bringen, aber sie hatten bald auch Zweifel entwickelt. In der jüngeren, nach 1900 geborenen Generation befanden sich ebenfalls viele, die zunächst glühende Anhänger Hitlers, wenn auch vielleicht nicht seiner Partei, gewesen waren. Ihre radikale Ablehnung des Regimes entwickelte sich später als bei den älteren »Honoratioren«. Umso größer war ihr Entsetzen angesichts der Verbrechen, die das Regime namentlich in Polen und im Russlandfeldzug planmäßig beging und deren Augenzeugen sie vielfach wurden. Erlebnisse dieser Art wurden für sie zum »Damaskus«. Eine dritte Gruppe, als Diskussionszirkel für »die Zeit danach« gegründet, scharte sich um Helmuth James Graf von Moltke auf dessen schlesischem Gut Kreisau. Bei diesem »Kreisauer Kreis« handelte es sich meist um jüngere Leute, die den ihrer Meinung nach kompromittierten Militärs, Diplomaten und Beamten fernstanden, ein idealistisches, auf Menschenrechten beruhendes Staats- und Regierungskonzept entwarfen und sich aus christlicher bzw. sozialistischer Verantwortung dem Re-

---

[16] Hans Rothfels, Die deutsche Opposition gegen Hitler. Eine Würdigung. Zürich: Manesse Verlag, Neuausgabe 1994, S. 331.

gime zu widersetzen suchten. Aus ihrem Kreis seien stellvertretend Peter Graf Yorck von Wartenburg, Adam von Trott zu Solz, Hans-Bernd von Haeften, Carlo Mierendorff, Theodor Haubach, Eugen Gerstenmaier sowie die Geistlichen Alfred Delp, Augustin Rösch und Harald Poelchau genannt. Diese Jüngeren standen trotz aller Friktionen in Verbindung zu den »Honoratioren«.

Nach dem Kriegsausbruch 1939 verhinderten zunächst die »irrationalen Loyalitätsempfindungen, die ein Krieg entbindet und deren gleichsam übergesetzlicher Charakter weder Recht noch Unrecht kennt«,[17] einen offenen Aufstand. Viele Hitlergegner, gerade unter den Offizieren, standen vor einem Dilemma: Konnte, ja durfte man sich im Krieg eine deutsche Niederlage wünschen, um den ersehnten Sturz des deutschen Diktators herbeizuführen? Die Traditionen, in denen man aufgewachsen war, machten es gerade in dieser Situation schwer, Kritik an der Staatsführung zu üben, die ihre verbrecherischen Ziele unter dem Deckmantel einer nationalen Notwendigkeit instrumentalisierte. Die »Dolchstoßlegende« des Jahres 1918 war unvergessen. Nach dem Angriff auf Polen schrieb der frischgebackene General Erwin Rommel an seine Frau: »Es ist doch wunderbar, dass wir diesen Mann haben.« Von Hitler gehe eine »magnetische, vielleicht hypnotische Kraft aus, die ihren tiefen Ursprung in dem Glauben hat, er sei von Gott oder der Vorsehung berufen, das deutsche Volk ›zur Sonne empor‹ zu führen«.[18] Selbst Ulrich von Hassell, einer der energischsten Hitler-Gegner, notierte am 10. September 1939 in seinem Tagebuch, die Leistungen des Heeres und der rasche Zusammenbruch der polnischen Verteidigung riefen »natürlich Stolz und Freude, aber keine wirkliche Begeisterung« hervor.[19] Damit traf er die Stimmung der Deutschen und wohl auch die derjenigen,

---

[17] J. Fest, Staatsstreich, S. 116.

[18] Zitiert nach Ronald Smelser (Hg.) und Enrico Syring (Hg.), Die Militärelite des Dritten Reiches. 27. Biographische Skizzen. Berlin: Ullstein Verlag, 1995, S. 463.

[19] Eintrag vom 10. September 1939, in: Die Hassell-Tagebücher. Hg. v. Friedrich Freiherr Hiller von Gaertringen, Berlin: Siedler Verlag, 1989, S. 123.

die in Opposition zu Hitler standen. Hitler zog wie schon in den Dreißigerjahren auch im Zweiten Weltkrieg die Deutschen durch die ungeheuren Erfolge in seinen Bann. Es gehört zu der oft beschworenen »diabolischen« Kraft, mit der er den größten Teil der Deutschen im Krieg geradezu hinter sich zwang und den Nationalgedanken pervertierte, um seine eigenen rassenideologischen Ziele durchzusetzen. Dietrich Bonhoeffer, der im Amt Ausland/ Abwehr des Oberkommandos der Wehrmacht konspirativ für den Widerstand tätig war, sprach in einer für enge Freunde bestimmten Schrift von der »große[n] Maskerade des Bösen«, die alle ethischen Begriffe durcheinandergewirbelt habe: »Dass das Böse in der Gestalt des Lichts, der Wohltat, des geschichtlich Notwendigen, des sozial Gerechten erscheint, ist für den aus unserer tradierten ethischen Begriffswelt Kommenden schlechthin verwirrend; für den Christen, der aus der Bibel lebt, ist es gerade die Bestätigung der abgründigen Bosheit des Bösen.«[20]

Angst und das Gefühl des Alleingelassenseins blieben die herausragenden Charakteristika der Verschwörer. Selbst als sie in England und den USA vor Hitler warnten, begegnete ihnen Misstrauen. Die Emissäre der Opposition fanden als »verlassene Verschwörer« (Klemens von Klemperer) im Ausland kaum Gehör. Nachdem Hans Oster, einer der führenden Köpfe des Widerstands in der »Abwehr«, den niederländischen Militärattaché in Berlin über einen bevorstehenden Angriff Hitlers im Frühjahr 1940 informiert hatte, lautete der Kommentar des niederländischen Oberkommandierenden, Oster sei ein »erbärmlicher Kerl«.[21] Das Urteil war nicht wesentlich verachtungsvoller als der Vorwurf des »Landesverrats«, den Robert Vansittart, der einfluss-

---

[20] Zitiert nach Peter Steinbach (Hg.) und Johannes Tuchel (Hg.), Widerstand in Deutschland 1933–1945. München: Beck Verlag, 1994, S. 141.
[21] Zitiert nach Harold C. Deutsch, Verschwörung gegen den Krieg. Der Widerstand in den Jahren 1939–1940. München: Beck Verlag, 1969, S. 105.

reiche britische Permanent Under-Secretary of State, schon 1938 gegen die Verschwörer erhoben hatte.[22] Die verschiedenen Phasen der Widerstandsplanungen und Attentatsversuche der folgenden Jahre sind heute bis in die Einzelheiten erforscht. Die Gewaltverbrechen im Zuge der Feldzüge in Polen und der Sowjetunion, die an und hinter der Front begangen wurden, verstärkten im Widerstand die Überzeugung, dass militärisch gehandelt werden müsse. Die immer wieder vorgesehenen Attentate scheiterten durch Zufälle, aber nicht zuletzt auch am Zaudern und der Unentschlossenheit der Militärs. Die Opposition musste sich weiterhin vor der eigenen Bevölkerung tarnen. In einer Atmosphäre der Angst und Verunsicherung und in ständiger Sorge vor den allgegenwärtigen Denunziationen wirkte der hohe Isolationsgrad, den der Widerstand schon aus Selbstschutz wahren musste, zermürbend. Die wenigen, die sich weiterhin für Widerstand entschieden, standen mit ihren moralischen Zweifeln, Sorgen und existenziellen Nöten allein. Unter dem totalitären Druck wagte kaum jemand, sich zur Verfügung zu stellen. Allen Dulles, im Weltkrieg amerikanischer Geheimdienstspezialist in der Schweiz und später Leiter des CIA, hat noch während des Krieges die kluge Bemerkung gemacht, die Deutschen seien trotz allen vorherrschenden Jubels im Grunde genommen ein »unterdrücktes Volk« in einem »besetzten Land«.[23] Der Widerstand gegen Hitler war insofern ein innerdeutscher Konflikt. Nichts von dem »Glorienschein«[24] war zu erkennen, der andere europäische Widerstandsbewegungen und ihren Kampf gegen die deutschen Besatzer auszeichnete.

---

[22] Zitiert nach Sidney Aster, Carl Goerdeler und das Foreign Office, in: A.P. Young, Die »X«-Dokumente. Die geheimen Kontakte Carl Goerdelers mit der britischen Regierung 1938/1939. Hg. von Sidney Aster, München/Zürich: Piper Verlag, 1974, S. 245-271, hier S. 261f.
[23] Allen W. Dulles, Verschwörung in Deutschland. Zürich: Europa Verlag, 1947, S. 178.
[24] H. Rothfels, Die deutsche Opposition, S. 43.

Nach dem Angriff auf die Sowjetunion und der sich anbahnenden Kriegswende verstärkten die zivilen und militärischen Zirkel ihre Zusammenarbeit. Zugleich mit der Wiederherstellung der »Majestät des Rechts« in Deutschland sollte ein Verhandlungsfrieden mit den Westalliierten erreicht werden. Die Verschwörer waren sich einig, die vor 1933 in der Verfassung garantierten Freiheiten und Rechte wiederherzustellen. Eine Rekonstruktion der parlamentarischen Demokratie war damit nicht zwangsläufig gemeint: Denn das »Experiment« von Weimar, darüber herrschte bei den »Honoratioren« weitgehend Einigkeit, hatte sich nicht bewährt und sollte nicht wiederholt werden. Aus dieser Einschätzung ist nach 1945 gelegentlich der Schluss gezogen worden, die Überlegungen zur Neuordnung Deutschlands hätten eine reaktionäre Stoßrichtung gehabt. Nach einem erfolgreichen Umsturz wäre es zu einer wohl unvermeidlichen und notwendigen Klärung der Differenzen gekommen. Man mag darüber spekulieren, ob es zu dem Versuch gekommen wäre, das Rad der Geschichte zurückzudrehen und eine restaurative Phase einzuleiten. Die Ernsthaftigkeit der Versuche, Hitler zu stürzen und Recht und Moral wiederherzustellen, spricht allerdings nicht dafür, dass sich der bürgerliche Widerstand ernsthaft solchen Illusionen hingegeben haben könnte.

Während die rechtsstaatliche Verfassung eines »Anderen Deutschland« in der Zeit »nach Hitler« verhandelt werden sollte, blieb die Frage, wie bei einem Putsch mit Hitler verfahren werden solle, lange Zeit umstritten. Einige Verschwörer, am prominentesten wohl Goerdeler, lehnten aus ihrem christlichen Verständnis eine Tötung des »Führers« ab und schreckten davor zurück, die Frage der Berechtigung des »Tyrannenmordes« zu bejahen. In einer merkwürdigen Verkennung der Lage hielten sie noch lange an der Illusion fest, es könne gelingen, Hitler mit Worten zum Rücktritt zu bewegen. Von einem christlichen Standpunkt aus war der sich auch in der Argumentation des Kreisauer Kreises wiederfindende Gedanke allerdings nachvollziehbar, dass der Nationalsozialismus vor allem geistig überwunden werden müsse, wenn es um die »Wiederherstellung des zerstörten Menschenbildes« gehen solle. Durch die Zustimmung, die Hitler in der Bevölkerung und beim Militär immer noch genoss und die nach Stalingrad in eine Art Wagenburgmentalität umschlug, war der Attentatsplan eine riskante Option, die mit mannigfachen Unwägbarkeiten befrachtet war. Für die meisten Verschwörer ging es nicht in erster Linie darum, in die Attentatsvorkehrungen eingeweiht oder gar über den Zeitpunkt des Putsches informiert zu sein. Das hätte nur eine unnötige Gefährdung des Verschwörungsplans bedeutet: Wichtig war allein, nach dem erfolgreichen Attentat die Zerschlagung des Regimes zu vollenden und eine schnelle Neuordnung Deutschlands durchzuführen. Meist blieb gar keine Zeit für ausführliche Besprechungen und die Ausarbeitung von Programmen. Fabian von Schlabrendorff, einer der wenigen überlebenden Verschwörer des 20. Juli, hat später diese Problematik geschildert:

Nur wer selbst während des Krieges in Deutschland gelebt hat, weiß, welch unerhörte Vorsichtsmaßnahmen angesichts der Tätigkeit der Gestapo zu beobachten waren, um die Aufdeckung der Staatsstreichpläne zu verhüten. Jede nicht unbedingt erforderliche Besprechung musste vermieden werden. Auch im allervertrautesten Kreise wurden nur jene Namen ausgesprochen, deren Nennung unbedingt notwendig war.[25]

1942/43 konkretisierten sich die Umsturzpläne, aber mehrere Attentatsversuche, an denen unter anderem Axel von dem Bussche, Hellmuth Stieff, Fritz-Dietlof Graf Schulenburg und andere mitwirkten, scheiterten. Der entscheidende Mann des 20. Juli 1944, Claus Schenk Graf von Stauffenberg, gehörte zu den jüngeren Offizieren und war vergleichsweise spät zum Widerstand gestoßen.

---

[25] Fabian von Schlabrendorff, Offiziere gegen Hitler. Hg. von Walter Bußmann. Nach der Edition von Gero von Gaevernitz. Berlin: Siedler Verlag, neue, durchgesehene und erweiterte Ausgabe 1984, S. 65.

Geprägt durch seine Herkunft, seine katholische Erziehung und die geistige Wirkung des George-Kreises, wurde er ein unermüdlicher Antreiber der Staatsstreichvorbereitungen. Als Stabschef des Allgemeinen Heeresamts unter General Friedrich Olbricht in der Berliner Bendlerstraße hatte er Zugang zu den Lagebesprechungen in den Führerhauptquartieren. Mit Billigung Olbrichts war er wesentlich dafür verantwortlich, dass die Reichshauptstadt zum Zentrum der Verschwörung wurde – wo auch Paul von Hase eine Schlüsselstellung innehatte. Dieser war seit November 1940 Stadtkommandant von Berlin, ein Amt fern der Front, das ihm nicht sonderlich lag. Möglicherweise bildete der Schock, dass seine Neffen Dietrich Bonhoeffer und Hans von Dohnanyi bereits im Jahr 1943 als Verschwörer von der Gestapo verhaftet wurden, die Initialzündung für seine Beteiligung am aktiven Widerstand.

Stauffenberg löste sich vergleichsweise schnell von jedem quälenden Theoretisieren, das in den bürgerlichen Widerstandskreisen weit verbreitet war. Theologische und juristische Bedenken, die viele in der Oppositionsbewegung die Tötung Hitlers ablehnen ließen, waren ihm fremd. Der Tyrannenmord war für ihn unter Berufung auf Thomas von Aquin ebenso gerechtfertigt wie der Eidbruch gegenüber einem Eidbrüchigen, der viele seiner Mitverschwörer in tiefe Gewissenskonflikte stürzte. Um einen Erfolg des Attentatsplans sicherzustellen, war es notwendig, die Basis des Widerstands zu verbreitern. Stauffenberg arbeitete geradezu rastlos, um neue Verbindungen zu schaffen. Erfolgreich war er dabei vor allem bei jüngeren Offizieren, die weniger zauderten und risikobereiter waren als die altgedienten Militärs, die sich hinter ihrem Fahneneid, dem vermeintlichen Berufsethos und legalistischen Bedenken verschanzten und sich in der Regel den Werbungsversuchen entzogen. Für den enttäuschten Stauffenberg waren sie »Teppichleger im Generalsrang«.[26] Während Stauffenberg für den Umsturz warb, änderten sich immer wieder

---

[26] Zitiert nach: Eberhard Zeller, Geist der Freiheit. Der zwanzigste Juli. München: Müller Verlag, 1963, S. 247.

die strategischen Überlegungen, auf welche Weise mit den Feind-
mächten Frieden geschlossen werden konnte. In den oftmals aus
der jeweiligen militärischen Situation entstandenen Aufzeichnungen und Konzeptionen finden sich sowohl »westliche« wie auch
»östliche« Lösungen. Eine definitive Aussage über die Vorstellung, wie die spätere Ausgestaltung Deutschlands vorgenommen
werde sollte, lässt sich daraus allerdings kaum ableiten.

Olbricht blieb der logistische Kopf der Verschwörung im Bereich des Oberbefehlshabers des Ersatzheeres. Dessen Aufgabe
war es an und für sich, der kämpfenden Truppe an der Front Soldaten zuzuführen. Es sollte aber auch dazu dienen, einen von Hitler für möglich gehaltenen eventuellen Aufstand der Zwangsarbei-
ter und Kriegsgefangenen niederzuschlagen. Die Verschwörer
hatten diese Pläne geschickt in ihrem eigenen Sinn verändert, sodass diese nun dem Staatsstreich dienen konnten. Unter dem Vorwand innerer Unruhen sollte der Befehl »Walküre« ausgerufen
werden, um die zentralen Behörden in Berlin und in den verschiedenen Wehrbereichskommandos gleichsam im Handstreich zu
übernehmen. Auch die Kommandeure verschiedener Truppen-
schulen sollten herangezogen werden. Dem Berliner Stadtkommandanten kam eine Schlüsselstellung zu, weil ihm wichtige
Truppenteile des Ersatzheeres in und um Berlin unterstanden.

Im Verlauf der Jahre 1943/44 reiften auch die Überlegungen für
ein »Schattenkabinett« für die Zeit nach Hitler weiter heran. Dieses sollte das ganze Spektrum des Widerstands repräsentieren.
Beck war für das Amt des Reichsstatthalters vorgesehen. Goerdeler, der zivile Kopf der Verschwörung und ein ebenso energischer
Antreiber wie Stauffenberg, sollte Regierungschef werden. Mit
Goerdeler, der den Jüngeren bisweilen einen »eigensinnigen
Querkopf« nannte, harmonierte Stauffenberg nicht sonderlich,
was nicht nur am unterschiedlichen Temperament der beiden
lag. Goerdeler sollte nach Stauffenbergs Vorstellungen, wenn die
voraussichtlich schwierige Übergangszeit gemeistert war, durch
einen Sozialdemokraten wie Julius Leber oder Wilhelm Leuschner
abgelöst werden. Für Stauffenberg war der Posten eines Unter-

staatssekretärs in einem zukünftigen Kriegsministerium vorgesehen. Zum inneren Kreis der militärischen Verschwörung gehörte Generalmajor Henning von Tresckow. Er gehörte ebenfalls zu den Jüngeren im Widerstand, die einen »stürmischen, ungeduldigen Tatendrang« an den Tag legten. Sie verkörperten zudem »ein Stück dämonischen Machtwillens und Herrentums [...], das dem ewigen Zauderer Beck ebenso fehlte wie dem allzu vernunftgläubigen Optimisten Goerdeler«.[27] Ohne diese jüngere Generation im Widerstand wäre die Widerstandsbewegung möglicherweise in lauter Diskussionen, Vorbereitungen und Planungen stecken geblieben.

Neben den Überlegungen zur innenpolitischen Ausgestaltung des zukünftigen Deutschlands musste die zunehmend bedenkliche militärische Lage bedacht werden. Im Kreis seiner Mitarbeiter äußerte Stauffenberg im April 1944, es sei einmalig in der Geschichte eines Volkes, dass sein »Führer« stets Anordnungen erteile, die es dem Ruin näher brächten. Die beinahe unheimliche Zahl banaler Zufälle, die immer wieder die geplanten Attentate hatten scheitern lassen, bestätigten Stauffenberg in seiner Überzeugung, dass eine radikale Ausschaltung Hitlers unbedingt notwendig war. Im Frühjahr 1944 nahmen die Verschwörer erneut Kontakt nach England und in die USA auf, in der angesichts der Forderung nach »unconditional surrender« irrigen Hoffnung, eine Invasion der westlichen Alliierten noch abwenden zu können. Erst im Sommer 1944 schwanden endgültig die letzten Illusionen, den Krieg aus eigener Kraft mit militärischen Mitteln beenden zu können. Am 1. Juni 1944 wurde Stauffenberg zum Stabschef bei Generaloberst Friedrich Fromm, dem Befehlshaber des Ersatzheers, ernannt. In dieser Funktion bekleidete er eine Schlüsselposition mit Zugang zu Hitler, in der wesentlich ihm die Organisation und Ausführung des Attentats oblagen. Er strahlte inzwi-

---

[27] Gerhard Ritter, Carl Goerdeler und die deutsche Widerstandsbewegung. München: Dt. Verl.-Anst., 1954, S. 360.

schen eine Ruhe und Selbstsicherheit aus, die seiner Umgebung auffiel, nicht zuletzt, weil sich seine gelassene, ja fast heitere Natur von den Zweifeln abhob, die für viele Verschwörer kennzeichnend waren. Stauffenberg übernahm jetzt die doppelte Aufgabe, sowohl das Attentat auszuführen als auch im Anschluss daran von Berlin aus den Staatsstreich zu leiten – ein ausgesprochen ambitioniertes Vorhaben, zumal allen Beteiligten bewusst war, dass selbst nach einer gelungenen Tötung Hitlers das Ende des »Dritten Reiches« noch keineswegs sichergestellt war.

Ob ein gelungenes Attentat das sofortige Ende des NS-Regimes bedeutet hätte, ist alles andere als bewiesen. Die Schwierigkeiten, mit denen die Verschwörer nach einem gelungenen Anschlag hätten kämpfen müssen, wären nachweislich ungeheuer groß gewesen.[28] Caesar von Hofacker, der in Paris für den Aufstand verantwortlich war, hat am Vorabend des Putsches von einer Erfolgschance von etwa zehn Prozent gesprochen. Henning von Tresckow war noch fatalistischer und bemerkte, »Mit der allergrößten Wahrscheinlichkeit« werde es »schiefgehen«. Aus historischer Sicht hat Joachim Fest ein hartes Urteil gefällt und von den »Schwerfälligkeiten« gesprochen, die dem Attentat auf Hitler »den eigentümlich linkischen, in allem moralischem Ernst fast parodistischen Charakter«[29] gegeben hätten. Die »Donquichotterie«[30] des Ansinnens, ein Terrorregime mit demokratischen Mitteln ablösen zu wollen, habe den Widerstand scheitern lassen, bevor er überhaupt die Chance zum Erfolg gehabt habe.

Nachdem sich Stauffenberg entschlossen hatte, das Attentat selbst auszuführen, offenbarten sich neue Schwierigkeiten. Als er am 11. Juli 1944 auf Hitlers »Berghof« bei Berchtesgaden den Sprengstoff zünden wollte, waren Göring und Himmler nicht anwesend, die jedoch als potenzielle Nachfolgekandidaten Hitlers

---

[28] Eberhard Jäckel, Wenn der Anschlag gelungen wäre, in: Hans-Jürgen Schulz (Hg.), Der zwanzigste Juli. Alternative zu Hitler? Stuttgart: Kreuz Verlag, 1974, S. 69-77.
[29] J. Fest, Hitler, S. 974.
[30] Ebd.

ebenfalls beseitigt werden sollten. Wenige Tage später, am 15. Juli, sollte darauf keine Rücksicht mehr genommen werden. Stauffenberg flog in Hitlers Führerhauptquartier »Wolfsschanze« in Ostpreußen, um die Sprengladung zur Explosion zu bringen. Auch hier misslang das Attentat im letzten Moment. Als Hitler unvorhergesehen das Besprechungszimmer verließ, gelang es wenigstens noch, den bereits ausgelösten Alarm abzublasen und als harmlose Übung zu verschleiern.

An diesem Tag weihte Olbricht Paul von Hase in den Attentatsplan ein. Nicht anders als bei anderen Hitlergegnern konnte es gar nicht darum gehen, den Stadtkommandanten von Berlin im Detail in die Vorbereitungen einzuweihen, weil dies nur eine unnötige Gefährdung des Verschwörungsplans bedeutet hätte. Erst am 19. Juli erhielt von Hase konkretere Informationen. Am folgenden Tag ergab sich eine weitere Putsch-Gelegenheit. Am Morgen des 20. Juli 1944 flog Stauffenberg mit seinem Adjutanten Werner von Haeften erneut in die »Wolfsschanze«. Die dortigen Vorgänge sind ebenso bekannt wie die Berliner Geschehnisse des gleichen Tages und brauchen an dieser Stelle ebenso wenig ausführlich geschildert zu werden, wie die Gründe erörtert werden müssen, die zum Scheitern des Attentats führten. Als Stauffenberg seine Bombe zündete, tat er es bereits im Bewusstsein des wahrscheinlichen Scheiterns. Die Signalwirkung einer moralischen Selbstreinigung war für ihn und seine Gesinnungsgenossen fast noch wichtiger als der natürlich herbeigesehnte Erfolg.

Stauffenbergs Bombe explodierte mittags um 12.40 Uhr. Um 13 Uhr flog Stauffenberg vom Flughafen Rastenburg zurück nach Berlin. Dies war etwa der Zeitpunkt, als – 20 Minuten nach dem Attentat – die ersten Meldungen über ein Attentat in der Reichshauptstadt eintrafen. Danach wurde eine Nachrichtensperre verhängt, die sowohl den Verschwörern, vielleicht aber auch dem Regime von Nutzen sein und ohnehin nicht lange aufrechterhalten werden konnte. Am frühen Nachmittag, während Stauffenberg noch auf seinem zweistündigen Rückflug war, hing alles von den Mitverschwörern im Bendlerblock ab – und vom Automatismus der Befehlskette, die durch das von Olbricht ausgerufene Stichwort »Walküre II« – allerdings erst kurz nach 15 Uhr – in Gang gesetzt wurde. Im Heeresamt wurden kurz vor 16 Uhr die leitenden Offiziere zusammengerufen. Ihnen wurde eröffnet, dass Hitler einem Attentat erlegen sei. Zugleich erfuhren sie, dass General Ludwig Beck die Führung des Reiches übernommen habe und Feldmarschall Erwin von Witzleben als Oberbefehlshaber der Wehrmacht jetzt die vollziehende Gewalt innehabe. Olbricht wies den Standortkommandanten Paul von Hase telefonisch an, den »Walküre II«-Befehl auszugeben.

Die Benachrichtigung der Wehrkreiskommandos erfolgte durch Fernschreiber auf der höchsten Dringlichkeits- und Geheimhaltungsstufe, was zu weiteren Verzögerungen führte, weil nur vier Schreibkräfte zum Absetzen dieser geheimen Fernschreiben befugt waren. Verglichen mit den anderen Dienststellen in und außerhalb Berlins wurden die Walküre-Maßnahmen in der Stadtkommandantur jedoch energisch in die Tat umgesetzt.

Bei Stauffenbergs Rückkehr nach Berlin war gleichwohl bereits wertvolle Zeit verstrichen. Als der »Walküre Stufe II«-Befehl um 16 Uhr in der Stadtkommandantur eintraf, gingen von hier sogleich weitere Befehle aus: Weil sich die überwiegende Mehrheit der Offiziere angesichts der verwirrenden und widersprüchlichen Meldungen abwartend verhielt, brach der Putsch im Lauf des frühen Abends zusammen. Als besonders fatal erwies sich, dass die Funkhäuser und Sender von den Verschwörern nicht besetzt worden waren. Inzwischen war in den Rundfunknachrichten von einem *missglückten* Attentat die Rede. Im Chaos und Durcheinander der Befehle und Gegenbefehle hieß es einmal, Hitler sei tot, ein anderes Mal, der »Führer« lebe. Einer der Helfershelfer Hitlers, der als Chef des Berliner Wachbataillons wesentlich für die militärische Niederschlagung der Verschwörung verantwortlich war, Major Otto Ernst Remer, hat in seinen Vernehmungen nach Ende des Zweiten Weltkrieges angegeben, er habe schon bei der Befehlsausgabe in der Stadtkommandantur den Verdacht gehabt, dass hier etwas nicht mit rechten Dingen zugehe.

Von Hase war angesichts des Befehlswirrwarrs nervös und gereizt, was auch Stauffenberg registrierte, der in dieser Zeit in der Stadtkommandantur anrief und von Hase ausrichten ließ, dieser möge »stark bleib[en]«. Zwar berieten von Hase und seine Vertrauten über Wege, wie man Goebbels am besten festnehmen könne, aber zu diesem Zeitpunkt war ein solch verwegener Plan bereits illusorisch, sodass der Stadtkommandant, allerdings vergeblich, versuchte, die Spuren seiner Beteiligung an der Verschwörung zu verschleiern und Schadensbegrenzung zu betreiben. Am späten Abend wurden Stauffenberg und die Mitverschwörer von regierungstreuen Offizieren verhaftet. Generaloberst Fromm ordnete die sofortige Erschießung wegen Hoch- und Landesverrats an. Noch in der Nacht wurde Stauffenberg gemeinsam mit Werner von Haeften, Albrecht Ritter Mertz von Quirnheim und Friedrich Olbricht im Innenhof des Kriegsministeriums von einem eilig zusammengestellten Kommando erschossen. Alle in der Kommandantur am Staatsstreich Beteiligten wurden enttarnt. Von Hase sowie seine Mitverschwörer Oberstleutnant i.G. Hermann Schöne und Major Adolf-Friedrich Graf von Schack wurden verhaftet, von Freislers Volksgerichtshof zum Tode verurteilt und hingerichtet. Lediglich Oberstleutnant Dr. Holm Erttel, der von sowjetischen Truppen bei Kriegsende aus der Haft befreit wurde, überlebte das »Dritte Reich«. Das Regime reagierte mit »teilweise atavistischen Formen«[31] brutaler Gewalt und Maßlosigkeit. Am 1. August 1944 wurde eine Sippenhaft[32] gegen die Familien der Männer des 20. Juli verhängt; viele blieben bis zum Untergang des »Dritten Reiches« in den Fängen der Diktatur. Das Scheitern der Verschwörung hatte insofern Folgen weit über die Verfolgung der unmittelbar Beteiligten hinaus.

---

[31] K. Hildebrand, Das Dritte Reich, S. 96.

[32] Vgl. dazu Robert Loeffel, The Family Punishment in Nazi Germany: Sippenhaft, Terror and Myth. Basingstoke: Palgrave Macmillan, 2012; Johannes Salzig, »Sippenhaft« als Repressionsmaßnahme des nationalsozialistischen Regimes im Umfeld des 20. Juli 1944, in: Manuel Becker (Hg.) und Christoph Studt (Hg.), Der Umgang des Dritten Reiches mit den Feinden des Regimes. Münster: Lit Verlag, 2010, S. 165-184.

Dem Widerstand ist später vorgeworfen worden, das Attentat zu spät ausgeführt zu haben – in der britischen Öffentlichkeit wurde schon zeitgenössisch davon gesprochen, die Männer um Stauffenberg seien »Resisters after the Event« gewesen, denen es nur um die Rettung der eigenen Haut gegangen sei, als sich das Kriegsglück gewendet habe. Die Verschwörer galten aber auch im Nachkriegsdeutschland bei vielen Deutschen noch geraume Zeit weniger als Patrioten denn als »Verräter«. Die von den Verschwörern befürchtete »Dolchstoßlegende« zeigte ihre nachhaltige psychologische Wirksamkeit: Vielfach wurde den Offizieren des 20. Juli unterstellt, in einem entscheidenden Moment des Krieges, als es darauf angekommen sei, als Deutsche zusammenzustehen, Hitler in den Rücken gefallen zu sein. Nach einer Umfrage des Meinungsforschungsinstituts Allensbach aus dem Jahr 1952 stimmten noch fast ein Drittel der Westdeutschen dieser Aussage zu.

Diese Vorwürfe wirken heute, 70 Jahre nach dem 20. Juli und dem Ende des »Dritten Reiches«, grotesk. Heute sind es andere Missverständnisse und Fehlwahrnehmungen, die ein angemessenes Verständnis der Verschwörer verstellen. Es ist bedenklich, dass nachgeborene Generationen leicht dazu neigen, unhistorische Maßstäbe an die Oppositionsbewegung anzulegen. Die »alles beherrschende Atmosphäre von Angst und Terror«[33] in der NS-Diktatur ist kaum noch vermittelbar, weil die Deutschen der Bundesrepublik seit Langem in einer Demokratie leben, in der solche Empfindungen unbekannt sind. So erfreulich dieses Privileg sein mag, geht gleichzeitig die Fähigkeit verloren, sich die Bedrängungen einer Tyrannei überhaupt noch vorstellen zu können und vorstellen zu wollen. Zum Teil wird in der Öffentlichkeit angenommen, Widerstand gegen Hitler sei eine Selbstverständlichkeit gewesen, die von zivilcouragierten Bürgern nur hätte eingefordert werden müssen. Daher wird posthum geradezu erwartet, dass die Männer des Widerstands lupenreine Demokraten hätten sein

---

33 Richard J. Evans, Das Dritte Reich. Band 2: Diktatur. München: Dt. Verl.-Anst., 2006, S. 65.

müssen, die auch der Judenvernichtung konsequenter hätten Einhalt gebieten müssen. Der damalige Erfahrungshorizont der Handelnden wird dabei ebenso missachtet wie die begrenzten Handlungsmöglichkeiten in einer brutalen Diktatur. Carl Zuckmayer, der die Verfolgungen im »Dritten Reich« am eigenen Leib erfahren hat und als Menschenkenner vor scharfen Beurteilungen in der Regel nicht zurückschreckte, hat schon in den 1960er-Jahren die wachsenden Schwierigkeiten beklagt, die mit dem schleichenden Verlust des Verständnisses für die Widerständler einhergehen:

Für Menschen, die heute in einer veränderten Umwelt leben, für die Jüngeren, die mit neuen Aspekten und einer anderen Problematik konfrontiert sind, scheinen diese Männer fast ebenso schwer zu erkennen und zu verstehen zu sein wie für die große Menge von damals. Denn sie standen im Zwielicht, und in zwielichtigen Zeiten werden alle Gestalten zwielichtig, im Dämmer verwischen sich die Konturen.[34]

Bei der Beurteilung des Handelns in einem totalitären System wandelt der Historiker immer auf einem schmalen Grat, der markiert ist durch die Wegweiser der »Banalität des Bösen« (Hannah Arendt) und der »Zwiespältigkeit des Guten« (Saul Friedländer). Weil diese Ambivalenzen in der Gesellschaft der Bundesrepublik nicht immer beachtet werden, gibt es heute eine weitverbreitete Neigung zu moralisierenden Sichtweisen. Der britische Historiker Richard J. Evans hat auf die damit verbundene Problematik verwiesen:

Seit den frühen 1990ern ist die Geschichtsschreibung über das Dritte Reich nicht wissenschaftlicher, neutraler und akademischer geworden, sondern im Gegenteil: Historiker tendieren, weit davon

---

[34] Carl Zuckmayer, Memento zum 20. Juli 1969. Frankfurt am Main: S. Fischer Verlag, 1969, S. 7.

entfernt, sich dem Thema vermehrt sine ira et studio zu nähern,
zunehmend dazu, Analyse, Beweisführung und Deutung zuguns-
ten moralischer Beurteilungen aufzugeben. Die Geschichtsschrei-
bung Nazideutschlands wurde in großem Maß durchdrungen, ge-
radezu erobert von der Sprache der Ankläger und Moralprediger.

Damit einher gehe die alarmierende Tendenz, »historische Erklärung durch moralisches Richten zu ersetzen, als bedeute das Verstehen von etwas automatisch, es zu entschuldigen«.[35]

Um diesen bedauerlichen Entwicklungen vorzubeugen, ist es
wichtig, immer wieder die Geschichte des Widerstands gegen Hitler auf wissenschaftlicher Grundlage zu beschreiben, um die Motive und Beweggründe ihrer Handlungen zu verstehen und ihre
Leistungen, aber auch ihre Verfehlungen nüchtern zu analysieren.
Der Widerstand des 20. Juli stand für den überzeitlich gültigen
Versuch, die Rechtsstaatlichkeit zurückzugewinnen. An ihn zu erinnern, dient daher dazu, gegen totalitäre Versuchungen zu schützen, die dazu führen, dass Menschen »entweder Täter oder Opfer«
werden und »selbst noch das Davonkommen mit Schuld bezah-
len« müssen.[36] Zugleich erinnert er daran, dass sich nicht alle
Deutschen bedingungslos dem Nationalsozialismus verschrieben.
Hannah Arendt hat in diesem Zusammenhang vom praktischen
Nutzen der Berichte über den Widerstand im »Dritten Reich« gesprochen. Die Lehre solcher Geschichten sei einfach: »Sie lautet,
politisch gesprochen, dass unter den Bedingungen des Terrors die
meisten Leute sich fügen, einige aber nicht.«[37]

---

[35] Richard J. Evans, Introduction, in: Journal of Contemporary History 39 (2004),
S. 163-167, hier S. 163 und S. 165.
[36] Klaus Hildebrand, Universitäten im »Dritten Reich«. Eine historische Betrachtung, in: Thomas Becker (Hg.), Zwischen Diktatur und Neubeginn. Die Universität Bonn im »Dritten Reich« und in der Nachkriegszeit. Göttingen: V & R Unipress,
2008, S. 13-22, hier S. 21.
[37] Hannah Arendt, Eichmann in Jerusalem. Ein Bericht von der Banalität des Bösen.
München: Piper Verlag, 8. Aufl. 1986, S. 278.

2.2 Generalleutnant Paul von Hase (1885–1944) – Roland Kopp

Paul von Hase[1] wurde am 24. Juli 1885 als Sohn eines Militärarztes in Hannover geboren. Der Ort seiner Jugend war das Berlin der Jahrhundertwende. Die umgebenden Prägungen der »wilhelminischen Generation«[2] mischten sich bei ihm mit einer »gelehrten« Tradition der väterlicherseits im Sächsisch-Thüringischen beheimateten Familie, in der seit Langem evangelische Theologen eine besondere Rolle spielten. Hier ist vor allem Hases Großvater, der namhafte Jenaer Theologieprofessor Karl August von Hase, zu nennen. Ihm verdankte die Familie die Erhebung in den Adelsstand (1883).[3] Nach dem mit Auszeichnung abgeschlossenen Besuch des humanistischen Gymnasiums (1904) entschied sich Paul von Hase rasch für die prestigeträchtige aktive Offizierslaufbahn und trat in das elitäre »Kaiser-Alexander-Garde-Grenadier-Regiment Nr. 1« ein, dem auch der spätere Reichswehr-Chef von Seeckt entstammte.[4] Den Ersten Weltkrieg erlebte Hase in Generalstabs-Stellungen an der West- und Ostfront. Während des Kriegsgeschehens 1917 in Kurland lernte er Margarethe Baroness von Funck kennen, zum baltischen Uradel und zur nach der

---

[1] Der vorliegende Beitrag »Generalleutnant Paul von Hase« basiert auf der 2001 vorgelegten Biografie Paul von Hases (Roland Kopp, Paul von Hase. Von der Alexander-Kaserne nach Plötzensee. Eine deutsche Soldatenbiografie 1885–1944. Münster/Hamburg/London: Lit, 2001, 2. Aufl. 2004). Ausführliche Quellen-Nachweise siehe dort. Soweit möglich, wurden für den vorliegenden Text zusätzlich neue bzw. in der Biografie nicht erwähnte Details und Quellen berücksichtigt. Die zit. Familien-Dokumente befinden sich, sofern nicht anders vermerkt, im Privatbesitz von Hases Schwiegertochter Melitta von Hase bzw. im Besitz des Sohnes Friedrich-Wilhelm von Hase.
[2] Vgl. Martin Doerry, Übergangsmenschen. Die Mentalität der Wilhelminer und die Krise des Kaiserreiches. Weinheim/München: Juventa Verlag, 1986.
[3] R. Kopp, Paul von Hase, S. 46-51.
[4] Ebd., S. 51-55.

Oktoberrevolution vertriebenen baltendeutschen Oberschicht zählend, die er 1921 in Neustrelitz heiratete.[5]

Nach dem verlorenen Krieg war es für den 35-jährigen Generalstäbler eine wichtige Weichenstellung, dass er im Mai 1920 in das unter den Bedingungen von »Versailles« reduzierte »Hunderttausend-Mann-Heer« der Reichswehr übernommen wurde. Von 1921 bis 1926 trug er die Schulterstücke des renommierten Potsdamer Infanterieregiments 9.[6] Die »Machtergreifung« Hitlers erlebte Paul von Hase als 47-jähriger Major, Adjutant und Personalbearbeiter bei der 3. Division/Wehrkreiskommando III in Berlin unter dem damaligen Kommandierenden General Werner Freiherr von Fritsch[7], dem im Februar 1934 in dieser Funktion General Erwin von Witzleben nachfolgte. Die Sichtweise des Offiziers von Hase auf Hitler ist schwer authentisch auf den Begriff zu bringen, unter anderem weil diese Optik über die Zeitachse Schwankungen unterlag. Das Anti-Versailles-Programm und die »Wehrfreudigkeit« des NSDAP-Führers markierten die Schnittmenge, die beide Männer verband. Es gibt Reden Hases, in denen

---

5 Georg von Hase (Zstg.), Unsre Hauschronik. Geschichte der Familie Hase in fünf Jahrhunderten. Zweiter Teil: Von den Jahren 1898 bis 1960. Marburg / Lahn: Hasescher Familienbund (Privatdruck), 1961, S. 95; Margarethe von Hase, Lebenserinnerungen. Unveröffentlichtes Manuskript, verfasst in den 1960er-Jahren, S. 88-92; Teile dieser Lebenserinnerungen sind im vorliegenden Buch erstmals veröffentlicht, s. S. 22ff.; Georg von Hase (Zstg., in den Jahren 1965 und 1966, in Jena, Philosphenweg 46), Sippentafel. Die Nachkommen von Karl August von Hase (1800–1890) und Pauline Amalie von Hase, geb. Härtel (1809–1885). S. 18.

6 R. Kopp, Paul von Hase, S. 63-74; Zum Infanterieregiment 9 ausführlich: Ekkehard Klausa, Preußische Soldatentradition und Widerstand. Das Potsdamer Infanterieregiment 9 zwischen dem »Tag von Potsdam« und dem 20. Juli 1944, in: Jürgen Schmädeke (Hg.) und Peter Steinbach (Hg.), Der Widerstand gegen den Nationalsozialismus. Die deutsche Gesellschaft und der Widerstand gegen Hitler. München / Zürich: Piper Verlag, 3. Aufl. 1994, S. 533-545.

7 National Archives (USA), Personnel Cards, Record Group 242, OKH HPA H 26/6; Ulrich de Maizière, In der Pflicht. Lebensbericht eines deutschen Soldaten im 20. Jahrhundert. Herford / Bonn: Mittler & Sohn, 1989, S. 36.

er sich sehr identifiziert mit jener Programmatik zeigte.[8] Hinzu kam das verbreitete psychologische Entlastungsmoment, Hitler und »Partei« gleichsam als unterschiedliche Systeme wahrzunehmen.

Bei Paul von Hase ist die erste innere Weichenstellung in Richtung Widerstand eng mit den Namen von Fritsch und von Witzleben verknüpft. Hase hatte 1938 als Kommandeur des Infanterieregiments 50 in Landsberg/Warthe unter dem Eindruck der Diffamierungskampagne gegen seinen geschätzten früheren Vorgesetzten von Fritsch (und dessen Entlassung als Oberbefehlshaber des Heeres) und im Kontext der Sudetenkrise gegenüber seinem vorgesetzten Kommandierenden General von Witzleben die Zusage gegeben[9], sich an einem Militärputsch zu beteiligen, falls Hitler einen Krieg gegen die Tschechoslowakei beginnen sollte. Ungeachtet dessen, wie sich etwaige Maßnahmen der (durch das Münchner Abkommen dann obsolet gewordenen) »Septemberverschwörung« konkret hätten umsetzen lassen[10], bedeutete

---

[8] Beispiele in: R. Kopp, Paul von Hase, S. 82-148; ferner: R. Kopp, Die Wehrmacht feiert. Kommandeurs-Reden zu Hitlers 50. Geburtstag am 20. April 1939. In: *Militärgeschichtliche Zeitschrift* H. 2/2003, S. 504f bzw. S. 523f.

[9] R. Kopp, Paul von Hase, S. 104f bzw. S. 115; M. von Hase, Lebenserinnerungen, S. 128; Georg von Witzleben.»Wenn es gegen den Satan geht ...«: Erwin von Witzleben im Widerstand. Biografie. Hamburg: Osburg Verlag, 2013, S. 95 bzw. S. 101f.; interessanterweise betont Hases Frau in ihren Lebenserinnerungen sehr das Befehlsmäßige der »Verpflichtung« ihres Mannes während der Sudetenkrise. Danach hatte Witzleben Paul von Hase nach Berlin gestellt, als Lage ausgegeben, dass »das <u>gesamte</u> Heer zu putschen plane«, und ihn veranlasst, sein Regiment unter Alarmbereitschaft zu stellen (a.a.O.). Die Formulierungen Margarethe von Hases waren u. U. von dem in den 1960er-Jahren immer noch sehr verbreiteten »Verräter«-Vorwurf gegenüber den Offizieren des Widerstands beeinflusst, der es geraten scheinen ließ, das »widerständische Potential« des Familienangehörigen nicht über Gebühr zu betonen. Hases Frau hätte dann das Konsenshafte in der Übereinkunft zwischen Hase und Witzleben kleiner dargestellt, als es tatsächlich war.

[10] Vgl. die kritische Bewertung der Planungen von Karl-Heinz Janßen, Die Halder-Legende oder: Die abenteuerliche Geschichte der Generäle, die im Herbst 1938 angeblich gegen Hitler putschen wollten, in: *Die Zeit* vom 01.10.1998, S. 112; nach Aus-

im Falle Hases jene Zusage zugleich eine innere Positionierung jenseits der Befehlsebene. In diesem Sinne sollte er auch fünf Jahre später den in ihn gesetzten Erwartungen entsprechen, als er 1943/44 in die Planungen des militärischen Widerstands einbezogen und schließlich mit dem Umsturz-Vorhaben konfrontiert wurde.

Mit Blick auf die Eid-Frage hätte es nach familieninterner Lesart für Paul von Hase ein sehr spezielles und ungewöhnliches »Problem« gegeben: Danach wäre er 1934 selbst um die Neuvereidigung auf Hitler »herumgekommen« und in der Folge nicht mehr zur Eides-Leistung aufgefordert worden.[11] Von 1934 bis 1940 nahm Paul von Hase Truppen-Kommandos als Bataillons-, Regiments- und Divisions-Kommandeur wahr. Im Polen- und Frankreichkrieg führte er, seit April 1940 General, die 1939 in Karlsbad aufgestellte 46. Infanteriedivision. Anschließend übernahm er in

sage seines damaligen Adjutanten de Maizière war Hases Autorität als Kommandeur so groß, dass das Regiment fraglos entsprechenden Befehlen gefolgt wäre (Ulrich de Maizière, Mtlg. vom 17.03.1993).

[11] M. von Hase, Lebenserinnerungen, S. 126; Alexander von Hase, Mtlg. vom 27.05.1993 (TS, S. 13), 23.02.1994, 14.03.1996, 11.09.1996; die eigene Nicht-Vereidigung auf Hitler wäre zutreffendenfalls als psychisches Entlastungsmoment für Hase bei dessen Widerstands-Handeln zu interpretieren, denn der formal nicht abgelegte Eid auf Hitler konnte auch nicht gebrochen werden. Der Verweis hierauf in Zusammenhang mit der viel diskutierten »Eid-Frage« hatte für die Familienangehörigen sicher auch in der Nachkriegszeit noch Entlastungs-Charakter. Interessant ist, dass Paul von Hase vor dem Volksgerichtshof die Frage Freislers nach seiner Vereidigung auf Hitler bejaht hatte (R. Kopp, Paul von Hase, S. 87). Nach der Interpretation von Hases Sohn Alexander wollte sein Vater damit dessen 1934 für die Neuvereidigung zuständigen Regimentskommandeur (IR 5) Max von Viebahn schützen. Da der Wehrpass Hases, anhand dessen sich das (Nicht-)Vorhandensein eines entsprechenden Vereidigungs-Vermerkes überprüfen ließe, als verschollen gilt, lässt sich jene Angabe nicht verifizieren. In den 1960er-Jahren soll in der *Welt* in einem Artikel des damaligen diplomatischen Korrespondenten (und späteren Protokollchefs des Auswärtigen Amtes) Hans-Werner Graf Finck von Finckenstein davon die Rede gewesen sein, dass der Wehrpass Hases aufgefunden worden sei (Alexander von Hase, Mtlg. vom 18.01.1999). Dieser Artikel ließ sich aber bislang nicht identifizieren.

Frankreich die 56. Infanteriedivision und für einige Wochen auch die Funktion des Wehrmachtkommandanten von Paris.[12] Als seine Division im Zusammenhang mit den Russlandkriegs-Vorbereitungen von Frankreich nach Oberschlesien verlegt worden war, erkrankte Hase schwer an einer Lungenentzündung und septischer Angina. Wegen der damit verbundenen Koronarschädigung galt er als nicht mehr »frontverwendungsfähig«.[13] Noch auf dem Krankenbett erreichte Hase die Ernennung zum Wehrmachtkommandanten von Berlin mit Wirkung vom 25. November 1940.[14]

Diese Heimatverwendung während des Kriegs war für ihn zunächst eine schwer erträgliche Vorstellung.[15] In jedem Fall bedeutete die ohne die Angina-Erkrankung nicht zustande gekommene Kommandierung rückblickend eine weitreichende biografische Weichenstellung. Einerseits ersparte sie Hase im bevorstehenden »Weltanschauungskrieg« gegen die Sowjetunion mutmaßlich dilemmatische »Verstrickungen« als Frontkommandeur, anderer-

---

[12] R. Kopp, Paul von Hase, S. 136-160.
[13] M. von Hase, Lebenserinnerungen, S. 162; Alexander von Hase, Eine Erinnerung an meinen Vater, Generalleutnant Paul von Hase. Zur Vorgeschichte des 20. Juli 1944. In: Lothar Bossle (Hg.), Deutschland als Kulturstaat. Festschrift für Hans Filbinger zum 80. Geburtstag. Paderborn: Bonifatius Verlag 1993, S. 382; nach Letzterem war eine Truppeninspektion in strömendem Regen krankheitsursächlich, nach erstgenannter Quelle wäre die Erkrankung anlässlich einer Privatreise in den Warthegau ausgebrochen, wo Hase und seine Frau deren Schwester (verh. Baronin von Roenne) auf deren Gut in der Nähe von Posen besucht hatten.
[14] M. von Hase, Lebenserinnerungen, S. 162; BArch Abt.MA, RH 7/von 61, Bl. 1417 602, OKH Personalveränderungen, S. 6; diese Ernennung ist mitunter als gezielte Maßnahme »der für den Staatsstreich maßgeblichen Männer« (Friedrich Georgi, Mtlg. vom 14.07.1995) überinterpretiert worden. Paul von Hase selbst glaubte offenbar, dass der seinerzeitige (1938/39) Berliner Wehrkreisbefehlshaber Curt Haase ihn beim Heerespersonalamt für diese Dienststellung in Vorschlag gebracht hatte, weil er von ihm einmal gefragt worden war, ob er nicht die »schöne neue Aufgabe« des Kommandanten von Berlin übernehmen wolle (Alexander von Hase, Mtlg. vom 15.12.2001 u. 23.03.2004); zur Funktion Hases als Berliner Wehrmachtkommandant ausführlich: R. Kopp, Paul von Hase, S. 161-176.
[15] M. von Hase, Lebenserinnerungen, S. 162.

seits sollte die Dienststellung des Berliner Wehrmachtkommandanten in den späteren Umsturz-Plänen von 1943/44 eine Schlüsselposition darstellen. Freilich war man im Jahr 1940 noch fern von jenen Planungen, denn der Zeitpunkt der Amtsübernahme Hases fiel zeitlich zusammen mit der Phase des größten Prestiges von Hitler und der allerorten siegreichen Wehrmacht. Sosehr Hase anfänglich unter seiner neuen frontfernen Verwendung litt, so mochte andererseits die herausgehobene und repräsentative Dienststellung in der Reichshauptstadt seinem kommunikativen Naturell entgegenkommen und auch spezifische Anerkennungs-Bedürfnisse befriedigen.

Seine mit dieser Dienststellung verbundene Anwesenheit bei Staatsbesuchen und gesellschaftlichen Anlässen machten ihn jetzt zu einem der meistfotografierten Generäle der Wehrmacht.[16] Jedoch forderte das nunmehrige Im-öffentlichen-Fokus-Stehen von ihm ein nicht zu unterschätzendes Maß an Mimikry, die ihn nach außen hin häufig als einen von Hitlers NS-konformen Generälen erscheinen lassen konnte, und zwar in einem Maß, dass ihm dies noch Freisler im Volksgerichtshof-Prozess »nachrühmte«.[17] Man könnte eine ganze Reihe von Situationen aneinanderreihen, die diese zum Teil bis in den Privatbereich hin aufrechterhaltene Doppelrolle des Wehrmachtkommandanten verdeutlichten. So weigerte sich Hase etwa, dabei zu sein, wenn Frau, Sohn und Fräulein Braune im Nebenraum heimlich BBC hörten. Sein Kommentar:

---

[16] Vgl. u.a. die inzwischen online gestellten Pressefotos mit Paul von Hase anlässlich von Staatsempfängen etc., insbesondere im Bestand des Ullstein-Bildarchivs bzw. des Bildarchivs Preußischer Kulturbesitz. Bei Letzterem ist in den Bildlegenden Paul von Hase z.T. unzutreffend als General(oberst) Curt Haase ausgewiesen.

[17] Hier hatte Freisler geäußert: »Er war der Mann, von dem wir wissen, daß er an jedem Ort, wo es möglich war, so tat, als sei er der Kern, das Mark der unaushöhlbaren staatlichen Treue. Bei jeder Veranstaltung prunkte er nur mit solchen Worten« (Der Prozeß gegen die Hauptkriegsverbrecher vor dem Internationalen Militärgerichtshof Nürnberg, 14. November 1945 – 1. Oktober 1946, Bd. XXXIII, Amtlicher Text, deutsche Ausgabe, Urkunden und anderes Beweismaterial, Nummer 3729-PS, Nürnberg 1949, S. 48).

»Ihr werdet noch ins Konzentrationslager kommen!« Wenn der Adjutant des Stadtkommandanten, Oberstleutnant Dr. Holm Erttel, Hases Sohn im Beisein des Vaters »Führer«-Witze erzählte oder Bemerkungen machte wie: »wenn er nur tot wäre«, er werde »drei Tage lang durcharbeiten, um seine Beerdigung auszurichten«, begleitete Hase dies mit stummem Lächeln oder »Nicht-Hinhören«.[18] Gegenüber den Kindern wurde offene Kritik an Hitler oder am Nationalsozialismus vermieden.[19] Anderswo hielt Hase aber offenbar mit seiner Meinung mitunter nicht zurück. So wies ihn im März 1942 sein Verwandter Rüdiger Graf von der Goltz jr. besorgt auf »leichtsinnige politische Redensarten« hin.[20] Ähnliche Ermahnungen, weil er sich hörbar in Rage geredet hatte, erhielt Hase auch von anderen Seiten.[21] Umgekehrt konnte die so gezeigte Einstellung als Zeichen »politischer Vertrauenswürdigkeit« in Widerstandskreisen weiter verbreitet werden, wie dies etwa Goltz gegenüber Fritz Dietlof Graf von der Schulenburg tat.[22]

Es lassen sich Beispiele dafür benennen, wie Hase Spielräume seiner Dienststellung nutzte.[23] Fraglos verstand sich der Berliner Wehrmachtkommandant als Anwalt kirchlicher Belange. So verdoppelte er unter anderem die Zahl der Standortpfarrämter von drei auf sechs.[24] 1941 übergab er die Berliner Jerusalemkirche zur

---

[18] Alexander von Hase, Mtlg. vom 17.07.1997 u. 11.05.2000.

[19] Alexander von Hase, Mtlg. vom 16.02.1997 u. 29.01.1998.

[20] IfZ, ZS 49, Schreiben Rüdiger Graf von der Goltz jr. an IfZ vom 14.7.1955, S. 7, Bl. 00028.

[21] Von einem solchen Fall, der sich in einem Offiziers-Casino o. Ä. abgespielt hatte, berichtete Jobst von Witzleben, Ex-Oberst und Neffe des Generalfeldmarschall Erwin von Witzleben, später Hases jüngerem Sohn (Friedrich-Wilhelm von Hase, Mtlg. vom 08.08.2013). Eine ähnliche Szene, die sich im Jahr 1935 im Speisesaal eines Hotels in Landsberg/Warthe abgespielt haben soll, schildert Hases Frau in ihren Lebenserinnerungen (siehe M. von Hase, Lebenserinnerungen, S. 126).

[22] IfZ, ZS 49, Schreiben Rüdiger Graf von der Goltz jr. an IfZ vom 14.07.1955, S. 7, Bl. 00028.

[23] R. Kopp, Paul von Hase, S. 167-173.

[24] Arnold Dannenmann [seinerzeit Standortpfarrer I in Berlin], Mtlg. an Alexander von Hase vom 05.05.1986.

Nutzung an die rumänische Gemeinde. Hierbei hielt er eine kurze Rede, deren Mischung von christlicher und »nationaler« Rhetorik einerseits den Spagat seiner öffentlichen Äußerungen generell anzudeuten scheint, die aber auch die Frage nach Hases damaliger privater Meinung hinter seiner Rede als öffentlicher Person aufdrängt:

> *Tausende und Abertausende an Christen haben während der Jahrhunderte in Friedenszeiten, [...] in harten und schweren Kriegsjahren reichen Segen von dieser Stätte aus erfahren, Trost im Leid und Kraft für den Lebenskampf gefunden. Auch heute stehen wir wieder in ernsten, schweren Zeiten in einem Weltkrieg, der die Grundlagen für ein neues und gerechtes Europa schaffen soll [...]. Von dem Ergebnis dieses Ringens hängt [...] das Schicksal Europas [...], hängt das Schicksal der Zivilisation ab. Je länger aber dieser Krieg dauert, um so schwerer werden auch die Opfer, um so härter werden die Lasten und um so größer wird das Leid sein.*[25]

Das Leid des Krieges war in Form der alliierten Bombardements seit 1941 auch in der Reichshauptstadt konkreter Alltag. In der Rede spiegelte sich wohl auch Hases eigenes Dilemma: »Als Soldat« den Verlust des Krieges für Deutschland vermeiden zu wollen, ohne einen Sieg unter den Vorzeichen des Nationalsozialismus wünschen zu können. Nolens volens trug Hase in seiner Berliner Dienststellung als Verantwortlicher für die »militärische Disziplin« in seinem Zuständigkeitsbereich zur Stabilisierung des NS-Regimes bei.[26] Als Stadtkommandant war Hase zugleich Ge-

---

[25] Handschriftlicher Redetext, 2 Seiten, auf Packpapier, undat., Privatbesitz Maria Boehringer, Richmond (USA).

[26] Dies fand noch 50 Jahre später Niederschlag in Walter Kempowskis »Echolot«, in dem ein Aufruf des Wehrmachtkommandanten an die Soldaten der Reichshauptstadt aus dem Jahr 1943 wiedergegeben ist, der mit den Worten endet: »Alle Verstöße gegen [die] soldatischen Grundsätze und Pflichten werde ich auf das strengste bestrafen« (Walter Kempowski, Das Echolot. Ein kollektives Tagebuch. Bd. IV, 16. bis 28. Februar 1943. München: btb, 1997, S. 634f., Eintrag vom 28.02.1943).

richtsherr des Kommandanturgerichts und ab 1944 auch des Zentralgerichts des Heeres sowie 1943/44 vertretungsweise auch des Reichskriegsgerichts.[27] Die Wehrmachtjustiz unter Hases Gerichtsherrenschaft beinhaltete zentrale Zuständigkeiten für die Deliktgruppen Fahnenflucht und »politische Strafsachen«.[28] Während der 3½ Jahre Hases als Stadtkommandant wurden circa 30 000 Kriegsgerichtsverfahren – vom Mord bis zum Verkehrsdelikt – abgewickelt.[29] Dabei fällten die Richter des Kommandanturgerichts auch mindestens 600 Todesurteile, überwiegend bei Fahnenfluchtdelikten.[30] Freilich waren Hases Spielräume gerade in diesem Delikt-Bereich begrenzt. So konnte Todesurteile seiner Militärrichter nur der vorgesetzte Befehlshaber des Ersatzheeres, Generaloberst Fromm, bzw. (bei Offizieren) Hitler aufheben.[31] Es ließe sich die makabre Überlegung anstellen, dass die während Hases Gerichtsherrenschaft mitverantwortete »Quote« an (Wehrmachtjustiz-)Toten von Fronttruppen-Kommandeuren als Folge gegebener Befehle zum Teil in kurzer Frist erreicht wurde. Verfahren wie das gegen den im Oktober 1943 in Plötzensee hingerichteten Schauspieler Robert Dorsay[32] machen die ganze Absurdität deutlich, zu der sich das System Wehrmachtjustiz parallel zum desolater werdenden Kriegsverlauf verselbstständigte – und die zwangsläufige Verstrickung des Gerichtsherren in jenes System. Im Bereich der sogenannten »Wehrkraftzersetzungs«-Fälle

---

[27] Ausführliche Darstellung und Bewertung der Gerichtsherren-Tätigkeit Hases: R. Kopp, Paul von Hase, S. 177-198.

[28] Sicher nachweisbar anhand von Hase unterschriebener RKG-Urteils-Bestätigungen sind bislang die Vertretungstage 20.10., 22.10., 27.10.1943 bzw. 27.01.1944. Möglicherweise vertrat Hase den RKG-Präsidenten Admiral Bastian auch noch einmal im Februar/März 1944 (R. Kopp, Paul von Hase, S. 194f.).

[29] R. Kopp, Paul von Hase, S. 191.

[30] R. Kopp, Paul von Hase, S. 183-186.

[31] R. Kopp, Paul von Hase, S. 180f.

[32] Vgl. zu diesem Verfahren: Peter-Matthias Gaede, Ein ironischer Brief brachte den Tod. Vor vierzig Jahren wurde der Schauspieler Dorsay hingerichtet, in: Frankfurter Rundschau vom 28.10.1983, S. 14; Ulrich Liebe, Verehrt, verfolgt, vergessen. Schauspieler als Naziopfer. Weinheim/Berlin: Quadriga Verlag, 1992, S. 10-27.

lässt sich andererseits auch in einer Reihe von aktenmäßig nach-vollziehbaren Fällen nachweisen, dass die Verfahren mit minima-lisierenden Strafzumessungen endeten und von Hase bestätigt wurden.[33] Die »Tatvorwürfe« vieler »Wehrkraftzersetzungs«-Fälle dürften sich kaum von dem eigenen gelegentlichen verbalen »Luftmachen« des Gerichtsherren unterschieden haben.

Zur Persönlichkeit des Berliner Wehrmachtkommandanten zähl-ten, zum Teil durchaus in Gegensatz zu seinem »soldatischen« äußeren Erscheinungsbild, auch die Eigenschaften eines empa-thiefähigen und von vielen als hochanständig geschätzten Men-schen,[34] die er mit seinem militärischen Tun in Einklang zu brin-gen versuchen musste. Familienmitglieder wussten, dass ihn sentimentale Filme zu Tränen rühren konnten.[35] Die mit seinem Beruf besonders verbundene Dimension des Todes beschäftigte ihn: In jeder neu besuchten Stadt versuchte er, möglichst zunächst einen Friedhof aufzusuchen.[36] Oberst a.D. Wolfgang Müller be-tonte 1948 in einem Gutachten[37] Hases Führungsmaxime als

[33] So wurde etwa die Einstellungsverfügung Hases vom 21.02.1944 in der Strafsache (St.L.-Nr. X 1656/43) gegen den Unterarzt Dr. Hans-Hartwig Guischard, der – im Gegensatz zu Dorsay – vor Zeugen »regimekritische« Äußerungen gemacht hatte, damit begründet, es könne dem Beschuldigten »nicht nachgewiesen werden, daß er [sich] im Bewusstsein der Zersetzung« geäußert habe (BArch, Abt. MA, Akte Ost Spezial, Z 42, Bl. 44).

[34] Generalleutnant Karl Spang, der Hase als seinen »besten Freund« bezeichnete, charakterisierte diesen am 10.08.1944 im britischen Generalslager Trent Park bei London als einen »Gardeoffizier«, der »keinem Menschen [et]was tat« (Sönke Neit-zel, Deutsche Generäle in britischer Gefangenschaft 1942–1945. Eine Aus-wahledition der Abhörprotokolle des Combined Services Detailed Interrogation Cen-ter UK, in: *Vierteljahreshefte für Zeitschichte* H. 2/2004, S. 341).

[35] Friedrich-Wilhelm von Hase, Mtlg. vom 14.08.2013.

[36] Melitta von Hase, Mtlg. vom 07.08.2013.

[37] Wolfgang Müller / Forschungsgemeinschaft des »Anderen Deutschland«, Ge-schichtliches Gutachten über die Widerstandszelle von Hase, Hannover-Herren-hausen, 18.05.1948, S. 1-13.

Zur Feier der Taufe von Alexander von Hase traf sich die Familie in Wünsdorf am 6. Mai 1925: die Mutter Margarethe von Hase, geb. Sperber (3, Mutter von Paul und Günther von Hase); Friederike von Hase, geb. Sperber (3, Mutter von Paul und Günther von Hase); Ilse Braune, enge Freundin der Familie (4); Prof. Karl Bonhoeffer (5) mit Ehefrau Paula, geb. von Hase (6); Oberst der Schutzpolizei Günther von Hase (7); General a. D. Rüdiger Graf von der Goltz (8) und Fregattenkapitän a. D. Georg von Hase (9).

OBEN: Paul von Hase begrüßt den stellvertretenden kroatischen Staatschef Marschall Kvaternik am 20. Juli 1941 in Berlin.
UNTEN: Die Wehrmachtkommandantur in Berlin, Unter den Linden 1. Im ersten Stock befand sich neben den Büros auch die Privatwohnung des Wehrmachtkommandanten und seiner Familie

OBEN: Margarethe von Hase, geb. Baronesse von Funck, eine Deutschbaltin aus Riga. Aufnahme aus den frühen Vierzigerjahren in Berlin.
UNTEN: Maria von Hase (2. v. l.) am Tage ihrer Konfirmation 1937, mit (v. l.) Alexander, den Eltern und Ina. Die Ölbilder an der Wand verweisen auf den Stammbaum der Mutter (l.: Großvater Carl Baron von Funck, kaiserlich-russischer Stabskapitän; r.: dessen Bruder Alexei, ebenfalls in kaiserlich-russischer Uniform).

LINKE SEITE (o. l.): Trauung von Viktor Baron von Medem mit Ina von Hase am 21. März 1942. (o. r.): Maria Boehringer, geb. von Hase (vermutl. USA, 50er-Jahre); (u. l.): Alexander von Hase, der älteste Sohn als Panzergrenadier gegen Kriegsende; (u. r.): Friedrich-Wilhelm von Hase im Berliner Zoo (circa 1943). RECHTE SEITE (o.): Verlobung von Major Karl-Günther von Hase mit Renate Stumpff, Dezember 1944 in Berlin-Wannsee; (u.): Paul von Hase vor dem Volksgerichtshof (7./8. August 1944).

OBEN (l.): Wolfsschanze, 15. Juli 1944: im Zentrum Hitler, ganz inks Claus Schenk Graf von Stauffenberg, rechts Keitel. OBEN (r.): Stauffenberg 1942 mit Albrecht Ritter Mertz von Quirnheim im Führerhauptquartier bei Winniza. UNTEN: Stauffenberg 1940 mit seinen Söhnen Berthold, Franz Ludwig und Heimeran (v. l.).

OBEN (l.): Oberstleutnant Cäsar von Hofacker, einer der führenden
Köpfe des Staatsstreiches in Paris. OBEN (r.): Hofacker mit Tochter
Liselotte (Berlin, um 1942). UNTEN (l.): Ulrich-Wilhelm Graf von
Schwerin von Schwanenfeld, einer der frühen Gegner Hitlers (seit
1943 Hauptmann); UNTEN (r.): Schwerins Sohn Wilhelm (1944).

OBEN: Oberleutnant d. R. Albrecht Bertold Hans von Hagen (Aufnahme: Juni 1944). Er half bei der Beschaffung des Sprengstoffes für das Attentat.

UNTEN: Albrecht von Hagen mit seiner Frau Erica und seinen Kindern, Albrecht und Helmtrud (Aufnahme: circa März 1944).

OBEN: Treffen von Wessel Baron Freytag von Loringhoven (l.) mit dem Chef des italienischen militärischen Geheimdienstes, General Cesare Amé vom 29.–31. Juli 1943 in Venedig zu Geheimgesprächen. Dabei warnte die deutsche Delegation unter Führung von Admiral Canaris vor einem möglichen Attentat auf Papst Pius XII. und den italienischen König (vgl. S. 119). UNTEN: Freytag-Loringhoven im Kreis seiner Familie, November 1943: Nicolai, Wessel, Andreas, Ehefrau Elisabeth und Axel (v. r.).

OBEN: Heinrich Graf von Lehn
dorff, in dessen Familiensitz
Steinort zahlreiche konspirativ
Treffen stattfanden, mit seinen
Töchtern Nona und Vera (v. r.).
UNTEN: Seit 1941 quartierte
sich Reichsaußenminister
Joachim von Ribbentrop im
Schloss Steinort ein. Lehndorf
fand sich in einer riskanten
Doppelrolle wieder. Bei einem
Spaziergang im Schlosspark
hält Ribbentrop Lehndorffs
Kinder Nona (l.) und Vera (r.)
an der Hand, gefolgt von ihrer
Eltern Heinrich (2. Reihe, 2. v. l
und Gottliebe (2. Reihe, 1. v. r.)

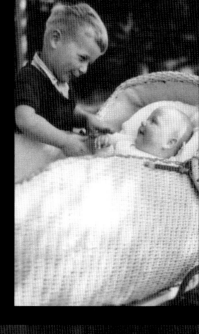

OBEN: Goerdelers Enkel Rainer (3 J.) und Carl (3/4 J.) in Rauschen-Düne im Samland, von wo sie bald darauf nach Württemberg verzogen (Aufnahme: 1944).

UNTEN: Carl Friedrich Goerdeler wurde zum Zentrum des zivilen Widerstands (Aufnahme: vermutlich Ende der Zwanzigerjahre als Erster Bürgermeister von Königsberg).

OBEN: Fey von Hassell, die Tochter Ulrich von Hassells, mit ihren Kindern Corradino und Robertino.

UNTEN: Botschafter Ulrich von Hassell (Mitte), hier bei einem offiziellen Auftritt in Rom.

OBEN: Der »Führer« im Kreise seiner Getreuen nach dem Attentat
in der Wolfsschanze. UNTEN: Innenhof des Rittergutes Dedeleben,
Refugium der Familie von Hase nach dem 20. Juli 1944. Johanna
von Freyhold-Hünecken und Ilse Braune bewiesen dadurch nicht
nur Gastlichkeit, sondern auch großen Mut (Aufnahme: 1935–40)

OBEN: NSV-Kinderheim bei Bad Sachsa, v. r.: Häuser Nr. 1 (Junger ab 10 Jahren), Nr. 3 (Kleinkinder) und Nr. 2 (Jungen, 6–9 Jahre). UNTEN: In der Strafanstalt Plötzensee ließ Hitler die Widerständer hängen. Aufnahme von 1945 mit Fleischerhaken im Hintergrund und einer Guillotine im Vordergrund.

Der Chef der Sicherheitspolizei
    und des SD.

IV Sonderkommission 20.7.44 v.K./Gr.

14. Dez. 1944

327

<u>G e h e i m !</u>

An alle

<u>Befehlshaber der Sicherheitspolizei und des SD</u>
<u>Inspekteure der Sicherheitspolizei</u>und des SD
Staatspolizei-(Leit-)stellen
Kriminalpolizei-(Leit-)stellen
SD-(Leit-)Abschnitte und selbständigen SD-Hauptaussenstellen

<u>Betr.:</u>   20.7. - Sippenhäftlinge.

Anliegend übersende ich Ihnen eine informatorische Notiz über
den gegenwärtigen Stand der Sippenhaftung. Ich halte es für
erforderlich, den verschiedentlich auftretenden, von blutrünstigen Phantasien getragenen Gerüchten über "liquidierte
Kinder und ausgerottete alte Frauen" sachlich entgegenzutreten.

                gez. Dr. K a l t e n b r u n n e r .
                   SS-Obergruppenführer
                   und General der Polizei.

F.d.R.:

Kanzleiangestellte.

Um die Durchführung der Sippenhaftung, die nach dem 20. Juli
auf Befehl Himmlers zur Anwendung kam, rankten sich schon
bald Gerüchte. Diese waren dem Regime während des Krieges
nicht recht, weil sie die Moral der Truppe gefährden konnten. Aus
diesem Grund verfasste SS-Obergruppenführer Dr. Ernst Kaltenbrunner am 14. Dezember 1944 ein geheimes Rundschreiben,
das an alle zuständigen Polizeidienststellen des Reiches versandt
wurde.

Der Reichsführer-SS
Chef der Deutschen Polizei

Berlin SW 11, den 26. September 1944
z.Zt. Feld-Kommandostelle

B.Nr. 456/44   Ads.RF/Fe.

Sehr verehrte gnädige Frau!

Ihr Brief vom 5. September 1944, den Sie an den Führer schrieben, ist mir übergeben worden.

Was die Schuld Ihres Schwiegersohnes Wessel Freytag von Loringhoven betrifft, muß ich Ihnen leider mitteilen, daß durch das Ermittlungsergebnis einwandfrei festgestellt worden ist, daß er sowohl von der geplanten Verschwörung als auch von dem Anschlag auf den Führer gewußt und sich sogar aktiv an den Vorbereitungen beteiligt hat. Er hat sich selbst gerichtet.

Die nächsten Familienangehörigen mußten verhaftet werden, um bei der in der Zeit des schwersten Existenzkampfes unseres Volkes aufgekommenen Bedrohung unseres Staates pflichtgemäß festzustellen, wer von der Familie Mitwisser war. Die Kinder wurden durch die Gauleitung Salzburg in ein Kinderheim der NSV. gegeben.

Bei all' dem Kummer, der Sie - was ich so gut begreife - zutiefst erfüllt, kann ich Ihnen heute die Mitteilung machen, daß Ihre vier Enkelkinder in den nächsten Tagen zu Ihnen zurückkommen werden und daß die Untersuchung gegen Ihre Frau Tochter ebenfalls in allernächster Zeit abgeschlossen sein wird. Ich hoffe, daß auch sie dann zu Ihnen zurückkehren kann.

Mit höflichen Empfehlungen und

Heil Hitler!
Ihr
sehr ergebener

H. Himmler

Brief Heinrich Himmlers vom 26. September 1944 an Frau Helene von Hintze, Schwiegermutter des Widerständlers Wessel Baron Freytag von Loringhoven. Der Brief ist eine Antwort auf Hintzes Gnadengesuch vom 5. September an den »Führer«. Freytag von Loringhoven hatte aber bereits am 26. Juli seinem Leben ein Ende gesetzt. So hatte das Gnadengesuch der Ehefrau und den entführten Kindern gegolten. Höchst aufschlussreich ist die Rechtfertigung des Reichsführers SS für die ergriffenen Maßnahmen, seine scheinbare Anteilnahme am Schicksal der betroffenen Familienangehörigen sowie seine der gesellschaftlichen Stellung der Adressatin angepasste Diktion (s. Abschrift Kapitel 4.2).

»Blut-Sparer«[38]. Es wäre eine reizvolle Aufgabe, dieses Testat Müllers bezogen auf Hases Divisions-Führung im Polen- und Frankreichkrieg zu überprüfen. Könnte etwa die Kritik, die Hases vorgesetzter Kommandeur von Manstein 1940 während des Vormarsches des 38. Armeekorps auf die Loire mehrfach bezüglich seiner Division vorbrachte,[39] etwas mit dieser Führungs-Maxime zu tun haben? Die Friktionen hatten sich unter anderem am Vormarschtempo von Hases 46. Infanteriedivision entzündet. Man kann vermuten, dass Manstein Hase nicht, wie den anderen am Vormarsch beteiligten Divisions-Kommandeur des 38. Armeekorps, Generalleutnant Freiherr von Biegeleben, für das Ritterkreuz in Vorschlag gebracht hat. Sicher war die Nicht-Auszeichnung mit jenem Orden für Hase später insgeheim ein bleibender Stachel. Umso mehr würde es ihm zur Ehre gereichen, wenn er bei seinen Front-Kommandos in Polen und Frankreich dagegen gefeit gewesen wäre, mit Blick auf die eigenen Dekorationen von seinen Soldaten mehr als das Vertretbare zu verlangen.

Wie eng sich unter den Bedingungen des Berliner Stadtkommandantenamtes private und öffentliche Sphäre verschränkten, zeigte die als großes gesellschaftliches Ereignis[40] ablaufende Hochzeit

---

[38] »Im Kameradenkreis gilt er als ritterlich, als offen, als Idealist; unter einer lebhaften manchmal etwas rauhen Art verbirgt sich ein weiches Herz. Im Sinne des ›Frontsozialismus‹ des Grabenleutnants geht er innerlich auf Verbindung zum einfachen Soldaten, in Fürsorge und ›Blut sparen‹. – Harte Prätorianer werfen ihm vor, daß er sich zu sehr vom Gefühl und vom Gemüt leiten lasse« (W. Müller, Geschichtliches Gutachten, S. 2).

[39] Vgl. Erich von Manstein, Verlorene Siege. Bonn: Athenäum Verlag, 1955, S. 133-143; R. Kopp, Paul von Hase, S. 154f.

[40] Zu den rund 200 geladenen Gästen zählten neben zahlreichen Familienangehörigen (darunter fünfmal von der Goltz, viermal Bonhoeffer und zweimal Schleicher) und mit den Brauteltern bekannte Personen (darunter viele mit baltischem und/oder adligem Hintergrund) mehrere Missionschefs und Militärattachés (von befreundeten und neutralen Staaten) sowie Angehörige des Auswärtigen Amtes (darunter Staatssekretär Ernst Freiherr von Weizsäcker), eine Reihe von Wehrmacht-Offizieren, darunter General Reinecke (Chef des Allgemeinen Wehrmachtamtes), General von der Lochau, Oberst von Mellenthin (Leiter der Attachéabteilung im OKH), Dr. Rosen-

von Hases älterer Tochter Ina mit dem baltischen Baron Viktor von Medem im März 1942, eine vor dem Hintergrund des Kriegsgeschehens fast surreale (und Einzelnen vielleicht auch unangemessen scheinende) Szenerie, die der anwesende Pfarrer Jentsch später mit einem »Gemälde aus der Zeit von Preußens Gloria« verglich.[41] Einige Wochen zuvor hatte Hase den in das Wehrmachtuntersuchungsgefängnis Moabit eingelieferten Generalleutnant Hans Graf von Sponeck aufgesucht.[42] Sponeck, wie Hase ehemaliger Angehöriger des Alexander-Regiments, sah einem Kriegsgerichtsverfahren entgegen, weil er in der Winterkrise 1941 seinem Armeekorps befehlswidrig den Rückzug von der Halbinsel Kertsch befohlen hatte, um die Einkreisung der (früher von Hase befehligten) 46. Infanteriedivision zu verhindern.[43] Wiederum ein Beispiel für einen identifizierbaren bemerkenswerten Personenkontakt des Wehrmachtkommandanten, der ihn in diesem Fall auf einer sehr persönlichen Ebene mit der Kriegsrealität an der Ostfront, aber auch mit dem Phänomen offen gezeigten »abweichenden Verhaltens« im militärischen Kontext konfrontierte. Ohne Frage war der Besuch Hases eine Solidaritätsgeste gegenüber Sponeck, und die beiden Männer tauschten sich offenbar

---

crantz (Chefrichter Kommandanturgericht), Pfarrer Jentsch (Standortpfarrer II), ferner Reichskriegerführer General Reinhard, Generalmajor von Jena (Standortkommandant der Waffen-SS), der komm. Berliner Oberbürgermeister Steeg, SA-Obergruppenführer Prinz August-Wilhelm von Preußen, Frau von Seeckt u. v. a. (Diplomatisches Bulletin vom 24.03.1942 (ms.) bzw. Zusagen-Liste (hs.), Privatbesitz Gerrit von Medem, Weggis b. Luzern).

[41] Werner Jentsch, Ernstfälle. Erlebtes und Bedachtes. Moers: Brendow, 1992, S. 225.
[42] Alexander von Hase, Mtlg. vom 23.02.1994.
[43] Eberhard Einbeck, Das Exempel Graf Sponeck. Ein Beitrag zum Thema Hitler und die Generale. Bremen: Schünemann Verlag, 1970, S. 20ff.; Günter Gribbohm, Wehrmachtjustiz zwischen Hitler und Heer. Verfahren und Maßnahmen gegen Generale des Heeres im Winter 1941/42, in: *DRiZ*, Mai 1972, S. 157f.; R. Kopp, Paul von Hase, S. 192; Erik-Grimmer Solem, »Selbständiges verantwortliches Handeln«. Generalleutnant Hans Graf von Sponeck (1888–1944) und das Schicksal der Juden in der Ukraine, Juni – Dezember 1941. In: *Militärgeschichtliche Zeitschrift* H. 1/2013, S. 23-50, hier S. 23.

auch über die militärische Lage aus.[44] Konkreteres, etwa der Grad des Konsenses beider, muss jedoch wiederum spekulativ bleiben.[45] Zumindest nach außen hin setzte Hase in diesem Jahr noch auf einen Sieg der deutschen Waffen. In einem Brief an eine frühere Mitarbeiterin schrieb er am 14. Mai 1942, er rechne mit »einem siegreichen Ausgang im Osten [...] noch in diesem Jahr«.[46]

Unklar ist letztlich auch, was genau der Berliner Wehrmachtkommandant vom Holocaust wusste. Die »Schatten an der Wand«, der sich verschärfende Staatsantisemitismus in NS-Deutschland, konnte ihm nicht entgangen sein. Zeitgleich mit seinem Dienstantritt in Berlin fand im UFA-Palast am Zoo die Premiere des Harlan-Films »Jud Süß« statt.[47] Nachdem im Januar 1942 auf der »Wannsee-Konferenz« die Ermordung von sechs Millionen Juden beschlossen worden war, kam es, ohne dass die Wehrmachtkommandantur dienstlich damit befasst gewesen wäre, zur Deportation von mehreren 10 000 Juden aus dem Standortbereich Groß-Berlin.[48] Welches Gesamtbild sich für Hase durch die dienstlich und privat erhaltenen Teilhinweise auf den Gesamtkomplex ergab, darüber lassen sich quellengestützt keine sicheren Angaben machen. Das betrifft auch den diesbezüglichen Austausch mit seinen Neffen Bonhoeffer und Dohnanyi, die durch ihre konspirative Tätigkeit innerhalb der Abwehr über sehr konkretes Wissen verfüg-

---

[44] Nach Alexander von Hase (Mtlg. vom 23.02.1994) hatte Sponeck seinem Vater »wesentliche Angaben zur Sache« und zu seiner Gefängnis-Behandlung gemacht.

[45] Alexander von Hase, Mtlg. vom 07.12.1996.

[46] Paul von Hase, Brief an eine [namentlich nicht genannte] Sekretärin in Karlsbad, Berlin 14.05.1942.

[47] *Völkischer Beobachter* vom 28.11.1940.

[48] Raul Hilberg, Die Vernichtung der europäischen Juden. Die Gesamtgeschichte des Holocaust. Berlin: Olle & Wolter Verlag, 1982, S. 322-326; R. Kopp, Paul von Hase, S. 169f.

ten.[49] In jedem Fall waren Hase direkte Konfrontationen mit Vorgängen der systematischen Judenvernichtung erspart geblieben, deren Erleben für viele andere Angehörige der Militäropposition ein wichtiger Beweggrund für ihre Beteiligung am Widerstand wurde.[50]

Nach der Verhaftung seiner Neffen Bonhoeffer und Dohnanyi am 05.04.1943 unter dem Vorwurf des Hoch- und Landesverrats intensivierte sich der Kontakt zwischen den Eltern Bonhoeffer und Paul von Hase, um die juristischen Möglichkeiten hinsichtlich des bevorstehenden Reichskriegsgerichts-Prozesses seiner Neffen auszuloten. Das Verfahren konnte unter maßgeblicher Einwirkung des Chefs des Heeresjustizwesens, Dr. Karl Sack (ebenfalls zum

---

[49] Dem Bonhoeffer-Biografen Eberhard Bethge zufolge war Hase »zweifellos« durch Dietrich Bonhoeffers Mutter Paula, eine geb. von Hase und Cousine des Berliner Wehrmachtkommandanten, über die Widerstandstätigkeit seiner Neffen informiert und habe auch »in gewissem Ausmaß« Kenntnis vom Holocaust gehabt (Mtlg. vom 23.03.1997); dass Hase und seine Frau im Bonhoeffer/Schleicher-Familienkreis prinzipiell als Regimegegner eingeschätzt wurden, legt auch das Detail nahe, dass die Kinder ausdrücklich nicht – wie in anderen Fällen – instruiert wurden, »daß man ihnen gegenüber vorsichtig sein muß« (Renate Bethge, Mtlg. vom 07.04.1997); generell gab es im Bonhoeffer-Familienzweig allerdings gewisse Vorbehalte gegen »die Generäle« in der Familie (Renate Bethge, Bonhoeffers Familie und ihre Bedeutung für seine Theologie, in: Peter Steinbach (Hg.), Widerstand. Ein Problem zwischen Theorie und Geschichte. Köln: Verlag Wissenschaft und Politik, 1987, S. 397), zu denen auch der bekannte Freikorps-Führer Rüdiger Graf von der Goltz zählte (G. von Hase, Sippentafel, S. 23); Elisabeth Sifton und Fritz Richard Stern kolportieren in ihrem jüngst erschienenen Buch zur Bonhoeffer-Familie (Elisabeth Sifton und Fritz Richard Stern, Keine gewöhnlichen Männer. Dietrich Bonhoeffer und Hans von Dohnanyi im Widerstand gegen Hitler. München: Beck Verlag, 2013, S. 117; ein Quellenverweis zu dieser Aussage fehlt) die Episode, Prof. Karl Bonhoeffer habe den zur Feier seines 75. Geburtstages in Galauniform erschienenen Vetter Paul von Hase freundschaftlich aufgefordert, noch einmal nach Hause zu fahren und sich für eine Familienfeier passenderes Zivil anzuziehen, was dieser auch getan habe.
[50] Peter Hoffmann, Widerstand gegen Hitler. Probleme des Umsturzes. München: Piper Verlag, 1979, S. 59-68, hier S. 60-62.

späteren Personenkreis des 20. Juli zählend), verschleppt werden und wurde am 15. Juli 1944 schließlich eingestellt.[51] Möglicherweise ist erst in diesen Wochen zwischen Hase und den Bonhoeffer-Eltern ein intensiver und in voller Offenheit geführter Austausch über die gegenwärtigen »Verhältnisse« zustande gekommen, der unter Umständen auch das innere Koordinatensystem des Berliner Stadtkommandanten noch einmal verändert hat. Dietrichs Vater, Prof. Karl Bonhoeffer, bis 1938 Ordinarius für Psychiatrie und Neurologie an der Berliner Charité,[52] schrieb nach dem Krieg an Hases Frau, man sei sich »[i]n der Verurteilung des nationalso[z]ialistischen Systems [...] von vornherein einig« gewesen.[53] Ende Juni 1944 machte Hase seinem Neffen im Militärgefängnis Tegel einen Besuch von mehreren Stunden, der nach außen hin als eine deutliche Botschaft bezüglich seiner eigenen Positionierung verstanden werden musste. Dietrich Bonhoeffer notierte später:

Onkel Paul war da, ließ mich sofort herunterrufen und blieb ... über 5 Stunden! Dabei ließ er 4 Flaschen Sekt auffahren, was in den Annalen dieses Hauses wohl einmalig ist, und benahm sich so großzügig und nett, wie ich es ihm nie zugetraut hätte. Er wollte wohl ganz ostentativ deutlich machen, wie er zu mir steht [...]. Mir

---

[51] R. Kopp, Paul von Hase, S. 182 u. S. 197.
[52] Eberhard Bethge, Dietrich Bonhoeffer. Eine Biografie. Gütersloh: Chr. Kaiser Verlag, 8. Aufl. 1994, S. 637; Andreas Ströhle, Jana Wrase, Henry Malach, Christof Gestrich, Andreas Heinz, Images in Psychiatry. Karl Bonhoeffer (1868–1948), in: The American Journal of Psychiatry, Bd. 165, Nr. 5, Mai 2008. 16.05.2014 <http://ajp.psychiatryonline.org/data/Journals/AJP/3860/08ajo575.PDF>.
[53] Prof. Dr. Karl Bonhoeffer, Brief an Margarethe von Hase vom 28.02.1948 (Privatbesitz Maria Boehringer): »Frau Deta von Hase z.Zt. Bad Driburg bescheinige ich hierunter, [d]ass meine Frau und ich mit grosser Dankbarkeit daran denken, wie sehr sie sich ohne Rücksicht auf eigene Gefahr unserer von der Gestapo eingekerkerten Söhne und Schwiegersöhne angenommen hat. Sie hat den Gefangenen durch Vermittlung von Besuchen der Ehefrauen das Leben zu [...] erleichtert versucht und wo sie konnte, geholfen. In der Verurteilung des nationalso[z]ialistischen Systems waren wir uns von vornherein einig.«

hat diese Unabhängigkeit, die im zivilen Bereich undenkbar wäre, imponiert.[54]

Drei Wochen nach dem Besuch des Wehrmachtkommandanten in Tegel fand das Attentat auf Hitler statt. Ab wann genau Hase in die Umsturzplanungen, die seit Frühjahr 1943 auf den modifizierten, eigentlich für den Fall innerer Unruhen vorgesehenen »Walküre«-Plänen[55] basierten, eingeweiht war, kann bis heute nicht sicher gesagt werden. Die Quellen widersprechen sich hier stark.[56] Da jene Planung ganz auf das Funktionieren der militärischen Befehlskette angelegt war, mussten im Prinzip nur wenige Akteure der Militäropposition genau Bescheid wissen. Zudem war es ein Gebot der konspirativen Vorsicht, den Personenkreis der Eingeweihten so gering wie möglich zu halten. Fraglos war die

[54] Dietrich Bonhoeffer; Eberhard Bethge (Hg.), Widerstand und Ergebung. Briefe und Aufzeichnungen aus der Haft. München: Kaiser Verlag, 1959, S. 232.

[55] In den »Walküre«-Befehlen war die schnellstmögliche Bildung von Kampftruppen des Ersatzheeres geregelt bzw. welche Bereiche und Objekte von den jeweiligen Einheiten im Alarmierungsfalle besetzt werden sollten. Von Akteuren der Militäropposition waren ergänzend geheime Zusatzbefehle erstellt worden, die sich auf die Neutralisierung von NS-Funktionsträgern und SS-Kräften bezogen (vgl. R. Kopp, Paul von Hase, S. 201).

[56] Vgl. hierzu ausführlich: R. Kopp, Paul von Hase, S. 205-218; so kann etwa über die häufige Anwesenheit des WK-III-Generalstabschefs (3/1943-5/1944) Hans-Günther von Rost, einer der aktivsten Vorbereiter der »Walküre«-Planung (WSA, S. 383ff.), in der Kommandantur (Alexander von Hase, Mtlg. vom 18.01.1999, 29.01.1998) inhaltlich ebenso wenig gesagt werden wie zu den verschiedentlichen Besuchen eines »Obersten aus dem OKH« (Alexander von Hase, Mtlg. vom 23.05.1993, TS S. 19); eine Äußerung Hases gegenüber seinem alten Regimentskameraden Max von Viebahn scheint jedoch nur Sinn zu machen, wenn er sie gleichsam als »Verschwörer« getan hat: »Du gehörst zu uns und gehst jetzt nach Hause und bleibst bei Deiner Familie; wenn es soweit ist, holen wir Dich« (Dietrich von Viebahn, Mtlg. an Alexander von Hase vom 24.10.1996); Raum zur nachträglichen Interpretation lässt auch die von Hase in der 1940er-Jahren gegenüber seiner Tochter gemachte Äußerung, er werde wahrscheinlich nicht mehr lange leben (Friedrich-Wilhelm von Hase, Mtlg. vom 06.12.2013). Diese könnte sich auf seine Koronarproblematik bezogen haben, aber ebenso auch auf Hinweise darauf, dass er in seiner Dienststellung in ein irgendwie geartetes Umsturzgeschehen verwickelt werden könnte, von dessen Gelingen nicht ausgegangen werden konnte.

Person des Berliner Wehrmachtkommandanten von zentraler Bedeutung in der »Walküre«-Planung, weil seine Befehlsgewalt über die Truppenkontingente in der Reichshauptstadt eine unabdingbare Voraussetzung für das Gelingen der ganzen Aktion war. Hase galt den Planern offenbar als »sicher«.[57] Gleichwohl wurde er aber wahrscheinlich erst kurzfristig, am 15. Juli 1944,[58] vom Chef des Allgemeinen Heeresamtes (AHA), General Olbricht, konkret über das Attentats-Szenario und den geplanten Umsturzversuch in Kenntnis gesetzt,[59] als es erstmals – und vorschnell[60] – zur Auslösung von »Walküre« gekommen war. Das bereits für diesen Tag geplante Attentat Stauffenbergs fand dann aber nicht statt und die bereits angelaufenen »Walküre«-Maßnahmen wurden als Übung deklariert. Hase war sich also mindestens in den fünf Tagen bis zum tatsächlich durchgeführten Attentat am 20. Juli über das Geplante im Klaren und hatte sich spätestens jetzt durch das Nicht-Melden[61] (erneut) auf die Seite des Widerstands gestellt. Im Besitz des belastenden Wissens hatte er noch einmal das Gespräch mit dem Berliner Domprediger Prof. Doehring gesucht, der explizit den Standpunkt der Berechtigung eines Attentats auf Hitler vertreten haben soll.[62]

---

[57] R. Kopp, Paul von Hase, S. 205, 207.

[58] Ebd., S. 213ff.

[59] So heißt es auch in der Familienchronik:»Paul war an der Planung und den Vorbereitungen des Attentats in keiner Weise beteiligt. Er war aber am 15. Juli von dem General der Infanterie Olbricht über die Planung unterrichtet worden [...]« (G. von Hase, Unsre Hauschronik, Bd. 2, S. 99).

[60] Auf jenen Tag datierte einer von mehreren (abgebrochenen) Versuchen Stauffenbergs, mit dem Sprengstoffattentat auf Hitler die »Initialzündung« für den Staatsstreich auszulösen.

[61] Seinem älteren Sohn sagte er offenbar in diesen Tagen kryptisch:»Ich habe ein solches Wissen, wenn das der Führer wüsste, wäre ich Generaloberst« (Alexander von Hase, Mtlg. vom 15.06.2000).

[62] Alexander von Hase, Mtlg. vom 27.05.1993 (TS, S. 20); nach ders., Mtlg. vom 07.04.1995, war Doehring überhaupt der Einzige, den Hase nach dem 15.07. ins Vertrauen zog. Nach Alexander von Hase, Mtlg. vom 17.07.1997, hatte Hase auch seiner Frau von dem Bevorstehenden erzählt. Diese habe ihren Mann nicht in der Rolle des »Revolutionärs« sehen wollen, ohne von einer Beteiligung abzuraten; auch Margare-

Am Tag des Umsturzversuches, am 20. Juli 1944, versuchte Generalleutnant von Hase energisch, die ihm unterstehenden Truppen im Sinne des Umsturzvorhabens einzusetzen. Dies gelang auch, eingeschlossen das von Major Remer befehligte Wachregiment »Großdeutschland«, so lange problemlos, bis Meldungen vom Überleben Hitlers durchsickerten. Rückblickend erwies sich bei den Umsturzmaßnahmen in Berlin vor allem die geplante, aber nicht durchgeführte Verhaftung von Propagandaminister Goebbels als verhängnisvoll.[63] Nachdem gegen 19 Uhr Remer bei Goebbels mit Hitler telefoniert hatte und mit Befehlsvollmachten zur Niederschlagung des Umsturzversuches ausgestattet worden war, kippte das Unternehmen militärisch endgültig.[64] Als letzte Diensthandlung fuhr Hase – einem Befehl des Chefs des Allgemeinen Wehrmachtamtes, General Reinecke, folgend – zu Propagandaminister Goebbels, dem gegenüber er glaubhaft zu machen versuchte, dass er in festem Glauben an den Tod Hitlers die gegebenen Befehle ausgeführt habe.[65] Faktisch besaß der Berliner Wehrmachtkommandant von nun an Gefangenenstatus.

In den frühen Morgenstunden des 21. Juli wurde Hase, in »stoischer« Haltung, wie der anwesende Oberst Wolfgang Müller registrierte,[66] von SS-Leuten unter Leitung von Obergruppenführer Jüttner[67] aus der Dienstwohnung Goebbels' im Tiergartenvier-

---

the von Hase gibt in ihren Lebenserinnerungen an, dass ihr Mann ihr nach dem 15.07. von dem geplanten Attentat auf Hitler berichtet habe, wobei dieses von ihm als »zu spät« eingeschätzt worden sei (M. von Hase, Lebenserinnerungen, S. 176).

[63] R. Kopp, Paul von Hase, S. 224-229.

[64] S. Beitrag »Alexander von Hase« im vorliegenden Buch, S. 43 ff.

[65] R. Kopp, Paul von Hase, S. 240-242.

[66] W. Müller, Geschichtliches Gutachten, S. 12.

[67] So Margarethe von Hase (mit irrtümlicher Schreibweise »Gütner«) in: Das Werden einer Opposition bis zum 20. Juli 1944, in: *N.Y. Staats-Zeitung und Herold* vom 20.07.1948, S. 10; zu Jüttner, Chef des SS-Führungshauptamtes und Stellvertreter Himmlers in dessen Funktion als Befehlshaber des Ersatzheeres nach dem 20. Juli 1944 vgl. Quellen und Darstellungen zur Zeitgeschichte. Bd. 10: Helmut Heiber (Hg.), Hitlers Lagebesprechungen. Die Protokollfragmente seiner militärischen Konferenzen 1942–1945. Stuttgart: Dt. Verl.-Anst., 1962, S. 844 f.

tel abgeführt und in das »Gästehaus des Chefs der Sicherheitspolizei und des SD« Am Großen Wannsee 56–58 gebracht,[68] jenes Objekt, in dem im Januar 1942 auch die »Wannsee-Konferenz« stattgefunden hatte.[69] Dort verblieb er mindestens bis zum 28. Juli, ohne vernommen worden zu sein. Er konnte von seiner Familie Post erhalten und schrieb selber drei Briefe.[70] Zunächst, solange die Ermittlung der Sonderkommission »20. Juli« des Reichssicherheitshauptamtes bei anderen Inhaftierten noch auf keine Hase belastenden Angaben gestoßen war, genoss der Ex-Stadtkommandant offenbar den Status eines »Ehrenhäftlings« mit respektvoller Behandlung und guter Verpflegung. In die Tage dieses Schwebezustandes in der Wannsee-Villa fiel am 24. Juli sein 59. Geburtstag. Frau und Kinder schickten Briefe und Kuchen. Seinen Dankbrief schloss er mit einem Satz für die Zensur.[71]

Als sich bei den Gestapo-Vernehmungen Hases Zugehörigkeit zur Gegenseite herauskristallisierte, wurde er an einen anderen Ort[72] gebracht und seinerseits Befragungen unterzogen. Den Tagesberichten der Gestapo-Ermittler zufolge wurde Hase vor allem durch die Vernehmung des 30-jährigen Majors i. G. Egbert Hayessen belastet, der als Verbindungsoffizier des AHA bei der Kommandantur vorgesehen war und der dort am Vorabend des 20. Juli mit Hase die von dem Wehrmachtkommandanten zu veranlassenden Maßnahmen durchgegangen war. Wie Hayessen aus-

---

[68] Haus der Wannsee-Konferenz, *Newsletter* 4, Dez. 2005, S. 10.

[69] Ebd.

[70] R. Kopp, Paul von Hase, S. 248.

[71] Der Satz lautete: »Gott hat alles noch gnädig geführt. Das Heer ist geschlossener denn je und steht fest verbunden hinter dem Führer. Der Sieg wird unser sein.« (Paul von Hase, Brief vom 24.07.1944).

[72] 1948 berichtete Hases Frau, ihr Mann sei kurz vor seiner Hinrichtung in der Prinz-Albrecht-Straße inhaftiert gewesen (*N.Y. Staats-Zeitung und Herold* vom 20.07.1948, S. 10). Dafür fehlen jedoch gesicherte Nachweise (Johannes Tuchel und Reinold Schattenfroh: Zentrale des Terrors. Prinz-Albrecht-Straße 8: Hauptquartier der Gestapo. Berlin: Siedler Verlag, 1987, S. 269).

sagte, hatte Hase hierbei die Frage gestellt, ob »Attentate vorgese-hen« seien.[73] Diese Frage hätte sich erübrigt, wenn Hase schon vollumfänglich »eingeweiht« gewesen wäre. Die Gestapo-Ermitt-ler gingen davon aus, dass der Berliner Wehrmachtkommandant zumindest seit der Besprechung mit Olbricht am 15. Juli über den bevorstehenden Umsturzversuch im Bilde war.[74]

Am 03.08.1944 nahm sich der nunmehrige Befehlshaber des Er-satzheeres, Himmler, auf einer Gauleiter-Tagung in Posen pole-misch der Akteure des 20. Juli an und ließ dabei auch Hase nicht unerwähnt.[75] Dieser wurde am Folgetag,[76] wie insgesamt 55 ande-re mutmaßlich in den Umsturzversuch involvierte Offiziere, vom »Ehrenhof« des Heeres aus der Wehrmacht »ausgestoßen«, 29 weitere Offiziere wurden entlassen.[77] Der Akt der »Ausstoßung« entzog die Betroffenen der Wehrmachtjustiz und überantwortete sie dem Volksgerichtshof (VGH). Hases Fall wurde im ersten 20.-Juli-Prozess des VGH am 7./8. August 1944 verhandelt.[78] Der ehe-

[73] Hans-Adolf Jacobsen (Hg.), Spiegelbild einer Verschwörung. Die Opposition ge-gen Hitler und der Staatsstreich vom 20. Juli 1944 in der SD-Berichterstattung. Ge-heime Dokumente aus dem ehemaligen Reichssicherheitshauptamt. Bd. 1. Stuttgart: Seewald Verlag, 1984., S. 47f.; R. Kopp, Paul von Hase, S. 217f.

[74] H.-A. Jacobsen (Hg.), Spiegelbild einer Verschwörung, S. 100.

[75] Vgl. die Dokumentation der Rede in: *Vierteljahreshefte für Zeitgeschichte* H. 4/1953, S. 357-394. Zu Hase heißt es dort: »Es spielte absolut eine Rolle der Stadtkomman-dant von Berlin, Herr Haase, den Dr. Goebbels sich gleich herüberholte. Es stimmt nicht, daß sein Name Haase ist, der von nichts weiß, er wußte von etwas« (ebd., S. 381).

[76] National Archives (USA), Record Group 242, OKH/HPA H. 26/6 (Personal-Kar-teikarte).

[77] Zum Ehrenhof: Winfried Heinemann, Selbstreinigung der Wehrmacht? Der Eh-renhof des Heeres und seine Tätigkeit, in: Schriftenreihe der Forschungsgemein-schaft 20. Juli. Bd.13: Manuel Becker (Hg.) und Christoph Studt (Hg.), Der Umgang des Dritten Reiches mit den Feinden des Regimes. XXII. Königswinterer Tagung (Februar 2009). Berlin: Lit Verlag, 2010, S. 117-129, hier S. 120.

[78] Mitangeklagte an diesem Prozesstag waren die Ex-Offiziere Erwin von Witzleben, Erich Hoepner, Hellmuth Stieff, Robert Bernardis, Friedrich Karl Klausing, Albrecht von Hagen und Peter Graf Yorck von Wartenburg.

malige Berliner Wehrmachtkommandant zeigte sich in aufrechter, ungebrochener Haltung, die offenbar auch Freisler nicht ganz unbeeindruckt ließ.[79] Inhaltlich versuchte er, sich im Prozess, wie auch in den Gestapo-Vernehmungen, als in der Befehlskette stehend und auf die Ausführung der vom AHA gegebenen Befehle zu berufen.[80] Damit hatte er sich auf eine defensive Aussage-Taktik festgelegt, von der er vermutlich hoffte, unter Umständen noch lebend aus dem Verfahren herauszukommen und seiner Familie erhalten zu bleiben. Insofern wird sich nicht ohne Weiteres sagen lassen, er habe sich »restlos zu seinem Tun bekannt.«[81]

Die acht Verurteilten des ersten 20.-Juli-Prozesses des VGH wurden 2½ Stunden nach der Urteilsverkündung, ab 19 Uhr, in der Strafanstalt Plötzensee im Abstand von circa fünf Minuten zum Hinrichtungsgebäude geführt. Nach der Hängung des ehemaligen Generalfeldmarschalls Erwin von Witzleben wurde Paul von Hase als Nächster zum Galgen geführt.[82] Der Gefängnispfarrer Poelchau konnte die beiden Offiziere auf ihrem letzten Gang begleiten und erlebte diese als »tiefernst, ruhig und vollkommen gefasst«. Sie seien als »überzeugte Christen in den Tod« gegangen, Hase dabei »in schwerer Sorge um das Schicksal seiner Frau und seiner Kinder«.[83] Offenbar trat der Tod bei den Hinrichtungen des

---

[79] Zum Prozess vom 07./08.08.1944 vgl. auch: R. Kopp Paul von Hase, S. 254-258.

[80] Ebd.

[81] So die Formulierung von Hases Sohn Alexander, s. Beitrag »Alexander von Hase« im vorliegenden Buch, S. 55.

[82] Victor von Gostomski und Walter Loch, Der Tod von Plötzensee. Erinnerungen – Ereignisse – Dokumente 1942–1945. Meitingen/Freising: Kyrois Verlag, 1969, S. 183ff.; Königswinter in Geschichte und Gegenwart. Bd. 4: Brigitte Oleschinski, Mut zur Menschlichkeit. Der Gefängnisgeistliche Peter Buchholz im Dritten Reich. Königswinter: Stadt Königswinter, 1991, S. 104f.

[83] Harald Poelchau; Graf Alexander Stenbock-Fermor (aufgezeichnet), Die letzten Stunden. Erinnerungen eines Gefängnispfarrers. Köln: Röderberg Verlag, 1987, S. 99.

8. August 1944,[84] die gefilmt wurden,[85] rasch, wenn auch nicht in jedem Fall sofort ein. Nach dem Zeugnis des Kameramannes Sasse sind alle Verurteilten dieses Tages »ohne ein Wort der Klage aufrecht« unter den Galgen getreten.[86] Hitler sog aus den makabren Bildtrophäen der unverzüglich ins Führerhauptquartier transportierten Aufnahmen »seine letzten Triumphgefühle« (Joachim Fest).[87] Fotos der unbekleideten Gehenkten, darunter auch von Paul von Hase, lagen noch am 18. August auf dem großen Kartentisch in der »Wolfsschanze«.[88]

Sieben Angehörige der Familie von Hase trafen die »Sippenhaft«-Maßnahmen des NS-Regimes in Form von Inhaftierungen. Zu den Verhafteten zählten neben Paul von Hases Frau,[89] Tochter

---

[84] Vgl. hierzu mit ausführlicheren Quellenverweisen: R. Kopp, Paul von Hase, S. 259-262.

[85] Der Verbleib der Film-Kopien ist unbekannt. Dem Historiker Karl Otmar Frhr. von Aretin zufolge wurden dem Bayerischen Rundfunk in der 1950er-Jahren aus London Kopien der Filmaufnahmen zugespielt. Die Sichtung des Materials, die er zusammen mit dem BR-Chef vorgenommen habe, sei wegen der Schrecklichkeit der Aufnahmen abgebrochen worden, die Sekretärin habe sich übergeben müssen. Die Filmkopien seien dann in der Folge vmtl. im Archiv des BR verbrannt (Torsten Hampel, Bilder einer Hinrichtung. Hitler ließ den Tod seiner Attentäter filmen. Der Film ist verschollen, an die Grausamkeit gibt es nur vage Erinnerungen, in: *Der Tagesspiegel* vom 15.07.2004).

[86] Bericht abgedruckt in: Hans Royce (bearb.) und Erich Zimmermann (neubearb.); Bundeszentrale für den Heimatdienst (Hg.): 20. Juli 1944. Sonderdruck für die Staatsbürgerliche Bildungsstelle des Landes Nordrhein-Westfalen. Bonn: Berto Verlag, 4. Aufl. 1961, S. 214f.

[87] Joachim Fest, Staatsstreich. Der lange Weg zum 20. Juli. Berlin: Siedler Verlag, 1. Aufl. 1994, S. 304.

[88] Peter Hoffmann, Widerstand, Staatsstreich, Attentat. Der Kampf der Opposition gegen Hitler. München u.a.: Piper Verlag, 4., neu überarb. und erg. Auflage 1985, S. 872.

[89] Vgl. die Schilderung der Haftsituation im Gefängnis Berlin-Moabit in: M. von Hase, Lebenserinnerungen, S. 180-182. Die dort ebenfalls inhaftierte Frau des Diplomaten Hans Bernd von Haeften kolportiert den empörten Ausruf Margarethe von Hases nach einem stundenlangen Verhör: »Es ist alles Lüüje, nichts als Lüüje!« (Barbara von Haeften, Aus unserem Leben 1944–1950. Tutzing: Eigenverlag, 2. Aufl. 1980, S. 31).

Maria, Sohn Alexander und dem Mitte August in das Kinderheim in Bad Sachsa verbrachten siebenjährigen Sohn Friedrich-Wilhelm auch Hases Bruder Günther, Oberstleutnant a. D. z. V., und dessen Frau Ina. Deren Sohn, der 26-jährige Major i. G. Karl-Günther von Hase, am 20. Juli im Stab des Generals Witthöft in Oberitalien, wurde aus dieser Verwendung und aus dem Generalstab entlassen, erhielt im Januar 1945 eine Neuverwendung als Ia des »Festungskommandanten« von Schneidemühl und geriet im Folgemonat in sowjetische Kriegsgefangenschaft.[90] Der 66-jährige Vetter Fregattenkapitän a. D. Georg von Hase wurde »zur Bewährung« reaktiviert und fungierte bis Ende 1944 ein Vierteljahr als stellvertretender Hafenkommandant von Rotterdam.[91] In Jena ließ der NSDAP-Kreisleiter das Denkmal des Theologie-Professors Karl August von Hase von seinem Standort vor der Universität entfernen und den nach ihm benannten Weg umwidmen. Diese Maßnahmen »ehrten« unfreiwillig den Großvater Paul von Hases 54 Jahre nach dessen Tod gleichsam als einen der »intellektuellen Wegweiser des Aufstands«.[92]

Am 16. August 1944 fand im Haus von Hases Bruder in Berlin-Wannsee (Am Wildgatter 27) ein Treffen von vier Familienangehörigen statt, bei der die »Ausstoßung« Paul von Hases aus dem Familienverband beschlossen wurde.[93] Neben den beiden Vorstands-Mitgliedern des Familienbundes Hans von Hase[94] und Georg von Hase (das dritte Vorstands-Mitglied war Hases Bruder Günther, der sich noch in Haft befand) waren Jutta und Paulus

---

90 Karl-Günther von Hase, Erinnerungen. Meckenheim: WDV, 1. Aufl. 2010, S. 106-131. Vgl. hier S. 65ff.

91 G. von Hase, Unsre Hauschronik, Bd. 2, S. 53.

92 Alexander von Hase, Eine Erinnerung an meinen Vater, S. 385, bzw. Alexander von Hase, Mtlg. vom 07.03.1992.

93 Als Vorstandsbeschluss wurde am folgenden Tag formuliert: »Durch die Ausstoßung des Generalleutnants Paul von Hase aus der Wehrmacht ist seine Ausstoßung aus dem Hase'schen Familienbunde automatisch erfolgt« (zitiert nach: Georg von Hase, Brief an Margarethe von Hase vom 25.03.1961, S. 1). Vgl. hier S. 72f.

94 Vgl. G. von Hase, Unsre Hauschronik, Bd. 2, S. 21-34.

von Stolzmann[95] anwesend. Man hoffte, mit diesem Schritt die Familie vor der »Vernichtung auf Grund der Sippenhaft« zu bewahren, so Georg von Hase Jahre später zu diesem Schritt, der »schweren Herzens« gefasst worden sei.[96] Dieser ohne Aufforderung von offizieller Seite zustande gekommene[97] Vorstandsbeschluss und wohl mehr noch das Verhalten (oder vermutete Verhalten) anderer Familienmitglieder und Bezugspersonen gegenüber der Frau und den Kindern Paul von Hases wurde von diesen in vielen Fällen als eine gravierende Scheidemarke erlebt, die das persönliche Verhältnis zu den Betreffenden in der Folgezeit in der einen oder anderen Richtung determinierte. Als besonders noble Reaktion blieb bei Hases Frau und älterem Sohn die Aufnahme nach der Haftentlassung im Hause ihres Verwandten Rüdiger von Schleicher in Erinnerung. Auf der anderen Seite hatte sich etwa die Überzeugung von Hases Sohn Alexander zu einer Obsession entwickelt, der Schwiegervater seines Vetters Karl-Günther von Hase, Generaloberst Hans-Jürgen Stumpff, sei »einer der Hauptverantwortlichen für die Überstellung meines Vaters an die Gestapo« gewesen.[98] Nicht nur in der Familie von Hase führte die Beteiligung von Angehörigen am »20. Juli« zu Friktionen und teilweise tiefen Spaltungen, sondern dies war eher regelhaft in den Familien von Widerstands-Angehörigen der Fall. Mitunter gab es auch massive Enttäuschungs-Reaktionen der älteren Kinder bei der ersten Konfrontation mit der Widerstands-Beteiligung ihrer Väter.[99] Paul von Hase konnte sich nach dem 20. Juli zumindest der uneingeschränkten Solidarität von Frau und Kindern sicher sein.

---

95 Tochter bzw. Schwiegersohn von Günther und Ina von Hase (G. von Hase, Sippentafel, S. 17).

96 G. von Hase, Brief an Margarethe von Hase vom 25.03.1961, S. 1.

97 So K.-G. von Hase, Erinnerungen, S. 116.

98 Alexander von Hase, Mtlg. vom 10.03.1992.

99 In diesem Sinne haben sich u.a. die Kinder des Oberleutnants d.R. Albrecht von Hagen, Albrecht von Hagen und Helmtrud de Roo-von Hagen, 2003 in einer ZDF-Dokumentation (»Sie wollten Hitler töten – Die letzte Chance«, 3sat, 23.07.2004) in großer Offenheit geäußert; Ebenso: Albrecht von Hagen, Mtlg. vom 16.12.2013.

Der »Ausstoßungs«-Beschluss des Hase'schen Familienbundes wurde ein Jahr später, am Jahrestag des 20. Juli, von den drei Vorstands-Mitgliedern mit einem »stolze[n] Bekenntnis« zur Widerstands-Beteiligung Paul von Hases widerrufen.[100] Jene beiden Beschlüsse des Hase'schen Familienbundes markierten gewissermaßen den Anfang der Rezeptionsgeschichte der historischen Rolle Paul von Hases, die eng verknüpft ist mit der des Widerstands insgesamt und mit wechselnden gesellschaftlich-politischen Rahmenbedingungen. Für Hases Frau und Kinder konstruierte sich die Erinnerung nach der einschneidenden Ereignismarke des 20. Juli 1944 neu und fortan fokussiert auf die Widerstands-Beteiligung des Mannes/Vaters, was wiederum für den Historiker quellenkritisch zu berücksichtigen ist. Der damalige Leitungsmittelpunkt des Umsturzversuches, das OKH/AHA in der Bendlerstraße (Stauffenbergstraße), beherbergt heute mit der »Gedenkstätte Deutscher Widerstand« einen zentralen Ort der Erinnerung an den Widerstand, und Paul von Hase ist Teil des in der Ausstellung gewürdigten Personenkreises.[101] In der Berliner Stadttopografie verweisen zwei Gedenktafeln[102] auf die Widerstands-Beteiligung Hases. Ein größeres sichtbares Erinnerungs-Symbol, um das sich die Söhne immer wieder bemühten, fehlt jedoch bislang in der Hauptstadt. Dies hätte 1993 die von der französischen Schutzmacht geräumte Militärliegenschaft »Quartier Napoléon« in Berlin-Wedding sein können, die aber dann den Namen »Julius-Leber-Kaserne« erhielt.[103] Ein dortiger Tagungssaal sollte den Namen Paul von Hases tragen. Der Beschluss hierzu war jedoch

---

[100] G. von Hase, Brief an Margarethe von Hase vom 25.03.1961.

[101] Gedenkstätte Deutscher Widerstand Berlin, Begleitmaterial zur Dauerausstellung Widerstand gegen den Nationalsozialismus 14.4., Version 12/90/1.

[102] Am Elternwohnhaus in der Giesebrechtstraße 17 in Berlin-Charlottenburg (Abbildung siehe URL: http://www.luise-berlin.de/Lexikon/Chaiwi/h/Hase_Paul_von. htm, Zugriff: 04.12.2006) bzw. am ehem. Joachimsthalschen Gymnasium in der Bundesallee 1–12 (Abbildung siehe R. Kopp, Paul von Hase, Abb. 41, vor S. 269).

[103] Bundesministerium der Verteidigung: Einweihung der »Julius-Leber-Kaserne« am 5. Januar 1995 in Berlin.

1998 unter dem Eindruck der »Roeder-Affäre« und eines internen MGFA-Gutachtens, das die mit seiner Stadtkommandanten-Funktion verbundene Gerichtsherren-Tätigkeit Hases als problematisch einschätzte, von der Bundeswehr zurückgenommen worden.[104] Dabei blieb es bis heute.[105] Auch eine Straßenbenennung nach Paul von Hase gibt es bislang nicht in Berlin[106], jedoch in Düsseldorf[107] und seit 1996 in Neuruppin.[108]

Hases damaliger Dienst- und Wohnsitz, das Gebäude der Wehrmachtkommandantur mit der markanten Anschrift »Unter den Linden 1«, das kriegsbeschädigt in den 1950er-Jahren abgerissen und durch das DDR-Außenministerium (Abriss 1995/96) ersetzt worden war, wurde von der Bertelsmann-Stiftung – in Erfüllung der Bauauflagen des Berliner Senats mit originalgetreuer Außenfassade von 1874 – wiedererrichtet und Ende 2003 in einem Festakt als Hauptstadt-Repräsentanz des Konzerns seiner Bestimmung übergeben. Mit der Rekonstruktion der historischen Fassade der Kommandantur wurde zwar optisch der (durchaus unterschiedlich zu bewertende[109]) preußische »genius loci« beschwo-

---

[104] R. Kopp, Paul von Hase, Kap. 0.3, S. 34f.

[105] Bundeswehr Berlin/Kommando Territoriale Aufgaben, Mtlg. vom 21.10.2013/ OFw Hüttner.

[106] Hier war 1997 in Zusammenhang mit Umbenennungs-Überlegungen bzgl. der Hoeferstraße in Berlin-Reinickendorf von CDU-Seite der Name Paul von Hases als Namens-Alternative ins Spiel gebracht worden (*Berliner Zeitung* vom 28.01.1997, S. 20).

[107] Hier im Rahmen eines Straßen-Ensembles im Stadtteil Stockum, in dem eine Reihe von Straßen nach Angehörigen des Widerstands benannt sind (vgl. Google Street View).

[108] Hier wurde auf dem Konversionsareal der ehem. Kaserne des Panzerregiments 6 an der B 167 in Alt-Ruppin eine »Paul-von-Hase-Straße« ausgewiesen (vgl. Google Earth). Hase war von Februar bis Oktober 1934 Kommandeur des II./IR 5 in Neuruppin (Axis Biographical Research, URL: http://www.geocities.com/~orion47/WEHR-MACHT/HEER/Generalleutnant/HASE_PAUL.html, Zugriff: 07.08.2013).

[109] Vgl. exemplarisch für die kontroverse mediale Debatte um den Wiederaufbau der Kommandantur: *Skyline*, 24.03.2003: Jurassic Park Preußen, URL: http://www.skyline.de/sky2/skyline/titelthema/thema26 01.asp, Zugriff: 24.03.2003.

ren, jedoch verzichtet der heutige Hauseigner und Global Player Bertelsmann am oder im Gebäude auf jeden Hinweis auf die an diesen Ort gebundene historische Ereignis-Marke der 20.-Juli-Vorgänge und auf die Person Paul von Hases.[110] In der »offiziellen« Erinnerungskultur der Bundesrepublik ist der »20. Juli 1944« – und das Ritual der alljährlichen Berliner Gedenkfeiern im Bendlerblock und in Plötzensee (denen Hases Frau wegen der psychischen Belastung bis zu ihrem Tod im Jahr 1968 meistens ferngeblieben war[111]) – heute ein nicht mehr wegzudenkender Referenzpunkt. Dass diesem Ist-Zustand deutlich andere Phasen vorausgingen, bleibt in den Angehörigen-Familien wie der Paul von Hases schmerzlich bewusst. 1946, im ersten Nachkriegsjahr, waren es noch prophetische Worte, wenn der 1938 von Göttingen nach Großbritannien emigrierte Staatsrechtler Gerhard Leibholz[112] seiner Cousine Margarethe von Hase aus Oxford schrieb:

In der Tat, glaube ich, dass einmal die deutsche Geschichte an das Martyrium dieser Männer anzuknüpfen haben wird, und dass diese Tragödie ein neues Kapitel der deutschen Geschichte eröffnen wird. Und dass Dein Mann zu diesen Männern gehörte, wird uns alle mit berechtigtem Stolz, wenn auch tiefer Wehmut erfüllen.[113]

---

[110] Bertelsmann SE & Co. KGaA, Repräsentanz Berlin, Mtlg. vom 12.08.2013/ Frau N.

[111] Friedrich-Wilhelm von Hase, Mtlg. vom 26.11. u. 30.11.2013.

[112] Prof. Gerhard Leibholz (1901–1982), verheiratet mit Dietrich Bonhoeffers Zwillingsschwester Sabine, war 1935 wegen seines »nicht-arischen« Status von seinem Lehrstuhl an der Universität Göttingen zwangsemeritiert worden und 1938 mit seiner Familie emigriert. Nach dem Krieg lehrte er wieder als Ordinarius in Göttingen, zugleich fungierte er 1951–1971 als Richter am Bundesverfassungsgericht (Neue Deutsche Biographie. Bd. 14. Berlin: Duncker & Humblot, 1985, S. 117-119 (Christoph Link); E. Bethge, Dietrich Bonhoeffer, S. 586, mit abweichendem Datum der Zwangsemeritierung: (»1936«); Franz Walter über den Bundesverfassungsrichter Gerhard Leibholz [Reihe »Göttinger Köpfe«], http://www.demokratie-goettingen.de/blog/ theoretiker-des-parteienstaats, Zugriff: 07.12.2013).

[113] BArch Abt. MA, MSg 1/2404: Gerhard Leibholz, Brief an Margarethe von Hase vom 22.09.1946.

2.3 Christlicher Glaube und militärischer Widerstand gegen Hitler – Hans-Joachim Ramm

Unmittelbar nach dem Scheitern des Staatsstreichversuches setzte eine Verhaftungswelle ein, die nicht nur den relativ engen Kreis der am Attentat Beteiligten und deren Familienmitglieder, sondern darüber hinaus fast alle ihre Kontaktpersonen und Gesprächspartner erfassen sollte.[1] Schon während der ersten Vernehmungen der Festgenommenen wurde durch die Verfolgungsbehörden, in der Regel das RSHA, eine enge Bindung der Beschuldigten an den christlichen Glauben in den sogenannten »Kaltenbrunner-Berichten« dokumentiert, den im Wesentlichen von Walter von Kielpinski zusammengefassten Vernehmungsprotokollen der am Umsturzversuch Beteiligten.[2] Diese Berichte wurden von SS-Obergruppenführer Ernst Kaltenbrunner unmittelbar nach ihrer Abfassung an den Leiter der Parteikanzlei der NSDAP und »Sekretär des Führers« Martin Bormann, den Empfänger der Berichte, übermittelt. So widmete sich die Gestapo in der Folgezeit der kirchlich-konfessionellen Bindung der Oppositionellen einmal im Rahmen der Motivsuche, dann auch um sie wegen ihrer Religiosität zu diffamieren, besondere Aufmerksamkeit. Dabei kommen die Vernehmer immer wieder zur Erkenntnis, dass »für eine große Zahl von Personen innerhalb des Gesamtkreises der Verschwörung ... die konfessionelle Bindung für ihre Einstellung zum Nationalsozialismus

---

[1] Für den vorliegenden Aufsatz vgl. u.a. Hans-Joachim Ramm, »... stets einem Höheren verantwortlich«. Christliche Grundüberzeugungen im innermilitärischen Widerstand gegen Hitler. Stuttgart: Hänssler Verlag, 1996; ders., Christlicher Widerstand im NS-Staat, in: Martin Leiner (Hg.), Gott mehr gehorchen als den Menschen. Christliche Wurzeln, Zeitgeschichte und Gegenwart des Widerstandes. Göttingen: V&R Unipress, 1. Aufl. 2005, S. 203-216.
[2] Hans-Adolf Jacobsen, Spiegelbild einer Verschwörung. Die Opposition gegen Hitler und der Staatsstreich vom 20. Juli 1944 in der SD-Berichterstattung. Geheime Dokumente aus dem ehemaligen Reichssicherheitshauptamt. 2 Bde, Stuttgart: Seewald Verlag, 1984 (Kaltenbrunner-Berichte – im Folgenden: KB), S. 19 (Vernehmung von Bernardis am 21.07.1944), 101, 146, 150f., 167, 199, 304 u.ö.

bestimmend gewesen« ist.[3] Neben allen auch von den Oppositionellen vorgetragenen politischen und militärpolitischen Argumenten[4] stellt somit die Frage nach dem Widerstand gegen eine Obrigkeit, insbesondere auch gegen den Nationalsozialismus, der sich letztlich auch als eine Heilsbewegung verstand, eine religiöse Dimension dar.[5]

In erster Linie ist dabei nicht so sehr auf eine kirchliche Bindung, sondern eine ganz persönliche Frömmigkeit zu verweisen, zumal die (Amts-) Kirchen durch ihr vom Zeitgeist bestimmtes theologisches Selbstverständnis und kirchenpolitisches Taktieren trotz Kenntnis der Untaten des Regimes nicht den Übergang vom kirchenpolitischen zum aktiven politischen Widerstand geschafft haben. Letzteres trifft auch, von wenigen Persönlichkeiten abgesehen, für die Bekennende Kirche zu. Hinweise auf den individuellen Glauben finden wir etwa in privaten Briefnachlässen, so in einigen Abschiedsbriefen – soweit sie verfasst und Angehörige sie erhalten haben[6] – und in Erinnerungen von Zeitzeugen, wie sie uns durch verschiedene Biografien überliefert worden sind.[7]

---

[3] KB, S. 436.

[4] KB, S. 19, 33, 54 u. ö.

[5] Hans Joachim Iwand und Ernst Wolf, Entwurf eines Gutachtens zur Frage des Widerstandsrechts nach evangelischer Lehre, in: Herbert Kraus (Hg.), Die im Braunschweiger Remerprozeß erstatteten moraltheologischen und historischen Gutachten nebst Urteil. Hamburg: Girardet, 1953, S. 11; vgl. Klemens von Klemperer, Glaube. Religion. Kirche und der deutsche Widerstand gegen den Nationalsozialismus, in: VZG 18, 1980, S. 140; vgl. Kurt G.W. Ludecke, I Knew Hitler. The Story of a Nazi Who Escaped The Blood Purge. London: Jarrolds, 1938, S. 465f.

[6] KB, S. 789ff. BA NS 6/50 (Nr. 82-92) vgl. Helmuth James von Moltke und Freya von Moltke, Abschiedsbriefe Gefängnis Tegel. September 1944 – Januar 1945. München: C.H. Beck Verlag, 3. Aufl. 2011; Helmut Gollwitzer (Hg.), Du hast mich heimgesucht bei Nacht. Gütersloh: Gütersloher Verlagshaus, 1994.

[7] Vgl. u.a. Heinrich Bücheler, Hoepner. Ein deutsches Soldatenschicksal des zwanzigsten Jahrhunderts. Herford: Mittler Verlag, 1980; Ders., Carl-Heinrich von Stülpnagel. Soldat – Philosoph – Verschwörer. Berlin/Frankfurt: Ullstein Verlag, 1989; Marion Gräfin Yorck von Wartenburg, Die Stärke der Stille. Erzählung eines Lebens aus dem deutschen Widerstand. München: Dt. Taschenbuchverlag, 1987; Günter Brakelmann, Helmuth James von Moltke. 1907–1945. München: C.H. Beck Verlag, 2007; Eberhard Bethge, Dietrich Bonhoeffer. München: Kaiser Verlag, 1970; Bodo

Dennoch haben Persönlichkeiten der Amtskirche durch ihr Verhalten und ihre zustimmende Unterstützung »die Kräfte des aktiven Widerstands mit einem harten Kern und einer schärferen Schneide versehen als irgendeine äußere Revolte es hätte tun können.«[8] In diesem Zusammenhang können wir auf die Begegnungen etwa des Kreisauer Kreises zu römisch-katholischen Bischöfen wie Konrad von Preysing (Berlin) und Conrad Gröber (Freiburg) sowie dem evangelischen Bischof Theophil Wurm hinweisen, die mit Helmuth James von Moltke im intensiven Kontakt standen und u. a. wegen einer öffentlichen Unterstützung eines Umsturzes via Rundfunk angesprochen wurden.[9] Über Eugen Gerstenmaier, der sich am 20. Juli 1944 ebenfalls in der Bendlerstraße aufhielt, bestand eine enge Verbindung des militärischen Widerstandskreises zu Bischof Wurm; Claus von Stauffenberg, der bei der Suche nach (katholischen) Mitstreitern u. a. die Frage, ob eine Tötung Hitlers mit dem christlichen Glauben vereinbar sei, mit Verweis auf die Thyrannenlehre des Thomas von Aquin

Scheurig, Henning von Tresckow. Ein Preuße gegen Hitler. Frankfurt am Main/Berlin: Ullstein Verlag, 1990; Bodo Scheurig, Ewald von Kleist-Schmenzin. Ein Konservativer gegen Hitler. Oldenburg/Hamburg: Stalling Verlag, 1968; August Graf von Kageneck, Zwischen Eid und Gewissen. Roland von Hößlin – ein deutscher Offizier. Berlin: Ullstein Verlag, 1991; Romedio Graf von Thun-Hohenstein, Der Verschwörer. General Oster und die Militäropposition. München: Dt. Taschenbuchverlag, 1984; Antje Vollmer, Doppelleben. Heinrich und Gottliebe von Lehndorff im Widerstand gegen Hitler und von Ribbentrop. München: btb, 2012; Fabian von Schlabrendorff, Offiziere gegen Hitler. Frankfurt am Main: Fischer Bücherei, 1960; Konstanze von Schulthess, Nina Schenk Gräfin von Stauffenberg. Ein Porträt. München/Zürich: Pendo Verlag, 1. Aufl. 2008; Roland Kopp, Paul von Hase. Von der Alexander-Kaserne nach Plötzensee. Eine deutsche Soldatenbiografie 1885–1944. Münster: Lit Verlag, 2004; Siehe auch die biografischen Skizzen in: Harald Schultze (Hg.), Andreas Kurschat (Hg.), Claudia Bendick (Mitarbeit), »Ihr Ende schaut an ...«. Evangelische Märtyrer des 20. Jahrhunderts. Leipzig: Evangelische Verlagsanstalt, 2006.
[8] Hans Rothfels, Deutsche Opposition gegen Hitler. Eine Würdigung. Frankfurt am Main: Fischer Taschenbuch Verlag, 1986, S. 58.
[9] G. Brakelmann, Helmuth James von Moltke, S. 179 ff.; KB, S. 437.

und auch auf Luther beantwortet hat,[10] hatte persönliche Kontakte zum Erzbischof Konrad von Preysing.[11] Stauffenbergs christliche Glaubenshaltung findet nicht nur ihren Ausdruck im Tragen einer Kette mit einem Kreuz, sondern auch darin, dass er sich am Abend vor dem Attentatsversuch zur inneren Einkehr für längere Zeit in einer Kirche in Steglitz aufgehalten hatte.[12]

Zu diesen Kräften des Widerstands, von denen Rothfels spricht, gehörte der Kreis von Personen, der im Allgemeinen als militärisch-bürgerlicher Widerstand bezeichnet wird. In ihm finden wir viele Zeugnisse, Denkschriften und Erklärungen christlicher Grundüberzeugung verbunden mit einer Ablehnung nationalsozialistischer Politik und Ideologie, wie sie etwa die unter den Papieren von Goerdeler gefundene »Regierungserklärung« zum Ausdruck bringt.[13]

Fast alle Angehörigen des Staatsstreichkreises um den 20. Juli, sowohl die ältere als auch die jüngere Linie der Militäropposition, aber auch ihre zivilen Mitstreiter stammen aus christlicher Tradition und waren in ihrer Mehrzahl überzeugte Christen. Einige von ihnen wie Hans Oster, Joachim Meichßner und Helmut Groscurth haben ihre Wurzeln in einem evangelischen Pfarrhaus oder hatten Theologen als Vorfahren wie Paul von Hase und Friedrich von Rabenau, die anderen im preußischen Adel oder (Groß-)Bürgertum. Die Grundlage für ihren Glauben wurde in diesen Familien durch traditionell christliche Erziehung gelegt, ohne dass man in jedem Fall geistes- oder frömmigkeitsgeschichtliche Hintergründe eruieren kann. Über Glauben und die persönliche Glaubenshaltung wurde selten gesprochen; es war/ist gesellschaftlich nicht üblich. Der christliche Glaube war für sie als Lebens-

---

[10] Peter Hoffmann, Claus Schenk Graf von Stauffenberg und seine Brüder. Stuttgart: Dt. Verl.-Anst., 1992, S. 251; Vgl. Axel von dem Bussche, Eid und Schuld, in: Göttinger Universitätszeitung Nr. 7 v. 7.3.1947.
[11] Joachim Kramarz, Claus Graf Stauffenberg. Frankfurt: Bernard & Graefe Verlag, 1965, S. 160; KB, S. 437.
[12] P. Hoffmann, Stauffenberg, S. 422.
[13] KB, S. 147-156.

grundlage eine Selbstverständlichkeit wie auch ein mehr oder weniger regelmäßiger Gottesdienstbesuch.[14] Von dieser Grundhaltung, die vielfach auch durch eigene Lektüre und in Gesprächen Bestätigung oder Ergänzung fand[15] und die Grundlage einer Gewissensbildung schuf, eben eines verantwortlichen Lebens und Handelns vor Gott, war es für sie undenkbar, dass das Recht gebeugt und dem Schwächeren Unrecht angetan wurde. Es ging ihnen, auch in dieser Reihenfolge, um – mit den späteren Worten des Mitverschwörers Fabian von Schlabrendorff ausgedrückt – pro »Deo, Patriae, Humanitati«.[16]

Dagegen galt es, je mehr die Erkenntnis über die menschenverachtende Brutalität des Regimes wuchs, den christlichen Glauben als die Grundwahrheit des Lebens dagegen zu setzen. Auf dieser Basis begegneten sich schließlich im Laufe der Jahre, vor allem während des Krieges und nicht erst in den Tagen der Haft, Politiker von rechts und links, Protestanten und Katholiken, Gewerkschaftler und Unternehmer, Zivilisten und Soldaten. Ihnen war bewusst geworden, dass das erste Gebot, ja Gott, mit dem Ersatz des Gottesbegriffes durch die Vokabel »Vorsehung« außer Kraft gesetzt wurde. Der schon früh einsetzende psychische und physische Kampf gegen politische Gegner, deren Verfolgung und Inhaftierung in Konzentrationslager, die Rassenpolitik bis hin zur später hinzukommenden Ermordung von Juden und Andersdenkenden in Vernichtungslagern, die Zwangsgleichschaltung von gesellschaftlich relevanten Gruppen oder deren Versuch, die Kirchenpolitik und Unterdrückung der Justiz ließen keinen Zweifel daran, dass etwa das Gebot der Nächstenliebe von den Nationalsozialisten ad absurdum geführt wurde.

So galt es gerade für den sich auf preußische Tradition gründenden militärischen Widerstand, »die Gebote der Menschlichkeit

---

[14] Gespräch des Verfassers mit der Tochter des Generalfeldmarschalls Erwin von Witzleben, Elfriede Reimer, am 29.8.1991.
[15] U.a. bei Karl Heinrich von Stülpnagel, Peter Graf Yorck von Wartenburg, Helmuth James Graf von Moltke, Friedrich von Rabenau.
[16] F. v. Schlabrendorff, Offiziere gegen Hitler, S. 11.

wiederherzustellen [...] und die Ehrfurcht vor Gott wieder zur Grundlage des Lebens zu machen. Wer das erfahren hat, wundert sich nicht, daß die christliche Theologie aller Konfessionen den geistigen Grundstein für den Widerstand gegen Hitler und den Nationalsozialismus gelegt hat.«[17] Denn »Freiheit und Recht [...] haben ihren Urgrund in der Anerkennung Gottes.«[18]

Diese Gedanken, überliefert von Fabian von Schlabrendorff, die wir auch in der von den Putschisten vorbereiteten, oben bereits erwähnten Regierungserklärung wiederfinden, bildeten eine wesentliche unausgesprochene Grundlage für die Haltung der Offiziere im Widerstand.

Das mussten auch die während der nach dem 20. Juli 1944 erfolgten Vernehmungen durch die Gestapo abgefassten sogenannten Kaltenbrunner-Berichte einräumen, und ebenso, dass es sich beim Widerstand gegen das Hitlerregime eben nicht um eine »ganz kleine Clique ehrgeiziger, gewissenloser und zugleich verbrecherisch dummer Offiziere«[19] handelte.

Vielmehr gehörte zum Verschwörerkreis ein weitverzweigter Kreis von Mitgliedern aus dem militärischen und zivilen Bereich. Die Soldaten des Widerstands zeigten im Wesentlichen, wie die Vernehmungen Hans Osters durch die Gestapo erkennen lassen, ein »völliges Unverständnis gegenüber dem Nationalsozialismus als einer das gesamte Leben erfassenden Weltanschauung«.[20] Gewiss haben auch Offiziere, die wir später im engeren Widerstandskreis finden, den Nationalsozialismus und die Machtübernahme mit Sympathie begrüßt.

---

[17] Fabian von Schlabrendorff, Sub specie aeternitatis, S. 20f., in: Bruno Heck (Hg.), Widerstand – Kirche – Staat. Eugen Gerstenmaier zum 70. Geburtstag. Frankfurt/ Berlin/Wien: Propyläen Verlag, 1976.

[18] F. v. Schlabrendorff, Offiziere gegen Hitler, S. 17.

[19] So Hitler in seiner Rundfunkansprache am 21. Juli 1944 gegen 1.00 Uhr nachts, in: 20. Juli 1944. Ein Drama des Gewissens und der Geschichte, S. 162f.; Hitlers Rede am 21.7.1944 bei Max Domarus, Hitler. Reden und Proklamationen 1932–1945. Bd. II. Würzburg: Selbstverl., 1963, S. 2127ff.

[20] KB, S. 303.

Aber sie haben von dieser Einstellung, als ihnen die menschen-verachtende nationalsozialistische Politik auch hinsichtlich der Behandlung der Juden und der Kirchenfrage erkennbar wurde, im Laufe der Jahre deutlich Abstand genommen. Einige von ihnen sind sehr früh »sehend« geworden. Ihre Namen (z. B. Ludwig Beck, Hans Oster, Erwin von Witzleben, Erich Hoepner, Friedrich Olbricht, Karl-Heinrich von Stülpnagel, Paul von Hase, Wilhelm Canaris, Theodor Groppe, Wilhelm Ritter von Leeb) finden wir bei den ersten Staatsstreichversuchen (1938/1939) oder auch eigenen Aktionen (Verbieten von Judenpogrom[21], Befehlsmissachtung[22], Denkschriften[23] etc.) und schließlich beim Umsturzversuch des 20. Juli 1944.[24] Gegen die ideologische Einflussnahme auf die Militärseelsorge durch die NSDAP nutzen höhere Offiziere ihren Spielraum, so widersetzte sich etwa der für diesen Arbeitsbereich zuständige General Friedrich Olbricht.[25] General Paul von Hase nutzte seine Dienststellung als Stadtkommandant von Berlin (1940–1944), indem er die Anzahl der Standortpfarrämter auf sechs erhöhte und diese Positionen mit Geistlichen besetzte, »die aus Gewissensgründen den Wehrdienst ablehnten«.[26] Überdies ging sein Einsatz so weit, dass er als Gerichtsherr die Verfahren gegen seine Neffen Hans von Dohnanyi und Dietrich Bonhoeffer verschleppte, Bonhoeffer im Militärgefängnis in Tegel besuchte,

---

[21] Theodor Groppe, Ein Kampf um Recht und Sitte. Trier: Paulinus-Verlag, 2. Aufl. 1959, S. 15.
[22] Vgl. Hans-Joachim Ramm, »... stets einem Höheren«, S. 156ff.
[23] Denkschriften Ludwig Becks vom 5.5.1938; vgl. Kaus-Jürgen Müller, General Ludwig Beck. Boppard: Boldt Verlag, 1980, S. 542ff. und 9/1939; vgl. Helmuth Groscurth, Tagebücher eines Abwehroffiziers 1938–1940. Stuttgart: Dt. Verl.-Anst., 1970, S. 474-478; Denkschrift Wilhelm Ritter von Leeb vom 11.10.1939; vgl. Peter Hoffmann, Widerstand, Staatsstreich, Attentat. Der Kampf der Opposition gegen Hitler. München: Piper Verlag, 1985, S. 161.
[24] Vgl. P. Hoffmann, Widerstand, Staatsstreich, Attentat, S. 94-195.
[25] Vgl. H.-J. Ramm, »... stets einem Höheren«, S. 218f.
[26] R. Kopp, Hase, in: H. Schultze (Hg.), u. a., »Ihr Ende schaut an ...«, S. 299.

in deren Folge dieser doch einige Erleichterungen wie Umzug in einer größere Zelle erfahren durfte.[27]

Unmittelbar nach dem Scheitern des Aufstandes setzte eine Verhaftungswelle ein, die nicht nur die konkret Beteiligten, sondern deren gesamtes Umfeld, auch Familien und Unbeteiligte erfasste. Jeden Tag wurden umfangreiche Vernehmungen der Beschuldigten, teilweise auch »verschärfte Vernehmungen«, worunter Folter zu verstehen ist, durchgeführt. Die Berichte über Verhöre und einige anschließende Gerichtsverhandlungen im Zusammenhang mit dem 20. Juli in den zwar kritisch auszuwertenden sogenannten »Kaltenbrunner-Berichten« geben dennoch einen tiefen Einblick in die Motive und damit auch christliche Lebenseinstellung der Widerständler.

Bereits in der Zusammenfassung vom 30. Juli 1944 ist von engen Verbindungen zu kirchlichen Kreisen beider Konfessionen die Rede.[28] Über Ludwig Beck wird unter dem 7. August 1944 berichtet, dass er »streng christlich eingestellt« gewesen sei. Stauffenberg habe zahlreiche Beziehungen zum katholischen Klerus, Oberstleutnant Werner von Haeften zum Niemöller-Kreis.

STAUFFENBERG, YORCK, SCHWERIN und SCHULENBURG haben etwa 3 bis 4 Wochen vor dem Anschlag lang und breit darüber gesprochen, daß das Christentum wieder die tragende seelische Kraft der Zukunft sein solle. Generalfeldmarschall von WITZLEBEN, selbst stark kirchlich eingestellt, sagte aus, daß nach den Wünschen der Verschwörer die politische Richtung der neuen Regierung mit ihrer mehr bürgerlichen Orientierung das Christentum stärker in den Vordergrund stellen sollte.[29]

---

[27] E. Bethge, Dietrich Bonhoeffer, S. 911 und 927; vgl. R. Kopp, Hase, in: H. Schultze (Hg.) u.a., »Ihr Ende schaut an ...«, S. 198.
[28] KB, S. 101.
[29] KB, S. 167f.

Die diesbezüglichen Einstellungen und Aussagen werden ganz besonders vor dem erklärten Kirchenfeind Martin Bormann nicht unterdrückt worden sein, schon um sie auch als ideologische Gegner der nationalsozialistischen Weltanschauung darstellen zu können. Zutreffend wird weiterhin im Bericht vom 4. Oktober 1944 festgestellt, dass »die konfessionellen Bindungen und kirchlichen Beziehungen« eine »große Rolle gespielt haben«.[30] Besonders werden in den Zusammenfassungen der Verhöre folgende Soldaten mit einer engen Bindung an den christlichen Glauben oder an die Kirche genannt:

> *Peter Graf Yorck von Wartenburg, L. Beck (streng christlich eingestellt) W. v. Haeften (Beziehungen zum Niemöllerkreis), F.-D. Graf v. d. Schulenburg, E. v. Witzleben (stark kirchlich eingestellt), C. Graf v. Stauffenberg; H. Kaiser; H. Graf v. Lehndorff (persönliche kirchliche Bindung), L. Freiherr v. Leonrod, B. Graf v. Stauffenberg, Joachim Meichssner (erklärter Protestant), R. v. Hösslin, U.-W. v. Schwerin und Alexis Freiherr v. Roenne.*[31]

Wir finden also im Verschwörerkreis des 20. Juli 1944 gläubige Christen beider Konfessionen, Beteiligte, die sich aus Traditionsgründen zur Kirche halten, und wieder andere, die sich mit der Arbeit des politischen Katholizismus oder der Bekennenden Kirche verbunden fühlen. In diesem Zusammenhang können wir auf einige persönliche Kontakte zu Geistlichen beider Konfessionen verweisen. Im Kreisauer Kreis waren von evangelischer Seite Eugen Gerstenmaier, von römisch-katholischer die Jesuiten Alfred Delp, Lothar König und Augustin Rösch regelmäßige Gesprächspartner.

---

[30] KB, S. 434ff.
[31] KB nennt: Yorck S. 110; L. Beck S. 167; W. v. Haeften S. 167; F.-D. v.d. Schulenburg S. 167; E. v. Witzleben S. 167; C. Graf v. Stauffenberg S. 19.167.435.437; H. Kaiser S. 260.458.513; H. Graf v. Lehndorff S. 257.512; L. Frhr. v. Leonrod S. 262ff.435; B. Graf v. Stauffenberg S. 435; Joachim Meichssner S. 435; R. v. Hoesslin S. 435; U.-W. Graf v. Schwerin S. 436; A. Frhr. v. Roenne S. 450.

Bereits 1942 wandte sich Werner von Haeften, später Adjutant Stauffenbergs, während einer Geburtstagsfeier von Pastor Wolf-Dieter Zimmermann an Dietrich Bonhoeffer. Haeften, Konfirmand Martin Niemöllers, war überzeugter Christ und fragte Bonhoeffer, nachdem er dem Gespräch über die gegenwärtigen politischen Probleme kommentarlos zugehört hatte, unvermittelt: »Soll ich schießen? Ich kann mit der Waffe ins Führerhauptquartier kommen; ich weiß, wann die Besprechungen stattfinden; ich kann mir Zutritt verschaffen; ich bin bereit, mein Leben einzusetzen.« Nach einer Erörterung der Eidesproblematik gab Bonhoeffer in dem mehrstündigen Dialog zu bedenken, dass es mit der Beseitigung Hitlers allein nicht getan sei, sondern entsprechende Maßnahmen für die Zeit »danach« getroffen werden müssten. Auf eine nochmalige Nachfrage erwiderte Dietrich Bonhoeffer, »daß er ihm die Entscheidung nicht abnehmen könne. Wenn es für ihn Schuld sei, eine vorhandene Chance nicht genutzt zu haben, dann sei es genauso auch Schuld, leichtfertig mit einer Situation umgegangen zu sein. Schuldlos komme keiner aus solch einer Lage heraus. Doch – Bonhoeffers Trost – Schuld ist immer von Christus getragene Schuld.« Als Werner von Haeften später seinen Bruder mit dieser Frage konfrontierte, riet dieser ihm aus Glaubensgründen mit dem Hinweis auf das 5. Gebot von der Durchführung des Attentats ab.[32]

Militärpfarrer Rudolf Damrath war in Paris für den Militärbefehlshaber General Carl-Heinrich von Stülpnagel, der am 20. Juli den Befehl zum Umsturz gab, der wichtigste theologische Gesprächspartner. Stülpnagel hatte sich intensiv mit Attentat und Eidesproblematik auseinandergesetzt und hielt »Hitler für eine wirkliche Verkörperung des Satans«.[33] In einem letzten Gespräch mit dem Militärpfarrer, das die Satanologie zum Inhalt hatte, ließ

---

[32] Wolf-Dieter Zimmermann, Wir nannten ihn Bruder Bonhoeffer. Einblicke in ein hoffnungsvolles Leben. Berlin: Wichern-Verlag, 1995, S. 112f.; Helmut Gollwitzer, Käthe Kuhn und Roland Schneider, Du hast mich heimgesucht bei Nacht, München: Siebenstern Taschenbuchverlag, 1966, S. 107.

[33] H. Bücheler, Stülpnagel, S. 284, Anm. 73.

Stülpnagel unzweideutig durchblicken, wen er für den Teufel hielt.[34]

Major Ludwig Freiherr von Leonrod wandte sich, nachdem Stauffenberg ihn als Mitstreiter gewonnen hatte, an seinen Beichtvater. Er bat Kaplan Hermann Wehrle um eine theologisch-ethische Erörterung der Problematik des Tyrannenmordes, und für den Fall, dass eine Beteiligung an dieser Tat Sünde vor Gott sei, um seelsorgerlichen Beistand und die Abnahme der Beichte.[35] Der Geistliche besprach mit dem Offizier unter Zuhilfenahme des »Lexikons für Theologie und Kirche« die Problematik des Tyrannenmordes und kam zur Erkenntnis, dass ein Wissen darum keine beichtfähige Sünde sei. Darauf verließ sich der Major, arbeitete an den Staatsstreichplänen mit und wurde am 20. Juli in der Bendlerstraße festgenommen. Im Verlauf der Ermittlungen versuchte Leonrod, möglicherweise unter Folter, wie die Filmaufnahmen des Prozesses gegen ihn erkennen lassen, sich mit Hinweis auf dieses Gespräch zu entlasten. Dadurch geriet jedoch auch sein Beichtvater in das Visier der polizeilichen Ermittlungen. Auch Wehrle, der dem VGH als Zeuge während der Verhandlung gegen Leonrod vorgeführt wurde, machte Freisler wie seinem Beichtkind den Prozess und verurteilte ihn als Mitverräter unter Missachtung geltenden Rechts (Beichtgeheimnis, seelsorgerliche Verschwiegenheit, Zeugnisverweigerungsrecht) zum Tode.[36]

Oberst i. G. Joachim Meichßner, den Claus von Stauffenberg als Attentäter zu gewinnen versuchte, suchte bereits 1943 das Gespräch mit seinem Vater, dem Wittenberger Superintendenten Maximilian Meichßner. Dieser riet ihm aus theologischen Gründen dringend, von der Ausführung eines Attentats Abstand zu nehmen.

---

34 Brief von Pastor Rudolf Damrath an Frau von Stülpnagel vom 13.3.1947, Slg Stülpnagel; vgl. H.-J. Ramm, »... stets einem Höheren«, S. 171.
35 KB, S. 262f., 288f. und 321ff.
36 Zum Fall Leonrod/Wehrle: vgl. Arnim Ramm, Der 20. Juli vor dem Volksgerichtshof. Berlin: wvb, 2007, S. 319-332.

Anders beschied der auch aus Glaubensgründen entschiedene Gegner Hitlers, Ewald von Kleist Schmenzin, seinen Sohn, den Oberleutnant Ewald-Heinrich. Als dieser, angefragt, ob er bereit sei, durch ein Attentat auf Hitler sein Leben zu opfern, seinen Vater um Rat fragt, erhält er nach längerer Überlegung des Vaters die Antwort:»Ja, das musst du tun. Wer in einem solchen Moment versagt, wird nie wieder froh in seinem Leben.«[37]

Von ähnlicher auf christlichem Glauben basierender ethischer Verantwortung ist das Gespräch zwischen Oberst Eberhard Finckh und seinem Adjutanten Wilhelm Ernst einzuordnen. W. Ernst berichtete Richarda Huch, dass er nach »langer und schwerer Überlegung« zur Überzeugung des Tyrannenmordes gekommen sei. So habe er sich im Februar 1944 eines Abends an seinen Vorgesetzten gewandt:

»Herr Oberst [i.e. Finckh], der Kerl [i.e. Hitler] muß weg, geben Herr Oberst mir eine Chance und ich schieße den Unhold über den Haufen.« Ebbo [i.e. Finckh] lag im Bett, das weiße Haar silbrig beleuchtet, auf den linken Ellenbogen aufgestützt und sah mich lange und wortlos an, dreht sich auf den Rücken, sah lange schweigend zur Decke, gab mir dann die Hand:»Gute Nacht.« Ich ging. Am nächsten Morgen kam er sehr zeitig zu mir ins Zimmer (ich war noch beim Anziehen), nahm von meinem Nachttisch die Bibel, die dort lag, schlug sie auf, suchte einen Augenblick und wies mir dann mit dem Finger auf eine Stelle, da stand es, das Gebot »Du sollst nicht töten.« Ich wollte auffahren, erwidern, seine typische leichte Handbewegung schnitt jeder Erwiderung ab. »I geh schon voraus«, ich war allein. Wir haben über diesen Punkt nie mehr gesprochen. Er hatte mir mit dem ganzen heiligen Ernst, der ihn in entscheidenden Dingen beseelte, noch einmal die Frage gestellt:»Weißt du auch, was du willst und was du verantworten mußt?« Ich wußte es. In der folgenden Nacht hat er mir dann

[37] B. Scheurig, Ewald von Kleist-Schmenzin, S. 187.

von seinem Freunde, dem Grafen Stauffenberg, erzählt und von dem Plan der Verschwörung.[38]

Wie fast alle Protagonisten des Widerstands wurde auch Eberhard Finckh wegen seiner aktiven Teilnahme am Umsturzversuch des 20. Juli 1944 vom VGH zum Tode verurteilt und in Plötzensee hingerichtet.

Über Paul von Hase wird berichtet, dass er, nachdem General Friedrich Olbricht ihn am 15.7.1944 vom bevorstehenden Attentat und Staatsstreich in Kenntnis gesetzt hatte, das Gespräch mit dem Berliner Domprediger Bruno Doehring, der dem Nationalsozialismus ablehnend gegenüberstand, »über das Bevorstehende ausgesprochen hat. Der Domprediger bestärkte den Stadtkommandanten im Sinne der Verschwörung.«[39]

Hauptmann Hans Karl Fritzsche schildert in seinen Erinnerungen, dass er nach dem Scheitern des Staatsstreichs am 20. Juli 1944 von der Bendlerstraße kommend seinen Seelsorger aufgesucht und mit ihm die entstandene Situation nicht nur erörtert, sondern auch das billigende Einverständnis des Pastors für sein zukünftiges Verhalten und die Verteidigungslinie habe geben lassen.[40]

Vom ebenfalls durch Stauffenberg für den Widerstand gewonnenen Major Roland von Hößlin wird berichtet, dass er nach dem Attentatsversuch das Gespräch mit seinem ihm als Adjutanten zugeteilten Reserveoffizier und Pastor Erwin Krämer gesucht habe, der ihm offensichtlich die Wege zu einem Glauben aufgeschlossen hat, von dem auch in seinem Abschiedsbrief die Rede ist.[41]

---

[38] Mitteilung von Wilhelm Ernst an Richarda Huch vom 12.1.1947, in: BA-NL Ritter 166, 155.

[39] R. Kopp, Paul von Hase, S. 215.

[40] Vgl. KB, Kommentar S. 964-972, bes. S. 967; Hans Karl Fritzsche, Ein Leben im Schatten des Verrates. Erinnerungen eines Überlebenden an den 20. Juli 1944. Freiburg: Herder Verlag, 1984.

[41] A. Graf von Kageneck, Zwischen Eid und Gewissen, S. 133ff.

Auch auf sehr persönlich seelsorgerlich-kirchliche Bindungen finden wir Hinweise in den SD-Berichten. So wird von Major Hans-Georg Klamroth und Adam von Trott zu Solz berichtet, sie hätten vor der Exekution nach einem Geistlichen verlangt.[42] Es ist kaum anzunehmen, dass ihnen dieser gewährt wurde. Seelsorgerliche Begleitung auf dem letzten Weg wurde zum Tode Verurteilten trotz Protestes der Kirche bereits 1942 verwehrt.[43] Wenn sie in Einzelfällen, vor allem am 8.8.1944, dennoch möglich wurde, war sie einem Versehen zu verdanken, vielleicht auch bewusstem Handeln von Gefängnispersonal, vor allem aber der mutigen Haltung der beiden Gefängnisgeistlichen von Plötzensee, Peter Buchholz (katholisch) und Harald Poelchau (evangelisch), der auch zum erweiterten Widerstandskreis gehörte und vielen Betroffenen in der Haft ein unersetzlicher Seelsorger sein konnte.[44] Harald Poelchau überliefert, dass er seinen (früheren) Vorgesetzten, Paul von Hase, kurz vor seiner Hinrichtung zusammen mit Erwin von Witzleben auf ihrem letzten Gang traf. »Witzleben zeigte« dabei »die überlegene Haltung des vornehmen Herrn der alten Schule. Beide Männer waren tiefernst, ruhig und vollkommen gefasst. Sie gingen als überzeugte Christen in den Tod.«[45]

---

[42] KB, S. 304.

[43] BDC, NG 322: Schreiben des Ev.-Luth. Kirchenrats an Reichsjustizminister Thierack vom 28.12.1942 und die Ablehnung des RJM vom 13.1.1943.

[44] Vgl. Harald Poelchau, aufgez. von Graf Alexander Stenbock-Fermor, Die letzten Stunden. Erinnerungen eines Gefängnispfarrers. Köln: Röderberg Verlag, 1987, S. 99ff.; vgl. Harald Poelchau, Die Ordnung der Bedrängten. München/Hamburg: Siebenstern Taschenbuchverlag, 1965, S. 64.

[45] H. Poelchau, Die letzten Stunden, S. 99; Viktor von Gostomski und Walter Loch, Der Tod von Plötzensee. Erinnerungen. Ereignisse. Dokumente. 1942–1945. Meitingen/Freising: Kyrios Verlag, 1969, S. 185. Der katholische Gefängnispfarrer Peter Buchholz, der mit Poelchau zusammen anwesend war, überliefert, dass, kaum hatten die Seelsorger sich den Gefangenen zugewandt, ihm von einem SS-Mann bedeutet wurde: »Herr Pfarrer, ich habe Ihnen vom Führer zu eröffnen: Sie haben hier sofort zu verschwinden. Der Führer hat ausdrücklich verboten, diesen Männern seelsorgerlichen Beistand zu leisten.« P. Buchholz, Seelsorger im Strafvollzug. Bundesmitteilungen der katholischen Seelsorger im Strafvollzug, Nr. 3, 1981, S. 7-19, hier S. 16.

Als Beispiel christlichen Denkens und Handelns werden programmatische Erklärungen zu christlichem Glauben sowie zum Verhältnis Staat und Kirche angeführt als auch sehr persönliche Äußerungen protokolliert.

In diesem Zusammenhang überliefern die »Kaltenbrunner-Berichte« auch eine kritische Einstellung des Verschwörerkreises zur Rassenpolitik. So gibt Alexis Freiherr von Roenne zu Protokoll, dass er als überzeugter Christ »alle Maßnahmen in der Judenfrage abgelehnt« habe.[46]

Oberstleutnant Robert Bernardis führt beispielsweise an, dass nach Claus von Stauffenbergs Ansicht eine neue Regierung »mehr nach der bürgerlichen Mitte orientiert sein und dass das Christentum stärker in den Vordergrund« gestellt werden müsse.[47] Diese Äußerung Claus von Stauffenbergs verdeutlicht, dass im militärischen Widerstandskreis durch die Verbindung mit dem Kreisauer- und/oder dem Goerdelerkreis die Probleme der Gewissens- und Glaubensfreiheit wie auch die Beziehung von Kirche und Staat erörtert wurden und in die vorgesehene Regierungserklärung C. Goerdelers einflossen. Neben der Wiederherstellung des Rechts, insbesondere der Menschenrechte, einer Neuordnung von Verwaltung und Wirtschafts- und Sozialpolitik sowie dem Bestreben, den Krieg zu beenden, wird gefordert, »die zerbrochene Freiheit des Geistes, des Gewissens, des Glaubens und der Meinung« wiederherzustellen. Dabei wird die Freiheit der Kirchen gefordert und verbunden damit die Trennung von Staat und Kirche genannt und hervorgehoben, dass »das Wirken des Staates ... von christlicher Gesinnung in Wort und Tat erfüllt sein« soll, wobei die Toleranz gegen Andersgläubige und Andersdenkende vorausgesetzt wird. Den Kirchen soll vom Staat insbesondere die Möglichkeit gegeben werden, sich auf dem Gebiet der Sozialarbeit und Pädagogik zu betätigen.

---

[46] KB, S. 168.336.450.
[47] KB, S. 19.

Die Widerständler sehen sich und das Volk in dieser schweren innen- und außenpolitischen Situation von Gott gefordert. »Gott selbst gibt uns die Frage auf, ob wir der von ihm gesetzten Ordnung der Gerechtigkeit entsprechen und seine Gebote, Freiheit und Menschenwürde zu achten sowie einander zu helfen, [be]folgen wollen oder nicht ... Nun stehen wir vor der Frage, ob wir die bitteren Erfahrungen, die wir machen mussten, benutzen und uns der Aussöhnung, dem gerechten Ausgleich der Interessen und der Heilung der furchtbaren Schäden durch Zusammenarbeit zuwenden wollen.«

Ganz entschieden wird dem nationalsozialistischen Gottesbegriff entgegengehalten, dass Gott nicht dazu da sei, »bei jeder billigen Gelegenheit als Vorsehung angerufen zu werden«. Vielmehr wacht er darüber, »daß seine Ordnung und seine Gebote nicht verletzt werden«. Eine Verletzung der Gebote war die »furchtbare Verirrung ... anzunehmen, daß unsere Zukunft auf dem Unglück anderer Völker, auf der Unterdrückung und der Verachtung der Menschen ... aufgebaut werden könne«. Frieden und Vertrauen – auch zu anderen Völkern – lassen sich nur erreichen, wenn »ernsthaft« den in das »Gewissen geschriebenen Geboten Gottes« gefolgt wird, um einen Platz in der Völkerfamilie zu erhalten. Mit dem Gebetsruf »So gebe uns Gott Einsicht und Kraft, dieser furchtbaren Opfer Sinn zum Segen von Generationen zu gestalten« schließt der Entwurf.[48]

In seiner Denkschrift behandelt der Hauptmann d. R. Hermann Kaiser, im Zivilberuf Studienrat, der als Verbindungsoffizier des Wehrkreises XII und als Staatssekretär im Kultusministerium vorgesehen war, die Stellung des Staates zur Kirche. Der bewusst evangelische Christ und Vertraute Carl Goerdelers fordert in seinen Ausführungen im Besonderen die Selbstverwaltung und somit Unabhängigkeit der Kirche vom Staat, Religionsunterricht als Pflichtunterricht, Mitarbeit der Kirche im Schulwesen sowie Über-

---

[48] KB, S. 147-156.

tragung der Wohlfahrtseinrichtungen an die Religionsgemeinschaften.[49] Goerdeler selbst erklärt, dass »die christliche Religion und ihre Lehren Stütze und Leitsatz auch bei allen politischen Maßnahmen im Inneren und Äußeren« sein werden.[50] Einmal war es die staatspolitische Gewissensfrage, ob ein Widerstand gegen die Staatsgewalt berechtigt sei. Hinzu kam die Fragestellung nach der Unverbrüchlichkeit des Fahneneides und im Krieg das Problem, einerseits sich militärisch für den Sieg der eigenen Fahnen einzusetzen und andererseits aber aktiv das Regime zu bekämpfen. So rangen sich vor dem Krieg auch Ludwig Beck und Franz Halder in ihrer soldatisch korrekten Haltung »nur unter inneren Qualen zum Hochverrat durch«.[51]

Auf der anderen Seite war es die ethisch-religiöse Frage um die Befürwortung und Durchführung des politischen Mordes, eines Attentats auf Hitler. Abgesehen von der Problematik einer Übertretung des fünften Gebotes, die, wie oben beispielhaft dargestellt, schon erhebliche Gewissenskonflikte heraufbeschwor, galt für einen deutschen Offizier der Mord am Staatsoberhaupt »als etwas Grundfremdes, Unerhörtes, tief Verabscheutes«.[52] Als Christ und Offizier lehnte beispielsweise auch Franz Halder den politischen Mord ab, er vertrat vielmehr u.a. mit Wilhelm Canaris, Friedrich von Rabenau, zunächst auch mit Erwin von Witzleben und anderen die Ansicht, Hitler festzunehmen, um ihm den Prozess zu machen. Dabei wurde u.a. daran gedacht, Hitler aufgrund eines von Karl Bonhoeffer erstellten psychiatrischen Gutachtens für geisteskrank erklären zu lassen.[53] Auf einem Verbrechen könne eben kein Segen ruhen und es sei ein solches auch als Auftakt für

---

49 Kaiser Denkschrift KB, S. 260. 458. Vgl. 439.
50 KB, S. 170f. Goerdelers Erklärung KB, S. 253ff. zit. 255.
51 Heidemarie Gräfin Schall-Riaucour, Aufstand und Gehorsam. Wiesbaden: Limes Verlag, 1972, S. 202.
52 Eberhard Zeller, Geist der Freiheit. Der 20. Juli. München: Rinn Verlag, 1954, S. 331.
53 E. Bethge, Dietrich Bonhoeffer, S. 710f.

die Rückkehr zum Rechtsstaat ungeeignet.[54] Andere überzeugte Christen wie Ulrich Graf von Schwerin, Henning von Tresckow und letztlich Claus Schenk Graf von Stauffenberg rangen sich unter Zögern, auch unter Beratung mit christlichen Freunden und Theologen, dazu durch, doch den Tyrannenmord zu initiieren und durchzuführen.

Die Widerständler standen nach dem missglückten Staatsstreich dann vor dem Volksgerichtshof, wie H. Moltke es zutreffend (wenn auch vor allem für sich), ich meine aber für fast alle, beschreibt, »nicht als Protestant, nicht als Großgrundbesitzer, nicht als Adliger, nicht als Preuße, nicht als Deutscher ... sondern als Christ und gar nichts anderes.«[55]

---

[54] H. Gräfin Schall-Riaucour, S. 204; Gerhard Ritter, Carl Goerdeler und die deutsche Widerstandsbewegung. Stuttgart: dva, 1955, S. 374.
[55] Moltkes Brief an Freya vom 11.1.1945, in: Helmuth James Graf von Moltke und Beate Ruhm von Oppen (Hg.), Briefe an Freya 1939–1945. München: C.H. Beck Verlag, 1988, S. 624.

2.4 Gebunden an den Fahneneid? – Roland Hartung

E
s musste sich herausstellen, dass eine entscheidende Grund-
erkenntnis den Deutschen noch fehlte: die von der Notwendigkeit der freien verantwortlichen Tat auch gegen Beruf
und Auftrag.«[1] Diese Erkenntnis Dietrich Bonhoeffers aus seiner
Schrift »Nach zehn Jahren« beschreibt sehr treffend das Problem
des Fahneneids.

Die mehr als zwölfjährige Herrschaft der Nationalsozialisten,
beginnend mit der sogenannten Machtergreifung am 30. Januar
1933, nahm ihren Anfang nicht etwa mit einem Militärstreich und
der Besetzung des Reichstages in Berlin. Die Regierung wurde
vielmehr auf der Grundlage des Art. 48 II Weimarer Verfassung
(WRV) gebildet und sie war das politische Ergebnis der beiden
Reichtagswahlen von 1932, bei denen die NSDAP die mit Abstand
stärkste Reichstagsfraktion wurde, mit 37,3 Prozent bzw. 33,1 Prozent.[2] Obwohl sie in diesem Kabinett die Minderheit der Minister
stellten, hatten sie, vom Reichskanzler Adolf Hitler geführt, das
gesamte staatliche Instrumentarium einer Regierung in der Weimarer Republik zur Verfügung, das sie sofort umfassend, rücksichtslos und skrupellos für ihre nationalsozialistische Ideologie
einsetzten. Traditionen, gesellschaftliche Verhaltensmuster, ge-
lebte Loyalitäten gegenüber Staat und Gesellschaft wurden von
Anfang an ausgenutzt und ausgebeutet, Täuschung und Lüge gehörten ohnehin zum politischen Handwerkszeug der Nationalsozialisten.

Viele, viel zu viele, konnten oder wollten sich nicht vorstellen,
dass die Nationalsozialisten einen völlig anderen Staat mit einem
völlig anderen Menschenbild revolutionär umsetzen würden.

---

[1] Dietrich Bonhoeffer, Widerstand und Ergebung. Briefe und Aufzeichnungen aus
der Haft, hg. von Christian Gremmels, Eberhard Bethge und Renate Bethge in Zusammenarbeit mit Ilse Tödt. München, Christian Kaiser Verlag, 1998, Werkausgabe,
Bd. 8, S. 24.
[2] Vgl.: Hagen Schulze, Weimar. Deutschland 1917–1933. Berlin: Severin und Segler,
1982.

Hierzu wurden die Formen des Rechtsstaats benutzt und missbraucht, um Schritt für Schritt die nationalsozialistische Ideologie umzusetzen.

Dazu gehörte von Anfang an das Werben um die Reichswehr und ihre Dienstbarmachung für den neuen Staat. Ein wichtiges Mittel hierfür war der nach soldatischer Tradition geleistete Fahneneid.

Zunächst möchte ich die drei Eidesformeln vorstellen, die in der Zeit des »Dritten Reichs« Geltung hatten: Beim Machtantritt Hitlers hatte der Fahneneid gem. Art. 176 WRV folgenden Inhalt:

Ich schwöre Treue der Reichsverfassung und gelobe, dass ich als tapferer Soldat das Deutsche Reich und seine gesetzmäßigen Einrichtungen jederzeit schützen, dem Reichspräsidenten und meinen Vorgesetzten Gehorsam leisten will.[3]

Am 1. Dezember 1933 änderte die Hitler-Regierung durch Gesetz mit Billigung des Reichspräsidenten die Eidesformel wie folgt:

Ich schwöre bei Gott diesen heiligen Eid, dass ich meinem Volk und Vaterland allzeit treu und redlich dienen und als tapferer und gehorsamer Soldat bereit sein will, jederzeit für diesen Eid mein Leben einzusetzen.

Am 2. August 1934, dem Todestag von Reichspräsident Paul von Hindenburg, wurde durch einen Befehl des Reichswehrministers Werner von Blomberg eine neue Eidesformel erlassen, auf die die

---

[3] Dieses und die folgenden Fassungen des Fahneneids werden zitiert nach: Bundeszentrale für Heimatdienst (Hg.), 20. Juli 1944, 3. Aufl., bearbeitet von Hans Royce, Neubearbeitung und ergänzt von Erich Zimmermann und Hans-Adolf Jacobsen, Bonn: Berto Verlag, 1960, S. 288f., zitiert in: Rüdiger von Voss, Der Staatsstreich vom 20. Juli 1944. Politische Rezeption und Traditionsbildung in der Bundesrepublik Deutschland. Berlin: Lukas Verlag, 2011, S. 50.

Reichswehr noch am gleichen Tag vereidigt wurde. Die neue Eidesformel lautete:

*Ich schwöre bei Gott diesen heiligen Eid, dass ich dem Führer des
Deutschen Reiches und Volkes, Adolf Hitler, dem Oberbefehlshaber der Wehrmacht, unbedingten Gehorsam leisten und als tapferer Soldat bereit sein will, jederzeit für diesen Eid mein Leben
einzusetzen.*

Dieser Fahneneid mit seiner pseudoreligiösen Überhöhung des
soldatischen Führungsprinzips von Befehl und Gehorsam spielte
sowohl im militärischen Widerstand als auch in der Nachkriegszeit bei der Aufarbeitung der Verbrechen im »Dritten Reich« eine
wichtige Rolle. Er wurde immer wieder bei Kriegsverbrechen als
Rechtfertigungs- oder Entschuldigungsgrund herangezogen. Ihm
wurde nicht nur von den Nationalsozialisten ein Totalitätsan-
spruch und eine Unentrinnbarkeit zugesprochen, er stellte später
bei Beteiligten an Kriegsverbrechen geradezu den vermeintlichen
Rettungsanker zur Bemäntelung ihrer Taten im »Dritten Reich«
dar.[4]

Diese Unentrinnbarkeit gab es nicht, es wäre jedoch zu einfach,
würde man sich damit begnügen und sich nicht die damaligen
Umstände und den Zeitgeist der damaligen Epoche vor Augen
führen.

Natürlich bot der Fahneneid in der Fassung vom 2. August 1934
für persönliche Verblendung, Fanatismus oder Feigheit einen vor-

---

[4] Vgl.: Rolf Grawert, Die nationalsozialistische Herrschaft, in: Josef Isensee (Hg.)
und Paul Kirchhof (Hg.), Handbuch des Staatsrechts der Bundesrepublik Deutschland. Bd. 2, Grundlagen von Staat und Verfassung. Heidelberg: Müller, 1995, S. 143-
172; Rudolf Dolzer, Der Widerstandsfall, in: Ebd., Bd. 2, Verfassungsstaat. Heidelberg: Müller, 3. Aufl. 2003, S. 455ff., 476; Horst Möller, Fürstenstaat oder Bürgerna-
tion. Deutschland 1763–1815. München: Goldmann, 1998; Hans Mommsen, Gesell-
schaftsbild und Verfassungspläne des deutschen Widerstandes, in: Hans Mommsen,
Alternative zu Hitler. Studien zur Geschichte des deutschen Widerstandes, München, Beck Verlag, 2000.

dergründig bequemen Rahmen und Halt. Fragt man jedoch nach dem Fehlen jeglicher Empörung und widerständigen Verhaltens, muss man tiefer schürfen. Im deutschen Staatsdenken der Neuzeit war Widerstand gegen staatliche Autorität nicht verankert. Zunächst ist es ebenso richtig wie banal, festzustellen, dass kein Mensch einem anderen Menschen unbedingten Gehorsam versprechen oder leisten kann und darf. Es übersteigt auch unsere heutige Vorstellungskraft, dass die Vorbereitung und Durchführung von Kriegsverbrechen durch eine eidliche Bindung entschuldigt oder gar gerechtfertigt werden könnten. Um jedoch zu einem fundierteren Urteil zu gelangen, soll der sicherlich schwierige Versuch unternommen werden, den damaligen Verhältnissen nachzuspüren und die Entscheidung der Führung der Wehrmacht vor dem Hintergrund ihres jeweiligen damaligen Wissens und ihrer Wertvorstellungen zu spiegeln. Die Reichswehr bzw. Wehrmacht war Teil des Staates, die Führung hatte mit Hitler und seinem Kabinett zusammenzuarbeiten, und sie war im militärischen Bereich für die Umsetzung der Ziele der Nationalsozialisten verantwortlich.

Während des Zweiten Weltkriegs standen etwa 17 Millionen Soldaten auf deutscher Seite einschließlich der Verbündeten unter Waffen. Ihr kollektives Verhältnis zu der Bindung des Fahneneids kann nicht Gegenstand meiner Erörterungen sein, wohl aber das Verhalten der militärischen Führung seit Machtantritt Hitlers und die Verübung von Kriegsverbrechen während des Krieges von Teilen der Truppe.

Die militärische Führung im »Dritten Reich« war im Wilhelminischen Reich geboren und erzogen worden. Sie waren alle Teilnehmer des Ersten Weltkrieges. Viele Militärs sperrten sich gegen die Einsicht, dass Deutschland den Ersten Weltkrieg militärisch verloren hatte. Sie durchschauten auch nicht – oder wollten nicht durchschauen – das üble Spiel von Ludendorff und Hindenburg, die Unterzeichnung des Waffenstillstandsvertrags für den von ihnen geführten und verlorenen Krieg der neuen republikanischen Regierung zuzuschieben und diese dann als »November-Verbrecher« durch die sogenannte Dolchstoß-Legende zu diskreditieren. Die Ablehnung des Versailler Friedensvertrages mit seinem »Alleinschuld-Artikel« Deutschlands durchzog agitatorisch die gesamte Weimarer Republik.

Die Verkleinerung und militärische Minimalisierung der Reichswehr auf 100 000 Mann war für die Militärs eine ständige Demütigung. Durch ihre Herkunft und Erziehung im Wilhelminischen Kaiserreich bestand auch keine innere Bindung zum liberalen und republikanischen Verfassungsstaat von Weimar. Die parteipolitischen Auseinandersetzungen in der Weimarer Republik trafen in Militärkreisen auf Unverständnis. Ein latenter, oft auch expliziter Antisemitismus war in diesen Kreisen salonfähig. Für die Reichswehrführung war somit die Weimarer Republik nie ein wirkliches Anliegen.

Diese Haltungen gehörten aber auch zum ständigen Repertoire der nationalsozialistischen Agitatoren. Als Hitler 1934 die Aufwertung und Vergrößerung der Reichswehr versprach und sie und nicht die SA zum »Waffenträger der Nation« erklärte, erwuchsen schnell zumindest Teilidentitäten zwischen der militärischen Führung und der neuen nationalsozialistisch geführten Reichsregierung.

2.4.1 Staatsidee und Widerstandsrecht

Bereits im fünften vorchristlichen Jahrhundert hat Sophokles das Kernproblem, das Leitmotiv des Widerstands gegen Staatsautorität und Staatsraison in der Tragödie »Antigone« unüberbietbar deutlich beschrieben.

Kreon, König von Theben, verweigerte seinem beim Bruderzwiste getöteten Neffen Polyneikes die Bestattung und damit den Einzug ins Totenreich, weil er mit seiner Gewalttat gegen seinen Bruder und mit seiner gewaltsamen Rückkehr gegen das Gesetz verstoßen habe. Antigone hingegen erachtete es als ihre schwesterliche Pflicht, den Bruder zu beerdigen. In der Auseinandersetzung mit ihrem Onkel, dem König, beruft sie sich auf die »ungeschriebenen Gesetze der Götter«.[5]

Hier ist im Kern die mehr als zweitausendjährige Spannung und Auseinandersetzung beschrieben, ob gegen staatliche Gesetze Widerstand erlaubt und auf welcher Grundlage ein Widerstandsrecht ausgeübt werden kann, ob es vor, über oder neben dem staatlichen Recht ein Naturrecht gibt und wie dieses ausgestaltet ist. Die Debatte um die Existenz eines Naturrechts fand beispielsweise auch im Kreisauer Kreis statt. Selbstverständlich spielte diese Frage auch im Mittelalter eine große Rolle, die Auseinandersetzung zwischen Papst und Kaiser und die Spannungen zwischen dem Kaiser und den Ständen, die die Volkssouveränität repräsentierten. Grundlage der Beziehungen dieser staatlichen Mächte zueinander war der Herrschaftsvertrag, der vor den Königswahlen verhandelt wurde und die Machtverteilung enthielt, die in Wahlkapitularien niedergelegt wurde. Auch das Lehensrecht war auf vertragliche Bindungen angelegt, der Herrscher beschwor diesen Vertrag und es galt der Grundsatz »Getreuer Herr – Getreuer Knecht«. Dieser Grundsatz verdient eine nähere Betrachtung, weil er die Grundformel, den Archetyp herrscherlicher, staatlicher Bindung darstellt.

Zunächst veranschaulichte das Begriffspaar »Herr – Knecht« die hierarchische Über- und Unterordnung der damaligen Zeit. Weiter wurde auf beiden Ebenen Treue verlangt. Damit kam zum Ausdruck, dass der Herrscher, die staatliche Autorität, an das gleiche Treuegelöbnis gebunden war wie der Untergebene. Der Willkür des Herrschers war dadurch vorgebeugt. Schließlich war dieses Treuegelöbnis auf Gegenseitigkeit, auf Wechselbezüglichkeit ausgelegt. Nur der konnte Treue verlangen, der selbst treu war. Wurde der verhandelte Herrschaftsvertrag vom Souverän verletzt, erwuchs hieraus ein Widerstandsrecht. Maßstäbe setzten aber nicht nur die Regelungen des Herrschaftsvertrages, sondern auch

---

5 Sophokles, Antigone, 2. Akt.

das Naturrecht, ein ideales, vorstaatliches Recht, das nach damaliger Auffassung göttlichen Ursprungs war.

Mit Beginn des Absolutismus, der die uneingeschränkte Herrschaft der Fürsten und Könige proklamierte, entwickelte sich im 16. Jahrhundert eine Gegenbewegung, die sogenannten Monarchenbekämpfer oder Monarchomachen. Verstärkt wurde diese Bewegung durch die damaligen Glaubenskriege, und vor allem Calvinisten waren die Protagonisten dieser Bewegung. Sie wandten sich gegen die uneingeschränkte Souveränität der Herrscher und forderten Widerstandsrechte gegen hoheitliche Willkür. Systematisiert hat diese Widerstandsrechte der deutsche, calvinistische Staatsrechtslehrer Johannes Althusius (1563–1638) mit einer Kasuistik von zwölf genau beschriebenen Fällen erlaubten widerständigen Verhaltens.

Über Rousseau fand das Widerstandsrecht gegen willkürliche Staatsgewalt Eingang in die Erklärung der Menschenrechte der Französischen Revolution von 1789, Grundlage hierfür war die staatlichem Recht zugrunde liegende Vernunft.

Unter dem wirkungsmächtigen Einfluss der Philosophie Immanuel Kants nahm das deutsche Staatsdenken einen völlig anderen Weg. Kant verneinte durch seinen erkenntnistheoretischen Ansatz die Existenz eines Naturrechts. Ihm kam es entscheidend auf die Geltung der Rechtsordnung und die Autorität staatlicher Gewalt an. Dies hat er an verschiedenen Stellen seines Werks mehrfach ausgeführt, ein Beleg soll ein Zitat aus seinem Gutachten von 1798 zum »Streit der Fakultäten« seiner Universität sein:

Der schriftgelehrte Jurist sucht die Gesetze der Sicherung des Mein und Dein ... nicht in der Vernunft, sondern im öffentlich gegebenen und höchsten Orts sanktionierten Gesetzbuch ... Es wäre lächerlich, sich dem Gehorsam gegen einen äußeren und obersten Willen, darum, weil dieser angeblich nicht mit der Vernunft übereinstimmt, entziehen zu wollen.[6]

---

6 Immanuel Kant, Der Streit der Fakultäten, in: Schriften zur Anthropologie, Ge-

Dies wurde von Hegel aufgenommen und in seinen Grundlinien der Philosophie des Rechts dahin gesteigert, dass nach seiner Auffassung der Staat das an und für sich sittliche Ganze und die Verwirklichung der Freiheit sei und dass der sich aus dem Staat entwickelte Wille »eben nicht Sache des Volkes«.[7] Vor diesem philosophischen und staatsrechtlichen Denken entstanden die deutsche Staatsgläubigkeit und die Verwerfung des Naturrechts und jeden Gedankens an ein Widerstandsrecht gegen staatliche Autoritäten.[8] So konnte in der zweiten Hälfte des 19. Jahrhunderts der angesehene Rechtsgelehrte Otto von Gierke zu der Meinung gelangen, dass in einem auf einer Verfassung ruhenden Staat einem Bürger unmöglich ein Widerstandsrecht, oder wie er es ausdrückte ein »Recht des Rechtsbruchs«,[9] gegeben werden könne.

Gerhard Anschütz, in der Weimarer Republik ein hochangesehener Staatsrechtslehrer und Kommentator der WRV, brachte noch in der ersten Hälfte des Jahres 1933 die letzte Ausgabe seines Kommentars zur WRV heraus. Er war ein entschiedener Verfechter der Weimarer Republik und sah mit großer Sorge die zunehmende Radikalisierung von Gesellschaft und Staat, insbesondere durch die Ernennung Franz von Papens am 1. Juni 1932 zum Reichskanzler. Er war über Papens sogenannten Preußenschlag vom 20. Juli 1932 empört, der einen glatten Verfassungsbruch dar-

---

schichtsphilosophie, Politik und Pädagogik, Band 1. Frankfurt: Suhrkamp, 1977, Werkausgabe Bd. 11, 1. Abschnitt, I. Vom Verhältnis der Fakultäten, B. Eigentümlichkeit der Juristenfakultät; vgl. auch: ders., Die Metaphysik der Sitten. Frankfurt: Suhrkamp, 1977, Werkausgabe Bd. 8.

[7] Georg Wilhelm Friedrich Hegel, Johannes Hoffmeister (Hg.), Grundlinien der Philosophie des Rechts. Naturrecht und Staatswissenschaft im Grundrisse. Mit Hegels eigenhändigen Randbemerkungen, Hamburg: Meiner, 5. Aufl. 1995, § 301, S. 261f.

[8] Vgl. Kurt Wolzendorff, Staatsrecht und Naturrecht in der Lehre vom Widerstandsrecht des Volkes gegen rechtswidrige Ausübung der Staatsgewalt. Zugleich ein Beitrag zur Entwicklungsgeschichte des modernen Staatsgedankens, in: Untersuchungen zur deutschen Staats- und Rechts-Geschichte; H 126. Breslau: Marcus, 1916.

[9] Otto von Gierke, Naturrecht und deutsches Recht, Frankfurt am Main: Rütten & Loening, 1883: »Allein ein Recht des Rechtsbruchs ist undenkbar.«

stellte. Anschütz vertrat anschließend das Land Preußen beim Staatsgerichtshof in dieser Sache. Trotz der sich abzeichnenden systematischen Aushöhlung der WRV durch die exzessive Anwendung des Notstandsartikels 48 II WRV und dem daraus folgenden zunehmenden Missbrauch dieser Verfassungsvorschrift konnte sich Anschütz ein Widerstandsrecht gegen staatliche Autorität nicht vorstellen, weil er nicht glauben konnte, dass ein Unrechtsstaat auf der Ausnutzung formaler Rechtspositionen errichtet werden könnte. Er schrieb in der erwähnten letzten Ausgabe seines Kommentars, dass es ein über Art. 48 WRV hinausgehendes oder gar naturrechtlich begründetes »Staatsnotrecht« nicht gebe.[10]

Ein solcher Befund ist erstaunlich. Diese Prägung deutschen Staatsverständnisses und deutscher Staatsloyalität spielte Hitler und den Nationalsozialisten nach der Machtübernahme gerade auch im Beamtentum, bei der Justiz und beim Militär in die Hände. Hitler und seine Vasallen haben dies bewusst und bedenkenlos ausgenutzt. Dies mag einer der Gründe gewesen sein, dass bei den meisten hohen Militärs weder bei der Vorbereitung der Hitler'schen Angriffskriege noch bei der Kriegsführung, selbst nicht bei der sich unausweichlich abzeichnenden Niederlage, an widerständiges Verhalten gedacht wurde. Um Missverständnissen vorzubeugen: Dies mag ein Beweggrund gewesen sein, keinesfalls eine Entschuldigung.

Als man sich nach dem Zusammenbruch des »Dritten Reichs« im Jahre 1948 daran machte, eine neue Verfassung, unser Grundgesetz, zu entwerfen und darin Lehren aus der gescheiterten Weimarer Republik zu ziehen, wurde ein explizites Widerstandsrecht in dem Verfassungsentwurf nicht vorgesehen.

Es bedurfte der politischen Auseinandersetzungen um die Notstandsgesetze, damit im Jahre 1968 dem Art. 20 des Grundgesetzes ein vierter Absatz hinzugefügt wurde, der ein Widerstandsrecht in unserer Verfassung verankerte. Allerdings ist es unter

---

[10] Anschütz, Gerhard, Die Verfassung des deutschen Reiches vom 11. August 1919. Kommentar für Wissenschaft und Praxis. Berlin: Stilke, 14. Auflage, 1933.

den Staatsrechtlern herrschende Meinung, dass diese Ergänzungsnorm nicht unter die sogenannte Ewigkeitsklausel des Art. 79 III GG fällt.

2.4.2 Die nationalsozialistische Ideologie und ihre Umsetzung

Die nationalsozialistische Ideologie war ein Gedankengebräu, das in sich selbst keineswegs logisch konsistent war, Zeitströmungen aufgenommen, sich aber als eine revolutionäre Bewegung begriffen hat, die die gesamte Gesellschaft grundlegend umgestalten wollte. Ausgangspunkt dieser Ideologie war die Behauptung der Ungleichheit der Rassen, wobei alleine die germanische, die arische Rasse wertvoll und zur Herrschaft berufen war. In dieser Rassenhierarchie wurden unter der germanischen Rasse die anderen Rassen eingeordnet. Diese Einordnung war gleichzeitig eine Unterordnung und wurde mit dem Werturteil »minderwertig« versehen. So waren beispielsweise die Ostvölker und vor allem aber die Juden minderwertig, die angeblich destruktiv waren und die systematisch als die zu bekämpfende Gegenrasse aufgebaut wurde.

Der Antisemitismus des Nationalsozialismus wurde in erster Linie rassistisch, also durch die Rassenlehre der Nationalsozialisten, und nicht religiös definiert. Da alle anderen Rassen unter der arischen Rasse standen, hatten diese nur dienende Funktionen und konnten zu solchen Zwecken herangezogen werden. Die Juden wurden als eine kulturzerstörerische Rasse angesehen, sie waren daher aus dem Deutschen Reich zu entfernen und später zu vernichten.[11]

Nur die sogenannten Arier waren dazu berufen, als Volksgenos-

---

[11] Zur Judenverfolgung siehe auch: Christopher Browning, Die Entfesselung der »Endlösung«. Nationalsozialistische Judenpolitik 1939–1942. Mit einem Beitrag von Jürgen Matthäus. Aus dem Amerikanischen von Klaus-Dieter Schmidt. Berlin: Pro-

sen eine Volksgemeinschaft zu bilden, in der alle Klassen aufgelöst werden sollten. Es sollte die Einheit von Blut und Boden gebildet werden und auf dieser Grundlage eine mystische Vereinigung von Volk und Führer entstehen. Allerdings war die arische Rasse angeblich ein Volk ohne ausreichenden Raum, sodass die Ausdehnung nach Osten als zwingende Notwendigkeit angesehen wurde. Der Krieg wurde als selbstverständliche Voraussetzung angesehen, um dem Volk den Raum zu verschaffen, den es benötigte, und als zwangsläufige Gegner wurden von Anfang an die Bolschewisten im Osten angesehen. Dieser Kampf erhielt noch seine definitorische Steigerung im »Dritten Reich«, indem es galt, den sogenannten jüdischen Bolschewismus zu vernichten.

Ein krasserer Bruch mit mehr als zweitausend Jahren Kultur- und Zivilisationsgeschichte des Abendlandes ist nicht vorstellbar. Diese Ideologie war bereits vor dem 30. Januar 1933 bekannt, wurde aber von der Mehrheit der Bevölkerung nicht ernst genommen, außer von Hitler und seinen Vasallen: Am 4., am 6. und vor allem am 28. Februar 1933 wurde in drei Notverordnungen der permanente Notstand eingeleitet und die Grundrechte der WRV aufgehoben. Nach der Reichtagswahl vom 5. März 1933, bei der die NSDAP trotz massiven SA-Terrors nur 43,9 Prozent erhielt, wurde am 23. März 1933 das Gesetz zur Behebung der Not von Volk und Reich, das Ermächtigungsgesetz, beschlossen. Nur die SPD stimmte dagegen, die 81 kommunistischen Abgeordneten wurden von der Teilnahme an der Debatte und Abstimmung ferngehalten, um damit die erforderliche qualifizierte Mehrheit für das Gesetz zu erreichen. Mit Gesetz vom 7. April 1933 wurden die Länder gleichgeschaltet.

Am gleichen Tag wurde das »Gesetz zur Wiederherstellung des Berufsbeamtentums« erlassen, wonach jüdische und politisch missliebige Beamte aus dem Staatsdienst zu entlassen waren. Da-

pyläen, 2003; Cüppers, Martin, Wegbereiter der Shoah. Die Waffen-SS, der Kommandostab Reichsführer-SS und die Judenvernichtung 1939–1945. Darmstadt: Wissenschaftliche Buchgesellschaft, 2005.

mit »säuberten« die Nationalsozialisten die Verwaltungen und Gerichte und machten sie zu willfährigen Vollstreckern ihrer politischen Ziele. Am 19. Mai 1933 wurden die Gewerkschaften kraft Gesetzes zerschlagen, die Tarifhoheit aufgehoben und arbeitsrechtlich das sogenannte Direktionsprinzip eingeführt. Am 14. Juli 1933 wurde das Ende der politischen Parteien legalisiert und mit dem Gesetz über Volksabstimmungen dem Reichstag praktisch die Gesetzgebungskompetenz entzogen. Mit Gesetz vom 30. Januar 1934 wurde der sog. Neuaufbau des Reiches verkündet, das heißt, das Deutsche Reich wurde zu einem Zentralstaat. Mit Gesetz vom 14. Februar 1934 wurde folgerichtig dann der Reichsrat abgeschafft, die Kammer der Länder.

Durch Gesetz vom 24. April 1934 wurde der Volksgerichtshof gebildet, der durch Roland Freisler schreckliche Berühmtheit erlangte. Von ihm und anderen deutschen Strafgerichten wurden bis Mai 1945 allein 5286 Todesurteile verhängt. Am 1. August 1934 wurde gesetzlich festgelegt, dass nach dem Ableben von Reichspräsident Hindenburg das Amt des Reichskanzlers mit dem des Reichspräsidenten vereinigt wird. Am 2. August 1934 starb Hindenburg. Am 15. September 1935 wurden die nationalsozialistischen Rassegesetze erlassen, die sogenannten Nürnberger Gesetze, wonach nur solche Bürger als »Reichsbürger« qualifiziert wurden, die der sogenannten Artreinheit entsprachen, also zu »Volksgenossen« wurden. Der absolute Aberwitz wurde mit Gesetz vom 26. April 1942 erreicht, worin der »Führer« zum obersten Regierungschef, zum obersten Befehlshaber und obersten Gerichtsherrn erklärt wurde, der an bestehende Rechtsvorschriften nicht mehr gebunden war. Der Alltag war vom allgegenwärtigen Hitlergruß geprägt.

Diese rechtsstaatlichen Verwüstungen wurden aber nicht in wenigen Jahren nach dem Zusammenbruch gänzlich beseitigt. Erst am 25. August 1998 und mit Ergänzungsgesetz vom 23. Juli 2002 wurden die Urteile des Volksgerichtshofs, der Militärgerichte und Standgerichte, die nationalsozialistische Unrechtsurteile verhängt hatten, durch eine Generalklausel aufgehoben. Es dauerte noch weitere sieben (!) Jahre, bis am 8. September 2009 der Bundestag per Gesetz auch die Urteile wegen sogenannten Kriegsverrats gemäß der Verratsnovelle vom 24. April 1934 aufgehoben hat. Der radikale Staatsumbau und Bruch mit allen staatlichen Traditionen der deutschen Geschichte macht uns Nachgeborene fassungslos. Zwar setzte unmittelbar nach dem 30. Januar 1933 die Emigration und Verhaftung der Gegner des Nationalsozialismus ein, gleichzeitig begann die öffentliche Schikanierung und Ausgrenzung der Juden, aber es regte sich nur bei wenigen und keinesfalls offen Widerstand. Vor allem die Führungseliten in Staat und Gesellschaft fügten sich in das neue System, akzeptierten die systematische nationalsozialistische Durchdringung der Gesellschaft oder nahmen sie zumindest hin. Hieran änderte weder der sogenannte Röhm-Putsch vom Juni 1934 mit einem politisch befohlenen Mord an etwa 90 Personen etwas – andere Quellen gingen von deutlich höheren Zahlen aus – noch die schauerliche Pogromnacht vom 9. November 1938 mit all den toten und verletzten jüdischen Mitbürgern und der Verwüstung und Brandschatzung der Synagogen, jüdischer Geschäfte und Wohnungen.

Sowohl am 2. August 1934 als auch in der Folgezeit wurde der Fahneneid in der Fassung vom 2. August 1934 abgelegt, nur von wenigen, wie General Ludwig Beck, wurde Unbehagen geäußert, von Verweigerung dieses Eides ist nichts berichtet. Da die Offiziere des Generalstabs und der Truppenführung im Kaiserreich und in der Weimarer Republik in rechtsstaatlichen Verhältnissen gelebt haben, fällt es daher sehr schwer, nachzuvollziehen, was sich damals in den Köpfen der Eidesleistenden abgespielt haben mag, als sie den unbedingten Eid auf Adolf Hitler abgelegt haben.

2.4.3 Der Fahneneid und seine Veränderung im »Dritten Reich«

Der Treueeid gegenüber herrscherlicher oder staatlicher Autorität und der die Wahrhaftigkeit einer Aussage verbürgende Eid vor

Gericht waren über Jahrtausende Selbstverständlichkeiten des abendländischen Staats- und Rechtsverständnisses. Sie wurden zwar durch den evangelischen Rat des aufkommenden Christentums zeitweise in Zweifel gezogen, heißt es doch in Matthäus 5, 34-37: »Ich aber sage euch, dass ihr überhaupt nicht schwören sollt [...]. Eure Rede aber sei: Ja, ja; nein, nein. Was darüber ist, das ist vom Übel.« Diese klare Ansage ist in den nachchristlichen Jahrhunderten immer wieder gegen staatliche Autoritäten ins Feld geführt worden, es stellte sich jedoch heraus, dass der Eid als feierliche und bindende Form sowohl für die staatliche Machtausübung als auch für die gerichtliche Wahrheitsfindung letztlich unverzichtbar war. Wie bereits erwähnt, spielte der Herrschaftsvertrag für den Herrscher und die das Volk vertretenden Stände eine zentrale Rolle und die Rückbindung durch die Anrufung Gottes sollte der Eidesleistung eine besondere persönliche Bindung verleihen.

Im mittelalterlichen Machtkampf zwischen den Päpsten und den Kaisern und Königen nahmen sich die Päpste das Recht heraus, unter bestimmten Umständen die Stände und Untertanen von den eidlichen Verpflichtungen gegenüber dem weltlichen Herrscher zu entbinden. Im Absolutismus hatte der Herrscher die oberste und ständige Gewalt, die Souveränität, und ihm gegenüber waren die Treueeide der Untertanen abzulegen. So weit nicht aufgrund des Lehensrechts Kriegsgefolgschaft geleistet werden musste, schloss der Kriegsherr mit Landsknechten in Form von sogenannten Artikelbriefen einen Vertrag ab, der die wechselseitigen Rechte und Pflichten regelte. Diese Artikelbriefe wurden beschworen.

Mit dem Aufkommen stehender Heere wandelten sich die Artikelbriefe in sogenannte Kriegsartikel, die Vorläufer späterer Wehr- und Soldatengesetze. Der »Krieger« beschwor in feierlicher Form unter Anrufung Gottes die Einhaltung der Kriegsartikel, damit war zwischen Landesherr und Soldat ein Vertrag geschlossen. Folglich stellte die Fahnenflucht einen Bruch dieses Vertrags dar. So galten der preußische Kriegsartikel von 1713 und die bayerische Variante von 1717 bis zur napoleonischen Zeit. In Preußen wurde der Kriegsartikel 1808 erneuert. Entscheidend war damals, dass der feierlich geleistete Treueeid der Soldaten auf den namentlich genannten Souverän erfolgte.

Bereits im Vormärz, vor allem aber seit der Revolution von 1848/49 waren die fortschrittlichen Bestrebungen für einen liberalen Verfassungsstaat darauf gerichtet, den Fahneneid der Soldaten und den Treueeid der Beamten auf die Verfassung zu leisten. Mit dem Scheitern der Revolution blieb dieser Wunsch bis zum Ende des Ersten Weltkrieges unerfüllt. Auch im Bismarck-Reich wurde der Fahneneid auf den jeweiligen Landesherrn geleistet. In der preußischen Verfassung von 1850 stand ausdrücklich: »Eine Vereidigung des Heeres auf die Verfassung findet nicht statt.«[12] Die Marine wurde auf den deutschen Kaiser vereidigt.

Die entscheidende Änderung der Eidesformel erfolgte durch Art. 176 WRV. Der Fahneneid wurde erstmals auf die Verfassung abgelegt. Damit sollte die endgültige Integration der Reichswehr in den Verfassungsstaat zum Ausdruck gebracht werden. Bereits am 1. Dezember 1933 änderte Hitler durch Gesetz mit Zustimmung des Reichspräsidenten den Wortlaut des Fahneneides und strich ausdrücklich den Bezug der Eidesleistung auf die WRV.[13] Nur wenige Monate später, am 2. August 1934, wurde der Inhalt des Fahneneides erneut dramatisch verändert. Der Text sei noch einmal wiederholt:

Ich schwöre bei Gott diesen heiligen Eid, dass ich dem Führer des Deutschen Reiches und Volkes, Adolf Hitler, dem Oberbefehlshaber der Wehrmacht, unbedingten Gehorsam leisten und als tap-

---

[12] Otto Büsch und Wolfgang Neugebauer (Hg.), Handbuch der preußischen Geschichte. Vom Kaiserreich zum 20. Jahrhundert und Große Themen der Geschichte Preußens, Bd. III, Historische Kommission zu Berlin, Berlin: de Gruyter 2000, S. 414.
[13] Vgl. auch: Michael Stolleis, Recht im Unrecht. Studien zur Rechtsgeschichte des Nationalsozialismus. Frankfurt am Main: Suhrkamp, 1994.

ferer Soldat bereit sein will, jederzeit für diesen Eid mein Leben einzusetzen.[14]

Noch am gleichen Tag wurde die Reichswehr auf diese neue Formel vereidigt. Die neuere militärgeschichtliche Forschung hat mit erstaunlichen Ergebnissen das Zustandekommen und das Inkraftsetzen dieser Eidesformel aufgedeckt.

Ende Juli 1934 war das Ableben von Reichspräsident von Hindenburg abzusehen. Es war die klare Absicht Hitlers, beide Ämter in seiner Person zu vereinigen. Nach dem sogenannten Röhm-Putsch war die Führung der Reichswehr nicht nur erleichtert, dass mit der Beseitigung der SA-Führung ein möglicher Rivale aus dem Weg geräumt worden war, man versuchte unter völliger Verkennung der nationalsozialistischen Ideologie, Hitler von der NSDAP zu trennen. Man sprach vom Hitlerismus der Reichswehrführung. Exponenten dieser Richtung waren Reichswehrminister Werner von Blomberg und der Chef des Wehrmachtsamtes, Generalmajor Walther von Reichenau. In dieser Zeit diktierte Reichenau in aller Eile seinem Mitarbeiter, Major Foertsch, die Eidesformel des 2. August. Foertsch schrieb später, dass sich Reichenau überhaupt keine Gedanken über staatsrechtliche Implikationen einer solchen Änderung gemacht habe.

Am 1. August 1934 erließ Blomberg aufgrund seines ministeriellen Verordnungsrechts die neue Eidesformel. Das Reichskabinett war zuvor mit dieser Änderung nicht befasst worden. Da der Fahneneid in der Fassung vom 1. Dezember 1933 im damaligen Verteidigungsgesetz festgelegt war, war die neue Formel bereits aufgrund der nachrangigen Rechtsqualität einer Verordnung schlicht rechtswidrig. Hinzu kam, dass auch in der Fassung vom 1. Dezember 1933 die Reichswehr nicht auf den Reichspräsidenten vereidigt worden war, somit war die Vereidigung auf Hitler am 2. August 1934 auch ein klarer Verfassungsbruch. In seinen Memoiren gab

---

[14] S.o., S. 248.

Blomberg unumwunden zu, ohne Auftrag Hitlers gehandelt zu haben.

Nicht alle Offiziere im Generalstab und bei der Truppe nahmen diese Änderung einfach hin. General Ludwig Beck sprach später von dieser Eidesleistung als dem schwärzesten Tag seiner militärischen Karriere. Eidesverweigerungen sind allerdings nicht bekannt.

Dieses Beispiel zeigt, dass sich die Führung der Reichswehr schon sehr früh Hitler untergeordnet hat, bedingungslos, wie es seit dem 2. August 1934 hieß, und dass die angeblich relative Unabhängigkeit der Reichswehr und der späteren Wehrmacht in und vom Nazistaat eine Fabel ist. Aus heutiger Sicht ist schwer nachzuvollziehen, dass und wie sich die Führung der Reichswehr so früh und so bedingungslos unterworfen hat, und noch unverständlicher ist, dass daraus moralische Bindungen erwachsen sein sollten, die jedem widerständigen Verhalten den Boden entzogen hätten.

2.4.4 Auf dem Weg zum Krieg

Am 3. Februar 1933 fand die erste Befehlshaber-Besprechung mit dem neuen Reichswehrminister Werner von Blomberg statt. Auf Druck Hindenburgs musste Hitler Blomberg als Reichswehrminister in sein erstes Kabinett aufnehmen.

Zum Abendessen, das in der Dienstwohnung des Chefs der Heeresleitung, General Kurt von Hammerstein-Equord, im Bendlerblock stattfand, wurde der neue Reichskanzler Adolf Hitler eingeladen. Nach einer kurzen Begrüßungsrede Blombergs, in der er unter anderem über die Überparteilichkeit der Reichswehr sprach, ergriff Hitler das Wort, um den etwa 30 anwesenden Spitzenmilitärs in einer zweistündigen Rede seine mittel- und langfristigen Ziele zu erläutern. Hitler sprach von der »Beseitigung des Krebsschadens der Demokratie«, von der »Ausrottung des Marxismus«, von der Eroberung des Lebensraums im Osten für Deutschland sowie der rücksichtslosen Germanisierung der eroberten Gebiete. Hierfür sei eine starke Wehrmacht und die Wiedereinführung der Wehrpflicht notwendig. Die Aufrüstung müsse jedoch zurzeit noch im Geheimen vonstattengehen, um den »Siegermächten keinen Grund zum Eingreifen zu geben«.

Hitler wusste nicht, dass sowohl Hammerstein als auch Raeder durch ihre hinter einem Vorhang versteckten Adjutanten Niederschriften von der Rede Hitlers fertigen ließen. Insbesondere das Papier des Adjutanten von Hammerstein, des späteren Generalleutnants Curt Liebmann, wird als die sogenannte Liebmann-Niederschrift[15] zitiert. An ihrer Authentizität gibt es keinen Zweifel.

Den versammelten Offizieren wurde also bereits am 4. Tag des Machtantritts Hitlers klar vor Augen geführt, dass er die Reichswehr zu seinem imperialistischen Machtinstrument machen wollte, um seine Ziele auch mit kriegerischen Mitteln zu erreichen. Dies war weder mit der Überparteilichkeit der Reichswehr noch mit der WRV vereinbar. Es musste jedem klar sein, dass die Verwirklichung der von Hitler genannten Ziele einen Verfassungsbruch darstellen würde. Allerdings wird von einem Schock der Beteiligten nicht berichtet, vielmehr trösteten sich einige Teilnehmer mit dem Schillerzitat: »Stets ist die Rede kecker als die Tat!«[16]

Ein Mann zog allerdings hieraus seine Konsequenz, General von Hammerstein, denn er reichte am 27. Dezember 1933 sein Entlassungsgesuch ein, dem entsprochen wurde. Sein Nachfolger wurde am 1. Februar 1934 General Werner von Fritsch.

Am 5. November 1937 lud Hitler die Führung der Wehrmacht und die Spitze des Außenministeriums in die Reichskanzlei ein, um vordergründig über die unzureichende Versorgung der Rüstungsindustrie mit Stahl zu sprechen. Auch hier ergriff Hitler sogleich die Gelegenheit, in einer mehrstündigen Rede seine außen-

---

[15] Walther Hofer (Hg.), Der Nationalsozialismus. Dokumente 1933–1945. Frankfurt am Main: Fischer-Taschenbuch-Verlag, 1978, S. 180f. (Text der Liebmann-Aufzeichnung).

[16] »Stets ist die Sprache kecker als die Tat«, Friedrich Schiller, Wallenstein. Die Piccolomini, I/3, (1799).

politischen Ziele zu erläutern. Erneut ging es um die Erringung von Lebensraum im Osten für das deutsche Volk, auch mit Gewalt, selbst wenn dies nicht risikofrei sei. Bei seinen Ambitionen auf Österreich und die Tschechoslowakei glaubte Hitler, die Briten auf seine Seite ziehen zu können, sodass Frankreich alleine dann nicht eingreifen würde. Er äußerte die große Sorge, dass der deutsche Rüstungsvorsprung zusammenschmelzen würde, sodass spätestens zwischen 1943 und 1945 militärisch zu handeln sei.

Erstmals kam es in dieser Gesprächsrunde zu Einwänden, bei denen vor allem Blomberg, Fritsch und Neurath Bedenken anmeldeten. Hitler empfand dies als einen Affront gegen sich und einige Monate später, im Februar 1938, wurden alle drei aus ihren Ämtern entfernt. Auch dieses Treffen wurde aufgezeichnet, und zwar von Oberst Friedrich Hoßbach, der seine Aufzeichnungen nach Kriegsende ausdrücklich bestätigt hat.[17] Dieses Protokoll spielte in den Nürnberger Prozessen eine wichtige Rolle. Spätestens zu diesem Zeitpunkt konnte in der Wehrmachtsführung niemand mehr irgendeine Illusion über Hitlers Absichten haben, nämlich durch gezielte Angriffskriege den »Lebensraum« des deutschen Reiches und Volkes zu erweitern. Lediglich Ludwig Beck, Generalstabschef des Heeres, versuchte, die Generalität für den Fall zu einem geschlossenen Rücktritt zu bewegen, dass Hitler einen Angriffskrieg beginnen würde. Wie wir wissen, ist Beck gescheitert, sodass er am 18. August 1938 zurücktrat.[18]

Die Vorbereitungen für den von Hitler als ideologisch notwendig erachteten Angriffskrieg gegen die Sowjetunion begannen in der zweiten Hälfte des Jahres 1940. Der Deckname »Barbarossa« wurde hierfür erstmals im Dezember 1940 verwendet. Der Krieg wurde als Weltanschauungskrieg vorbereitet, es ging um die Niederringung des »jüdischen Bolschewismus«, die Gewinnung von Lebensraum im Osten und dessen Germanisierung. Die dort le-

---

[17] Vgl. Friedrich Hoßbach, Zwischen Wehrmacht und Hitler. Wolfenbüttel: Wolfenbütteler Verl. Anst., 1949, Geschichte der Niederschrift.
[18] Vgl. Christian Hartmann, Wehrmacht im Ostkrieg. Front und militärisches Hinterland 1941/42. München: Oldenbourg, 2009.

bende Bevölkerung hatte der dann herrschenden germanischen Rasse zu dienen.

An zwei Beispielen möchte ich zeigen, dass dieser Angriffskrieg bereits bei seiner Vorbereitung nicht nur als Eroberungs-, sondern auch als Vernichtungskrieg angelegt war, unter Bruch des Völkerrechts, der Haager Landkriegsordnung zur rücksichtslosen Unterwerfung der Bevölkerung im Osten.[19]

Am 30. März 1941 legte Hitler in einer Rede in der Reichskanzlei die »Notwendigkeit des Angriffs auf Russland« ausführlich dar. Am 10. Juni 1941 forderte Generaloberst Halder von der Führung der 4. Armee in Zossen, Russland auszuschalten. Bereits am 27. März 1941 vereinbarten Reinhard Heydrich und Eduard Wagner, Generalquartiermeister des Oberkommandos des Heeres, dass die rückwärtigen Räume der Armeen von der SS, dem SD und Sicherheitspolizeieinheiten gesichert werden sollten.

Oberbefehlshaber Walther von Brauchitsch erklärte zur gleichen Zeit: »Das Niederhalten aufständischer Elemente übernimmt der Chef der Polizei, Minister Himmler.« Im Zuge der Vorbereitung des Angriffskriegs auf Russland wurde diese, sarkastisch gesagt, »Aufgabenteilung« allerdings aufgegeben. Die Heeresführung und die Spitzen der SS definierten nämlich, was aufständische Elemente sein sollten und wie sie »niedergehalten« werden sollten. Dies wurde in zwei Erlassen noch vor Kriegsbeginn niedergelegt: Am 13. Mai 1941 gab das Oberkommando der Wehrmacht den sogenannten Kriegsgerichtsbarkeitserlass heraus, der für das »Barbarossa-Gebiet« Geltung habe sollte.

Traditionell war die Militärjustiz in die Heeresverbände inkorporiert, die in besetzten Gebieten die Aufgabe hatte, über die dortige Zivilbevölkerung insbesondere die Strafgerichtsbarkeit auf der Basis der Militärgesetze und der Haager Landkriegsordnung

---

[19] Vgl. Christian Gerlach, Krieg, Ernährung, Völkermord. Deutsche Vernichtungspolitik im Zweiten Weltkrieg. Zürich; München: Pendo, 2001; Hamburger Institut für Sozialforschung (Hg.), Ulrike Jureit (Gesamtred.), Verbrechen der Wehrmacht. Dimension des Vernichtungskrieges 1941–1944. Ausstellungskatalog. Hamburg: Hamburger Edition, 2002.

auszuüben. Militärgerichte, aber auch Standgerichte, sprachen dort Recht in justizförmigen Verfahren.

Dieser Erlass jedoch entzog »bis auf weiteres« den Militärgerichten ihre Zuständigkeit bei »Straftaten feindlicher Zivilpersonen«. Sogenannte »tatverdächtige Elemente« sollten dem nächsten Offizier vorgeführt werden, der dann zu entscheiden hatte, ob diese Personen sofort zu erschießen seien. »Freischärler« waren auf der Flucht sofort zu erschießen. Die Festnahme und Verwahrung Tatverdächtiger war ausdrücklich verboten. In Ortschaften, aus denen Angriffe erfolgten, wo jedoch die Angreifer nicht genau festgestellt werden konnten, hatten Truppenführer, vom Bataillonskommandeur aufwärts, das Recht, »kollektive Maßnahmen« zu ergreifen. Die Empfehlung in dem Erlass war, in den betreffenden Ortschaften sofort »30 Mann erschießen zu lassen«.

Mit diesem Erlass wurde die Zivilbevölkerung in den durch die Wehrmacht besetzten Gebieten der Willkür preisgegeben. Dieser Erlass brach nicht nur Völkerrecht, insbesondere die Haager Landkriegsordnung, er sprach auch jedem Rechtsgefühl, Anstand und einfachsten Moralvorstellungen Hohn. Dieser Erlass wurde nicht von den nationalsozialistischen SS-Schergen erlassen, sondern vom Oberkommando der Wehrmacht.

Noch mehr Aufsehen und Kontroversen erregte der vom Oberkommando der Wehrmacht am 6. Juni 1941 erlassene Kommissarbefehl.[20] Ich zitiere den wesentlichen Inhalt dieses Erlasses wörtlich:

Politische Kommissare als Organe der feindlichen Truppe sind kenntlich an besonderen Abzeichen – roter Stern mit golden eingewebtem Hammer und Sichel auf den Ärmeln ... sie sind aus den Kriegsgefangenen sofort, das heißt noch auf dem Gefechtsfelde, abzusondern. Dies ist notwendig, um ihnen jede Einflussmöglichkeit auf die gefangenen Soldaten abzunehmen. Diese Kommissare wer-

---

[20] Vgl. Felix Römer, Der Kommissarbefehl. Wehrmacht und NS-Verbrechen an der Ostfront 1941/42. Paderborn/München/Wien/Zürich: Schöningh 2008.

den nicht als Soldaten anerkannt; der für die Kriegsgefangenen völkerrechtlich geltende Schutz findet auf sie keine Anwendung. Sie sind nach durchgeführter Absonderung zu erledigen.[21]

Der Angriff auf Russland erfolgte am 22. Juni 1941 im Morgengrauen um 3.30 Uhr. Drei Heeresgruppen, die Heeresgruppen Nord, Mitte und Süd, überschritten die Grenze zur Sowjetunion mit zwölf Armeen und Panzertruppen und 150 Divisionen, insgesamt waren etwa drei Millionen Deutsche und verbündete Truppen im Einsatz. Bereits diese Zahlen verbieten jedoch den einfachen Schluss, die Erlasse seien auch zwingend von allen Heeresverbänden flächendeckend angewendet worden. In der Tat war die Durchführung oder Nichtanwendung außerordentlich unterschiedlich.

Neuere, sehr detaillierte Forschungen, denen das weitgehend vorhandene Aktenmaterial der Wehrmacht zugrunde lag, haben jedoch ergeben, dass beide Erlasse angewendet worden sind. Sicher nachgewiesen sind heute 3430 Exekutionen russischer Kommissare durch Wehrmacht und SS, die Dunkelziffer liegt jedoch erheblich höher. Der Kommissarbefehl war nicht nur völkerrechtlich und moralisch verwerflich, er führte auf russischer Seite zu ähnlichen Vergeltungsmaßnahmen, sodass sich Hitler gezwungen sah, diesen Erlass am 6. Mai 1942 wieder aufzuheben. Die umfangreichen Untersuchungen von Felix Römer, veröffentlicht im Jahre 2008, lassen jedoch keine Zweifel daran, dass die Erlasse, wenn auch nicht überall, so doch häufig angewendet worden sind.

Der Angriffskrieg gegen Russland war also von Hitler und seinen Vasallen als ein ideologisch zu führender Krieg geplant gewesen,

---

[21] Zitiert nach: Hans Buchheim, Martin Broszat, Hans-Adolf Jacobsen, Helmut Krausnick, Anatomie des SS-Staates. Gutachten des Instituts für Zeitgeschichte. Bd. 2. München: dtv, 1967, S. 189; vgl. Helmut Krausnick, Kommissarbefehl und »Gerichtsbarkeitserlaß Barbarossa« in neuer Sicht, in Vierteljahrshefte für Zeitgeschichte 25, 1977, S. 682-738.

bei dem die germanische Rasse Lebensraum im Osten zu gewinnen und die rassisch »minderwertige Bevölkerung« zu unterwerfen hatte. Damit sollte dem »jüdischen Bolschewismus« der Todesstoß versetzt werden. Dieses Ansinnen und seine Durchführung standen im Widerspruch zu allen zivilisatorischen und kulturellen Regeln, in denen auch die Deutschen über Jahrhunderte gelebt hatten, dieser Krieg trug von Anfang an das Kainsmal des Verbrechens auf der Stirn. Darüber hinaus hätte die Wehrmachtsführung auch aus fachlichen Gründen erkennen müssen, und derartige Bedenken wurden von Einzelnen auch geäußert, dass ein Zweifrontenkrieg mit dem wahrscheinlichen Kriegseintritt der USA nie zu gewinnen gewesen war. Niemand, der diese Erlasse erarbeitet, beschlossen und operativ durchgeführt hatte, konnte sich in dem Glauben wiegen, es stehe ihm ein Rechtfertigungs- oder Entschuldigungsgrund, beispielsweise durch den geleisteten Fahneneid, zur Seite.

Meine bisherigen Ausführungen verdeutlichen, dass die nationalsozialistischen Akteure im »Dritten Reich« einen Bruch mit der deutschen und europäischen Zivilisation und Tradition herbeiführen wollten und auch herbeigeführt haben. Schuld trifft jedoch nicht nur die Nationalsozialisten, sondern auch die Führungseliten in Gesellschaft und Militär, die der heraufziehenden Katastrophe durch die deutschen Angriffskriege nicht entgegengetreten sind.

Dies gilt in hohem Maße für die Führung von Reichswehr und Wehrmacht, und der angebliche Fels der deutschen Wehrmacht in der braunen Flut des »Dritten Reichs« hat entweder nicht bestanden oder ist damals zerborsten. Große Teile der deutschen Führungseliten haben zunächst die NS-Ideologie nicht ernst genommen, sie haben sich großenteils später darin eingerichtet, um sich am Ende in den von Hitler vorgenommenen Staatsumbau einzufügen. Die Militärführung konnte spätestens seit 1937 keinen Zweifel mehr an den verbrecherischen und zerstörerischen Kriegsplänen Hitlers haben. Ausnahme und Beispiel ist General Ludwig Beck.

Teile der Führung der Wehrmacht waren bereits Nationalsozialisten oder zumindest Sympathisanten. Der Widerstand kam aus der zweiten und dritten Reihe der militärischen Hierarchie. Dort wurde auch mit der Frage gerungen, ob Widerstand trotz geleistetem Fahneneid möglich oder gar geboten war. Trotz allen Bemühens, die Zusammenhänge der Ereignisse zwischen 1933 und 1945 verstehen zu wollen, die zur größten deutschen Katastrophe geführt haben, bleibt letztlich nur Fassungslosigkeit.[22] Erinnern wir uns an den Grundsatz des Lehensrechts wechselseitiger Bindung: Einen ungetreueren Herrn als Adolf Hitler und seine Spießgesellen konnte man sich auch damals nicht vorstellen, niemand wagte aber daraus den Schluss zu ziehen, dass ein so Ungetreuer von anderen wohl keine Treue verlangen konnte.

Um es mit William Shakespeare in »Heinrich VI.« zu wenden:

Der Sünde schwören, ist schon große Sünde.
Doch größre noch, den sündgen Eid zu halten.[23]

---

[22] Vgl. auch: Peter Steinbach (Hg.), Der 20. Juli 1944 – Vermächtnis und Erinnerung. Katalog zur Sonderausstellung der Gedenkstätte Deutscher Widerstand. Berlin: Gedenkstätte Deutscher Widerstand, 2004.
[23] 5. Akt, 1. Szene.

2.5 Vor dem Volksgerichtshof – Arnim Ramm

Prolog

Paul von Hase sitzt auf der Anklagebank im Plenarsitzungssaal im ersten Stock des Berliner Kammergerichts im Heinrich-von-Kleist-Park. Links und rechts neben ihm sitzen
Wachmänner, in der Reihe vor ihm sein Strafverteidiger Dr. Kunz.
Gegenüber erheben sich die großen Fenster des Saals. Rechts von
ihm erstrecken sich die Zuschauerreihen in den Saal, ausgewählte
Personen aus der NSDAP und ihren Organisationen, der Wehrmacht und Sicherheitsbehörden. In seinem linken Blickfeld steht
die Richterbank. In der Mitte sitzt Dr. Roland Freisler, der Präsident des Volksgerichtshofs, an seiner Seite sitzen die vier Beisitzer, ein hauptamtlicher Richter sowie drei ehrenamtliche Beisitzer.

Es ist Dienstag, der 8. August 1944, ein warmer Sommertag.
Paul von Hase ist wegen Hoch- und Landesverrats aufgrund der
Teilnahme am Umsturzversuch vom 20. Juli 1944 angeklagt. Sieben weitere Männer befinden sich auf der Anklagebank, darunter
namhafte Persönlichkeiten wie Generalfeldmarschall Erwin von
Witzleben, Generaloberst Erich Hoepner und Peter Graf Yorck
von Wartenburg, die allesamt am Ende des Prozesses mit ihm
zum Tode verurteilt werden.[1]

Wenige Tage zuvor, am 4. August 1944, wurde der bisherige
Berliner Wehrmachtskommandant und Generalleutnant von
Hase gemeinsam mit weiteren Offizieren vom sogenannten »Ehrenhof« aus der Wehrmacht in Abwesenheit ausgestoßen. Der Ehrenhof war durch einen Führererlass vom 2. August 1944[2] einge-

---

[1] Eine stenografische Mitschrift der Gerichtsverhandlung ist abgedruckt in: Eugen
Budde und Peter Lütsches, Der 20. Juli. Düsseldorf: Raven Verlag, 1952, S. 35ff.

[2] Führer-Erlaß vom 2. August 1944 (Nr. 346), in: Martin Moll (Hg.), »Führer-Erlas-
se« 1939–1945. Edition sämtlicher überlieferter, nicht im Reichsgesetzblatt abge-

setzt worden, um die in den Umsturzversuch vom 20. Juli 1944 verwickelten Soldaten aus der Wehrmacht auszustoßen, sie dadurch der Gerichtsbarkeit des Reichskriegsgerichts zu entziehen und stattdessen vom Volksgerichtshof aburteilen zu lassen.[3] Bereits kurz nach dem Attentatsversuch hatte Hitler eine entsprechende Anweisung ausgegeben:

Diesmal werde ich kurzen Prozeß machen. Diese Verbrecher sollen nicht vor ein Kriegsgericht, wo ihre Helfershelfer sitzen und wo man ihre Prozesse verschleppt. Die werden aus der Wehrmacht ausgestoßen und kommen vor den Volksgerichtshof. Die sollen nicht die ehrliche Kugel bekommen, die sollen hängen wie gemeine Verräter. Ein Ehrengericht soll sie aus der Wehrmacht ausstoßen, dann kann ihnen als Zivilisten der Prozeß gemacht werden ... die müssen sofort hängen, ohne Erbarmen. Und das Wichtigste ist, daß sie keine Zeit zu langen Reden erhalten dürfen. Aber Freisler wird das schon machen. Das ist unser Wyschinski.[4]

---

druckter, von Hitler während des Zweiten Weltkriegs schriftlich erteilter Direktiven aus den Bereichen Staat, Partei, Wirtschaft, Besatzungspolitik und Militärverwaltung. Stuttgart: Steiner Verlag, 1997, S. 439.
[3] Siehe zur juristischen Problematik der Zuständigkeit des Reichskriegsgerichts: Arnim Ramm, Der 20. Juli vor dem Volksgerichtshof. Berlin: wvb, 2007, S. 72ff.
[4] Auskunft des Rittmeisters Wilhelm Scheidt, Gespräche mit Hitler, in: Echo der Woche vom 9. September 1949; vgl. Max Domarus, Hitler. Reden und Proklamationen 1932–1945. Würzburg: Selbstverl., 1988, Bd. 4, S. 2128 (20. Juli 1944); die Erwähnung Wyschinskis ist ein Hinweis auf den Chefankläger der Moskauer Schauprozesse von 1936 bis 1938, siehe zu seiner Person und seinem Auftreten: Jörg Baberowski, Der rote Terror. Die Geschichte des Stalinismus. Bonn: Bpb, 2007, S. 146ff.; Traudl Junge, Hitlers Sekretärin, hielt in ihren Memoiren die Worte Hitlers fest: »Aber ich werde ein Exempel statuieren, daß jedem die Lust vergeht, ähnlichen Verrat am deutschen Volk zu begehen!«, in: Gertraud Junge, Bis zur letzten Stunde. Hitlers Sekretärin erzählt ihr Leben. München: Claassen Verlag, 2002, S. 149; siehe zu den Überlegungen der Überantwortung an den Volksgerichtshof auch: Elke Fröhlich (Hg.), Die Tagebücher von Joseph Goebbels. Teil II, Diktate 1941–1945. Bd. 13, Juli–September 1944. München: Saur Verlag, 1995, S. 141 (Eintrag vom 23. Juli 1944).

Es ist bereits der zweite Verhandlungstag. Am gestrigen Montag wurde Paul von Hase lediglich einmal von Freisler aufgefordert, sein Geburtsdatum als auch Geburtsort zu nennen. Nun ruft der Vorsitzende Richter ihn auf, zur Vernehmung vor die Richterbank zu treten. Begleitet von den beiden Wachmännern tritt er vor den Präsidenten des Volksgerichtshofs. Er bemerkt nicht die Tonfilmkamera, die – verdeckt durch eine Hakenkreuzfahne – in der Tür hinter dem Richterpult eingelassen ist und Ausschnitte aus dem Prozess aufzeichnet.[5] Die im Gerichtssaal installierten Mikrofone für Tonaufnahmen[6] sind hingegen sichtbar.

Die Vernehmung beginnt.[7] Freisler geht zunächst kurz auf den Lebenslauf Paul von Hases ein, um anschließend auf dessen Anwerbung und Einweihung in die Attentatspläne durch General Olbricht einzugehen. Freisler lässt ihn sprechen und ausreden – ganz im Gegensatz zur Mehrheit der anderen Angeklagten, bei denen er nur kurze Antworten duldet und längere Ausführungen unterbricht. Als Paul von Hase jedoch auf Nachfrage zu seinen Tätigkeiten am Mittag des 20. Juli 1944 »nichts Besonderes« antwortet, bricht es plötzlich aus Freisler heraus, und er brüllt den Angeklagten an: »Nichts Besonderes! Ich hatte gedacht, daß Ihnen in jeder Minute riesengroß vor den Augen hätte sein müssen: Jede Minute, die jetzt abläuft, bin ich Schurke, Verräter und Lump und mehr schuld daran, daß vielleicht unser Führer gemeuchelt wird.«[8]

---

[5] A. Ramm, Der 20. Juli vor dem Volksgerichtshof, S. 204; Bericht des Kameramanns Erich Stoll, in: Hans Royce, Die Wahrheit über den 20. Juli 1944. Bearbeitung der Sonderausgabe der Wochenzeitung »Das Parlament«. Bonn: Bundeszentrale für Heimatdienst, 1953, S. 81, zitiert nach: A. Ramm, Der 20. Juli vor dem Volksgerichtshof, S. 491, Anlage 6.

[6] A. Ramm, Der 20. Juli vor dem Volksgerichtshof, S. 102 und 204 m.w.N.

[7] Die Vernehmung ist abgedruckt in: E. Budde und P. Lütsches, Der 20. Juli, S. 107ff.

[8] E. Budde und P. Lütsches, Der 20. Juli, S. 110.

2.5.1 Der Volksgerichtshof

Die Verfahren des Volksgerichtshofs zum 20. Juli 1944 sind zu einem Synonym für eine erbarmungslose Justiz im »Dritten Reich« geworden. Durch die 1979 der Öffentlichkeit zugänglich gemachten Filmaufnahmen[9] – übrigens die einzigen erhaltenen von Verfahren des Volksgerichtshofs – und das Auftreten und Verhalten des Volksgerichtshofspräsidenten und Gerichtsvorsitzenden Dr. Roland Freisler hat sich ein besonderer Eindruck dieser Prozesse als Ausdruck der nationalsozialistischen Rechtsprechung verfestigt. In der wissenschaftlichen Literatur gelten die Verfahren zum 20. Juli 1944 angesichts der Erkenntnisse aus den Filmaufnahmen wie auch aufgrund entsprechender Äußerungen der Führungsspitzen des NS-Staates als Schauprozesse.[10]

Hiermit wird ein Überblick zum Volksgerichtshof, seinem Aufbau und seiner Entwicklung zum machtpolitischen Instrument der nationalsozialistischen Weltanschauung gegeben, um einen Eindruck zu vermitteln, welcher Institution sich Paul von Hase an den letzten Tagen seines Lebens gegenübersah.[11]

---

[9] Bundesfilmarchiv, Verräter vor dem Volksgerichtshof, Teil 1 und 2 (183 min). Die Filmaufnahmen sind allerdings geschnitten und teilweise unvertont; sie geben nicht vollständige Gerichtsverhandlungen wieder, vgl. hierzu: A. Ramm, Der 20. Juli vor dem Volksgerichtshof, S. 103.

[10] Eingehende wissenschaftliche Begutachtung bei: A. Ramm, Der 20. Juli vor dem Volksgerichtshof, S. 347ff.; siehe zur bloßen Bewertung: Ingo Müller, Furchtbare Juristen. Die unbewältigte Vergangenheit unserer Justiz. München: Droemer Knaur Verlag, 1989, S. 154; Peter Steinbach, Die Rache des Regimes. Prozesse vor dem Volksgerichtshof nach dem 20. Juli 1944. IFDT 7/8, 1997, S. 80, 86; Jörg Friedrich, Freispruch für die Nazi-Justiz. Berlin: Ullstein Verlag, 1998, S. 298.

[11] Siehe für eine wissenschaftliche Vertiefung der Thematik »Volksgerichtshof« das Standardwerk: Die deutsche Justiz und der Nationalsozialismus. Teil III: Walter Wagner, Der Volksgerichtshof im nationalsozialistischen Staat. München: Oldenbourg Verlag, erw. Neuausgabe 2011. Zur juristischen Auseinandersetzung mit den Verfahren zum Attentat vom 20. Juli 1944, den Besonderheiten dieser Verfahren und deren Schauprozesscharakter siehe A. Ramm, Der 20. Juli vor dem Volksgerichtshof.

Entstehungsgeschichte des Volksgerichtshofs

Der Volksgerichtshof wurde durch Gesetz vom 24. April 1934 errichtet.[12] Damit erfüllte sich ein von den Nationalsozialisten bereits länger gehegter Wunsch nach einem nationalen Gerichtshof zum Schutz des Staates. Hitler selbst forderte im zweiten Band seines Werkes »Mein Kampf« aus dem Jahre 1927, dass »einst ein deutscher Nationalgerichtshof etliche Zehntausend ... Verbrecher des Novemberverrats und alles dessen, was dazugehört, abzuurteilen und hinzurichten hat«.[13] Er sprach hiermit auf die vermeintlichen Landesverräter an, die die Niederlage des Deutschen Reichs im Ersten Weltkrieg politisch und militärisch zu verantworten hätten. Seine Forderung bekräftigte er darüber hinaus als Zeuge im sog. Reichswehrprozess, in dem drei Offizieren aufgrund von Kontakten zur NSDAP Hochverrat und Anstiftung hierzu vorgeworfen wurde. Sie sollten versucht haben, nationalsozialistisches Gedankengut in die Reichswehr einzuführen. Als Zeuge bestätigte Hitler, dass die NSDAP ihre Ziele auf legalem Wege zu erreichen suche, unterstrich jedoch, dass bei einem Sieg seiner Bewegung auch ein deutscher Staatsgerichtshof kommen werde, der den November 1918 sühne und Köpfe rollen ließe.[14] Ebenso drohte der NSDAP-Reichstagsabgeordnete Frick in einer Reichstagsdebatte 1929 dem jüdischstämmigen SPD-Abgeordneten Heilmann, dass »wir [die Nationalsozialisten, der Verf.] im kommenden Dritten Reich auf Grund eines Gesetzes gegen Volksverrat und Korruption durch einen Deutschen Staatsgerichtshof Herrn Heilmann als erstes in völlig legaler Weise aufhängen lassen werden«.[15]

---

[12] RGBl. 1934 I, S. 345f. (Artikel III des Gesetzes zur Änderung von Vorschriften des Strafrechts und des Strafverfahrens).

[13] Adolf Hitler, Mein Kampf. 2 Bände in einem Band. München: Eher Verlag, 204.-208. Auflage 1936, S. 610f.

[14] Peter Bucher, Der Reichswehrprozeß. Der Hochverrat der Ulmer Reichswehroffiziere 1929/30. Boppard am Rhein: Boldt Verlag, 1967, S. 237f. und 260.

[15] Verhandlungen des Reichstags, IV. Wahlperiode, 85. Sitzung (13. Juni 1929), Bd. 425, S. 2424.

Als eigentlicher Auslöser für die Errichtung des Volksgerichtshofs wird allerdings gemeinhin der Reichstagsbrand-Prozess[16] angesehen, dessen Ergebnis und Prozessführung durch das Reichsgericht nicht den Erwartungen der Nationalsozialisten entsprach. In den Abendstunden des 27. Februar 1933 ging der Reichstag in Flammen auf. Noch in den brennenden Räumen wurde der holländische Wanderbursche Marinus van der Lubbe entdeckt und festgenommen. Die Führungsspitze der neuen, nationalsozialistischen Reichsregierung – Reichskanzler Hitler, Propagandaminister Dr. Goebbels, Reichstagspräsident und preußischer Ministerpräsident Göring – mutmaßte sofort eine kommunistisch motivierte Tat und meinte hierin das Fanal für einen kommunistischen Aufstand zu erkennen. Bereits am folgenden Tag unterzeichnete der Reichspräsident zwei Notverordnungen, die die Bekämpfung politischer Gegner erheblich erleichtern sollte. Während die Verordnung gegen Verrat am Deutschen Volke und hochverräterischer Umtriebe[17] Strafnormen verschärfte als auch die Grenze zwischen Kritik an der Regierung und Verrat verwischte[18], setzte die Verordnung zum Schutz von Volk und Staat[19] die

---

[16] Vgl. zum Reichstagsbrand-Prozess und seiner wissenschaftlich höchst umstrittenen Bewertung z.B. Fritz Tobias, Der Reichstagsbrand. Legende und Wirklichkeit. Rastatt/Baden: Grote Verlag, 1962; u.a. Walther Hofer (Hg.) und Alexander Bahar (bearb.), Der Reichstagsbrand – Eine wissenschaftliche Dokumentation. Freiburg: Ahriman Verlag, 1992; Aus zeitgenössischer Sicht: Georgi Dimitroff, Reichstagsbrandprozeß. Dokumente, Briefe und Aufzeichnungen. Berlin: Dietz Verlag, 7. durchges. Aufl. 1983; Alfons Sack, Der Reichstagsbrandprozeß. Berlin: Ullstein Verlag, 1934.

[17] RGBl. 1933 I, S. 85. Diese Verordnung war bereits am Nachmittag des 27. Februar 1933, also vor dem Brand des Reichstagsgebäudes, aufgrund von Art. 48 Abs. 2 WRV beschlossen worden; Lothar Gruchmann, Justiz im Dritten Reich 1933–1940. Anpassung und Unterwerfung in der Ära Gürtner. München: Oldenbourg Verlag, 2. Aufl. 1990, S. 958; RGBl. 1934 I, S. 346, Art. III, § 5 I: Demnach galten die Regelungen des Gerichtsverfassungsgesetzes und der Strafprozessordnung für erstinstanzliche Verfahren vor dem Reichsgericht weiterhin fort, soweit nichts anderes bestimmt war.

[18] I. Müller, Furchtbare Juristen, S. 38.

[19] RGBl. 1933 I, S. 83. Nach § 1 der Verordnung wurden die Grundrechte der Freiheit der Person, der Unverletzlichkeit der Wohnung, der Meinungsäußerung einschließ-

Grundfreiheiten der Weimarer Reichsverfassung weitgehend außer Kraft und wurde damit zur faktischen Handlungsgrundlage des nationalsozialistischen Regimes.

Im Rahmen der Ermittlungen wurden neben van der Lubbe noch drei Exilbulgaren sowie der Vorsitzende der KPD-Reichstagsfraktion verhaftet. Gegen diese fünf Personen erhob später der Oberreichsanwalt beim Reichsgericht Anklage wegen Hochverrats und Brandstiftung. Der national als auch international unter besonderer Beobachtung stehende Prozess endete mit der Verurteilung van der Lubbes zum Tode wegen Hochverrats in Tateinheit mit aufrührerischer Brandstiftung, wohingegen die übrigen vier Angeklagten freigesprochen wurden.[20] Unrühmlicher Höhepunkt und zugleich Einblick in die Erwartungshaltung der nationalsozialistischen Regierung war die Zeugenvernehmung Görings, der sich dazu verleiten ließ, dem angeklagten Exil-Bulgaren Dimitroff vorzuhalten: »Sie sind in meinen Augen ein Gauner, der direkt an den Galgen gehört ... Warten Sie nur, bis wir Sie außerhalb der Rechtsmacht dieses Gerichtshofs haben werden!«[21]

Van der Lubbe wurde am 10. Januar 1934 hingerichtet, die drei Exilbulgaren im darauffolgenden Monat in die Sowjetunion abgeschoben, der Fraktionsvorsitzende der KPD im Reichstag blieb trotz des Freispruchs bis 1935 in »Schutzhaft«.

Trotz der Todesstrafe für van der Lubbe entsprach das Urteil nicht den Vorstellungen des NS-Regimes. Es kritisierte, neben der Art der Prozessführung, die weitgehende Beachtung der strafprozessualen Vorschriften sowie vor allem die Länge des Verfah-

---

lich der Pressefreiheit, der Versammlungsfreiheit, der Vereinsgründungsfreiheit, des Post-, Telegraphen-, Fernsprechgeheimnisses sowie die Gewährleistung von Eigentum außer Kraft gesetzt und deren Beschränkung auch außerhalb der sonst hierfür bestimmten gesetzlichen Grenzen für zulässig erklärt.

[20] Vgl. Abdruck des Urteils in: A. Sack, Der Reichstagsbrandprozeß, S. 325ff.

[21] G. Dimitroff, Reichstagsbrandprozeß, S. 136f. (Vernehmung Görings am 4. November 1933).

rens. Reichsinnenminister Frick monierte in einem Schreiben an den Reichsjustizminister Gürtner die Geeignetheit des Reichsgerichts für »derartige Schwerverbrechen« zur Findung einer »raschen und abschreckend wirkenden Sühne«. Er bezeichnete die Verfahrenslänge als »schweren Fehler« und forderte die Einsetzung eines Sondergerichts.[22] Auch Hitler bemängelte, dass das Verfahren sich in die Länge gezogen und zu einem lächerlichen Ergebnis geführt habe; der Verurteilte sei zudem nicht binnen drei Tagen gehängt worden.[23]

Der Unmut über diesen Prozess führte zu Überlegungen, einen eigenen Gerichtshof für derartige Prozesse zu schaffen,[24] um »die unbedingte Gewähr für ein schnelles und den Interessen des Staates Rechnung tragendes Verfahren und Urteil« zu haben.[25] Dementsprechend beschloss die NS-Führung auf einer Ministerbesprechung am 23. März 1934 die Einrichtung eines besonderen Volksgerichtshofs für die Aburteilung von Hoch- und Landesverratsstraftaten,[26] die mit dem Gesetz vom 24. April 1934 realisiert wurde.

---

[22] Bundesarchiv Film 21754, Reichsjustizministerium Nr. 5745, Bl. 12 (Schreiben vom 18. Januar 1934). SA-Gruppenführer Weiß konstatierte in DJ 1935, S: 1709: »Die Verfahren, die vor diesem Gericht [Reichsgericht, der Verf.] anhängig waren, konnten gar nicht zu einem in nationalpolitischer Hinsicht befriedigenden Ergebnis führen; denn auch das Reichsgericht war in seiner Arbeit und in seiner Tendenz abhängig von der allgemeinen politischen und geistigen Grundhaltung, die im demokratischen Staat von Weimar herrschte.«

[23] Henry Picker, Hitlers Tischgespräche im Führerhauptquartier. Stuttgart-Degerloch: Seewald Verlag, 3., vollst. überarb. und erw. Aufl. 1976, S. 279 (10. Mai 1942 abends).

[24] Zitat Hitlers aus dem Dokument IfZ ZS 2335, in: L. Gruchmann, Justiz im Dritten Reich 1933–1940, S. 958: »... [Es ist aber, der Verf.] falsch, einem Gerichtshof, der zur Nachprüfung formaljuristischer Fragen berufen ist [das Reichsgericht, der Verf.], eine Tatsacheninstanz in die Hand zu drücken. Damit ist er überfordert. Ich habe daher vor, für derartige Dinge einen eigenen Gerichtshof zu schaffen.«

[25] Bundesarchiv Film 21754, Reichsjustizministerium Nr. 5745, Bl. 12 (Schreiben vom 18. Januar 1934).

[26] Bundesarchiv R 43 I / 1468, fol. 167ff., 297ff.

Die Gründung des Volksgerichtshofs

Das Gesetz zum Volksgerichtshof regelte den Aufbau des Volksgerichtshofs, seine sachliche Zuständigkeit und änderte zudem Verfahrensvorschriften.[27]

Aufbau des Volksgerichtshofs

Der Volksgerichtshof entschied in den Hauptverhandlungen mittels dreier Senate in einer Besetzung von fünf Mitgliedern. Außerhalb einer Hauptverhandlung waren lediglich drei Mitglieder erforderlich. Nur der Vorsitzende Richter und ein weiteres Mitglied mussten die Befähigung zum Richteramt besitzen.[28] Die übrigen Richter waren ehrenamtliche Beisitzer ohne juristische Vorbildung.[29] Durch die Einbindung von nicht juristischen Beisitzern sollte die Verbundenheit des Gerichts zum Volk zum Ausdruck kommen.[30]

Die Mitglieder des Volksgerichtshofs wurden vom Reichskanzler auf Vorschlag des Reichsjustizministers für fünf Jahre ernannt.[31] Auf diese Weise stellte die politische Führung ihren Einfluss auf den Volksgerichtshof sicher.[32] Die Berufsrichter wurden dabei weniger nach politischen Kriterien ausgewählt – die Parteimitgliedschaft wurde erst unter Reichsjustizminister Thierack obligatorisch –, sondern vor allem nach ihren Fähigkeiten. Die Auswahl der ehrenamtlichen Beisitzer orientierte sich neben politischen Erwägungen auch an der jeweiligen Sachkunde[33], einem Proporz gesellschaftlicher und parteipolitischer Organisatio-

---

[27] RGBl. 1934 I, S. 341ff. (Gesetz zur Änderung von Vorschriften des Strafrechts und des Strafverfahrens).

[28] RGBl. 1934 I, S. 345, Art. III, § 1.

[29] Sie sollten jedoch laut der amtlichen Begründung »über besondere Erfahrungen tatsächlicher Art auf dem Gebiete der Abwehr staatsfeindlicher Angriffe verfügen«, DJ 1934, S. 595, 597.

[30] Völkischer Beobachter vom 31. Juli 1934.

[31] RGBl. 1934 I, S. 345, Art. III, § 2.

[32] Vgl. Weiß, DJ 1935, S. 1709.

[33] Der Begriff »Sachkunde« umfasst hier weniger Rechtskenntnis als vielmehr »eine primär feindbildorientierte und mit der Unparteilichkeit des Richteramts unver-

nen (z. B. Wehrmacht, Hitlerjugend, Reichsnährstand etc.) sowie der regionalen Zuordnung.[34]

Aus der Menge der hauptamtlichen Mitglieder bestellte der Reichsjustizminister die Senatsvorsitzenden und bestimmte einen von ihnen zum Präsidenten des Volksgerichtshofs.[35] Ferner konnte er auch hauptberufliche Richter als besondere Ermittlungsrichter am Volksgerichtshof für die Dauer eines Geschäftsjahres bestellen.[36]

Anklagebehörde war der beim Reichsgericht in Leipzig ansässige Oberreichsanwalt.[37]

Zuständigkeiten

Der Volksgerichtshof war erst- und letztinstanzlich zuständig[38] für die Untersuchung und Entscheidung in Fällen des Hochverrats[39] und Landesverrats[40] sowie für Angriffe gegen den Reichspräsidenten[41] und die Tötung von Mitgliedern der Reichs- oder Landesregierung[42]. Die bisherige Zuständigkeit des Reichsgerichts für Hoch- und Landesverrat ging somit auf den Volksgerichtshof über. Gleichzeitig mit der Errichtung des Volksgerichtshofs erfuh-

---

einbare« Sichtweise; Jürgen Zarusky, Walter Wagners Volksgerichtshofs-Studie von 1974 im Kontext der Forschungsentwicklung, in: W. Wagner, Der Volksgerichtshof, S. 1013.

[34] Vgl. zu den haupt- und ehrenamtlichen Richtern: Klaus Marxen, Das Volk und sein Gerichtshof. Eine Studie zum nationalsozialistischen Volksgerichtshof. Frankfurt am Main: Klostermann Verlag, 1994, S. 57ff.; Wolfgang Eder, Das italienische Tribunale Speciale per la Difesa dello Stato und der deutsche Volksgerichtshof. Ein Vergleich zwischen zwei politischen Gerichtshöfen. Frankfurt am Main: Lang Verlag, 2002, S. 125f.

[35] RGBl. 1934 I, S. 492 (1. Verordnung über den Volksgerichtshof vom 12. Juni 1934).

[36] RGBl. 1934 I, S. 346, Art. IV, § 1.

[37] RGBl. 1934 I, S. 345, Art. III, § 1 Abs. 3.

[38] RGBl. 1934 I, S. 345, Art. III, § 3 Abs. 1.

[39] §§ 80–84 StGB.

[40] §§ 89–92 StGB.

[41] § 94 Abs. 1 StGB.

[42] § 5 Abs. 2 Nr. 1 der Verordnung zum Schutz von Volk und Staat vom 28. Februar 1933, RGBl. 1933 I, S. 83.

ren die Tatbestände des Hoch- und Landesverrats eine Strafrahmenverschärfung. Nunmehr konnte in zwölf Fällen die Todesstrafe ausgesprochen werden.[43] Sofern das angeklagte Verhalten weitere Straftatbestände berührte, für die der Volksgerichtshof grundsätzlich nicht zuständig war, konnte er hierüber ebenfalls urteilen.[44]

Der Zuständigkeitskatalog des Volksgerichtshofs erweiterte sich im Laufe der Jahre.[45] Ihm wurden unter anderem schwerste Fälle der Wehrmittelbeschädigung, unterlassene Anzeige eines Verbrechens aus der Zuständigkeit des Volksgerichtshofs und Gefährdung der Wehrmacht befreundeter Staaten zugewiesen. Dazu kamen unter bestimmten Voraussetzungen auch die Aburteilung von Straftaten nach der Kriegssonderstrafverfahrensordnung wie beispielsweise die Spionage oder die öffentliche Wehrkraftzersetzung. Des Weiteren erhielt der Volksgerichtshof später die Möglichkeit, Straftaten in der Zuständigkeit von Sondergerichten[46] an sich zu ziehen und abzuurteilen wie auch an sie zu verweisen.[47]

Die sachlich ausschließliche Zuständigkeit des Volksgerichtshofs wurde durch die Errichtung des Reichskriegsgerichts 1936 einge-

---

[43] RGBl. 1934 I, S. 341, Art. I (Gesetz vom 24. April 1934).

[44] RGBl. 1934 I, S. 345, Art. III, § 3 Abs. 2, 3.

[45] Vgl. zum Ganzen wie auch Details: A. Ramm, Der 20. Juli vor dem Volksgerichtshof, S. 114ff.

[46] Sondergerichte waren durch eine Verordnung der Reichsregierung vom 21. März 1933 (RGBl. 1933 I, S. 136) geschaffen worden und zuständig für die Aburteilung von Straftaten der Verordnung zum Schutz von Volk und Staat vom 28. Februar 1933 (RGBl. 1933 I, S. 83) und der Verordnung zur Abwehr heimtückischer Angriffe gegen die Regierung der nationalen Erhebung vom 21. März 1933 (RGBl. 1933 I, S. 135), soweit das Verfahren nicht dem Reichsgericht oder Oberlandesgericht zugeordnet war. Sie waren Gerichte für einen Ausnahmezustand und dementsprechend in ihrem Wirken auf politisch motivierte Straftaten beschränkt; vgl. Wolfgang Idel, Die Sondergerichte für politische Strafsachen. Schramberg: Gatzer & Hahn Verlag, 1935, S. 4f.

[47] RGBl. 1943 I, S. 76, § 25 II.

schränkt.[48] Bei Verhaltensweisen von Personen, die der Militär-gerichtsbarkeit unterworfen waren (vor allem Soldaten und Wehr-machtsbeamte), entschied das Reichskriegsgericht erst- und letzt-instanzlich neben den Fällen des Militärstrafgesetzbuchs u.a. in Fällen des Hoch- und Landesverrats,[49] bei Angriffen auf den Füh-rer und Reichskanzler[50] sowie bei der Nichtanzeige von Strafta-ten[51] in der Zuständigkeit des Reichskriegsgerichts oder Volks-gerichtshofs.[52]

In territorialer Hinsicht erstreckte sich die Zuständigkeit des Volksgerichtshofs über das Reichsgebiet hinaus auf die ange-schlossenen als auch durch Krieg eroberten Gebiete (z.B. Öster-reich, Böhmen und Mähren, Polen).[53]

Sitz des Volksgerichtshofs
Der Sitz des Volksgerichtshofs war Berlin.[54] Hierin spiegelte sich bereits seine Eigenständigkeit und Trennung vom Reichsgericht in Leipzig wie auch die Nähe zur politischen Macht wider.[55] Die Räumlichkeiten befanden sich im ehemaligen Preußischen Abge-ordnetenhaus in der Prinz-Albrecht-Str. 5, wo der Volksgerichts-hof auch feierlich am 14. Juli 1934 eröffnet wurde. Im Mai 1935 zog das Gericht in die Bellevuestr. 15 um, wo es bis 1945 blieb. Trotz seines Sitzes in Berlin hielt der Volksgerichtshof auch aus-wärtige Sitzungen innerhalb des Deutschen Reichs (z.B. im Fall

---

[48] RGBl. 1936 I, S. 517.
[49] §§ 80–92 StGB.
[50] § 91 StGB.
[51] § 139 Abs. 2 StGB.
[52] Vgl. dazu A. Ramm, Der 20. Juli vor dem Volksgerichtshof, S. 116.
[53] Vgl. hierzu W. Wagner, Der Volksgerichtshof, S. 66ff.
[54] RGBl. 1934 I, S. 492, § 1 der 1. Verordnung.
[55] W. Wagner, Der Volksgerichtshof, S. 19; Karen Holtmann, Die Saefkow-Jacob-Bästlein-Gruppe vor dem Volksgerichtshof. Die Hochverratsverfahren gegen die Frauen und Männer der Berliner Widerstandsorganisation 1944–45. Paderborn: Schöningh Verlag, 2010, S. 97, sieht hierin zugleich die politische Funktion wie-dergegeben, die dem Volksgerichtshof zugemessen wurde.

der Weißen Rose in München[56]) oder in den besetzten Gebieten[57] ab. Für die Verfahren zum 20. Juli 1944 verlegte der Volksgerichtshof seine Verhandlungen in den Plenarsitzungssaal des Berliner Kammergerichts am Heinrich-von-Kleist-Park. Aufgrund des Vorrückens der Alliierten sowie infolge der Zerstörung durch Bombardierungen am 3. Februar 1945 zog der Volksgerichtshof im selben Jahr nach Potsdam um.[58]

Die Institutionalisierung des Volksgerichtshofs

Den entscheidenden Schritt zur Einbindung des Volksgerichtshofs in das nationalsozialistische Staatswesen erbrachten das Gesetz über den Volksgerichtshof vom 18. April 1936 sowie die Verordnung zur Durchführung des Gesetzes über den Volksgerichtshof.[59]

§ 1 des Gesetzes erhob den Volksgerichtshof zu einem ordentlichen Gericht im Sinne des Gerichtsverfassungsgesetzes. Zuvor hatte der Volksgerichtshof als Sondergericht gegolten.[60]

Die neue Stellung des Volksgerichtshofs kam nicht nur durch einen eigenen Etat, sondern auch im Aufbau und Organisation zum Ausdruck. Der Volksgerichtshof wurde nunmehr mit hauptamtlichen Mitgliedern besetzt, wobei der Präsident, die Senatspräsidenten und Räte auf Lebenszeit ernannt wurden.[61] Eine Abordnung von Richtern an den Volksgerichtshof fand nicht mehr statt. Ehrenamtliche Mitglieder wurden vom Führer für die Dauer von

---

[56] W. Wagner, Der Volksgerichtshof, S. 202.
[57] Vgl. dazu die umfangreiche Aufstellung bei W. Wagner, Der Volksgerichtshof, S. 442ff.
[58] Vgl. dazu das Schreiben Thieracks an Goebbels vom 5. Februar 1945, Bundesarchiv R 3001/4692, fol. 126; Günther Wieland, Das war der Volksgerichtshof. Ermittlungen, Fakten, Dokumente. Berlin: Staatsverlag der Dt. Demokrat. Republik, 1. Aufl. 1989, S. 94.
[59] RGBl. 1936 I, S. 369 (Gesetz); RGBl. 1936 I, S. 398 (Verordnung).
[60] Vgl. Fn. 46; W. Idel, Die Sondergerichte für politische Strafsachen, S. 45f.
[61] RGBl. 1936 I, S. 369, §§ 2, 3.

fünf Jahren bestellt.[62] Hilfsrichter konnten zur Herstellung eines ordnungsgemäßen Geschäftsgangs an den Volksgerichtshof abgeordnet werden.[63]

Dem Präsidenten des Volksgerichtshofs oblag die Verteilung der Geschäfte unter die Senate. Er bestimmte, welchem Senat er sich selbst anschloss, und teilte die Mitglieder den Senaten zu.[64] Er setzte ebenfalls die Vertreter der Senatsvorsitzenden und ihre Mitglieder ein. Sein eigener Vertreter wurde allerdings vom Reichsjustizministerium bestellt.[65] Diese Regelungen implizierten nichts anderes als die Abschaffung des Präsidialsystems.[66]

Ausdruck der neuen Stellung des Volksgerichtshofs war auch die Verleihung der roten Robe an die hauptamtlichen Richter im Juni 1936, die bislang nur den Mitgliedern des Reichsgerichts vorbehalten war.[67]

Des Weiteren wurde eine eigenständige Anklagebehörde beim Volksgerichtshof eingerichtet,[68] der der »Oberreichsanwalt beim Volksgerichtshof« vorstand und die ebenfalls über einen eigenen Etat verfügte. Der Volksgerichtshof wurde hierdurch vom Reichs-

---

[62] RGBl. 1936 I, S. 369, § 4.

[63] RGBl. 1936 I, S. 369, § 6; RGBl. 1936 I, S. 398, §§ 10, 11.

[64] RGBl. 1936 I, S. 398, §§ 3, 4.

[65] RGBl. 1936 I, S. 398, § 6.

[66] Das Präsidialsystem sicherte bis dahin die Unabhängigkeit der Gerichte und ihre Selbstverwaltung. Ein unabhängiges Gremium, das sog. Präsidium – bestehend aus den Direktoren und Senatspräsidenten des jeweiligen Gerichts –, beschloss über die Verteilung der Geschäfte und Zuweisung der Richter (§§ 64 Abs. 2, 117, 131 GVG). Der Justizverwaltung, d. h. dem Ministerium und den Gerichtspräsidenten, war es verwehrt, hierüber zu bestimmen. Auf diese Weise wurde unterbunden, dass bestimmte Richter in Fällen von bspw. politischer Bedeutung eingesetzt wurden. Vgl. dazu: Albrecht Wagner, Die Umgestaltung der Gerichtsverfassung und des Verfahrens- und Richterrechts im nationalsozialistischen Staat, in: Hermann Weinkauff, Die deutsche Justiz und der Nationalsozialismus. Ein Überblick. Bd. 16/I. Stuttgart: Dt. Verl.-Anst., 1968, S. 207f.

[67] RGBl. 1936 I, S. 503 (Erlaß des Führers und Reichskanzlers über die Amtstracht in der Reichsjustizverwaltung vom 19. Juni 1936).

[68] RGBl. 1936 I, S. 369, § 7.

gericht separiert, dessen Reichsanwaltschaft bislang die Anklage über eine Außenstelle beim Volksgerichtshof vertreten hatte. Durch die Schaffung einer eigenständigen Behörde stand dem Oberreichsanwalt die Dienst- und Disziplinarbefugnis über seine Mitarbeiter zu.[69] Ihm waren zudem grundsätzlich sämtliche Anklageschriften und Verfügungen zur Unterzeichnung vorzulegen,[70] bis diese Befugnis später aufgrund steigender Geschäfte an die Abteilungsleiter delegiert wurde. Die Anklageschriften wie auch alle von der Anklagebehörde bearbeiteten Verfahren mussten darüber hinaus dem Reichsjustizministerium vorgetragen werden.[71]

Verfahrensänderungen und Beschränkungen strafprozessualer Rechte

Bereits das Gesetz von 1934[72], mit dem der Volksgerichtshof als Sondergericht eingesetzt worden war, beinhaltete Vorschriften für Verfahren vor dem Volksgerichtshof, die von den bislang geltenden Normierungen des Gerichtsverfassungsgesetzes und der Strafprozessordnung abwichen.[73]

Strafverfahren

Eine folgenreiche Regelung war der Ausschluss von Rechtsmitteln gegen Entscheidungen des Volksgerichtshofs.[74] Die Berufung oder Revision mit dem Ziel der erneuten Prüfung in tatsächlicher bzw. rechtlicher Hinsicht war nicht mehr gegeben. Stattdessen wurde 1939 der sogenannte außerordentliche Einspruch eingeführt. Dieser erlaubte es dem Oberreichsanwalt beim Volksge-

---

[69] RGBl. 1936 I, S. 398, § 13 Abs. 2.

[70] RGBl. 1936 I, S. 398, § 13 Abs. 3.

[71] W. Wagner, Der Volksgerichtshof, S. 27ff.

[72] RGBl. 1934 I, S. 345f., Art. III.

[73] RGBl. 1934 I, S. 346, Art. III, § 5 I: Demnach galten die Regelungen des Gerichtsverfassungsgesetzes und der Strafprozessordnung für erstinstanzliche Verfahren vor dem Reichsgericht weiterhin fort, soweit nichts anderes bestimmt war.

[74] RGBl. 1934 I, S. 346, Art. III, § 5 Abs. 2.

richtshof, Einspruch gegen rechtskräftige Urteile und Beschlüsse einzulegen. Über den Einspruch entschied ein Besonderer Senat, der unter dem Vorsitz des Präsidenten des Volksgerichtshofs mit vier weiteren Mitgliedern tagte.[75] Der Einspruch diente nicht dem Angeklagten, sondern dem NS-Staat als Kontrolle der Urteilspraxis.

Die Durchführung der bisher obligatorischen gerichtlichen Voruntersuchung[76] – eine Form der Beweiserhebung und -ermittlung durch das Gericht zur Prüfung von Beschlüssen – wurde in das Ermessen der Anklagebehörde gestellt.[77] Sie entfiel, sofern die Staatsanwaltschaft die Voruntersuchung nicht für erforderlich erachtete.

Ferner erforderte die Eröffnung des Hauptverfahrens[78] fortan keinen Gerichtsbeschluss mehr. Der Antrag der Staatsanwaltschaft auf Anordnung der Hauptverhandlung, d. h. das Einreichen der Anklageschrift, ersetzte den Beschluss zur Eröffnung des Hauptverfahrens.[79] Somit war eine Prüfungsebene entfallen, und das Gericht konnte eine Anklageschrift mit dem Antrag auf Verfahrenseröffnung nicht mehr zurückweisen. Die Rechtswirkungen der Verlesung des Eröffnungsbeschlusses traten nunmehr mit dem Beginn der Vernehmung des Angeklagten zur Sache ein.[80] Des Weiteren wurde das Haftprüfungsverfahren nach § 115 a

---

[75] RGBl. 1939 I, S. 1842 (§§ 3, 5, 7).

[76] §§ 178ff. StPO.

[77] RGBl. 1934 I, S. 347, Art. IV, § 4 Abs. 1. Ein nachträglicher Gerichtsbeschluss zur Eröffnung der Voruntersuchung blieb nach Abs. 2 noch möglich. Die Voruntersuchung war bereits durch § 10 der Verordnung gegen Verrat am Deutschen Volke vom 28. Februar 1933 (RGBl. 1933 I, S. 85) entfallen und ins Ermessen der Anklagebehörde gestellt worden. Das vorgenannte Gesetz lockerte die Voraussetzungen noch weiter, bis die Voruntersuchung schließlich endgültig dem Ermessen der Anklagebehörde überantwortet wurde, RGBl. 1935 I, S. 844 (Gesetz zur Änderung von Vorschriften des Strafverfahrens und des GVG vom 28. Juni 1935).

[78] § 203 StPO.

[79] RGBl. 1934 I, S. 347, Art. IV, § 5 Abs. 1. Der Eröffnungsbeschluss wurde für das gesamte Strafverfahren mit Verordnung vom 13. August 1942 (RGBl. 1942 I, S. 512) generell abgeschafft.

[80] RGBl. 1934 I, S. 347, Art. IV, § 5 Abs. 4.

StPO abgeschafft und an seine Stelle eine »Kontrollanweisung« gesetzt, die die Haftdauer zeitlich beschränken sollte.[81] Dies bedeutete jedoch nichts anderes als eine unbegrenzte Untersuchungshaft, ohne dagegen Rechtsmittel einlegen zu können.[82] Zudem fanden die Vorschriften des zweiten Abschnitts des Jugendgerichtsgesetzes keine Anwendung[83] mehr mit der Folge, dass Jugendliche wegen strafbaren Verhaltens nicht ausschließlich vor ein Jugendgericht, sondern auch im Rahmen seiner Zuständigkeit vor dem Volksgerichtshof angeklagt werden konnten.

Verteidigung

Neben der Auflösung gerichtlicher Prüfungsstufen wurde auch die Verteidigung vor dem Volksgerichtshof stark eingeschränkt.

Die Verteidigerwahl war von der Genehmigung des Gerichtsvorsitzenden abhängig. Eine erteilte Genehmigung durfte noch während der Hauptverhandlung zurückgezogen werden.[84] Da andererseits die Verteidigung vor dem Volksgerichtshof obligatorisch war,[85] musste der Gerichtsvorsitzende einen Verteidiger bestellen. Diese gesetzliche Pflicht wurde 1940 dahingehend aufgeweicht, dass der Vorsitzende nur in Fällen der notwendigen Verteidigung, wie z. B. in einer Hauptverhandlung, einen Verteidiger für den Beschuldigten zu bestellen hatte.[86]

Die zwingend vorgeschriebene Verteidigung sowie die Zulassung von mehreren Wahlverteidigern wurde schließlich im Dezember 1944 abgeschafft. Der Gerichtsvorsitzende bestellte nur noch in den Fällen einen Verteidiger, in denen sich die Sach- oder Rechtslage als schwierig darstellte oder der Beschuldigte

---

[81] RGBl. 1934 I, S. 347, Art. V, Nr. 2; W. Wagner, Der Volksgerichtshof, S. 32.

[82] W. Eder, Das italienische Tribunale, S. 175.

[83] RGBl. 1934 I, S. 347, Art. IV, § 6. Zur Begründung der Gesetzesänderung wurde u.a. angeführt, dass diese Regelung verhindern solle, dass Jugendliche bei Umsturzbestrebungen vorausgeschickt würden, DJ 1934, S. 595, 598.

[84] RGBl. 1934 I, S. 347, Art. IV, § 3.

[85] § 140 StPO i.V.m. RGBl. 1934 I, S. 346, Art. III, § 5 Abs. 1.

[86] RGBl. 1940 I, S. 405, § 32 Abs. 1 Nr. 1 (Verordnung vom 21. Februar 1940).

sich nach dem Eindruck seiner Persönlichkeit nicht selbst verteidigen konnte.[87]

Die Genehmigungsbedürftigkeit der Verteidigerwahl stellte
nach Auffassung des NS-Regimes keine Beschränkung dar, sondern eine für das Wohl des Reiches notwendige Regelung. Der
Beschuldigte sollte weiterhin aus einem großen Kreis einen Verteidiger wählen können; seine Verteidigung sollte auch fürderhin
unabhängig und ungehindert erfolgen.[88]

Diese fadenscheinige Argumentation konnte jedoch nicht den
eigentlichen Zweck der Regelungsänderungen verdecken, nämlich die Kontrolle der Verteidigung durch den Gerichtsvorsitzenden. Der Verteidiger musste jederzeit mit dem Widerruf der Genehmigung und/oder der Nichtzulassung in künftigen Verfahren
rechnen, sofern er dem Gerichtsvorsitzenden durch sein Verhalten missfiel.[89] Daneben konnten ihn auch – bei Mitgliedschaft –
Maßregelungen der NSDAP und ihrer Organisationen sowie ein
Verfahren der anwaltlichen Standesgerichtsbarkeit treffen. Denn
die Richtlinien zum Anwaltsberuf gestatteten weder mittelbar die
Förderung staats- und volksfeindlicher Verhaltensweisen noch
den Vortrag von dem »gesunden Volksempfinden« widerspre-
chenden Rechtsauffassungen. Im Rahmen der Verteidigung waren zudem die Belange des deutschen Volkes zu beachten.[90] Der
Verteidiger unterstand somit unter Umständen einer dreifachen
Kontrolle durch den Volksgerichtshof, die Partei und die Standes-
organisation.

---

[87] RGBl. 1944 I, S. 339, 341 (§ 12).

[88] DJ 1934, S. 595, 598.

[89] Vgl. RGBl. 1934 I, S. 347, Art. IV, § 3; W. Wagner, Der Volksgerichtshof, S. 33; G.
Wieland, Das war der Volksgerichtshof, S. 32. Ein frei gewählter Verteidiger wurde
durch Anfragen an Stellen der Partei- und Standesverbände auf seine Zuverlässigkeit
abgeklärt und bei Bedenken nicht zur Verteidigung zugelassen, Berhard Jahntz und
Volker Kähne, Der Volksgerichtshof. Darstellung der Ermittlungen der Staatsanwaltschaft bei dem Landgericht Berlin gegen ehemalige Richter und Staatsanwälte am
Volksgerichtshof. Berlin: Senatsverwaltung für Justiz, 3. Aufl. 1992, S. 98.

[90] W. Wagner, Der Volksgerichtshof, S. 33; zu den Richtlinien des Anwaltsberufs:
Neubert, JW 1934, S. 1763.

Für die Verteidigung in Hoch- und Landesverratsverfahren wurden Merkblätter mit Vorschriften[91] erstellt, die für den Rechtsanwalt bindend waren. Die letztgültige Fassung vom 2. Juni 1944[92] enthielt neben Regelungen zur Vertraulichkeit u. a. die Anordnung, keine Abschriften der Anklageschrift zu fertigen, diese nach dem Schluss der Hauptverhandlung unaufgefordert zurückzugeben und Mitschriften aus der Hauptverhandlung als auch sonstige Aktennotizen nach drei Monaten zu vernichten. Angaben zum Sachverhalt durften nur mit Einverständnis des Gerichtsvorsitzenden oder eines Sachbearbeiters der Reichsanwaltschaft mit Dritten erörtert werden. Bei Verstößen gegen das Merkblatt konnte in Hochverratsangelegenheiten ein Verfahren wegen Verletzung von Dienstgeheimnissen,[93] in Landesverratsangelegenheiten gar eines wegen vorsätzlichen oder fahrlässigen Landesverrats eingeleitet werden.

Ebenso erteilte das Reichsjustizministerium Weisungen an die Verteidiger. Eine Weisung vom 24. Juni 1939 ordnete an, dass Auszüge der Anklageschrift, die der Geheimhaltung unterlagen, nicht an den Verteidiger zuzustellen seien.[94] Der Verteidiger musste also persönlich zur Akteneinsicht erscheinen; eine vernünftige Vorbereitung auf die Hauptverhandlung war in derartigen Fällen nur eingeschränkt möglich.

Sofern ein Verteidiger nicht gewählt oder zugelassen worden war, wurde ein Pflichtverteidiger bestellt. Hierfür existierte beim Volksgerichtshof eine Liste, zusammengestellt unter Beratung der Anwaltskammer. Die Liste war unterteilt in eine Gruppe von Verteidigern ohne nähere politische Qualitäten, worunter sich eine Untergruppe von Verteidigern fand, die nur in Ausnahmefällen

---

[91] Erstmals im Oktober 1936 für Verfahren zu Landesverrat, für Hochverratsverfahren im März 1938.
[92] W. Wagner, Der Volksgerichtshof, S. 871 (Anlage 4); vgl. auch Bundesarchiv R 3001/955, fol. 81ff., 189ff.
[93] § 353 c StGB.
[94] Bundesarchiv R 3001/955, fol. 189f.

Strafverteidigungen vor dem Volksgerichtshof übernehmen wollten. Die andere Gruppe auf der Liste umfasste die Verteidiger, die als politisch besonders zuverlässig galten.[95] Die Parteimitgliedschaft des Verteidigers war indes für die Aufnahme auf die Liste keine Voraussetzung.[96]

Angeklagte

Die Abschaffung von Verfahrensschritten und die Beschränkung der Arbeit der Verteidiger bedeutete zugleich einen Eingriff in die Rechte und die Stellung der Angeklagten. Zu den vorgestellten Beeinträchtigungen traten konkrete Einschränkungen der Angeklagten hinzu.

Der Angeklagte bekam die Anklageschrift nicht mehr zugestellt; er konnte sie nur noch über seinen Verteidiger einsehen, soweit er sich auf freiem Fuß befand. Oftmals saß er bereits in Untersuchungshaft, sodass er nur in Gegenwart eines Beamten die Anklageschrift einsehen konnte. Geheim eingestufte Teile der Anklageschrift wurden ihm vorenthalten.[97] Ein weiteres Erschwernis war die Verkürzung der Frist zwischen Erhalt der Anklageschrift und dem Termin zur Hauptverhandlung. Zuweilen erfuhr der Angeklagte erst am Vorabend vom angesetzten Termin der Hauptverhandlung am Folgetag.[98] Eine Vorbereitung des Verfahrens wurde hierdurch besonders erschwert. Die Besprechung mit dem Verteidiger konnte, sofern nicht noch am Vorabend, erst unmittelbar vor der Hauptverhandlung erfolgen. Zusätzlich wurde der Zugang des Verteidigers zu seinem Mandanten behindert, indem er erst spät eine Sprecherlaubnis erhielt. Pflichtverteidiger wurden

---

[95] W. Wagner, Der Volksgerichtshof, S. 34; B. Jahntz und V. Kähne, Der Volksgerichtshof, S. 97ff.; Stefan König, Vom Dienst am Recht. Rechtsanwälte als Strafverteidiger im Nationalsozialismus. Berlin/New York: de Gruyter Verlag, 1987, S. 139.

[96] So z.B. im Fall von Rechtsanwalt Hellmuth Boden, vgl. Angelika Königseder, Recht und nationalsozialistische Herrschaft. Berliner Anwälte 1933–1945. Bonn: Dt. Anwaltverlag, 2001, S. 175.

[97] W. Wagner, Der Volksgerichtshof, S. 36.

[98] So z.B. im Fall der »Weißen Rose«, vgl. W. Wagner, Der Volksgerichtshof, S. 202.

grundsätzlich erst nach Eingang der Anklageschrift beim Volksgerichtshof bestellt. Insofern besaß der Beschuldigte während des Ermittlungsverfahrens teilweise keinen Rechtsbeistand.[99] Nach Ende des Verfahrens erhielt der Angeklagte zudem keine Urteilsabschrift.[100]

Darüber hinaus hatte der Angeklagte die Haftbedingungen zu ertragen. In Verfahren des Hoch- und Landesverrats galten verschärfte Bedingungen. Der Beschuldigte war in Einzelhaft unterzubringen; eigene Versorgung und das Einbringen persönlicher Gegenstände war nicht erlaubt. Die Teilnahme am Hofspaziergang und an Gottesdiensten konnte ausgeschlossen werden; Besuche, die von der Gestapo überwacht werden konnten, und Schreiberlaubnisse bedurften der Genehmigung der Staatsanwaltschaft.[101]

Bei geheimhaltungsbedürftigen Sachverhalten musste vor Benachrichtigung der Angehörigen und bei Nachfragen zum Beschuldigten bzw. Angeklagten der Oberreichsanwalt eingeschaltet werden. Beschwerden der Betroffenen waren ihm zuzustellen.[102]

Zusammenfassung

Die Änderung von Verfahrensvorschriften, insbesondere die Abschaffung von Verfahrensstufen und Überprüfungsmöglichkeiten, und die Bestimmungen der Exekutive beschnitten die Rechte der Verteidigung und der Angeklagten sehr weitgehend. Der NS-Staat verschaffte sich die Kontrolle über die Anwaltschaft und suchte sie für ihre Zwecke einzubinden, um die Verfahren zu beschleunigen[103] und ein den politischen Bedürfnissen entsprechendes Ergebnis vor Gericht zu erzielen.[104] Der Angeklagte wurde in weitem Maße entrechtet, die Verteidigung besaß mitunter nur

---

99 Ders., S. 36f.
100 Bundesarchiv R 3001/995, fol. 190.
101 W. Wagner, Der Volksgerichtshof, S. 38.
102 Ebd.
103 DJ 1934, S. 595, 598.
104 Weiß, DJ 1935, S. 1709.

noch einen formalen Charakter und nahm eine Statistenrolle ein. Ihr eigentlicher Zweck, für den Angeklagten einzutreten und für ein gerechtes Verfahren zu sorgen, wurde verdrängt.[105]

2.5.2 Die historische Entwicklung des Volksgerichtshofs

Die Anfangsjahre 1934–1936
Der Volksgerichtshof wurde am 14. Juli 1934 eröffnet. Am 1. August 1934 fanden die ersten Sitzungen des Volksgerichtshofs statt. Die Leitung des VHG wurde dem parteilosen Fritz Rehn übertragen, bevor aufgrund seines frühen Todes am 18. September 1934 der ebenfalls parteilose Wilhelm Bruner die Geschäfte stellvertretend übernahm.

Der Volksgerichtshof tagte zunächst mit drei Senaten; im November 1934 kam ein vierter Senat für Landesverratsverfahren hinzu. Die Anzahl der Senate wurde aufgrund des Anstiegs der Verfahren erweitert. Der fünfte Senat wurde im November 1941 errichtet, der sechste im Dezember 1942.[106] Der Präsident des Volksgerichtshofs hatte den Vorsitz im ersten Senat, zuständig für Hochverrat, inne, der Vizepräsident des Volksgerichtshofs im ebenfalls für Hochverrat zuständigen zweiten Senat. Der dritte Senat behandelte Fälle des Landesverrats.[107]

Zunächst waren zwölf hauptamtliche Richter, drei Senatspräsidenten und neun Richter beim Volksgerichtshof tätig. Diese Zahl stieg bis 1939 auf 17 Mitglieder an und erreichte 1943 ihren Höhepunkt mit 47 hauptamtlichen Richtern. Neben dem Präsidenten und dem Vizepräsidenten waren noch drei Senatsprä-

---

[105] A. Ramm, Der 20. Juli vor dem Volksgerichtshof, S. 123f.
[106] Vgl. z.B. die Geschäftsverteilung für das Jahr 1945, in: W. Wagner, Der Volksgerichtshof, S. 869 (Anlage 3).
[107] Vgl. zum Ganzen: G. Wieland, Das war der Volksgerichtshof, S. 30; W. Eder, Das italienische Tribunale, S. 132; W. Wagner, Der Volksgerichtshof, S. 26.

sidenten, neun Volksgerichtsräte und 33 Hilfsrichter beim Volksgerichtshof beschäftigt. Ihre Anzahl nahm 1944 auf 38, 1945 auf 37
Mitglieder ab.[108] Auf Seiten der ehrenamtlichen Richter betrug die
Anzahl 1934 19 Mitglieder. Sie steigerte sich im Jahr 1935 auf 43
Mitglieder. 1939 waren 95 ehrenamtliche Richter beim Volksgerichtshof tätig, bis schließlich 1944 die Höchstzahl von 173 Mitgliedern erreicht wurde.[109]

Der Anstieg an haupt- wie auch ehrenamtlichen Richtern war
vor allem durch das gestiegene Aufkommen an Verfahren erforderlich geworden. Im Juli 1934 wurden dem Volksgerichtshof
39 Anklagen wegen Hochverrats und neun wegen Landesverrats
vorgelegt. Gegen Ende des Jahres belief sich die Zahl der Hoch-
verratsanklagen auf 72, die in Sachen des Landesverrats auf 34.
60 Fälle des Hochverrats wurden noch im gleichen Jahr abge-
urteilt sowie 21 Fälle des Landesverrats. 1935 und 1936 wurden
etwa 130 Anklageschriften wegen Hochverrats eingereicht, etwa
150 wegen Landesverrats. Es wurden etwa 210 Urteile gesprochen.
Nach einem Rückgang der Anzahl der Anklageschriften zum
Hochverrat (1937) und Landesverrat (1938) bei etwa 260 gefällten
Urteilen in diesen Jahren stieg die Anzahl der Anklagen wie auch
Urteile ab 1939 kontinuierlich an. Die Zahl der Urteile verdoppelte
sich im Jahr 1940 und vervierfachte sich im Jahr 1942.

1944 lag die Zahl der abgeurteilten Fälle bei 2087.[110] Mit der
gestiegenen Verfahrenszahl erhöhte sich auch die Anzahl ange-
klagter Personen. 1934 wurden 480 Personen als Angeklagte geführt. Die Zahl stieg über 1230 im Jahr 1941 auf rund 4380 Angeklagte (1944).[111]

---

[108] W. Wagner, Der Volksgerichtshof, S. 22f.
[109] Ders., S. 25.
[110] W. Wagner, Der Volksgerichtshof, S. 47 m.w.N.; L. Gruchmann, Justiz im Dritten Reich, S. 969.
[111] W. Wagner, Der Volksgerichtshof, S. 48; zu den gesamten statistischen Angaben:
W. Wagner, Der Volksgerichtshof, S. 873ff. (Anlage 5).

Trotz der in der Gesamtschau gestiegenen Zahlen entsprach der Volksgerichtshof in seinen Anfangsjahren nicht einem blutigen Revolutionstribunal. Der Volksgerichtshof verließ in dieser Zeit noch nicht grundsätzlich »den Boden justizförmiger Erledigung«[112]. Die Rechtsprechung des Volksgerichtshof war anfänglich gemäßigt im Gegensatz zu späteren Jahren. Beispielhaft zeigte sich dies in einem Verfahren, in welchem der Volksgerichtshof die Aberkennung der bürgerlichen Ehrenrechte des kommunistischen Angeklagten ablehnte, da der Angeklagte nicht aus Selbstsucht, sondern aus Überzeugung gehandelt habe.[113] 1934 wurden vier, 1935 neun Todesurteile gesprochen.[114]

In Landesverratsverfahren fielen die Urteile angesichts der strengeren Strafnormen sowie der Kritik der Nationalsozialisten an den bisherigen, zu nachsichtigen Urteilssprüchen schärfer aus. Gleichwohl erstellte das Reichsjustizministerium eine Liste mit Urteilen aus dem Zeitraum zwischen April 1935 und April 1936, die als zu milde erachtet wurden.[115]

Der Volksgerichtshof war trotz der Erwartungen des NS-Regimes bemüht, seine Urteile juristisch und nicht unbedingt politisch zu begründen. Dies spiegelte sich in der Berufung auf die Rechtsprechung des Reichsgerichts in Hoch- und Landesverratsverfahren wider. Ein Bruch in der Rechtsprechung, insbesondere gegenüber derjenigen der Weimarer Republik, war in den An-

---

[112] Rüping, JZ 1984, S. 815, 818; vgl. L. Gruchmann, Justiz im Dritten Reich, S. 965.

[113] W. Wagner, Der Volksgerichtshof, S. 81f.; L. Gruchmann, Justiz im Dritten Reich, S. 965; Rüping, JZ 1984, S. 815, 818; siehe dazu die Kritik des OStA Krug, DJ 1935, S. 909.

[114] Bernhard Düsing, Die Geschichte der Abschaffung der Todesstrafe in der Bundesrepublik Deutschland. Offenbach am Main: Bollwerk Verlag, 1952, S. 209.

[115] W. Wagner, Der Volksgerichtshof, S. 82; L. Gruchmann, Justiz im Dritten Reich, S. 965; sogar Hitler erinnerte sich noch Jahre später, dass der Volksgerichtshof anfangs nicht seinen Erwartungen gerecht geworden sei, H. Picker, Hitlers Tischgespräche, S. 360 (7. Juni 1942 mittags).

fangsjahren noch nicht auszumachen.[116] Das künftige Terror-instrument »Volksgerichtshof« löste sich nur langsam von den rechtsstaatlichen Grundlagen.

Die Ära Thierack (1936–1942)

Die neue Ära der Jahre 1936 bis 1942 am Volksgerichtshof wurde mit der Ablösung Bruners als Präsident des Volksgerichtshofs durch Otto Thierack, den späteren Reichsjustizminister, am 1. Mai 1936 eingeleitet. Sein Stellvertreter und Vizepräsident wurde Karl Engert.[117]

Der neu gegründeten Reichsanwaltschaft beim Volksgerichtshof stand zunächst bis Ende März 1937 der Reichsanwalt Paul Jorns vor; sein Stellvertreter war Felix Parrisius. Im August 1937 über-nahm Friedrich Parey die Amtsgeschäfte und erhielt aufgrund einer Gesetzesänderung den Titel Oberreichsanwalt. Aufgrund seines frühen Unfalltods im November 1938 wurde schließlich Ernst Lautz die Leitung der Behörde im Juli 1939 übertragen, die er bis zum Kriegsende ausübte.[118]

Die Zahl der Mitarbeiter der Reichsanwaltschaft stieg von 25 im Jahre 1939 auf 62 (1944). Neben dem Oberreichsanwalt arbeiteten fünf Reichsanwälte, vier Oberstaatsanwälte und 52 abgeordnete Richter und Staatsanwälte bei der Anklagebehörde.[119]

---

[116] Grund hierfür kann zudem gewesen sein, dass noch Verfahren anhängig waren, deren Sachverhalte nach den Gesetzen vor den Änderungen 1933 zu beurteilen wa-ren; W. Wagner, Der Volksgerichtshof, S. 80f.

[117] W. Eder, Das italienische Tribunale, S. 132.

[118] Lautz wurde anschließend in den Nürnberger Juristenprozessen (Fall 3) zu zehn Jahren Haft wegen Kriegsverbrechen und Verbrechen gegen die Menschlichkeit, nicht jedoch wegen der Verfahren zum 20. Juli 1944 verurteilt. Er saß 5¾ Jahre ab; Peter Alfons Steiniger (Hg.) und Kazimierz Leszczynski (Hg.), Fall 3. Das Urteil im Juristenprozeß. Berlin: Dt. Verlag der Wissenschaften, 1969, S. 244, 250f., 292; Ul-rich Klug, Die Rechtsprechung des Bundesgerichtshofs in NS-Prozessen, in: Julius H. Schoeps (Hg.) und Horst Hillermann (Hg.), Justiz und Nationalsozialismus. Be-wältigt – verdrängt – vergessen. Stuttgart/Bonn: Burg Verlag, 1987, S. 93.

[119] L. Gruchmann, Justiz im Dritten Reich, S. 971.

Mit der Implementierung des Volksgerichtshofs als ordentliches Gericht im NS-Staat hielt die nationalsozialistische Anschauung Einzug in die Rechtsprechung, deren Urteilssprüche sich aufgrund von Gesetzesänderungen, u.a. der Erweiterung der Zuständigkeiten, wie auch anlässlich des Kriegsausbruchs verschärften. Im Jahr 1937 stieg die Zahl der Todesurteile auf 32 gegenüber 10 im Vorjahr. Nach einem Rückgang 1938 erreichten sie fortan jährlich neue Höchststände, die über 102 Todesurteile (1941) auf 1192 Todesurteile (1942) stiegen.[120]

Der Anstieg der Todesurteile reflektiert die Anpassung der Rechtsprechung des Volksgerichtshofs an die Vorstellungen des NS-Regimes im Sinne eines politischen Instruments der Machterhaltung. Die Richter sollten sich an den herrschenden politischen Auffassungen ausrichten.[121]

Das Reichsjustizministerium unter dem Minister Gürtner und den beiden Staatssekretären Freisler und Schlegelberger forcierte die Verschärfung der Rechtsprechung und ihre Überwachung.[122] In einer amtlichen Rundverfügung vom 12. September 1939 hieß es beispielsweise, dass die Nichtanwendung äußerster Härte einen Verrat am kämpfenden Soldaten darstelle.[123] Dieser Gedanken wurde anlässlich einer Reichstagsrede Hitlers vom 11. Dezember 1944 erneut aufgegriffen, in der Hitler eine mitleidslose Härte gegen alle forderte, die den »Widerstandswillen des Volkes« untergrüben. Er fand Eingang in einen Erlass des Reichsjustizministeriums an die Präsidenten der Oberlandesgerichte und Generalstaatsanwälte.[124]

---

[120] Vgl. Anlage 32 bei W. Wagner, Der Volksgerichtshof, S. 944f.

[121] W. Wagner, Der Volksgerichtshof, S. 83.

[122] Vgl. Hermann Weinkauff, Die deutsche Justiz und der Nationalsozialismus, in: ders., Die deutsche Justiz und der Nationalsozialismus, S. 134ff.

[123] Freisler, DJ 1940, S. 885 zitiert aus der Rundverfügung des Reichsjustizministers vom 12. September 1939.

[124] H. Weinkauff, Die deutsche Justiz, S. 142 verweist auf das Dokument NG 507 (Erlass vom 15. Dezember 1941, unterzeichnet von Staatssekretär Schlegelberger).

Die Überwachung der Rechtsprechung durch das Reichsjustizministerium erfolgte mittels Tadel und Rügen, in denen sich die
Richter persönlich für ihre Urteilssprüche gegenüber dem Ministerium zu verantworten hatten.[125] Daneben konnte das Ministerium mittelbar über die Reichsanwaltschaft ein angemesseneres Urteil über den bereits erwähnten außerordentlichen Einspruch
erreichen. Des Weiteren erging eine Verfügung des Reichsjustizministeriums, nach der die Staatsanwaltschaft über die zu bean-
tragende Strafe in politischen Verfahren zuvor Rücksprache mit
dem Ministerium nehmen sollte.[126]

Die Einflussnahme des NS-Regimes auf die Rechtsprechung
kulminierte schließlich in der wegweisenden Reichstagsrede Hitlers vom 26. April 1942, in welcher er die Justiz heftig angriff und
in Fällen zu milder Strafurteile mit der Amtsenthebung von Richtern drohte. Der anschließende Beschluss des Reichstags gestatte-
te dem Führer das Recht, alles zu tun, was zur Erringung des Sie-
ges notwendig sei. Als oberster Gerichtsherr müsse der Führer in
die Lage versetzt werden, jedermann ohne Bindung an Rechtsvorschriften zur Pflichterfüllung anzuhalten und bei fehlender Folg-
samkeit rücksichtslos seines Amtes zu entheben.[127] Die Unabhängigkeit der Justiz als Staatsgewalt war hiermit aufgehoben, die
Politik übernahm die inhaltliche Kontrolle der Justiz, die Richter
waren nicht mehr unabhängig in ihrer Urteilsfindung.[128]

Auch Thierack trieb als Präsident des Volksgerichtshofs die
Umsetzung der nationalsozialistischen Anschauung voran, indem
er forderte, dass der Volksgerichtshof aus dem Bereich der Justiz
herausgelöst und direkt dem Führer unterstellt werde.[129] In den
später, von ihm als Reichsjustizminister herausgegebenen »Rich-
terbriefen«, die wohlgefällige Urteile wie auch Fehlurteile aus
Sicht des NS-Regimes vorstellen sollten, verdeutlichte Thierack,

---

[125] H. Weinkauff, Die deutsche Justiz, S. 136.
[126] Ders., S. 146.
[127] RGBl. 1942 I, S. 247 (Beschluss des Reichstags vom 26. April 1942).
[128] A. Ramm, Der 20. Juli vor dem Volksgerichtshof, S. 132.
[129] Rüping, JZ 1984 S. 815, 818: Verweis auf das Dokument NG 208 B.

dass der Führer der oberste Gerichtsherr sei und die Richter von ihm ihre Gewalt ableiteten.[130] In der Rechtsprechung des Volksgerichtshofs zeigte sich zunehmend die Entfernung von rechtsstaatlichen Grundsätzen. Die weiten Ermessenstatbestände, die die nationalsozialistische Gesetzgebung gewährte, wurden genutzt. Tatbestandsmerkmale wurden weit ausgelegt. Das Erfordernis der Akzessorietät bei der Teilnahme – das Vorliegen einer vorsätzlichen, rechtswidrigen Haupttat – wurde beispielweise übergangen und auch die Beihilfe zu einer straflosen Haupttat für strafbar erklärt.[131] Der rechtsstaatliche Grundsatz »nullum crimen sine lege« war bereits 1935 in den Satz »nullum crimen sine poena« abgeändert worden. Strafbar war nun auch eine Verhaltensweise, wenn sie nach dem »gesunden Volksempfinden« eine Bestrafung verdiente.[132] Entsprechend der angepassten Gesetze kam der Volksgerichtshof in seiner Rechtsprechung nunmehr den bereits kurz nach der Machtergreifung in der Wissenschaft geäußerten Forderungen nach, die Gegner des nationalsozialistischen Staats scharf zu bekämpfen[133] und die Aufgabe des Strafrechts zu wahren, nämlich Angriffe auf den »Bestand der Gemeinschaft« mit der »Ausrottung des Verbrechers« zu beantworten und »rassisch schlechte Elemente [...] auszumerzen«.[134]

Die Ära Freisler (1942–1945)

Als Roland Freisler am 20. August 1942 die Nachfolge des zum Reichsjustizminister ernannten Thierack als Präsident des Volksgerichtshofs und Vorsitzender des 1. Senats antrat, hatte jener infolge der zuvor aufgeführten Ereignisse bereits die Rolle weit-

---

[130] Veröffentlichung des Aufrufs in: Helmut Ortner, Der Hinrichter: Roland Freisler. Mörder im Dienste Hitlers. Frankfurt am Main: Nomen Verlag, 2009, S. 132f.; H. Weinkauff, Die deutsche Justiz, S. 164.

[131] Vgl. DJ 1938, S. 113f.; DR 1942, S. 721ff.; Lämmle, DR 1944, S. 505ff.

[132] RGBl. 1935 I, S. 839 (Gesetz zur Änderung des StGB vom 28. Juni 1935).

[133] W. Idel, Die Sondergerichte für politische Strafsachen, S. 10, 39 und 44.

[134] Noack, JW 1934, S. 3182f.

gehend angenommen, die ihm zugedacht worden war: ein Instrumentarium der nationalsozialistischen Ideologie mit dem Ziel der Vernichtung des politischen Gegners. Die Arbeit des Volksgerichtshofs hatte sich den politischen Rahmenbedingungen angepasst. Die Rechtsprechung wandte sich von der juristisch begründeten Wahrheitssuche und Urteilsfindung ab und hin zu einer zweckorientierten Rechtsprechung. Freisler baute hierauf auf und gestaltete den Volksgerichtshof endgültig zum Werkzeug der nationalsozialistischen Weltanschauung um.

Obgleich Freisler selbst seine Ernennung zum Präsidenten des Volksgerichtshofs und nicht zum Reichsjustizminister als Niederlage empfand,[135] hatte er bis dahin eine steile Karriere vollbracht. Nach der Rückkehr aus der russischen Kriegsgefangenschaft im Ersten Weltkrieg schloss Freisler sein Jurastudium mit dem Ersten Staatsexamen ab. Es folgten eine Promotion und das Zweite Staatsexamen, bevor er zusammen mit seinem Bruder eine Rechtsanwaltskanzlei eröffnete. Bereits in den von ihm vertretenen Verfahren zeigte sich nicht nur seine juristische Kompetenz, sondern auch sein rhetorisches und schauspielerisches Geschick.[136] 1925 trat er der NSDAP bei, für die er nach mehreren Jahren kommunaler Politik schließlich 1932 in den Preußischen Landtag einzog. Mit der Machtübernahme durch die NSDAP folgte die Berufung zum Ministerialdirektor in das Preußische Justizministerium, in dem er nur vier Monate später zum Staatssekretär ernannt wurde.[137] Das Ministerium ging im Zuge der Verreichli-

---

[135] Hansjoachim W. Koch, Volksgerichtshof. Politische Justiz im 3. Reich, München: Universitas Verlag 1988, S. 215 (Brief Freislers vom 4. Juli 1942); darüber hinaus haben sowohl Hitler als auch Goebbels anscheinend Vorbehalte gegenüber Freisler als Reichsjustizminister besessen, E. Fröhlich (Hg.), Die Tagebücher von Joseph Goebbels, Teil II, Bd. 4, S. 178 (26. April 1942), Teil II Bd. 9, S. 578 (23. September 1943); H. Picker, Hitlers Tischgespräche im Führerhauptquartier, S. 159 (29. März 1942 abends); s. a. Heiber, VJZ Bd. 3 (1955), S. 275, 292.
[136] H. Ortner, Der Hinrichter, S. 49ff.
[137] Ders., S. 51ff.

chung im Reichsjustizministerium auf, in das Freisler als Staatssekretär übernommen wurde. Von dieser Position aus begleitete er die Entwicklung eines nationalsozialistischen Strafrechts durch eine sehr rege Publikationsaktivität, die ihm zusammen mit seinem lautstarken, hektischen Auftreten den Namen »Rasender Roland« eintrug.[138] Als Vertreter des Reichsjustizministeriums nahm Freisler an der »Wannsee-Konferenz« 1942 teil, auf der die Vernichtung der europäischen Juden beschlossen wurde. Vermutlich aufgrund persönlicher Animositäten zu Thierack setzte dieser ihn auf dem freien Posten des Präsidenten des Volksgerichtshofs ein, um sich seiner zu entledigen.[139]

Nunmehr konnte Freisler sein Verständnis eines nationalsozialistischen Strafrechts[140] in die Praxis umsetzen, nach dem der Schutz des Volkes der wichtigste Strafrechtszweck[141] sei und diejenigen, die sich nicht in die Gemeinschaft einfügen, als »Fremdkörper« entfernt werden müssten.[142]

In seinem Antrittsschreiben vom 15. Oktober 1942 an Hitler unterstrich Freisler seine Gefolgschaft gegenüber dem Nationalsozialismus. Er bedankte sich beim Führer, »dem obersten Gerichtsherrn und Richter des deutschen Volkes«, für die ihm übertragene Verantwortung und gelobte, mit aller Kraft für die Sicherheit des Reiches einzutreten. Er werde sich als »politischer Soldat« bemühen, die Fälle dergestalt zu beurteilen, wie sie wohl der Führer selbst bewerten würde.[143] Freisler erklärte hiermit, dass es keine strafrechtliche, sondern nur noch eine politische Würdigung gebe.

---

[138] W. Wagner, Der Volksgerichtshof, S. 833.

[139] Vgl. zum Ganzen: W. Wagner, Der Volksgerichtshof, S. 834.

[140] Vgl. zum Rechtsverständnis Freislers: A. Ramm, Der 20. Juli vor dem Volksgerichtshof, S. 151ff.

[141] Freisler, DJ 1939, S. 1707.

[142] Roland Freisler, Willensstrafrecht – Versuch und Vollendung, in: Franz Gürtner (Hg.), Das kommende deutsche Strafrecht. Allgemeiner Teil. Bericht über die Arbeit der amtlichen Strafrechtskommission. Berlin: Vahlen Verlag, 1934, S. 12, 16 und 22.

[143] Abdruck des handschriftlichen Briefs bei: H. Ortner, Der Hinrichter, S. 136.

Personen, deren Verhalten als regimefeindlich erachtet wurde, waren zu verurteilen.[144]

Die Politisierung der Gerichtsverfahren verdeutlicht insbesondere ein Briefwechsel zwischen Thierack und Freisler. Am 9. September 1942 schrieb Thierack an Freisler, dass die Rechtsprechung des Volksgerichtshofs als höchstes politisches Gericht im Einklang mit der Staatsführung stehen müsse. Der Präsident habe die Richter zu führen, sich jede Anklage vorlegen zu lassen und in einem Gespräch mit den jeweiligen Richtern das Staatsnotwendige zu betonen. Primär seien die Ideen und Absichten der Staatsführung zu beachten, sekundär das Menschenschicksal.[145] In seinem Antwortschreiben vom gleichen Tag erläuterte Freisler, dass er sich auf seine »innere Haltung als kämpfender Gefolgsmann des Führers« verlasse und »engste Beziehungen zu den Stellen von Partei und Staat« pflegen werde. Er versprach, als Richter beispielhaft voranzugehen, insbesondere gegenüber den ihm anvertrauten Richtern. Darüber hinaus gebe es für ihn nur eine Gerechtigkeit – die gegenüber der Volksgemeinschaft. Das Augenmerk des Richters habe sich daher auf das »Volksganze und die großen inneren Zusammenhänge zu richten«, die ein aufmerksamer Nationalsozialist erkennen könne.[146]

Für eine entsprechende Einflussnahme änderte Freisler die Geschäftsverteilung zum 1. Oktober 1942 sowie für das Jahr 1943, indem er seinem 1. Senat Verfahren zuweisen wollte, »die ihm der Präsident des Volksgerichtshofes im Einzelfall zuweist«[147]. Der Grundsatz des gesetzlichen Richters war damit ebenfalls aufgehoben worden, jedes Verfahren konnte somit auf Wunsch vor seinen 1. Senat gelangen. Dieses Vorgehen war nach Auffassung Thieracks jedoch zu weitgehend, und Freisler musste es auf Anweisung des Reichsjustizministers wieder einstellen.[148]

---

[144] W. Wagner, Der Volksgerichtshof, S. 84.
[145] Abdruck des Briefes bei W. Wagner, Der Volksgerichtshof, S. 947 (Anlage 34).
[146] Abdruck des Schreibens in W. Wagner, Der Volksgerichtshof, S. 948 (Anlage 34).
[147] W. Wagner, Der Volksgerichtshof, S. 26.
[148] Ders., S. 27.

Der Volksgerichtshof unter Freisler wurde den Forderungen des NS-Regimes gerecht. Die Zahl der Angeklagten als auch die Zahl der Todesurteile stiegen kontinuierlich an. 1943 waren 3338 Personen angeklagt, 1662 wurden zum Tode verurteilt. 769 Todesurteile wurden dabei von Freisler gefällt. Ein Jahr später wuchs die Zahl der Angeklagten auf 4379 Personen an, über 2097 wurde das Todesurteil gesprochen. Freisler sprach davon 866 Urteile aus.[149]

2.5.3 Das Ende des Volksgerichtshofs

Nach dem Tod Freislers am 3. Februar 1945 durch einen Bombenangriff[150] wurde am 12. März 1945 der Generalstaatsanwalt beim OLG Kattowitz, Dr. Harry Haffner, zum Präsidenten des Volksgerichtshofs berufen.[151] Seine Amtszeit währte angesichts des bevorstehenden Kriegsendes nur kurz. Haffner setzte sich am 24. April 1945 auf Anraten Keitels aus Potsdam ab. Zunächst floh er nach Schwerin. Von dort führte sein Weg nach Schleswig-Holstein, wo er den Volksgerichtshof in Bad Schwartau neu einrichten sollte.[152] Die Besetzung Bad Schwartaus durch englische Truppen verhinderte dies. Die Proklamation Nr. 3 des Kontrollrats löste schließlich am 20. Oktober 1945 den Volksgerichtshof endgültig auf.[153]

---

[149] Ders., S. 945.

[150] Fabian von Schlabrendorff, Offiziere gegen Hitler. Frankfurt am Main/Hamburg: Fischer Bücherei, 1960, S. 167f.; die anderen Versionen zum Ableben Freislers (siehe Gert Buchheit, Richter in roter Robe: Freisler, Präsident des Volksgerichtshofes. München: List Verlag, 1968, S. 274ff.) sind kritisch zu betrachten.

[151] Siehe zur Frage der Nachbesetzung: E. Fröhlich (Hg.), Die Tagebücher von Joseph Goebbels, Teil II, Bd. 15, S. 370 und 379 (13. Februar 1945).

[152] Ernst Klee, Was sie taten – was sie wurden. Ärzte, Juristen und andere Beteiligte am Kranken- und Judenmord. Frankfurt am Main: Fischer Taschenbuchverlag, 1986, S. 273.

[153] Punkt III der Proklamation, Amtsblatt des Kontrollrats in Deutschland, S. 22.

Die Urteile des Volksgerichtshofs wurden allerdings erst 1998 vom Bundestag durch einen Gesetzesbeschluss aufgehoben.[154] Eine Entschließung des Bundestags zur »Nichtigkeit der Entscheidungen der als ›Volksgerichtshof‹ und ›Sondergerichte‹ bezeichneten Werkzeuge des nationalsozialistischen Unrechtsregimes« im Jahre 1985[155] hatte für politische wie auch juristische Diskussionen gesorgt.[156] Die Entschließung erklärte zwar, dass der Volksgerichtshof »ein Terrorinstrument zur Durchsetzung nationalsozialistischer Willkür« gewesen sei und den Entscheidungen des Volksgerichtshofs keine Rechtswirkung zukomme. Die Urteile des Volksgerichtshofs wurden hierdurch jedoch nicht aufgehoben. Erst das Gesetz von 1998 hob diejenigen Strafgerichtsurteile auf, die nach dem 30. Januar 1933 unter Verstoß gegen elementare Gedanken der Gerechtigkeit zur Durchsetzung oder Aufrechterhaltung des nationalsozialistischen Unrechtsregimes aus politischen, militärischen, rassischen, religiösen oder weltanschaulichen Gründen ergingen. Darunter fielen ausdrücklich Entscheidungen des Volksgerichtshofs.

---

[154] BGBl. 1998 I, S. 2501 (Gesetz zur Aufhebung nationalsozialistischer Unrechtsurteile in der Strafrechtspflege und von Sterilisationsentscheidungen der ehemaligen Erbgesundheitsgerichte vom 25. August 1998).
[155] Verhandlungen des Deutschen Bundestags, 10. Wahlperiode, Stenographische Berichte, Bd. 131, Plenarprotokolle 10/110-10/127, 12. Dezember 1984 – 15. März 1985, S. 8761ff. (25. Januar 1985).
[156] Vgl. zur Problematik: A. Ramm, Der 20. Juli vor dem Volksgerichtshof, S. 427ff.

2.6 Die Sippenhaft als Repressionsmaßnahme – Johannes Salzig

D er für die NS-Ideologie besonders bedeutsame, mit germanischer Tradition begründete Sippengedanke[1] schloss die Vorstellung von einer Haftung der Sippe für die Straftat eines ihrer Glieder mit ein. In der offiziellen Weltanschauung der Nationalsozialisten war die »Sippe« ein Schlüsselbegriff und wurde in den unterschiedlichsten Kombinationen auch als Kennzeichnung für die engere Familie verwandt.[2] Doch obwohl es schon frühzeitig Überlegungen gab, Verwandte für ein strafbares Verhalten ihres Angehörigen in Haftung zu nehmen,[3] fanden die Termini der »Sippenhaftung« und »Sippenhaft«[4] in den ersten Jahren der nationalsozialistischen Herrschaft offenbar keine häufige Verwendung. Gleichwohl hat das Hitlerregime bereits kurz nach

---

[1] Vgl. Ernst Fraenkel; Alexander von Brünneck (Hg.), Der Doppelstaat. Hamburg: CEP Europa Verl.-Anst., 3. Aufl. 2012, S. 140.

[2] Vgl. Hilde Kammer und Elisabet Bartsch, Nationalsozialismus. Begriffe aus der Zeit der Gewaltherrschaft 1933–1945. Reinbek bei Hamburg: Rowohlt Verlag, 1992, S. 194.

[3] Vgl. dazu Der Große Herder. Nachschlagewerk für Wissen und Leben. Bd. 11: Sippe bis Unterfranken. Freiburg im Breisgau: Herder Verlag, 4. Auflage 1935, völlig neubearbeitete Auflage von Herders Konversationslexikon, Sp. 1: »Auf solcher, künftig durch einen Sippenpaß nachzuweisenden Zusammengehörigkeit beruht die strafrechtliche Verantwortung eines zu dem Täter gehörigen engeren Personenkreises für dessen strafbares Verhalten sowie Unterlassung der sittlichen Pflicht zum Handeln (Sippenhaftung). Diese Einstellung entspricht der germanischen Rechtsauffassung.«

[4] Die »Haftung« meint dem Verb »haften« entsprechend die Verpflichtung, für etwas oder jemanden verantwortlich zu sein oder zu bürgen, während die »Haft« im Neuhochdeutschen den polizeilichen Gewahrsam bzw. den Zustand des Verhaftetseins oder die Sicherstellung eines Beschuldigten zum Erzwingen bestimmter Handlungen beschreibt. Die Sippenhaft ist eine verschärfte Form der Sippenhaftung, die als Druckmittel gegen die engere und weitere Verwandtschaft eines Schuldigen eingesetzt wird und Angehörige vorrangig mit ihrer Freiheit haftbar macht.

seinem Machtantritt begonnen, Formen der Familienhaftung[5] in Deutschland zu praktizieren.

Sippenhaftung hat es von Anbeginn der zwölf Jahre währenden nationalsozialistischen Herrschaft in Deutschland gegeben. Spätestens nach der Machteroberung am 30. Januar 1933 konnten die Nationalsozialisten offen mit ihren hinlänglich bekannten Gegnern abrechnen. Zahlreiche Beispiele zeigen, dass in den unterschiedlichsten Fällen die Verwandtschaft für das Vergehen eines Familienmitgliedes haftbar gemacht und mit verschiedensten Sanktionen belegt worden ist.[6]

Zu den ersten Betroffenen von Sippenhaftungsmaßnahmen zählten die ehemaligen Reichstagsabgeordneten der Weimarer Republik. Mindestens 113 von insgesamt 1245[7] Abgeordneten wurde auf Grundlage des Gesetzes über den Widerruf von Einbürgerungen und die Aberkennung der deutschen Staatsangehörigkeit vom 14. Juli 1933 die deutsche Staatsbürgerschaft entzogen.[8] Mehr als 55 Familien waren direkt von den Ausbürgerungen mitbetroffen, d.h., der »Verlust der deutschen Staatsangehörigkeit *wurde*, wie es im Amtsdeutsch hieß, auf Familienangehörige *erstreckt*, die im Einzelfall allein aufgrund ihres Alters weder Reich noch

---

[5] Im Folgenden werden die Begriffe »Familienhaft« und »Familienhaftung« als Synonyme für »Sippenhaft« und »Sippenhaftung« verwendet. Das heute übliche Wort »Familie« wird also im weiteren Verlauf der Studie nicht im engeren Sinne verstanden, sondern kann – analog zu dem Begriff »Sippe« – einen erweiterten Kreis an Verwandten umfassen.

[6] Vgl. dazu z. B. Annedore Leber, Das Gewissen steht auf. 64 Lebensbilder aus dem deutschen Widerstand 1933–1945. Hrsg. in Zusammenarbeit mit Willy Brandt und Karl Dietrich Bracher. Berlin / Frankfurt am Main: Mosaik Verlag, 4. Aufl. 1954, S. 12 und S. 144; Herbert E. Tutas, Nationalsozialismus und Exil. Die Politik des Dritten Reiches gegenüber der deutschen politischen Emigration 1933–1939. München/Wien: Hanser Verlag, 1975, S. 167.

[7] Zuzüglich 339 NSDAP-Abgeordnete.

[8] Vgl. Werner Röder (Hg.) und Herbert A. Strauss (Hg.), Einleitung in: Biographisches Handbuch der deutschsprachigen Emigration nach 1933. Band I: Politik, Wirtschaft, Öffentliches Leben. Hrsg. v. Institut für Zeitgeschichte München und der Research Foundation for Jewish Immigration unter der Gesamtleitung von W. Röder und H. A. Strauss. München: Saur Verlag, 1980. S. XIII-LIII. Hier: S. XLIV.

Volk durch ihr Verhalten hatten schädigen können.«[9] Mit dieser »Erstreckung« der Strafexpatriation auf Ehegatten und eigene, adoptierte oder uneheliche Kinder nach »dem Prinzip der Sippenhaftung rächte sich der NS-Staat an den Familienangehörigen, auch wenn sie mit dem Ausgebürgerten selbst (z. B. Kinder) keinerlei Kontakt pflegten. Sogar Säuglinge verloren auf diese Weise die deutsche Staatsangehörigkeit.«[10] Obgleich zahlreiche Fälle zeigen, dass insbesondere in der Frühphase des NS-Regimes, aber auch in der Zeit geregelter Machtausübung viele Oppositionelle und ihre Familien nach dem Prinzip der Sippenhaftung bestraft worden sind, entwickelte sich das Druckmittel erst nach der Entfesselung des Zweiten Weltkrieges zu einem spezifischen Phänomen des nationalsozialistischen Repressionsapparats. So ging die Gestapo offensiv gegen die Verwandten des Attentäters Georg Elser vor, der am 8. November 1939 Hitler im Bürgerbräukeller mit einer Bombe zu beseiti-

---

[9] Martin Schumacher (Hg.), M.d.R., Die Reichstagsabgeordneten der Weimarer Republik in der Zeit des Nationalsozialismus. Politische Verfolgung, Emigration und Ausbürgerung 1933–1945. Eine biographische Dokumentation. Mit einem Forschungsbericht zur Verfolgung deutscher und ausländischer Parlamentarier im nationalsozialistischen Herrschaftsbereich. Düsseldorf: Droste Verlag, 3., erheblich erweiterte und überarbeitete Auflage 1994, Forschungsbericht, S. 40. Hervorhebungen im Original. Vgl. dazu auch Arno Buschmann, Nationalsozialistische Weltanschauung und Gesetzgebung 1933–1945. Band II: Dokumentation einer Entwicklung. Wien / New York: Springer, 2000, S. 14.
[10] Hans Georg Lehmann, Acht und Ächtung politischer Gegner im Dritten Reich. Die Ausbürgerung deutscher Emigranten 1933–45, in: Michael Hepp (Hg.), Die Ausbürgerung deutscher Staatsangehöriger 1933–1945 nach den im Reichsanzeiger veröffentlichten Listen. Band 1: Listen in chronologischer Reihenfolge. München: Saur Verlag, 1985, S. IX-XXIII, hier S. XV. Von einer solchen »Erstreckung« der Strafexpatriation auf die Verwandtschaft war beispielsweise auch der deutsche Dramatiker und Lyriker Bertolt Brecht betroffen: »Die Androhung im *Reichsanzeiger*, den Verlust der deutschen Staatsangehörigkeit auf Familienangehörige auszudehnen, macht der Nazistaat zwei Jahre später auf Liste 10 wahr, mit der Helene Brecht [die zweite Ehefrau des Schriftstellers] und die damals zwölf bzw. sechs Jahre alten Brecht-Kinder Stefan und Barbara ohne Begründung nach dem Prinzip der Sippenhaft ebenfalls ausgebürgert wurden«, vgl. Alexander Stephan, Überwacht. Ausgebürgert. Exiliert.: Schriftsteller und der Staat. Bielefeld: Aisthesis Verlag, 2007, S. 214.

gen versucht hatte und damit nur knapp gescheitert war. Da Elser als erster Deutscher das Ziel, den Diktator zu töten, beinahe erreicht hatte, verfuhr das Reichssicherheitshauptamt im Zuge seiner Ermittlungen nach dem Prinzip der Sippenhaft, ließ einen Sippschaftsbogen der Familie Elser erstellen, die gesamte Verwandtschaft verhaften und anschließend nach Berlin transportieren, wo sich die Angehörigen des Attentäters Verhören unterziehen mussten.[11] Die einsetzende Diffamierung Georg Elsers dehnte sich auf die ganze Familie aus und überdauerte die NS-Zeit noch um Jahrzehnte. Mit einem ähnlichen Verfahren reagierte der NS-Staat auf die Aktivitäten der Widerstandsgruppe »Weiße Rose«. Nachdem es der Gestapo im Februar 1943 gelungen war, die Gruppe zu zerschlagen und ihre Mitglieder festzunehmen, hatte sie anschließend auch deren Familien in den Bestrafungsprozess mit einbezogen.[12]

Bevor die Sippenhaft aber als innenpolitisches Sanktionsinstrument im Nachgang der Ereignisse des 20. Juli 1944 in größerem Maße zum Einsatz kam, entdeckte die deutsche Okkupationsmacht das Prinzip der Familienverantwortlichkeit als scheinbar wirksames Mittel zur Gegnerbekämpfung und zur gewaltsamen Unterdrückung der Bevölkerung in den besetzten Gebieten. Der SS-Chef Heinrich Himmler spielte in dem gegen Polen und die Sowjetunion geführten rassistischen Vernichtungskrieg von Beginn an eine zentrale Rolle und beanspruchte in der deutschen

---

[11] Vgl. IfZ, ZS/A-17/5: Sippschaftsbogen vom 18. November 1939 für die Ausgangsperson Georg Elser von der Kriminalpolizeileitstelle München; IfZ, ZS/A-17/2: Aussage des früheren Kriminalsekretärs Wilhelm Rauschenberger vom 9. August 1950.
[12] Vgl. Sönke Zankel, Die weiße Rose war nur der Anfang. Geschichte eines Widerstandskreises. Köln/Weimar/Wien: Böhlau Verlag, 2006, S. 150f.; Barbara Beuys, Sophie Scholl. Biografie. München: Hanser Verlag, 2010, S. 468; Inge Aicher-Scholl (Hg.), Sippenhaft: Nachrichten und Botschaften der Familie in der Gestapo-Haft nach der Hinrichtung von Hans und Sophie Scholl. Frankfurt am Main: S. Fischer Verlag, 1993, S. 6.

Besatzungspolitik eine Vorrangstellung.[13] Er kann als frühzeitiger Befürworter und maßgeblicher Verantwortlicher für den Einsatz der Sippenhaft als Repressionsmaßnahme sowohl gegen innenpolitische Gegner als auch gegen Widerstandskämpfer in den besetzten Ländern bezeichnet werden. Auf die zunehmenden Aktivitäten der Partisanenbewegung in den okkupierten Gebieten reagierte der »Reichsführer-SS« mit der Forderung, in die »Bandenbekämpfung« auch die Familienangehörigen der Partisanen mit einzubeziehen.[14] So dekretierte er am 25. Juni 1942 einen Befehl sowie konkrete Richtlinien für die Aktion »Enzian«, mit der die »Bandentätigkeit« in der Oberkrain und der Untersteiermark in Nordslowenien endgültig unterbunden werden sollte. In diesen Anweisungen forderte er:

Die Männer einer schuldigen Familie, in vielen Fällen sogar der Sippe, sind grundsätzlich zu exekutieren, die Frauen dieser Familien sind zu verhaften und in ein Konzentrationslager zu bringen, die Kinder sind aus ihrer Heimat zu entfernen und im Altreichsgebiet des Gaues zu sammeln. Über Anzahl und rassischen Wert dieser Kinder erwarte ich gesonderte Meldungen. Hab und Gut der schuldigen Familien wird eingezogen.[15]

[13] Vgl. Hans-Heinrich Wilhelm, Die Einsatzgruppe A der Sicherheitspolizei und des SD 1941/42. Eine exemplarische Studie, in: Helmut Krausnick und Hans-Heinrich Wilhelm, Quellen und Darstellungen zur Zeitgeschichte. Band 22: Die Truppe des Weltanschauungskrieges. Die Einsatzgruppen der Sicherheitspolizei und des SD 1938–1942. Stuttgart: Dt. Verl.-Anst., 1981, Teil II: S. 281-638, hier S. 515; Peter Longerich, Heinrich Himmler. Biografie. München: Siedler, 2. Aufl. 2008, S. 442.

[14] Vgl. Hermann Wentker, Der Widerstand gegen Hitler und der Krieg oder: Was bleibt vom »Aufstand des Gewissens«?, in: Schriftenreihe der Forschungsgemeinschaft 20. Juli. Hrsg. v. Joachim Scholtyseck und Fritz Delp. Band 10: Stephen Schröder und Christoph Studt (Hg.), unter Mitarbeit von Mathias Lutz, Der 20. Juli 1944 – Profile, Motive, Desiderate. XX. Königswinterer Tagung, 23.–25. Februar 2007. Berlin/Münster: Lit Verlag, 2008, S. 9-32, hier S. 29.

[15] IfZ, NO-1663: Abschrift der Richtlinien Heinrich Himmlers für die Durchführung einer Aktion gegen Partisanen in Oberkrain und Untersteiermark vom 25. Juni 1942; Vgl. dazu auch Dokument 90: Aus einem Befehl von Heinrich Himmler vom 25. Juni 1942 zur Vernichtung der Partisanenbewegung in Nordslowenien, in: Martin Se-

Im September 1942 formulierte Himmler weitere Bestimmungen über zweckmäßige Methoden der Partisanenbekämpfung und erläuterte, warum er die Sippenhaftung für eine besonders wirksame und vielseitige Repressionsmethode hielt: »Der Tod allein bedeutet dem Slaven in seiner Sturheit nichts; er rechnet von vornherein mit ihm. Hingegen fürchtet er [...] Vergeltungsmaßnahmen gegen seine Sippe. Diese Möglichkeiten sind aber auch konsequent zu erschöpfen.«[16]

Mit der sich im Laufe der Zeit immer weiter zuspitzenden Krise des Okkupationsregimes in den Ostgebieten zeichnete sich ab, dass die Bemühungen Himmlers, den wachsenden Widerstand in der Bevölkerung mit radikalen Vergeltungsmaßnahmen zu unterdrücken, aussichtslos waren. Dennoch ließ er die unspezifischen Strafaktionen im Jahre 1944 weiter ausweiten. Ende Juni 1944 gab er dem »Höheren SS- und Polizeiführer Ost«, Wilhelm Koppe, Weisung, auf die dramatische Verschlechterung der Sicherheitslage im Generalgouvernement mit einer Kollektivhaftung der Sippe eines Widerstandskämpfers zu reagieren, und forderte,

daß in allen Fällen, in denen Attentate oder Attentatsversuche auf Deutsche erfolgt sind oder Saboteure lebenswichtige Einrichtungen zerstörten, nicht nur die gefaßten Täter erschossen werden, sondern daß darüber hinaus die sämtlichen Männer der Sippe gleich-

---

ckendorf (Hg.), Die Okkupationspolitik des deutschen Faschismus in Jugoslawien, Griechenland, Albanien, Italien und Ungarn 1941–1945. Berlin/Heidelberg: Hüthig Verlag, 1992, S. 200f., hier S. 201; vgl. P. Longerich, Heinrich Himmler, S. 646.
[16] Dokument 128: Aus den Richtlinien Heinrich Himmlers vom September 1942 über zweckmäßige Methoden der Partisanenbekämpfung (»Bandenbekämpfung«). In: Müller, Die faschistische Okkupationspolitik in den zeitweilig besetzten Gebieten der Sowjetunion, S. 332-337. Hier S. 334. Die osteuropäischen Völker im Allgemeinen und die Slawen im Speziellen wurden von den Nationalsozialisten als gesellschaftlich, moralisch, physisch und geistig minderwertig erachtet und sollten deshalb mithilfe einer Reihe von Maßnahmen zahlenmäßig dezimiert werden (vgl. dazu: Black, Peter: Ernst Kaltenbrunner. Vasall Himmlers: Eine SS-Karriere. Paderborn u. a. 1991 (= Sammlung Schöningh zur Geschichte und Gegenwart. Hrsg. v. Kurt Kluxen).

falls zu exekutieren und die dazugehörigen weiblichen Angehöri-
gen über 16 Jahre in das KZ einzuweisen sind. [...] Als männliche
Angehörige der Sippe haben beispielsweise zu gelten: der Vater,
Söhne (soweit sie über 16 Jahre alt sind), Brüder, Schwäger, Vet-
tern und Onkel des Täters. Analog ist gegen die Frauen vorzuge-
hen. Mit diesem Verfahren ist beabsichtigt, eine Gesamthaftung
durch alle Männer und Frauen der Sippe des Täters sicherzustel-
len. Es wird ferner damit der Lebenskreis des politischen Verbre-
chers auf das empfindlichste getroffen. Diese Praxis hat beispiels-
weise schon Ende 1939 in den neuen Ostgebieten, insbesondere im
Warthegau, die besten Erfolge gezeitigt. Sowie dieser neue Modus
in der Bekämpfung von Attentätern und Saboteuren den Fremd-
völkischen bekannt wird – dies kann durch Mundpropaganda ge-
schehen –, werden die weiblichen Angehörigen einer Sippe, in der
sich Mitglieder der Widerstandsbewegung oder Banden befinden,
erfahrungsgemäß einen vorbeugenden Einfluß ausüben.[17]

Diese Anordnung Himmlers, die auf die Ausrottung der Familien
polnischer Widerstandskämpfer abzielte, wurde von dem »Höhe-
ren-SS und Polizeiführer Ost« in einem Befehl vom 28. Juni 1944
an die SS- und Polizeiorgane weitergeleitet. Der Erlass beinhaltet
das bis zu diesem Zeitpunkt ausführlichste und detailreichste Bekenntnis des »Reichsführers-SS« zu der seit Jahren praktizierten
drastischen Sippenhaftpolitik der deutschen Besatzungsmacht in
den Ostgebieten und bringt darüber hinaus dessen grundsätzliche
Überzeugung von der Wirksamkeit des Prinzips der Familienhaftung zum Ausdruck.

Nur einen Monat nach seinem »Gesamthaftungs«-Befehl für
die Sippen polnischer Widerstandskämpfer vom 28. Juni 1944 verkündete Heinrich Himmler Anfang August die Einführung einer
»absoluten Sippenhaftung« für die Familien der an dem Umsturz-

---

[17] Der Befehl liegt nur in seiner Mitteilung durch den »Kommandeur der Sicherheitspolizei und des SD« Radom vom 19. Juli 1944 vor: IfZ, L-37: Schreiben des KdS
Radom, Joachim Illmer, vom 19. Juli 1944 die Kollektivhaftung der Familienangehörigen von Attentätern und Saboteuren betreffend.

versuch vom 20. Juli 1944 Beteiligten und drohte mit der »Ausrottung« des »Verräterbluts«.[18] Es schien, als würde sich dem mächtigen Politiker nach dem gescheiterten Staatsstreich nun die Möglichkeit eröffnen, in ähnlich radikaler Form wie in den besetzten Ländern nunmehr auch im Reichsgebiet mit einer offenen und umfassenden Sippenhaftpolitik innenpolitische Gegner zu bekämpfen und zu beseitigen, um auf diese Weise sein eigenes Versagen bei der Aufdeckung der Anschlagspläne und der Verhinderung des Attentats nachträglich wettzumachen.[19]

2.6.1 Die Sippenhaft nach dem 20. Juli 1944

Schon kurze Zeit nach dem 20. Juli 1944 wurde deutlich, dass auch die Angehörigen der Verschwörer in das Visier der politischen Führung gerieten. Nicht mehr nur die unmittelbar Beteiligten sollten für ihre Tat oder ihre vermeintliche Mitwisserschaft verfolgt und bestraft werden; es galt, die beklagten Versäumnisse der Vergangenheit aufzuheben und jede Spur von Widerstand und Opposition endgültig zu beseitigen. Deshalb leitete das NS-Regime nach dem Umsturzversuch die willkürliche Internierung zahlreicher Personen in die Wege, die den Namen politischer Gegner trugen und in einem verwandtschaftlichen Verhältnis zu den Verdächtigen oder Verurteilten standen und deshalb unabhängig von Alter und Geschlecht in den folgenden Monaten von der Gestapo in Sippenhaft genommen wurden. Dafür zuständig war seit Anfang August 1944 die Gruppe XI der »Sonderkommission 20. Juli«, die sich unter der Leitung von SS-Sturmbannführer Karl Neuhaus mit »kirchlichen Angelegenheiten und Sippenhaft« befasste.[20] Insgesamt wurden im Zusammenhang mit den Ereignis-

---

[18] Vgl. Die Rede Himmlers vor den Gauleitern am 3. August 1944, in: Vierteljahreshefte für Zeitgeschichte (VfZ). Heft 4, 1. Jahrgang 1953, S. 357-394; S. 384f.

[19] Vgl. P. Longerich, Heinrich Himmler, S. 717f.

[20] Vgl. SS-Bericht über den 20. Juli. Aus den Papieren des SS-Obersturmbannführers Dr. Georg Kiesel [sic!], in: Charles Schüddekopf (Hg.), Vor den Toren der

sen des 20. Juli 1944 mindestens 281 Personen in Sippenhaft genommen.

Unabhängig davon, ob der Diktator nach dem Putschversuch den Befehl zur Sippenhaft selbst erteilt hat oder nicht: An seinem Einverständnis für die Ergreifung entsprechender Maßnahmen ist nicht zu zweifeln. Schon wenige Stunden nach dem Attentat hatte er gedroht, dass er die Verschwörer »ausrotten« und ihre Frauen und Kinder in Konzentrationslager schaffen lassen werde.[21] Himmler, der sich bei der Verfolgung der Familien der Widerstandskämpfer sogleich besonders unnachgiebig zeigte und umgehend die Kontrolle über das Sanktionsinstrument an sich riss, konnte sich also der Zustimmung Hitlers sicher sein.[22]

Unmittelbar nach den Ereignissen des 20. Juli 1944 sah es so aus, als müssten die Familien der an dem Putschversuch Beteiligten mit dem Schlimmsten rechnen. Für Himmler schien sofort festzustehen, dass die Verwandten der Verschwörer für die Handlung ihres Familienmitglieds haften müssen. Entsprechende Vorstellungen formulierte er in zahlreichen Ansprachen vor Soldaten und Parteigenossen in den Tagen und Wochen nach dem Attentat Stauffenbergs. So hielt er beispielsweise am 25. Juli 1944 eine Rede vor Offizieren der 544. Volksgrenadier-Infanterie-Division in Grafenwöhr, in der er die Treue als erste und besonders bedeutsame Pflicht herausstellte und betonte, dass es nicht ausreicht, wenn ein Beamter oder Offizier seinen Eid hält, sondern dass dieser darüber hinaus auch dafür einzustehen hat, dass seine ganze Familie treu ist:

Wirklichkeit. Deutschland 1946–47 im Spiegel der Nordwestdeutschen Hefte. Berlin/Bonn: Dietz Verlag, 1980, S. 114-148, hier S. 116; Winfried Meyer, Terror und Verfolgung nach dem 20. Juli 1944 und das KZ Sachsenhausen, in: Schriftenreihe der Stiftung Brandenburgische Gedenkstätten. Band 5: Winfried Meyer (Hg.), Verschwörer im KZ. Hans von Dohnanyi und die Häftlinge des 20. Juli 1944 im KZ Sachsenhausen. Berlin: Ed. Hentrich, 1999, S. 11-53, hier S. 23.

[21] Vgl. Max Domarus, Hitler. Reden und Proklamationen 1932–1945. Kommentiert von einem deutschen Zeitgenossen. 2. Band: Untergang (1939–1945). 1963, S. 2127.

[22] Vgl. Ian Kershaw, Hitler. 1936–1945. Stuttgart/München: Dt. Verl.-Anst., 2000, S. 903.

Wenn ein Mann sich auszeichnet, wird er belohnt und zugleich seine Familie. Und wenn ein Mann in diesem Reich untreu ist, wird er bestraft und seine Familie. Das ist ein altes germanisches Recht. Die Sippe haftet für jeden einzelnen der ihren. Die Sippe hat ihn anständig zu erziehen. Das hat nichts mit irgendwelchem Bolschewismus zu tun. Lesen Sie die alten Sagas! Wenn einer meineidig, untreu war, dann wurde die Sippe gestraft, indem man sagte: Sie hat schlechtes Blut. Wenn ein Schuft daraus hervorgeht, dann ist das Blut nicht in Ordnung. Dann wird es ausgemerzt.[23]

Am 3. August 1944 verkündete Himmler vor den Gauleitern in Posen: »Die Familie Graf Stauffenberg wird ausgelöscht werden bis ins letzte Glied.«[24] Zu diesem Zeitpunkt befand sich ein Großteil der Verwandtschaft des Attentäters längst in Haft. Insgesamt wurden mindestens 33 Angehörige der Familie Stauffenberg nach dem Prinzip der Sippenverantwortlichkeit bestraft. Einige von ihnen überlebten die Strapazen der Haft nicht. Die 65 Jahre alte Mutter von Claus von Stauffenbergs Frau Nina, Anna Freifrau von Lerchenfeld, zog sich nach vielen Monaten im Gefängnis von Kitzingen und im Konzentrationslager Ravensbrück auf einem Transport mit anderen Sippenhäftlingen eine Lungenentzündung zu, an deren Folgen sie am 6. Februar 1945 starb.[25] Auch der 85-jährige Onkel der Stauffenberg-Brüder, Berthold, überlebte die Einzelhaft in Bamberg und Würzburg nicht und starb am 9. No-

---

[23] BArch, NS 19/4015, Bl. 56-58: Rede des Reichsführers-SS Heinrich Himmler in Grafenwöhr am 25. Juli 1944. Hervorhebungen im Original.
[24] Rede Himmlers vor den Gauleitern am 3. August 1944, S. 384ff.
[25] Vgl. Konstanze von Schulthess, Nina Schenk Gräfin von Stauffenberg. Ein Porträt. München/Zürich: Pendo Verlag, 3. Aufl. 2008, S. 105f.; Gagi Stauffenberg, Aufzeichnungen aus unserer Sippenhaft. 20. Juli 1944 – 19. Juni 1945. Jettingen: Selbstverl., 2002. Marie-Gabriele Schenk Gräfin von Stauffenberg, in ihrer Familie »Gagi« genannt, hat während ihrer Haftzeit in überwiegend stenografischer Form ein Tagebuch geführt. Ihre unveröffentlichten Aufzeichnungen finden sich im Bestand der Bibliothek der Gedenkstätte Deutscher Widerstand.

vember 1944 im Luitpoldkrankenhaus in Würzburg.[26] Die Kinder von Claus und Berthold Stauffenberg kamen nach dem 20. Juli 1944 wie ein Großteil der Kinder der Verschwörer, die von Sippenhaft betroffen und zum Zeitpunkt der Verhaftung nicht älter als 14 Jahre waren, nicht in ein Gefängnis oder Konzentrationslager, sondern in ein Kinderheim der Nationalsozialistischen Volkswohlfahrt nach Bad Sachsa im Harz. Ein Großteil der erwachsenen Sonderhäftlinge der Stauffenberg-Familie wurde am 26. Oktober 1944 in dem Hotel »Hindenburgbaude« bei Bad Reinerz in Niederschlesien zusammengeführt. Dort lebte die Stauffenberg-Verwandtschaft mit weiteren Angehörigen von Verschwörern des 20. Juli in völliger Isolation und hatte keinerlei Kontakt zur Außenwelt. Ende November 1944 wurden die Sippenhäftlinge abgeholt und über Breslau in das Konzentrationslager Stutthof gebracht.[27] Ende Januar 1945 erfolgte eine weitere Verlegung der Sippengefangenen zunächst in das KZ Buchenwald, bevor sie im April 1945 schließlich das Lager in Dachau erreichten. Am Monatsende erlebten die Familienhäftlinge mit einer großen Zahl weiterer Sondergefangenen eine Irrfahrt, die erst am 4. Mai 1945 mit der Befreiung durch amerikanische Truppen im Hotel »Pragser Wildsee« in Südtirol ein Ende fand.[28]

Die Entscheidung für die Gesamthaftung der Sippe des Täters dürften Hitler und der SS-Chef unmittelbar nach dem Anschlag in der »Wolfsschanze« getroffen haben. Dabei konnten sich die beiden mächtigsten Männer des »Dritten Reiches« sicher sein, in den

---

[26] Vgl. Nürnberger Werkstücke zur Stadt- und Landesgeschichte. Hrsg. u.a. von Gerhard Hirschmann. Band 13: Utho Grieser, Himmlers Mann in Nürnberg. Der Fall Benno Martin. Eine Studie zur Struktur des Dritten Reiches in der »Stadt der Reichsparteitage«. Nürnberg: Stadtarchiv Nürnberg, 1974, S. 285; Peter Hoffmann, Claus Schenk Graf von Stauffenberg. Die Biografie. München: Pantheon Verlag, 2. Aufl. 2008, vollst. überarb. und erw. Neuausgabe, S. 476.

[27] Vgl. G. Stauffenberg, Aufzeichnungen, S. 55-60.

[28] Vgl. Hans-Günter Richardi (Hg.), SS-Geiseln in der Alpenfestung. Die Verschleppung prominenter KZ-Häftlinge von Deutschland nach Südtirol. Bozen: Ed. Raetia, 2005, S. 240ff.

Reihen der NS-Spitzenpolitiker Unterstützung für ihre Vergeltungsabsichten gegenüber dem Adelsgeschlecht der Stauffenbergs zu finden.[29] Als einer der ersten hochrangigen Funktionäre meldete sich der Chef der »Deutschen Arbeitsfront« Robert Ley öffentlichkeitswirksam zu Wort. In einem Leitartikel für die Tageszeitung »Der Angriff« hetzte er auf besonders unwürdige Art und Weise gegen Stauffenberg:

Dieses Geschmeiß muß man ausrotten, mit Stumpf und Stiel vernichten. Es genügt nicht, die Täter allein zu fassen und unbarmherzig zur Rechenschaft zu ziehen, man muß auch die ganze Brut ausrotten. Dies gilt vor allem für alle Landesverräter in Moskau, London und New York. Jeder Deutsche muß wissen, wenn er sich gegen das kämpfende Deutschland stellt, in Wort und Schrift oder gar in der Tat zum Verrat auffordert, daß dann er und seine Familie sterben müssen. Das ist hart, jedoch diese harte Zeit verlangt es. Wer uns verrät, wird ausgerottet! Das verlangt das tapfere, kämpfende, anständige deutsche Volk.[30]

Dieser hämische Schmähartikel zeigt, dass sich nunmehr eine wutentbrannte Agitation gegen die Verschwörer an der Spitze des Regimes Bahn zu brechen schien, die sogar auf überzeugte Nationalsozialisten grenzwertig wirken musste.[31] So verwundert es kaum, dass Leys vulgäre Angriffe auf den Adel auch in der Bevöl-

---

[29] Vgl. Eckart Conze, Adel und Adeligkeit im Widerstand des 20. Juli 1944, in: Elitenwandel in der Moderne. Band 2: Reif, Heinz (Hg.), Adel und Bürgertum in Deutschland II: Entwicklungslinien und Wendepunkte im 20. Jahrhundert. Berlin: Akademie Verlag, 2001, S. 269-295, hier S. 269; Ian Kershaw, Das Ende: Kampf bis in den Untergang. NS-Deutschland 1944/45. München: Dt. Verl.-Anst., 2. Aufl. 2011, S. 84.

[30] Robert Ley, Gott schütze den Führer!, in: Der Angriff. Tageszeitung der Deutschen Arbeitsfront. Reichsausgabe Nr. 180 vom 23. Juli 1944. Titelseite. Hervorhebungen im Original.

[31] Vgl. Thomas Travaglini, »m.E. sogar ausmerzen«. Der 20. Juli in der nationalsozialistischen Propaganda, in: Aus Politik und Zeitgeschichte (APuZ). Heft 29 (1974), S. 3-23, hier S. 5; I. Kershaw, Das Ende, S. 84.

kerung mehrheitlich auf Ablehnung stießen.[32] Die Gefahr einer Spaltung der deutschen »Volksgemeinschaft«, die nach den Ereignissen des 20. Juli 1944 unbedingt verhindert werden sollte, wurde, so stand zu befürchten, durch derartige Verlautbarungen noch beschleunigt, weshalb Hitler – wenngleich er die Abneigung gegenüber dem Adel, den Konservativen und dem Offizierskorps teilte – seine Spitzenfunktionäre unmittelbar nach dem Bekanntwerden der Auslassungen Leys zu mehr Zurückhaltung aufrufen lassen musste:

> *Der Führer wünscht, daß bei der Behandlung der Ereignisse des 20. Juli 1944 sich niemand dazu hinreißen läßt, das Offizierskorps, die Generalität, den Adel oder Wehrmachtsteile in corpore anzugreifen oder zu beleidigen. Es muß vielmehr immer betont werden, daß es sich bei den Teilnehmern des Putsches um einen ganz bestimmten verhältnismäßig kleinen Offiziersklüngel handelte.*[33]

Da das Ausmaß der Verschwörung tatsächlich viel größer war als von dem Regime propagiert, stieg mit der Zahl der verhafteten

---

[32] Vgl. dazu den Stimmungsbericht des Sicherheitsdienstes vom 24. Juli 1944, in: Hans-Adolf Jacobsen (Hg.), Spiegelbild einer Verschwörung. Die Opposition gegen Hitler und der Staatsstreich vom 20. Juli 1944 in der SD-Berichterstattung. Band 1. Stuttgart-Degerloch: Seewald Verlag, 1984, S. 8-11, hier S. 10.

[33] Schreiben des Leiters der Partei-Kanzlei Martin Bormann vom 24. Juli 1944 an alle Reichsleiter, Gauleiter und Verbändeführer die Behandlung der Ereignisse des 20.7.1944 in der Öffentlichkeit betreffend, in: Hans-Adolf Jacobsen (Hg.), Spiegelbild einer Verschwörung. Die Opposition gegen Hitler und der Staatsstreich vom 20. Juli 1944 in der SD-Berichterstattung. Band 2. Stuttgart-Degerloch: Seewald Verlag, 1984, S. 597. Bormann hatte ein Rundschreiben mit der gleichen Formulierung bereits am Tag zuvor verbreiten lassen. Am 17. August 1944 musste Ernst Kaltenbrunner diese Anordnung auch den Amtschefs des Reichssicherheitshauptamtes zur Kenntnis geben (vgl.: IfZ, MA-432, VIII-173-a-10/5: Abschrift eines Schreibens des Reichsministers und Chefs der Reichskanzlei Martin Bormann, am 17. August 1944 von dem Chef der Sicherheitspolizei und des SD Ernst Kaltenbrunner an die Amtschefs des Reichssicherheitshauptamtes mit der Bitte um Kenntnisnahme und entsprechende Beachtung weitergeleitet).

Widerstandskämpfer auch die Zahl der Sippenhäftlinge in den Wochen nach dem 20. Juli 1944 weiter an. Besonders von der Familienhaft betroffen war auch die Familie des nationalkonservativen Politikers Carl Friedrich Goerdeler, der in der Widerstandsbewegung eine führende Rolle eingenommen hatte und kurz vor dem verübten Anschlag auf Hitler untergetaucht war. Der Entschluss für eine weitreichende Sippenhaftung der Goerdeler-Verwandtschaft dürfte spätestens am 26. Juli 1944 gefallen sein, als bei Martin Bormann ein von Kaltenbrunner weitergeleiteter Untersuchungsbericht vom 26. Juli 1944 eintraf, aus dem hervorging, »daß Oberbürgermeister a.D. Goerdeler als Ministerpräsident unter Beck als Staatsoberhaupt vorgesehen war«.[34] Daraufhin schwärmten die Gestapo-Beamten aus und nahmen in der Folgezeit mindestens 14 Familienmitglieder Goerdelers in Sippenhaft.

Ähnlich umfangreich waren auch die Verfolgungsmaßnahmen gegen die Verwandtschaft von Stauffenbergs Nachfolger als Chef des Stabes im Allgemeinen Heeresamt, Oberst Albrecht Ritter Mertz von Quirnheim. Über insgesamt neun Angehörige des bereits in der Nacht des 20. Juli 1944 im Bendlerblock erschossenen Widerstandskämpfers gerieten in Sippenhaft. In einer ähnlichen Größenordnung mussten auch die Familien von Oberleutnant Heinrich Graf von Lehndorff-Steinort, Oberstleutnant der Reserve Cäsar von Hofacker, Oberleutnant Albrecht von Hagen, Major im Generalstab Egbert Hayessen, Generaloberst a.D. Erich Hoepner, General Carl-Heinrich von Stülpnagel und Oberst im Generalstab Wessel Freiherr Freytag von Loringhoven für deren Beteiligung an dem Umsturzversuch haften.

---

[34] Bericht des Sicherheitsdienstes vom 26. Juli 1944 den 20. Juli betreffend, in: H.-A. Jacobsen, Spiegelbild einer Verschwörung. Band 1, S. 54-58, hier S. 56.

2.6.2 Änderung der Sippenhaftpolitik

Nachdem in den letzten Julitagen und in der ersten Augusthälfte 1944 ein Großteil der Verwandtschaft von den am Umsturzversuch Beteiligten interniert worden war, kam es ab Mitte August zu einer Abschwächung der Repressionsmaßnahmen gegenüber den Angehörigen der Verschwörer. Während sich Himmler nach außen als unnachgiebiger Verfolger der Familien der Verschwörer gerierte, erwirkte er hinter verschlossenen Türen Hilfeleistungen für die Verwandten der Widerstandskämpfer. So schlug er Hitler am 14. August 1944 in der »Wolfsschanze« vor, die Hinterbliebenen der im Zusammenhang mit der Erhebung vom 20. Juli verurteilten Offiziere und Beamten zu unterstützen.[35] Keine zwei Wochen später setzte der »Reichsführer-SS« den Chef der Reichskanzlei, Hans Heinrich Lammers, in einem Schreiben darüber in Kenntnis, dass er den SS-Obergruppenführer Franz Breithaupt, der schon nach dem sogenannten »Röhm-Putsch« vom 30. Juni 1934 für die »Versorgung« der Hinterbliebenen zuständig war,[36] mit der Versorgungsaufgabe beauftragt habe:

Auf meinen Vortrag hin hat der Führer genehmigt, dass die Hinterbliebenen der in den Volksgerichtshofverhandlungen Verurteilten des 20. Juli 1944 in ähnlicher Weise durch monatliche Gnadenzuwendungen vor dem Schlimmsten bewahrt und versorgt werden, wie vor 10 Jahren die Hinterbliebenen der Exekutierten des 30. Juni 1934.

---

[35] Vgl. NS 19/1447, fol. 161: Vortragszettel Himmlers vom 14. August 1944.
[36] Vgl. Ulrike Hett und Johannes Tuchel, Die Reaktionen des NS-Regimes auf den Umsturzversuch vom 20. Juli 1944, in: Schriftenreihe der Bundeszentrale für politische Bildung. Band 438: Peter Steinbach (Hg.) und Johannes Tuchel (Hg.), Widerstand gegen die nationalsozialistische Diktatur 1933–1945. Bonn: Bpb, 2004, S. 522-538, hier S. 527.

Ich habe mit dieser Aufgabe gemäss der in Durchschrift beilie-
genden Vollmacht den SS-Obergruppenführer und General der
Waffen-SS Breithaupt betraut.[37]

Der beschriebene Vorgang ist bemerkenswert. Während im Umfeld der Prozesse vor dem Volksgerichtshof unzählige Verwandte von Beschuldigten in Sippenhaft genommen wurden, leitete
Himmler zeitgleich in Absprache mit Hitler eine Versorgung der
Hinterbliebenen in die Wege, um sie »vor dem Schlimmsten« zu
bewahren. Eine solche Fürsorge steht der Vernichtungsrhetorik
des SS-Chefs fundamental entgegen. Vielmehr offenbart der gege-
bene Auftrag, dass Himmler anscheinend eine perfide Doppel-
strategie verfolgte, mit der er wohl auch seiner eigenen politischen
Zukunft nach dem verlorenen Krieg den Weg bereiten wollte.

Die Unsicherheiten in den Gauleitungen könnten durch die ne-
gative Stimmung in der Bevölkerung begünstigt worden sein.
Denn während in den Tagen und Wochen nach dem Umsturzversuch ganze Familien von der Gestapo abgeholt und in Gefängnisse und Konzentrationslager verschleppt wurden, nahmen die Spe-
kulationen über die drastischen Sanktionsmaßnahmen des NS-
Regimes gegenüber der Verwandtschaft von Verschwörern erwie-
senermaßen zu. Obwohl viele Familienangehörige schon wenige
Wochen nach ihrer Verhaftung wieder entlassen wurden, rissen
die wilden Gerüchte über die katastrophale Behandlung der Sippenhäftlinge nicht ab, sondern gewannen eine Eigendynamik, die
den Machthabern durchaus gefährlich werden konnte.[38] Eine von
Kaltenbrunner weitergeleitete Zusammenstellung mit Untersu-

---

[37] NS 7/394, fol. 1: Schreiben Heinrich Himmlers vom 27. August 1944 an Hans
Heinrich Lammers monatliche Gnadenzuwendungen der Hinterbliebenen der in
den Volksgerichtshofverhandlungen Verurteilten betreffend.
[38] Vgl. Maria Fritsche, »... haftet die Sippe mit Vermögen, Freiheit oder Leben ...«
Die Anwendung der Sippenhaft bei Familien verfolgter Wehrmachtsoldaten, in: Walter Manoschek (Hg.), Opfer der NS-Militärjustiz. Urteilspraxis – Strafvollzug – Ent-
schädigungspolitik in Österreich. Wien: Mandelbaum Verlag, 2003, S. 482-491, hier
S. 482; T. Travaglini, »m.E. sogar ausmerzen«, S. 19.

chungsergebnissen der Beamten aus dem Reichssicherheitshauptamt vom 12. Oktober 1944 dürfte die NS-Führungsspitze alarmiert
haben. So heißt es in dem Bericht:

*Eine besonders umfangreiche Gerüchtebildung, auch innerhalb
der Wehrmacht, hat sich der angeblichen Vergeltungsmaßnahmen gegenüber Angehörigen der Verschwörer bemächtigt. Es wird
davon gesprochen, daß die Sippen der Verräter restlos ausgerottet
würden. Selbst vor kleinen Kindern werde nicht haltgemacht
(zum Beispiel Berlin, Dessau, Kattowitz usw.).*[39]

Hitler und seine Paladine mussten angesichts solcher Stim-
mungsberichte verheerende Auswirkungen auf die Motivation,
den Kampfeswillen und die Siegeszuversicht an der Heimatfront
befürchten. Deshalb galt es, derartigen Gerüchten entschieden
entgegenzutreten.

Nachdem sogar innerhalb der Verfolgungsinstanzen das Gere-
de über den Umgang mit den Sippenhäftlingen absurde Züge anzunehmen drohte, sah sich RSHA-Chef Kaltenbrunner gezwungen, ein für alle Mal für eine vermeintlich sachliche Aufklärung
in den Dienststellen zu sorgen. In einem geheimen Rundschreiben vom 14. Dezember 1944 an alle Befehlshaber und Inspekteure
der Sicherheitspolizei und des SD, die Staatspolizei- und Krimi-
nalpolizei-(Leit-)Stellen sowie die SD-(Leit-)Abschnitte und selbst-
ständigen SD-Hauptaußenstellen informierte der SS-Obergruppenführer über den gegenwärtigen Stand der NS-Sippenhaftpoli-
tik: »Anliegend übersende ich Ihnen eine informatorische Notiz
über den gegenwärtigen Stand der Sippenhaftung. Ich halte es für
erforderlich, den verschiedentlich auftretenden, von blutrünstigen
Phantasien getragenen Gerüchten über ›liquidierte Kinder und

---

[39] Bericht des Sicherheitsdienstes vom 12. Oktober 1944 den 20. Juli 1944 betreffend,
in: H.-A. Jacobsen, Spiegelbild einer Verschwörung. Band 1, S. 440-446, hier S. 445;
vgl. dazu auch T. Travaglini, »m. E. sogar ausmerzen«, S. 19.

ausgerottete alte Frauen‹ sachlich entgegenzutreten.«[40] In der bei-
gefügten »informatorischen Notiz« bemühte sich Kaltenbrunner,
die zum Teil drastischen Sanktionsmaßnahmen gegen die Famili-
en der Verschwörer zu beschönigen und herunterzuspielen:

> *Im Zuge der Untersuchungen zum 20.7. musste eine grössere [sic]
> Anzahl von Frauen in Haft genommen werden. Gleichzeitig mit
> der Inhaftnahme wurden die Kinder unter 16 Jahren Heimen der
> NSV überstellt. Um sie nicht unnötigen Anfeindungen seitens ih-
> rer Umgebung auszusetzen, wurde ihnen für die Dauer des Auf-
> enthaltes in den betr. Heimen ein neutraler Name gegeben. Der
> wirkliche Name wurde lediglich dem zuständigen Gauamtsleiter
> der NSV und der zuständigen Heimleiterin bekannt. Die Kinder
> wurden in den Heimen normal betreut. Sie kamen, sobald eine der
> Frauen aus der Haft entlassen werden konnte, wieder zur Mutter
> zurück. [...] Zur Betreuung der Frauen, die nach der Verurteilung
> und Hinrichtung ihrer aktiv am 20.7. beteiligten Männer auf sich
> allein gestellt sind, hat der Reichsführer-SS den SS-Obergruppen-
> führer Breithaupt eingesetzt. Den Frauen wird, insbesondere wenn
> sie mit den Kindern mittellos dastehen, auf Antrag eine Unterstüt-
> zung gewährt, die den jeweiligen persönlichen Verhältnissen ent-
> spricht.*
>
> *Eine Inhaftnahme der ganzen Sippe wurde für die Familie
> Stauffenberg (gräfliche Linie) durchgeführt. (Die freiherrliche Li-
> nie wurde wieder entlassen, da sie mit der gräflichen Linie keinerlei
> Zusammenhang hat.) Die Sippe des Attentäters Stauffenberg ist
> räumlich geschlossen in einem Heim untergebracht.*
>
> *Weitere Maßnahmen der Sippenhaftung erstrecken sich auf die
> Familie Goerdeler sowie auf die näheren Angehörigen der flüchti-*

---

[40] Bundesarchiv, R 58/1027, fol. 327: Informatorische Notiz von Ernst Kaltenbrunner
über den gegenwärtigen Stand der Sippenhaftung vom 14. Dezember 1944; vgl. dazu
auch U. Hett und J. Tuchel, Die Reaktionen des NS-Regimes, S. 384.

gen Gisevius und Kuhn sowie des zum Tode verurteilten Oberst von Hofacker.[41]

Die Androhung und Durchführung der Festnahmen von Ehefrauen und die damit nicht selten einhergehende Trennung von den Kindern erschien der Gestapo als besonders effektives Druckmittel, um weitere Informationen von den Verschwörern in Erfahrung zu bringen. Die Einweisung der Kinder in das Kinderheim in Bad Sachsa und auch der Namensentzug waren sicherlich gezielte Repressionsmaßnahmen und nicht, wie in dem Rundschreiben dargestellt, zum Schutz der Kinder der Verschwörer gedacht. Allerdings wurden die Kinder in dem Heim tatsächlich »normal« behandelt und sahen sich im Regelfall keinerlei Anfeindungen durch die Betreuerinnen ausgesetzt.[42] Für die Kinder belastend wirkten in erster Linie die Isolation von der Außenwelt und die Trennung von der Familie.[43] Bereits Ende September und Anfang Oktober 1944 wurden die ersten Kinder, deren Mütter aus der Sippenhaft entlassen worden waren, wieder nach Hause gebracht, weshalb bis zum Ende des Jahres 1944 von insgesamt 46 Kindern immerhin 32 das Heim verlassen und in ihr vertrautes Umfeld zurückkehren konnten.[44] Ob das Regime tatsächlich ursprünglich geplant hatte, die älteren Kinder nach einem achtwöchigen Auf-

---

[41] Bundesarchiv, R 58/1027, fol. 327: Informatorische Notiz von Ernst Kaltenbrunner über den gegenwärtigen Stand der Sippenhaftung vom 14. Dezember 1944.

[42] Vgl. Gerhard Bracke, Melitta Gräfin Stauffenberg. Das Leben einer Fliegerin. München: LangenMüller Verlag, 1990, S. 203; Berthold Schenk Graf von Stauffenberg, Ein Kind als »Volksfeind«. Erinnerung an Verfolgung und Sippenhaft nach dem 20. Juli 1944, in: Thomas Vogel (Hg.), Aufstand des Gewissens. Hamburg/Berlin/Bonn: Mittler Verlag, 6. unveränderte Auflage 2001, S. 287-295, hier S. 293.

[43] Vgl. Dagmar Albrecht, Mit meinem Schicksal kann ich nicht hadern. Sippenhaft in der Familie Albrecht von Hagen. Berlin: Dietz Verlag, 2001, S. 155 und 160; B. Schenk Graf von Stauffenberg, Ein Kind als »Volksfeind«, S. 293.

[44] Vgl. Peter Hoffmann, Widerstand, Staatsstreich, Attentat. Der Kampf der Opposition gegen Hitler. München: Piper Verlag, 3., neu überarbeitete und erweiterte Ausgabe 1979, S. 257; B. Schenk Graf von Stauffenberg, Ein Kind als »Volksfeind«, S. 291.

enthalt in Bad Sachsa in Nationalpolitischen Erziehungsanstalten, den so genannten »Napolas«, unterzubringen, während die jüngeren in SS-Familien ein neues Leben beginnen sollten, ist nicht zweifelsfrei zu klären.[45] Dagegen lässt sich belegen, dass – anders als von Kaltenbrunner in seinem Informationsschreiben dargestellt – Mitte Dezember 1944 noch immer einige Kinder in dem NSV-Heim im Südharz untergebracht waren und bis zum Ende des Krieges auf ihre Freilassung warten mussten. Anfang April 1945 plante das Heimpersonal wegen der Frontnähe sogar noch eine Verlegung der vierzehn in Bad Sachsa verbliebenen Kinder. Nachdem am 3. April 1945 der geplante Transport nach Weimar wegen eines Bombenangriffs schon in den Außenbezirken von Nordhausen ein Ende gefunden hatte, kehrten die Kinder und ihre drei Begleiterinnen in das NSV-Heim im Südharz zurück.[46] Dort herrschte völlige Unklarheit, was angesichts des infolge der Bombardierung eingestellten Zugverkehrs in Nordhausen und der immer weiter vorrückenden US-Armee geschehen

---

[45] Abgesehen von einer Schilderung Christa von Hofackers sind keine offiziellen Schriftstücke bekannt, die derartige Planungen des Regimes bestätigen. Vgl. Christa von Hofacker, Das schwere Jahr 1944/45, Krottenmühl 1947, S. 27; Christoph Graf von Schwerin erklärt, er habe nach dem Kriege gehört, »daß Hitler in seiner Wut nicht nur, wie geschehen, alle Angehörigen des Widerstands in Sippenhaft nehmen, sondern alle Kinder umbringen lassen wollte. Dem habe Goebbels widersprochen«, vgl. Christoph Graf von Schwerin, Als sei nichts gewesen. Erinnerungen. Berlin: Edition Ost, 1997. S. 56. Bei Eberhard Zeller heißt es dagegen, »vor allem die Einsprache Görings habe Himmler gehemmt, als wahnhafter Bluträcher zu wirken«, vgl. Eberhard Zeller, Geist der Freiheit. Der zwanzigste Juli. München: Müller Verlag, 1963, S. 453.
[46] Christa von Hofacker und Berthold Stauffenberg berichten, dass die verbliebenen Kinder Ostern 1945 nach Buchenwald gebracht werden sollten; vgl. B. Schenk Graf von Stauffenberg, Ein Kind als »Volksfeind«, S. 293; Ch. von Hofacker, Das schwere Jahr, S. 67. Vgl. dazu auch: P. Hoffmann, Widerstand, S. 657f. Elsa Müller, eine der Kindergärtnerinnen, die damals in dem NSV-Heim in Bad Sachsa arbeiteten, bestätigt immerhin, dass das Ziel des Transportes Weimar gewesen wäre (Richtigstellung von Elsa Müller, geb. Verch, vom 9. August 1959 einen Dokumentarbericht der Münchner Illustrierten betreffend. Kopie in der Gedenkstätte Deutscher Widerstand (GDW). S. 2).

sollte. In einem Aktenvermerk der Heimleitung des NSV-Kindererholungsheims Bad Sachsa vom 4. April 1944 heißt es:

Anfrage: Da Anweisungen über den Verbleib einer Sonderbelegung im Kinderheim seit 9 Wochen nicht vorliegen und wiederholte Gespräche mit der Gaubefehlsstelle Weimar Obersturmbannführer Schröder infolge Bombardierung von Weimar und Nordhausen sowie laufende Störung im Gesprächsnetz nicht mehr möglich sind, wird um Auskunft ersucht was mit der Sonderbelegung geschehen soll bzw. wohin dieselbe verlagert werden soll.

Die Frontnähe zwingt nunmehr zu sofortigen Entschlüssen. Falls keine sofortigen Befehle kommen, wird die Heimleitung bei Eintritt von Kampfhandlungen nach Braunlage/Harz (gesperrter Lazarettbezirk) gehen und dort zunächst Unterkunft beziehen. Neuer Unterkunftsort wird gemeldet werden.[47]

Wie dem Aktenvermerk zu entnehmen ist, suchte das Heimpersonal nach dem misslungenen Abtransport weiterhin nach einem Weg, das Kinderheim zu räumen. Ob die Kontaktaufnahme mit der zuständigen Gaubefehlsstelle erfolgreich war, bleibt unklar. Letztlich blieben die Kinder und die Angestellten in Bad Sachsa, um auf das nahe Ende des Krieges zu warten. Nach dem Einmarsch der Amerikaner Mitte April 1945 eröffnete sich den Kindern die Aussicht auf Heimkehr.

Während in den ersten Tagen nach dem Staatsstreichversuch also vordringlich die Angehörigen von an dem 20. Juli 1944 Beteiligten in Sippenhaft genommen wurden, zeichnete sich bald ab, dass die nationalsozialistische Führungsspitze das missglückte Attentat auch für die Abrechnung mit anderen Regimegegnern zu nutzen gedachte. Die Mitglieder der im Jahre 1943 von in Kriegs-

---

[47] Aktenvermerk der Heimleitung des NSV-Kindererholungsheimes Bad Sachsa vom 4. April 1945 über die Frage nach dem Verbleib der »Sonderbelegung« im Kinderheim. Kopie in der GDW.

gefangenschaft geratenen deutschen Soldaten und Offizieren in der Sowjetunion gegründeten Organisationen »Bund Deutscher Offiziere« und Nationalkomitee »Freies Deutschland« waren dem NS-Regime schon lange verhasst. Mit den Ereignissen des 20. Juli 1944 ergab sich unverhofft die Gelegenheit, nunmehr endlich die »verräterischen Generale«[48] abzustrafen und ihre greifbare Verwandtschaft in Sippenhaft zu nehmen. Wie ein Tagebucheintrag von Joseph Goebbels vom 25. Januar 1945 beweist, drängte insbesondere Hitler selbst bei verschiedenen Gelegenheiten zu der Ergreifung drakonischer Maßnahmen gegen jedwede Spur von Verrat. Im Zuge einer Lagebesprechung mit dem Propagandaminister am 24. Januar 1945 legte der Diktator seine Racheabsichten gegenüber der Verwandtschaft von Angehörigen des Nationalkomitees »Freies Deutschland« dar. Goebbels notierte:

Es kommt darauf an, nunmehr das Volk zum letzten entschlossenen Einsatz zu fanatisieren. Der Führer erwartet, daß die Sowjets Generalfeldmarschall Paulus und General Seydlitz einsetzen werden, um mit ihnen eine Propaganda für das Nationalkomitee Freies Deutschland zu betreiben. Er will dann gegen die Angehörigen dieser Verbrecher die Sippenhaft verhängen und sie eventuell liquidieren lassen. Jedenfalls kann jetzt von Gnade keine Rede mehr sein. Das deutsche Volk muß sich seines Lebens wehren, und jedes Mittel ist dazu recht.[49]

Hitlers Überlegungen, die längst in Sippenhaft genommenen Familienangehörigen von Paulus und Seydlitz sogar »liquidieren« zu lassen, zeigen, dass der Diktator in den letzten Kriegsmonaten

---

[48] Rundschreiben von Martin Bormann vom 20. Juli 1944 an alle Gauleiter. Text abgedruckt in: H.-A. Jacobsen, Spiegelbild einer Verschwörung. Band 2, S. 592f., hier S. 593.
[49] Tagebucheintrag von Joseph Goebbels vom 25. Januar 1945, in: Elke Fröhlich (Hg.), Die Tagebücher von Joseph Goebbels. Teil 2: Diktate 1941–1945. Band 15: Januar bis April 1945. München: Saur Verlag, 1995, S. 211-223, hier S. 220.

mit tödlichen Repressalien gegen die Verwandten von »Überläufern« vorzugehen bereit war.

In den letzten Kriegswochen versuchte das NS-Regime, »einen ›Dolchstoß‹ der rebellierenden ›Heimatfront‹ in den Rücken der kämpfenden Truppe«[50] um jeden Preis zu verhindern. Deshalb befanden sich Wehrmacht, Gestapo, Polizei und Partei im Einsatz gegen die kriegsmüde und pessimistische Bevölkerung.[51] Der Historiker Edgar Wolfrum konstatiert, dass in »zahlreichen Mordaktionen gegen so genannte ›Verräter‹ und ›Defätisten‹, die zur Kapitulation vor den Alliierten aufgerufen hatten, [...] zum Teil ganze Familien samt Kindern ausgelöscht«[52] worden seien. An klaren Anweisungen für die Ergreifung drastischer Maßnahmen bei abtrünnigem Verhalten fehlte es jedenfalls nicht.[53] Am 13. April 1945 erließ Gauleiter und Reichsverteidigungskommissar Wilhelm Murr folgende Bekanntmachung:

> *Der Feind versucht, die Bevölkerung zu veranlassen, das Schließen von Panzersperren zu verhindern. Ich mache mit allem Ernst darauf aufmerksam, daß jeder Versuch, die Schließung einer Panzersperre zu verhindern oder eine geschlossene Panzersperre wieder zu öffnen, auf der Stelle mit dem Tod bestraft wird. Ebenso wird mit dem Tode bestraft, wer eine weiße Fahne zeigt. Die Familie der Schuldigen hat außerdem noch drakonische Strafen zu erwarten.[54]*

---

[50] Elisabeth Kohlhaas, »Aus einem Haus, aus dem eine weiße Fahne erscheint, sind alle männlichen Personen zu erschießen«. Durchhalteterror und Gewalt gegen Zivilisten am Kriegsende 1945, in: Cord Arendes (Hg.), Edgar Wolfrum (Hg.) und Jörg Zedler (Hg.), Terror nach Innen. Verbrechen am Ende des Zweiten Weltkrieges. Göttingen: Wallstein Verlag, 2006, S. 51-79, hier S. 52.

[51] Vgl. Edgar Wolfrum, Verbrechen am Ende des Zweiten Weltkrieges, in: C. Arendes, u.a., Terror nach Innen, S. 7-22, hier S. 8; I. Kershaw, Das Ende, S. 529.

[52] E. Wolfrum, Verbrechen am Ende des Zweiten Weltkrieges, S. 11; vgl. dazu auch I. Kershaw, Das Ende, S. 449.

[53] Vgl. E. Kohlhaas, Durchhalteterror und Gewalt gegen Zivilisten, S. 65.

[54] Zitiert nach Peter Paul Nahm (Gesamtred.), Dokumente deutscher Kriegsschäden. Evakuierte, Kriegssachgeschädigte, Währungsgeschädigte. Die geschichtliche und

Derartige Durchhalteparolen, die die tatsächlich hochgradige Gefährdung der eigenen Person bei Zweifeln am Sinn des Kampfes »bis zum letzten Mann« zum Ausdruck bringen, führten in großen Teilen der Bevölkerung allerdings eher zu einer zunehmenden Demoralisierung und Niedergeschlagenheit als zu einer Stärkung des Kampfgeistes der »Volksgenossen«.[55]

Insgesamt bleibt festzuhalten, dass die Sippenhaft als Repressionsmaßnahme des nationalsozialistischen Regimes in den Jahren 1933 bis 1945 Realität war. Allerdings wurde sie auch nach dem gescheiterten Staatsstreich nicht wirklich umfassend, sondern eher punktuell, willkürlich und inkonsequent eingesetzt. Die Widersprüchlichkeit, die der Sippenhaftpolitik des Regimes immanent war, musste schließlich zu ihrem Scheitern führen. Der glückliche Umstand, dass so viele Sippenhäftlinge mit dem Leben davonkamen, eröffnete die Chance auf eine Überlieferung des eigenen Schicksals und eine Aufarbeitung der erlittenen Verfolgung. Die zahlreichen autobiografischen Aufzeichnungen trugen einen wichtigen Teil dazu bei, dass die nationalsozialistische Sippenhaft bis zum heutigen Tage nicht in Vergessenheit geraten ist: In den Berichten schildern die Betroffenen auf emotionale Weise ihren Leidensweg und füllen damit gleichzeitig diejenigen Lücken, die sich durch fehlende Quellen aufgetan haben. Die Erinnerungen der Sippenhäftlinge sind wichtige Zeugnisse für die Erforschung des Phänomens der Familienhaft im Nachgang der Ereignisse des 20. Juli 1944 und gleichzeitig eine Mahnung an alle Organe und Bürger eines rechtsstaatlichen Systems.

---

rechtliche Entwicklung. 1. Beiheft: Aus den Tagen des Luftkrieges und des Wiederaufbaues. Erlebnis- und Erfahrungsberichte. Hrsg. v. Bundesminister für Vertriebene, Flüchtlinge und Kriegsgeschädigte. Bonn, 1960, S. 170; vgl. Roland Müller, Stuttgart zur Zeit des Nationalsozialismus. Stuttgart: Theiss, 1988, S. 522; Veröffentlichungen des Archivs der Stadt Stuttgart. Band 30: Kurt Leipner (Hg.), Chronik der Stadt Stuttgart 1933–1945. Stuttgart: Klett-Cotta, 1982, S. 1022; Paul Sauer, Wilhelm Murr. Hitlers Statthalter in Württemberg. Tübingen: Silberburg, 1998, S. 150.

55 Vgl. Utz Jeggle (Hg.), Nationalsozialismus im Landkreis Tübingen. Eine Heimatkunde. Tübingen: Tübinger Vereinigung für Volkskunde, 1988, S. 90; I. Kershaw, Das Ende, S. 528f.

2.7 Legitimation des Widerstandes im Nachkriegsdeutschland – Rüdiger von Voss

Am 20. Juli 1944 erfolgte das Bombenattentat auf Adolf Hitler durch Claus Graf von Stauffenberg in der Lagebaracke des Führerhauptquartiers »Wolfsschanze« in Ostpreußen. In der Nacht vom 20. auf den 21. Juli, nach der Exekution von Stauffenberg und der mitbeteiligten Offiziere Olbricht, Mertz von Quirnheim und von Haeften auf Befehl von Generaloberst Fromm im Innenhof des Bendlerblocks, kam Hitlers Stimme gegen ein Uhr nachts über alle deutschen Sender:

> *Eine ganz kleine Clique ehrgeiziger, gewissenloser und zugleich verbrecherischer, dummer Offiziere hat ein Komplott geschmiedet, um mich zu beseitigen und zugleich mit mir den Stab praktisch der deutschen Wehrmachtsführung auszurotten. Die Bombe, die von dem Oberst Graf von Stauffenberg gelegt wurde, krepierte zwei Meter an meiner rechten Seite. Sie hat eine Reihe mir teurer Mitarbeiter sehr schwer verletzt, einer ist gestorben. Ich selbst bin völlig unverletzt bis auf ganz kleine Hautabschürfungen, Prellungen oder Verbrennungen. Ich fasse es als eine Bestätigung des Auftrags der Vorsehung auf, mein Lebensziel weiter zu verfolgen, so wie ich es bisher getan habe. [...]*
>
> *Es hat sich in einer Stunde, in der die deutschen Armeen in schwerstem Ringen stehen, ähnlich wie in Italien nun auch in Deutschland eine ganz kleine Gruppe gefunden, die nun glaubte, wie im Jahre 1918 den Dolchstoß in den Rücken führen zu können. Sie hat sich diesmal aber schwer getäuscht [...].*
>
> *Der Kreis, den diese Usurpatoren darstellen, ist ein denkbar kleiner. Er hat mit der deutschen Wehrmacht und vor allem auch mit dem deutschen Heer nichts zu tun. [...] Diesmal wird nun so abgerechnet, wie wir das als Nationalsozialisten gewohnt sind.*[1]

---

[1] Max Domarus, Hitler. Reden und Proklamationen 1932–1945. 2. Bde., Würzburg: Selbstverl., 1962/63, S. 212ff.; Joachim C. Fest, Hitler. Eine Biografie. Frankfurt am

Ebenso wie Hitler von »Dolchstoß« in dieser Erklärung sprach, so sprachen Göring als Reichsmarschall für die Luftwaffe und Generaladmiral Dönitz für die Kriegsmarine von »Verrat« und »Sabotage« und der nunmehr einsetzenden Verfolgung und Vernichtung aller am Attentat beteiligten Menschen.[2]

Wenige Tage nach dem Attentat und der sofort einsetzenden Verhaftungswelle beschrieb Hitler seine Vorstellungen von der justizmäßigen Erledigung des Staatsstreichs, die die nachfolgenden Maßnahmen genauestens darstellte:

Diesmal werde ich kurzen Prozess machen. Diese Verbrecher sollen nicht vor ein Kriegsgericht, wo ihre Helfershelfer sitzen und wo man die Prozesse verschleppt. Die werden aus der Wehrmacht ausgestoßen und kommen vor den Volksgerichtshof. Die sollen nicht die ehrliche Kugel bekommen, die sollen hängen wie gemeine Verräter! Ein Ehrengericht soll sie aus der Wehrmacht ausstoßen, dann kann ihnen als Zivilisten der Prozess gemacht werden, und sie beschmutzen nicht das Ansehen der Wehrmacht. Blitzschnell muss ihnen der Prozess gemacht werden; sie dürfen gar nicht groß zu Wort kommen. Und innerhalb von zwei Stunden nach der Verkündung des Urteils muss es vollstreckt werden! Die müssen sofort hängen ohne jedes Erbarmen. Und das Wichtigste ist, dass sie keine Zeit zu langen Reden erhalten dürfen. Aber der Freisler wird das schon machen. Das ist unser Wyschinski.[3]

Main / Berlin / Wien: Propyläen Verlag, 2. Aufl. 1973, S. 968ff.; vollständiger Text vgl. auch: Bundeszentrale für Heimatdienst (Hg.), 20. Juli 1944, bearbeitet von Hans Royce, Neubearbeitung und ergänzt von Erich Zimmermann und Hans-Adolf Jacobsen, Bonn: Berto Verlag, 3. Aufl. 1960, S. 178ff. (siehe auch Göring, Dönitz); John Toland, Adolf Hitler. Bergisch-Gladbach: Lübbe Verlag, 1977, S. 959ff., S. 1008ff.

[2] Bundeszentrale für Heimatdienst (Hg.), 20. Juli 1944, S. 179ff.
[3] J.C. Fest, Hitler, S. 970; zur Erläuterung: Andry Wyschinski, Ankläger in den stalinistischen Verfolgungsprozessen 1936 bis 1938, die von besonderer Grausamkeit bestimmt waren.

Mit rasender Geschwindigkeit vollzog sich sodann die Verfolgung der Widerstandskämpfer. Am 8. August wurden die ersten acht Verschwörer in der Hinrichtungsbaracke in der Strafanstalt Plötzensee (Berlin-Moabit) in unbeschreiblich grauenhafter Weise an Haken aufgehängt, ihre Leichen geschändet und vernichtet, so als hätte es sie nie gegeben. Hitler ließ sich die – bis heute unauffindbaren – Filmaufnahmen der Hinrichtungen sogleich am jeweiligen Tag vorführen.

Zwei Wochen nach dem Attentat beschrieb Heinrich Himmler auf der Gauleitertagung vom 3. August 1944 in Posen die beabsichtigte Ausweitung der Verfolgungsgewalt und damit zugleich die zukünftig beabsichtigte Auslöschung der Familien der Widerstandskämpfer:

Dann werden wir hier eine absolute Sippenhaftung einführen. Wir sind danach schon vorgegangen und [...] es soll uns ja niemand kommen und sagen: das ist bolschewistisch, was Sie da machen. Nein, nehmen Sie mir es nicht übel, das ist gar nicht bolschewistisch, sondern sehr alt und bei unseren Vorfahren gebräuchlich gewesen. Sie brauchen bloß die germanischen Sagas nachzulesen. Wenn sie eine Familie in die Acht taten und für vogelfrei erklärten oder wenn eine Blutrache in einer Familie war, dann war man maßlos konsequent. Wenn die Familie vogelfrei erklärt wird und in Acht und Bann getan wird, sagten sie: Dieser Mann hat Verrat geübt, das Blut ist schlecht, da ist Verräterblut drin, das wird ausgerottet. Und bei der Blutrache wurde ausgerottet bis zum letzten Glied in der ganzen Sippe. Die Familie Stauffenberg wird ausgelöscht werden bis ins letzte Glied.[4]

Die hier ausgewählten Erklärungen des Diktators und seiner Helfershelfer beschreiben in einer »Kurzgeschichte« die Strategie des Grauens und einer Explosion der Gewalt, die nach dem 20. Juli

---

[4] J.C. Fest, Hitler, S. 973.

1944 nicht nur die Widerstandskämpfer und ihre Familien, sondern ganz Deutschland und die vom Zweiten Weltkrieg betroffenen Länder Europas erfassen sollte und millionenfache Opfer und Verwüstung in ungeahntem Ausmaß nach sich zog. Die Historiker Ian Kershaw[5] und Timothy Snyder[6] haben die deutsche und zugleich europäische Katastrophe jüngst eindrucksvoll erneut dargestellt.

Ian Kershaw spricht zutreffend davon, dass der Attentatsversuch vom 20. Juli 1944 zum einen eine »innere Zäsur« in der Geschichte des Dritten Reiches markiert. Zum anderen aber hatte das Attentat furchtbare Repressalien nicht nur gegen die Beteiligten am Widerstand zur Folge, sondern löste eine generelle Radikalisierung, gesteigerte Repression und Gewaltmobilisierung in allen zivilen und militärischen Handlungsfeldern aus, die jegliche Möglichkeit zu einem Regimewandel ebenso ausschloss wie eine Beendigung des Krieges vor dem Untergang.[7]

Das Wüten Freislers, die Prozesse vor dem Volksgerichtshof,[8] die Feuersbrunst des fortgesetzten Krieges nach dem Attentat, die entgrenzte Judenvernichtung zur »Endlösung« spotten der »Banalität des Bösen« und öffnen den Blick in den Abgrund politischen, menschlichen und kulturellen Versagens gegenüber der totalitären Diktatur, gleich welcher Spielart und Ideologie. Es ist und bleibt der Einblick in die Totalität des politischen und gleichermaßen moralischen Zusammenbruchs, der es auch heute notwendig macht, historischer Gleichgültigkeit und Unkenntnis ebenso zu begegnen wie einer Leugnung von Schuld, Mitverantwortung

---

[5] Ian Kershaw, Das Ende: Kampf bis in den Untergang. NS-Deutschland 1944/45. München: Dt. Verl.-Anst., 1. Aufl. 2011.

[6] Timothy Snyder, Bloodlands. Europa zwischen Hitler und Stalin. München: Beck Verlag, 2011.

[7] I. Kershaw, Das Ende, S. 56.

[8] Bernhard Jahntz und Volker Kähne, Der Volksgerichtshof. Darstellung der Ermittlungen der Staatsanwaltschaft bei dem Landgericht Berlin gegen ehemalige Richter und Staatsanwälte am Volksgerichtshof. Berlin: Senator für Justiz und Bundesangelegenheiten, 2. Aufl. 1987.

und dem Vergessen der Opfer der Herrschaft von Gewalt und Unrecht.[9] Auch die in diesem Buch nunmehr veröffentlichten Berichte sollten dazu beitragen, die Erinnerung an die Verfolgten und Unterdrückten in Deutschland und Europa zu bewahren und die Aufmerksamkeit von Verantwortung und Gewissen zu schärfen. Sie zeigen eine politische wie zivile auch heute aktuelle Notwendigkeit, für eine freiheitlich-demokratische Gesellschaft unserer Tage einzutreten, die von dem amerikanischen Historiker Fritz Stern in seiner Rede zum 20. Juli 2010[10] und dem früheren Botschafter Polens in Deutschland Janusz Reiter in seiner Rede zum 20. Juli 2012[11] in das Zentrum ihrer Ausführungen gestellt wurde.

Die Verlautbarungen Hitlers und Görings, von Dönitz und Himmler beschreiben eine Argumentationslinie von Eidbruch und Landesverrat, von politischer Dummheit und elitärem Hochmut, die das Schicksal der Widerstandskämpfer und ihrer Angehörigen traf und sie in das Verhängnis von Folter, Tod und Verfolgung führte und sie auch nach dem Zweiten Weltkrieg in die Isolation trieb.

Die Protagonisten des Widerstandes selbst haben die Gefahr einer dem Attentat und dem verzweifelten Staatsstreich der letzten Stunde folgenden Isolierung vorausgesehen:

Claus Graf von Stauffenberg sagte kurz vor dem Attentat in dunkler Vorahnung:

Es ist Zeit, dass jetzt etwas getan wird. Derjenige allerdings, der etwas zu tun wagt, muss sich bewusst sein, dass er wohl als Ver-

---

[9] Hannah Arendt, Eichmann in Jerusalem. Ein Bericht von der Banalität des Bösen. München/Zürich: Piper Verlag, 6. Aufl. 2013, S. 219.
[10] Rüdiger von Voss (Hg.), Der Geist des Widerstandes: Reden zum 20. Juli 1944. Schriftsteller – Philosophen – Historiker – Staatsrechtslehrer. München: August Dreesbach Verlag, 2013, S. 342ff.
[11] Janusz Reiter, Ansprache am 20. Juli 2012. Sonderdruck der Stiftung 20. Juli 1944, 2012; vgl. auch R. von Voss (Hg.), Der Geist des Widerstandes.

räter in die deutsche Geschichte eingehen wird. Unterlässt er jedoch die Tat, dann wäre er ein Verräter vor seinem eigenen Gewissen.[12]

Hennig von Tresckow, der wohl bedeutendste Planer des militärischen Staatsstreichs, beschrieb in den von Fabian von Schlabrendorff übermittelten Worten nach dem Attentat die große menschliche Last, die den Widerstand treffen würde:

Jetzt wird die ganze Welt über uns herfallen und uns beschimpfen. Aber ich bin nach wie vor der felsenfesten Überzeugung, dass wir recht gehandelt haben. Ich halte Hitler nicht nur für den Erzfeind Deutschlands, sondern für den Erzfeind der Welt. Wenn ich in wenigen Stunden vor den Richterstuhl Gottes treten werde, um Rechenschaft abzulegen über mein Tun und Unterlassen, so glaube ich mit gutem Gewissen das vertreten zu können, was ich im Kampf gegen Hitler getan habe. Wenn einst Gott Abraham verheißen hat, er werde Sodom nicht verderben, wenn auch nur zehn Gerechte darin seien, so hoffe ich, dass Gott auch Deutschland um unseretwillen nicht vernichten wird. Wer in unseren Kreis getreten ist, hat damit das Nessushemd angezogen. Der sittliche Wert eines Menschen beginnt erst dort, wo er bereit ist, für seine Überzeugung sein Leben hinzugeben.[13]

Peter Graf Yorck von Wartenburg, neben Helmut James Graf von Moltke einer der herausragenden Mitglieder des sog.»Kreisauer Kreises«, sprach in seinem Abschiedsbrief an seine Mutter am 8. August 1944 von seiner Hoffnung auf ein gerechtes Urteil vor

---

[12] Vgl. Peter Steinbach und Johannes Tuchel, Gegen das Unrecht. Begleitmaterial zur Dauerausstellung Widerstand gegen den Nationalsozialismus 3.1. Berlin: Gedenkstätte Deutscher Widerstand, 5. Aufl. 2012.
[13] Fabian von Schlabrendorff, Offiziere gegen Hitler. Zürich: Europa Verlag, 1946, S. 195; Hendrik Röder (Hg.) und Sigrid Grabner (Hg.), Ich bin, der ich war. Texte und Dokumente zu Henning von Tresckow. Berlin: Lukas Verlag, 3. Aufl. 2005, S. 114.

der Geschichte: »Vielleicht kommt doch einmal die Zeit, wo man eine andere Würdigung für unsere Haltung findet, wo man nicht als Lump, sondern als Mahnender und Patriot gewertet wird.«[14]

Jeder, der aus heutiger historischer Sicht und auf der Grundlage der inzwischen vorliegenden Untersuchungen über das national-sozialistische Unrechtsregime die Entstehungsgeschichte und die Ziele des Widerstandes prüft, begreift, dass es bei der Gegenüberstellung von Nazi-Diktatur und Widerstand zum einen um die sittliche Legitimation von Herrschaft und zum anderen um die wahrheitsgemäße Frage nach persönlicher Schuld und Mitverantwortung in der Zeit von 1933 bis 1945 geht.

Wenn es nach den Worten von Hannah Arendt richtig ist, dass unter den Bedingungen des Terrors sich die meisten Menschen fügen, einige andere aber nicht, dann geht es um die Fragen nach Selbstverteidigung und Verdrängung von Schuld und die unausweichliche Antwort auf die Frage nach dem Gewissen und individueller Verantwortung im Angesicht von Terror, Unrecht und Gewalt.[15] Die von dem Nazi-Regime nach dem 20. Juli 1944 vorgegebene Argumentation von Landesverrat, Brechung des Fahneneides und unpatriotischem Handeln in Zeiten nationaler Not ist die zentrale Argumentation der Verweigerung von politischer sowie individueller Verantwortung und des Verschweigens. Für die Opfer des Nazi-Regimes folgt hieraus die traumatische Erfahrung der Isolierung und Delegitimation des Widerstandes als Gegenbild gegen die Diktatur, das darauf ruht, dass derjenige, der sich nicht wehrt, sein Gewissen verrät. Landesverrat begeht der, der sich nicht durch die Tat der Diktatur entgegenstellt. Befehl und Gehorsam enden dort, wo politische Herrschaft zum Mittel der Gewalt und des Unrechts, zur Friedlosigkeit und zu Verfolgung und Unterdrückung greift.

---

[14] P. Steinbach und J. Tuchel, Gegen das Unrecht.
[15] H. Arendt, Eichmann in Jerusalem, S. 347.

Die Rezeptionsgeschichte des deutschen Widerstandes spiegelt damit das mühsame Ringen um die sittlichen Grundlagen einer demokratisch-rechtsstaatlichen Ordnung und die Suche nach einer tragfähigen nationalen Identität.

Die Geschichte des deutschen Widerstandes aus allen Bereichen der Politik, der Parteien und Verbände, aus dem Bereich der Kirchen und Religionsgemeinschaften, aus Wissenschaft und Kultur ist heute durch Standardwerke[16] und eine nahezu unübersichtliche Zahl von Einzeluntersuchungen, Biografien und sonstigen Publikationen umfassend dargestellt.[17] Die allgemeine sowie individuelle Geschichte der Lebensumstände der Angehörigen und Familien der Widerstandskämpfer in der unmittelbaren Nachkriegszeit harrt ebenso noch der Erforschung wie insbesondere die Geschichte der Verfahren zur Anerkennung des Verfolgtenstatus und der sozialen Versorgung, die nur in geringem Ausmaß bekannt oder wissenschaftlich erfasst sind. Die Untersuchung der zu Teilen unwürdigen Verfahren zum Nachweis und zur Bezeugung des Status als »Angehöriger des Widerstandes« harrt ebenso der Darstellung, ganz zu schweigen von der Geschichte der Verleumdung und Verächtlichmachung der Widerstandskämpfer, für die der von Generalstaatsanwalt Dr. Fritz Bauer angestrengte sogenannte Remer-Prozess als ein mutiges und leuchtendes Beispiel bis heute zu gelten hat.[18]

Weist man heute auf dieses schwierige Kapitel der Rezeption der Nazi-Diktatur und Behandlung des Widerstandes in der Nachkriegszeit hin, so kann es nicht darum gehen, ein »nachgereichtes

---

[16] Grundlegend: Peter Hoffmann, Widerstand, Staatsstreich, Attentat. Der Kampf der Opposition gegen Hitler. München: Piper Verlag, 3. Aufl. 1969/1970; Klemens von Klemperer, Die verlassenen Verschwörer. Der deutsche Widerstand auf der Suche nach Verbündeten 1938–1945. Berlin: Siedler Verlag, 1. Aufl. 1994.

[17] Vgl. für die Zeit 1933–1984: Ulrich Cartarius (bearb.), Forschungsgemeinschaft 20. Juli e.V., mit e. Einl. von Karl Otmar Frhr. von Aretin, Bibliografie »Widerstand«. München / New York / London / Paris: Saur Verlag, 1984.

[18] Vgl. U. Cartarius, Bibliografie »Widerstand«. Stichwort: Remer Prozess, S. 320.

Mitleid« zu erreichen. Die Tatsache, dass den Frauen des Widerstandes generell die Anerkennung eines aktiven Mitgliedes des Widerstandes, wie Freya Gräfin von Moltke beklagte,[19] versagt blieb, sie als »Verräterfrau« und ihre Kinder als »Verräterkinder« diskriminiert wurden,[20] Entnazifizierungsverfahren stattfanden und Bestätigungen des Handelns im Widerstand beigebracht werden mussten,[21] hat bleibende Bedeutung für die Frage, wie eine Gesellschaft mit den Opfern der Diktatur umgeht.

Abgesehen von einzelnen Monographien zum Schicksal der Frauen des Widerstandes[22] gibt es bis heute keine weiterreichende Untersuchung der langfristigen Folgen der Verfolgung für die psychische Situation der Kinder des Widerstandes, die in nicht geringer Zahl »Opfer« des Naziterrors geworden sind.[23]

Die Trauer war »privat«! Die Toten des Widerstandes blieben den Witwen und den Kindern überlassen. Angesichts der oft heftigen Auseinandersetzung um Schuld und Sühne, Befehl und Gehorsam, wahren Patriotismus und Eidesbruch und Landesverrat drohte allzumal Verdrängung und Vergessen und eine dauerhafte Diskriminierung der Menschen, die mit dem Einsatz ihres Lebens und des Lebens ihrer Angehörigen den Versuch unternommen hatten, dem Verhängnis der Diktatur zu begegnen. Hinzu kam eine tiefgreifende Traumatisierung der Überlebenden, die in vielen Fällen zu einem Rückzug in die privateste Zone des Lebens und auch zum Schweigen über das eigene Schicksal führte. Der Tod nahm Platz im Unterbewusstsein. Selbst dann, wenn die Mütter vor Kummer nicht sprechen konnten, übertrug sich die Erzählung des Unaussprechlichen auf das Gemüt der Kinder. Sie erleb-

---

[19] Vgl. Dorothee von Meding, Mit dem Mut des Herzens. Die Frauen des 20. Juli. Berlin: Siedler Verlag, 1. Aufl. 1992, S. 131.

[20] Vgl. D. von Meding, Mit dem Mut des Herzens, S. 64, 206.

[21] Ebd. S. 229, 267.

[22] Eine eindrucksvolle Darstellung: D. von Meding, Mit dem Mut des Herzens, 1992.

[23] Eva Madelung und Joachim Scholtyseck, Heldenkinder, Verräterkinder. Wenn die Eltern im Widerstand waren. München: C.H. Beck Verlag, 2007; Felicitas von Aretin, Die Enkel des 20. Juli 1944. Leipzig: Faber und Faber, 2004.

ten ein Bild des Vaters und der Angehörigen, das sich zu einem unerreichbaren Phänomen zu entwickeln drohte. Im Schatten des Todes des Vaters, gestorben am Galgen in Plötzensee oder gestorben durch Selbstmord, standen viele von uns Nachkommen vor einem »Helden«, der unerreichbar schien; ein »Held«, der uns verlassen hatte, ohne eine Spur zu hinterlassen oder den Weg für eine lebenswerte Zukunft zu weisen. Viele stürzten aus der verletzten Kindheit in eine seelische Störung, die sich als lebensbestimmend erweisen sollte.

Was sollte es dann an Selbstgewissheit geben, um den Verlust an Zuwendung und Liebe zu kompensieren, wo beides doch versagt geblieben war. Wie sollte sich dann die tröstende Zusage des Dichters Novalis erfüllen, der sagte: »Was Du wirklich liebst, das bleibt Dir!«

Joachim Fest hatte in seiner Rede in der Paulskirche vom 20. Juli 2004 eine Bilanz zur Wahrnehmung des Widerstandes in Deutschland gezogen, die einmal mehr deutlich macht, in welch schwieriger Lage sich die Angehörigen des Widerstandes in der Nachkriegszeit befanden und wie kontrovers das Verhältnis der Deutschen zu dem »anderen Deutschland« sich gestaltet.[24] Wurde der Widerstand in seinem herausragenden Buch: »Staatsstreich. Der lange Weg zum 20. Juli« aus dem Jahre 1994 als der »Aufzug des verlorenen Postens« bezeichnet, so drückt dies zugleich die traumatische Belastung aus, die es schon unmittelbar nach dem Kriegsende notwendig machte, nach Wegen zu suchen, um der allfälligen Not zu begegnen und mit eigener Kraft um die Anerkennung des Widerstandes zu kämpfen.[25]

Unter Hinweis auf die vom Verfasser dieses Beitrages im Jahre 2011 vorgelegte Darstellung zur politischen Rezeption und Traditi-

---

[24] Joachim C. Fest, Bürgerlichkeit als Lebensform. Späte Essays. Reinbek bei Hamburg: Rowohlt Verlag, 1. Aufl. 2007, S. 147ff.
[25] Joachim C. Fest, Staatsstreich. Der lange Weg zum 20. Juli. Berlin: Siedler Verlag, 1994, S. 325ff., 342.

onsbildung des Widerstandes in der politischen Geschichte seit 1945, im Bereich der Politik, in der Bundeswehr und den Organisationen des Widerstandes kann im Rahmen dieses Beitrages nur auf die wesentlichsten Entwicklungen hingewiesen werden.[26]

Im Jahre 1947 wurde von überlebenden Mitbeteiligten des Widerstandes das »Hilfswerk 20. Juli 1944« (heute »Stiftung 20. Juli 1944«) als soziale Selbsthilfeorganisation und zugleich als politische Vertretung des Widerstandes gegründet.[27] In den ersten drei Jahrzehnten der Arbeit des Hilfswerkes kam es im Wesentlichen darauf an, den in materieller Not befindlichen Familien und Nachkommen zu helfen und den Zusammenhalt der Angehörigen des Widerstandes zu gewährleisten. Die Unterstützung bei Not und Krankheit durch private Spenden aus dem In- und Ausland war das vordringlichste Betätigungsfeld. Mit stetig anwachsender finanzieller Unterstützung des Bundes wurden bescheidene Unterhaltshilfen für diejenigen Personen ermöglicht, die keinerlei öffentliche und privatwirtschaftliche Versorgungsansprüche besaßen. Ausbildungsbeihilfen konnten in Ausnahmefällen ebenso geleistet werden wie kleine Starthilfen bei Familiengründungen der nachwachsenden Generation.

Die Anfang der Fünfzigerjahre einsetzenden Jahrestreffen zum 20. Juli wurden zum wohl wichtigsten Beitrag, um dem Widerstand in der Nachkriegszeit ein menschliches Gesicht zu geben und die Erinnerung an den gesamten deutschen Widerstand zu gewährleisten. Die Anfang der Sechzigerjahre einsetzenden »Jugendtreffen«, die in größeren Abständen bis in die Achtzigerjahre ebenso stattfanden wie Reisen nach Israel und Frankreich, schufen die Basis für die Begegnung der Nachkommen, die sich ansonsten aus den Augen verloren hätten. Diese segensreiche Ini-

---

[26] Rüdiger von Voss, Der Staatsstreich vom 20. Juli 1944. Politische Rezeption und Traditionsbildung in der Bundesrepublik Deutschland. Berlin: Lukas Verlag, 1. Aufl. 2011.

[27] R. von Voss, Der Staatsstreich vom 20. Juli 1944, S. 103ff.; vgl. auch das Internetportal: Stiftung 20. Juli 1944.

tiative schuf auch die Basis für Menschen, die späterhin die ehrenamtlichen Aufgaben in der zweiten und heute schon dritten Generation der Stiftung und den mit ihr verbundenen Vereinen übernahmen.

Blickt man heute, nach nun mehr als 60 Jahren, zurück, so
erweist sich zum einen die segensreiche und tatkräftige Hilfe zur
Bekämpfung existent bedrohender Not und zum anderen die Bedeutung der Arbeit der Stiftung im Gesamtkontext der Anerkennung des Widerstandes als Teil der Wiedergewinnung der moralischen Reputation des demokratischen Neubeginns der Bundesrepublik Deutschland. 1973 trat die von Kindern der Widerstandskämpfer neu gegründete »Forschungsgemeinschaft 20. Juli 1944«
der Stiftung 20. Juli 1944 zur Seite und entwickelte in ihrer inzwischen mehr als 40-jährigen wissenschaftlichen Arbeit einen wichtigen Beitrag zur Erforschung des deutschen und europäischen
Widerstandes.[28] Die Arbeit der Forschungsgemeinschaft 20. Juli
e. V. wird von rund 250 Mitgliedern getragen und im Wesentlichen durch Mitgliedsbeiträge, bescheidene Spenden sowie Unter-
stützungen durch Bundesmittel für politische Bildung finanziert.
Die im Internetportal ausgewiesenen Arbeitsergebnisse, Publikationen und rund 38 Tagungen (wissenschaftliche Tagungen, Tagungen der Nachkommen der ersten und dritten Generation, Tagungen im Kreisau/Polen) zeigen, wie aus privater Initiative eine
zukunftsweisende Weitergabe der geistigen und politischen Ziele
des Widerstandes gelingen kann. In enger Zusammenarbeit mit
der Gedenkstätte Deutscher Widerstand (Berlin) und der von dieser geleisteten Bildungsarbeit für Erwachsene und Schüler, mit
der von der Gedenkstätte betriebenen Forschungsarbeit, ist heute
ein herausragendes Beispiel für die politische Bedeutung der Er-
innerungsarbeit gegeben.

---

[28] Ebd.

Beide hier genannten Organisationen des deutschen Widerstandes stehen in einem unauflöslichen, sich gegenseitig bedingenden Zusammenhang. Von Anfang an sind beide Organisationen von den Schicksalen der Männer und Frauen des Widerstandes und vom politischen wie geistigen Vermächtnis, vom »Geist des Widerstandes« geprägt und in der konkreten Aufgabenstellung und Aufgabenerfüllung von diesen geleitet. Es ist vor allem das Vermächtnis des Widerstandes, das verpflichtet, an der offenen, kritikbewussten Rezeption der Geschichte des deutschen wie europäischen Widerstandes gegen Diktatur, Unrecht und Gewalt mitzuwirken.

Es ging also nicht um eine undifferenzierte »Heldenverehrung«, sondern um eine offene, differenzierte und zugleich kritische Auseinandersetzung mit der Geschichte unseres Landes, die den auch unbequemen Fragen nach Mitschuld und Mitverantwortung für das »deutsche Verhängnis« des 20. Jahrhunderts nicht aus dem Wege geht.

Wenn es zutrifft, dass der sittliche Kern des Widerstandes und damit zugleich seine historische Rechtfertigung darin liegt, sich aus dem Wissen um Schuld und Verantwortung vor dem Gewissen zum Widerstand und zur Tat gegen eine Diktatur entschieden zu haben, dann ergibt sich hieraus eine besondere Verantwortung gegenüber der historischen Wahrheit und den daraus zu ziehenden Lehren der Geschichte. Es ist also nicht damit getan »zurückzuschauen«, sondern es kommt darauf an, im Interesse einer freiheitlichen Ordnung »vorauszuschauen«. Nur wenn dies versucht wird, erfährt eine solche Arbeit eine innere Legitimation und Rechtfertigung sowie Dauerhaftigkeit.

Die von beiden Organisationen festgelegten Satzungsaufträge sind erfüllt worden und als kongenialer Beitrag zur Rezeption und Traditionsbildung zu bezeichnen.

Von zentraler Bedeutung für die ethischen und religiösen Fundamente des Widerstandes bleiben die »Predigten von Plötzensee«, die von der Stiftung 20. Juli 1944 getragen seit 1954 kontinuierlich im Hinrichtungsschuppen am 20. Juli jeden Jahres gehalten werden.[29] Diese Gottesdienste beider Konfessionen bleiben der wichtigste Teil der Pflege des geistigen Vermächtnisses des Widerstandes.

Die inzwischen im Archiv der Gedenkstätte Deutscher Widerstand nahezu 490 geordnet und abrufbar vorhandenen Reden zur Geschichte, zum Vermächtnis und Auftrag des Denkens und Handelns gegen die Diktatur repräsentieren den langen Weg zur Anerkennung und Legitimation des Staatsstreiches vom 20. Juli 1944 und die Vielfalt der im Widerstand stehenden Menschen und Gruppen.[30]

Fragt man heute nach den Schritten der staatlichen Anerkennung des deutschen Widerstandes als Teil des nationalen Selbstverständnisses und Teil der »nationalen Identität«, so bieten sich nachfolgende Daten an.

Mit seiner bis heute bedeutenden Rede am 20. Juli 1954 würdigte Bundespräsident Professor Dr. Theodor Heuss den gesamten deutschen Widerstand und schloss seine Gedanken mit den Worten: »Das Vermächtnis ist noch in Wirksamkeit, die Verpflichtung noch nicht eingelöst.« Mit den Reden zu der jeweiligen Veranstaltung im zehnjährigen Abstand wurde dieses politische Bekenntnis von Bundespräsident Heinrich Lübke 1964, Staatssekretär Karl-Wilhelm Berkan 1974, Bundeskanzler Dr. Helmut Kohl 1984 und 1994, Bundeskanzler Gerhard Schröder 2004 wiederholt. Mit den feierlichen Gelöbnissen, seit 1999 vollzog die Bundeswehr den institutionellen Schritt ihres Bekenntnisses zum deutschen Widerstand als wesentlichen Teil ihres Traditionsverständnisses und

---

[29] Rüdiger von Voss (Hg.) und Gerhard Ringshausen (Hg.), Die Predigten von Plötzensee. Zur Herausforderung des modernen Märtyrers. Berlin: Lukas Verlag, 1. Aufl. 2009.

[30] Gedenkstätte Deutscher Widerstand: Der 20. Juli 1944. Erinnerungen an einen historischen Tag – Reden und Gedenkfeiern, http://www.20-Juli-44.de/reden.php; Zugriff: 27.02.2014. vgl. auch R. von Voss, Der Staatsstreich vom 20. Juli 1944, Kapitel: Attentat und Staatsstreich im Spiegel politischer Reden, S. 25ff.; vgl. auch Internetportal der »Gedenkstätte Deutscher Widerstand« www.gdw-berlin.de, Zugriff: 27.02.2013.

ihrer Verpflichtung auf den demokratischen Staat und die Verfassung; die Gelöbnisse finden abwechselnd im Innenhof des Bundesverteidigungsministeriums im Bendlerblock und vor dem Reichstag statt.

Mit dem Neuaufbau der Gedenkstätte Deutscher Widerstand, die auf Initiative des damaligen Regierenden Bürgermeisters von Berlin, Dr. Richard von Weizsäcker, im Bendlerblock am 19. Juli 1989 neu eröffnet wurde, wurde dem deutschen Widerstand nicht nur ein Ort der Erinnerung, sondern auch ein Ort der historischen Vermittlung des Aufstandes gegen die Diktatur gegeben. In diesen Schritten vollzog sich die »Annäherung« und politisch-historische Legitimation des Widerstandes und seiner Anerkennung.

Die ständigen Ausstellungen in der Gedenkstätte Deutscher Widerstand und die Ausstellung »Topographie des Terrors« auf dem Gelände des ehemaligen Gefängnisses der Gestapo, SS und des Reichssicherheitshauptamtes, dem sogenannten »Prinz-Albrecht-Gelände«,[31] sind eindrucksvolle Orte der Dokumentation der Geschichte von Diktatur und Widerstand und der beste Beweis für die offene, kritische und geschichtsbewusste Auseinandersetzung mit der Zeit von 1933 bis 1945 und den hieraus zu ziehenden Lehren. Hinzuweisen ist auch auf die Gedenkstätte »Haus der Wannsee-Konferenz« sowie auf die »Stiftung Denkmal für die ermordeten Juden Europas«.[32]

Mit der Verleihung des Henry-Kissinger-Preises am 10. Juni 2013 an den kurz zuvor verstorbenen letzten aktiv am Widerstand beteiligten Ewald-Heinrich von Kleist schließt sich, geradezu symbolisch, der Kreis des oft schmerzhaften Bemühens um eine eindeutige Haltung Deutschlands zum Widerstand.

---

[31] Reinhard Rürup (Hg.), Topographie des Terrors. Gestapo, SS und Reichssicherheitshauptamt auf dem »Prinz-Albrecht-Gelände«. Eine Dokumentation. Berlin: Arenhövel Verlag, 4., verb. Aufl. 1988.

[32] Zu »Haus der Wannsee-Konferenz« vgl. www.ghwk.de; zu »Stiftung Denkmal für die ermordeten Juden Europas« vgl. www.stiftung-denkmal.de.

Die über die Jahrzehnte hinweg an dieser Aufgabe mitwirkenden Menschen können nunmehr feststellen, dass sich die Nation aus der Umklammerung des Diktators und seinen Worten in der Nacht des 21. Juli 1944 gelöst und sich die Geschichte unserer Zeit auf die Seite der Hoffnung von Peter Yorck von Wartenburg vom 8. August 1944, als Mahnender und Patriot anerkannt zu werden, geschlagen hat.

3. Ein Blick von außen: Zivilcourage – Asfa-Wossen Asserate

Wer heute beiläufig von Zivilcourage spricht, der denkt nicht unbedingt an Preußen. Preußen steht gemeinhin für Soldatentum, Gehorsam und eingefrorenen Dünkel. Da mag es überraschen, dass Deutschland den Preußen nicht nur die Pickelhaube, sondern auch die Zivilcourage zu verdanken hat. Dies namentlich dem »Eisernen Kanzler« Bismarck, der sich doch selbst bei jeder Gelegenheit in seiner Kürassieruniform mit schwefelgelbem Kragen zeigte (übrigens sehr zum Verdruss mancher Offiziere, hatte der Kanzler des Reiches doch nur kurz und unwillig als Reservist gedient). Durch Bismarck nämlich fand das französische Wort für Bürgermut, »courage civil«, Eingang in die deutsche Sprache – an jenem Tag, als der frisch gewählte Abgeordnete Bismarck im Jahre 1847 seine erste Rede im Vereinten Preußischen Landtag hielt. Es ging um eine Gesetzesvorlage, die Bismarck scharf und leidenschaftlich bekämpfte; und obwohl viele Abgeordnete ihm in der Sache zustimmten, sprang ihm doch keiner von diesen in der Debatte bei. »Mut auf dem Schlachtfeld ist bei uns Allgemeingut«, entgegnete Bismarck später einem Vertrauten, »aber Sie werden nicht selten finden, dass es ganz achtbaren Leuten an Civilcourage fehlt.«[1]

Die Tugend der Zivilcourage ist verwandt mit dem Mut und der Tapferkeit. Doch anders als die Tapferkeit wird sie meist nicht in der Gemeinschaft geübt, sie ist eine Haltung des Einzelnen. Die Tapferkeit kann, insbesondere im Krieg, auch verwerflichen Zwecken dienen, insofern lässt sie sich, wie es Iring Fetscher getan hat, zu den »Sekundärtugenden« zählen.[2] Anders die Zivilcoura-

---

[1] Robert von Keudell, Fürst und Fürstin Bismarck. Erinnerungen aus den Jahren 1846 bis 1872.Berlin/Stuttgart: Spemann, 1901, S. 7f.
[2] Iring Fetscher: Ermutigung zur Zivilcourage. Plädoyer für eine zu wenig beachtete Tugend, in: Dr. Robert Scherer zur Vollendung seines 75. Lebensjahres am 6. März

ge: Sie ist der Mut des Nichtsoldaten. In Zeiten der Diktatur ist sie die Tugend, sich der Staatsgewalt mutig entgegenzusetzen. Dann kann sie nicht nur eine Bürger-, sondern auch eine Soldatentugend sein.

Zivilcourage bewiesen die Offiziere und Generäle um Claus Graf Schenck von Stauffenberg, als sie sich am 20. Juli 1944 zum Attentat auf Hitler entschlossen. Ich weiß, es gab und gibt manche Deutsche, die diese Tat anders beurteilen, wie etwa der Schriftsteller Friedrich Reck-Malleczewen, der am Tag nach dem gescheiterten Attentat in sein Tagebuch schrieb:

> *Ein wenig spät ihr Herren, die ihr diesen Erzzerstörer Deutschlands gemacht habt, die ihr ihm nachliefet, solange alles gut zu gehen schien, die ihr, alle Offiziere der Monarchie, unbedenklich jeden von euch gerade verlangten Treueid schworet, die ihr euch zu armseligen Mamelucken des mit hunderttausend Morden, mit dem Jammer und dem Fluch der Welt belasteten Verbrechers erniedrigt habt und ihn jetzt verratet, wie ihr vorgestern die Monarchie und gestern die Republik verraten habt.[3]*

Vieles hat man den Männern des 20. Juli 1944 vorgeworfen: Dass sie so lange dem Regime Hitlers gedient hatten. Dass sie erst handelten, als längst feststand, dass der Krieg nicht mehr zu gewinnen war. Dass ihre Vorstellung von der Zukunft Deutschlands weit entfernt von dem war, was wir heute mit einer freiheitlich-parlamentarischen Demokratie verknüpfen. All das mag stimmen, aber rechtfertigt es, ihnen die Ehrung für ihre Tat zu verweigern? Stauffenberg, Tresckow, Schulenburg, Kleist, Bussche, Trott zu Solz und all die anderen bewiesen Courage und Charakter, wie

---

1979 (Hg.): Mut zur Tugend. Über die Fähigkeit, menschlicher zu leben. Freiburg [u.a.]: Herder, 1996, S. 94-103.
[3] Friedrich Percyval Reck-Malleczewen, Tagebuch eines Verzweifelten. Frankfurt am Main: Eichborn, 1994.

sie viele andere damals nicht aufzubringen vermochten. Unter Einsatz ihres Lebens setzten sie ein Zeichen dafür, dass es ein »anderes Deutschland« gab, das sich der Barbarei Hitlers widersetzte.

Mich erinnert dieses couragierte, das eigene Leben einsetzende Auftreten von Offizieren gegen einen menschenverachtenden Diktator an ein vergleichbares Ereignis in meinem Heimatland Äthiopien:

Am 16. Mai 1989 wagten hohe Offiziere der äthiopischen Armee einen Putschversuch gegen Diktator Mengistu Haile Mariam. Mengistu hatte sich 1977, drei Jahre nach dem Sturz Kaiser Haile Selassies, als Staatsoberhaupt Äthiopiens behauptet. Seine Vorgänger und sämtliche Widersacher hatte er bis dahin töten lassen. Nun errichtete der Armee-Oberst in Äthiopien eine marxistische Diktatur. Als »Roter Terror« gingen diese Jahre in unsere Geschichte ein. 1989 weilte Mengistu gerade in Ostberlin, beim »zuverlässigen Freund DDR«, als ihn die Nachricht vom Putschversuch in Äthiopien erreichte. Er brach die Visite beim Verbündeten sofort ab. Als er in Addis Abeba landete, hatten loyale Truppen die Meuterei der Offiziere bereits niedergeschlagen. Dutzende Menschen bezahlten ihren mutigen Aufstand gegen die immer blutrünstiger werdende Diktatur und den Dauerkrieg gegen die abtrünnige Provinz Eritrea mit ihrem Leben. Die beiden Anführer des gescheiterten Coups, Generalstabschef Merid Nebussie und der Chef der Luftwaffe Amha Desta, wurden sofort hingerichtet. Sie hatten dem Regime über viele Jahre gedient. Nun aber setzten sie ihr Leben ein, um dem Terror Einhalt zu gebieten. In den Jahren zuvor ließ Mengistu über 100 000 »Klassenfeinde«, Regimegegner oder Personen, die sich den Enteignungen und Zwangsmaßnahmen widersetzen wollten, gefangen nehmen, foltern und töten. Jüngere Schätzungen nennen mindestens eine halbe Million Todesopfer.

Auch diese Offiziere in Äthiopien, die sich dem barbarischen Treiben entgegenstellten, legten Zivilcourage an den Tag. Auch ihr mutiges Auftreten wurde zunächst nicht belohnt. Zwei Jahre später aber, im Mai 1991, wurde Mengistu schließlich aus dem Land getrieben.

Die Widerstandskämpfer des 20. Juli 1944 standen mit ihrem couragierten Auftreten gegen Hitler auch in Deutschland nicht allein: Georg Elser, ein einfacher gelernter Schreiner und Tischler, wagte schon 1939 auf eigene Faust und ganz auf sich gestellt den Tyrannenmord. Im Münchner Bürgerbräukeller, wo Hitler jährlich zum Jahrestag seines Putschversuches vom 9. November 1923 sprach, platzierte er eine Bombe mit Zeitzünder. Der Anschlag scheiterte damals nur daran, dass Hitler entgegen seiner Gewohnheit den Ort eine halbe Stunde früher verließ, weil er wegen starken Nebels nicht mit dem Flugzeug nach Berlin zurückkehren konnte und stattdessen den Zug nehmen musste.

In München gab es die Gruppe der Weißen Rose um Hans und Sophie Scholl, die in der Universität und anderswo Flugblätter verteilten, auf denen stand: »Wir schwiegen nicht, wir sind euer böses Gewissen.« In Berlin rief die kommunistische Gruppe der Roten Kapelle um Harro Schulze-Boysen und Arvid Harnack zur »Gehorsamsverweigerung« auf. Es gab den Kreisauer Kreis um Helmuth James Graf von Moltke und Peter Graf Yorck von Wartenburg, der sich nach Moltkes Gut Kreisau in Schlesien benannte; und den oppositionellen Freiburger Kreis, in dem sich nach den Novemberpogromen 1938 Wirtschaftswissenschaftler und Mitglieder der Bekennenden Kirche zusammenfanden. Zu Letzterer gehörten auch Martin Niemöller und Dietrich Bonhoeffer, die mutig gegen die Ideologie der Nationalsozialisten eintraten. Auch wenn die Motive und politischen Vorstellungen all dieser Frauen und Männer ganz verschieden waren: Sie sind ein Vorbild, weil sie in finsterer Zeit Mut bewiesen haben, und viele von ihnen bezahlten dafür mit dem Leben. Es sollte aber auch an die Tausenden von Menschen erinnert werden, die in Berlin und anderen Städten Juden in ihren Häusern versteckten und ihnen auf diese Weise das Leben retteten. Auch diese »stillen Helden«, deren Namen vielfach niemand kennt, sind ein Beispiel für Zivilcourage.

»Unglücklich das Land, das Helden nötig hat«, heißt es bei Brecht.[4] Die Zeiten, in denen man Angst haben musste, nachts von der Gestapo aus dem Bett geholt zu werden, wenn man ein offenes Wort riskierte, sind Vergangenheit. Die Historiker mögen sich darüber streiten, welchen Anteil das Erbe Preußens an den beiden Weltkriegen tatsächlich gehabt hat, unbestritten aber ist: Westdeutschland hat sich nach dem Krieg zu einer geradezu mustergültigen Demokratie entwickelt, und auch Ostdeutschland ist seit bald einem Vierteljahrhundert demokratisch. Das Preußisch-Soldatische ist aus dem öffentlichen Leben verschwunden, und die deutsche Gesellschaft macht einen durch und durch zivilen Eindruck. Niemand schlägt mehr die Hacken zusammen, niemand steht mehr stramm, und kaum je sieht man in der Öffentlichkeit eine Uniform.

Vielleicht hat der Widerstand des 20. Juli 1944 auch darum einen so schweren Stand in der heutigen Bevölkerung, weil das ganze Milieu, aus dem ein Großteil der Menschen kam, die daran beteiligt waren, nicht mehr existiert. Die damaligen politischen Eliten haben nicht nur ihre Funktionen verloren, sie sind auch so weit demokratisiert, dass sie dorthin gar nicht mehr zurückwollen.

Die Pastorin und ehemalige Bundestagsabgeordnete der Grünen, Antje Vollmer, sagte in einem Interview zu ihrem kürzlich herausgegebenem Buch »Stauffenbergs Gefährten«:

Wenn wir heute ein Interesse an dieser Gruppe wecken wollen, dann spielen der Adel, das konservative Milieu usw. keine Rolle mehr. Entscheidend und für viele überraschend ist allein das Faktum: Tatsächlich gab es einige in Deutschland, die mit großer Ernsthaftigkeit – manche schon früh – begriffen, welche Kategorie von Verbrechen mit dieser nationalsozialistischen Ideologie gemeint war und von diesem Augenblick an, nach bestem Vermögen, versuchten, einen Plan zu entwickeln, wie das ganze Re-

---

4 Bertolt Brecht, Leben des Galilei. Schauspiel. Frankfurt am Main: Suhrkamp Verlag, 74. Aufl. 2012, Szene 13.

gime zu stürzen sei. Dass es die wirklich gab, auch unter denen, die eine Weile lang mitliefen und mitjubelten, das war für mich das Allererstaunlichste.[5]

»Vom Mut zur Zivilcourage« betitelte die Frankfurter Rundschau ihren Artikel über die Gedenkansprache, die Professor Dr. Karl Heinz Bohrer 2013 in der Gedenkstätte Plötzensee anlässlich des 69. Jahrestages des 20. Juli 1944 hielt. Darin heißt es:

> *Bohrer scheut sich nicht, darauf hinzuweisen, dass die Männer und Frauen des 20. Juli Täter waren. Nicht nur Attentäter, sondern auch Nazitäter. Wer vom 20. Juli spricht, der spricht nicht von Unschuldslämmern, sondern von erwachsenen Verschwörern, die sich im Machtzentrum befanden und von dort aus am Umsturz arbeiteten. Menschen, die schuldig geworden waren, weil sie den Nationalsozialismus und wo nicht ihn, so doch seinen Siegeszug durch Europa befördert hatten. Ihr Widerstand war nicht aus Liebe zur Demokratie entstanden, sondern aus der Liebe zu einem Deutschland, das von den Nazis zuschanden geritten wurde. Motive, die, das sagt auch Bohrer, uns fernliegen, Motive auch einer inzwischen gänzlich zerschlagenen Welt, der des preußischen Junkertums.*[6]

Was zeichnete dieses preußische Junkertum aus? Wenn wir uns auf diese Frage einlassen, treffen wir schnell auf so verstaubt wirkende Begriffe wie Ehre und Ritterlichkeit.

Die Schwägerin Dietrich Bonhoeffers, Emmi Bonhoeffer, hat eindringlich am Beispiel ihres Mannes Klaus Bonhoeffer beschrieben, was die Triebfeder des Widerstandes war:

[5] Arno Widmann, »Es ging nicht nur um ein Attentat«, in: Frankfurter Rundschau, 20. Juli 2013.
[6] Arno Widmann, Vom Mut zur Zivilcourage, in: Frankfurter Rundschau, 22. Juli 2013.

Mein Mann vertrat die Ansicht, dass Hitlers größtes Verbrechen die Verwüstung der Rechtsbegriffe sei. Menschenrechte zu beugen, Willkür an Stelle von Justiz zu setzen, hieß für ihn, das Fundament von Kultur aufreißen. Ich glaube, dass die Erziehung der Söhne in den Familien, in denen der Widerstand aufkam, die Erziehung schon auf dem Schulhof, selbstverständlich den Schwachen vor dem Brutalen zu schützen, es ihnen später unmöglich machte, staatlich sanktioniertes Verbrechen mit anzusehen und sich aufs Abwarten zu verlegen. Nichts galt damals für schändlicher, als sich »unritterlich« verhalten zu haben; so nannte man das.[7]

Christian Wulff, damals noch Ministerpräsident Niedersachsens, sagte 2006 in einer Rede zum Gedenken an die Widerstandskämpfer des 20. Juli 44:[8]

So antiquiert der Begriff »Ritterlichkeit« heute sein mag, so stand er doch für zahlreiche Widerstandskämpferinnen und -kämpfer für höhere Werte. Ritterlichkeit, das Eintreten für die Entrechteten, ist ein erster Schritt zur »Wiederherstellung des menschlichen Anstands«, wie Carl Goerdeler es anstrebte. Dies ist nichts anderes als der Versuch zur »Wiederherstellung des zerstörten Menschenbildes«, wie man es im Kreisauer Kreis nannte.

Was impliziert dieser uns heute so sperrig anmutende Begriff »Ritterlichkeit«? – Als die Jäger und Fischer in Europa sesshaft wurden und die Zeltgemeinschaften und Stämme territorialen Verwaltungsbezirken weichen mussten, entstand das Rittertum aus den Selbstverteidigungseinheiten der Bauern. Zuerst war das

---

[7] Emmi Bonhoeffer, Gedenkrede am 20. Juli 1981 im Ehrenhof der Gedenk- und Bildungsstätte Stauffenbergstraße, Berlin.

[8] Christian Wulff und Axel Smend, Das Attentat vom 20. Juli 1944. Gedanken über das Vermächtnis des Widerstandes. Dokumentation der Reden zum Gedenken an die Widerstandskämpfer vom 20. Juli 1944 in Berlin am 20. Juli 2006 und Hannover am 4. September 2006. Hannover: CDU in Niedersachsen, 2006.

Rittertum als rein militärische Organisation gedacht, im Laufe der Zeit fiel ihm auch eine Verwaltungs- und damit eine politische Rolle zu. Um dieser gerecht zu werden, brauchte das Rittertum höhere Leitsätze, an denen es sich orientieren konnte.

Aus diesen Leitsätzen entwickelte sich eine Ethik und mit ihr ein bunter Strauß an edlen Tugenden: die sogenannten ritterlichen Tugenden. Zweifellos ist das Rittertum alter Prägung untergegangen, die Tugenden jedoch, die es trugen, sind keine Erfindungen mit mittelalterlichem Verfallsdatum. Sie sind die Summe der ethischen Kultur des Abendlandes seit seinen Anfängen. Grundlagen des ritterlichen Ethos sind die vier Kardinaltugenden Weisheit, Gerechtigkeit, Tapferkeit und Besonnenheit, wie sie schon die klassische griechische Philosophie entworfen hatte und wie sie später in das christlich-ethische System eingeflossen sind. Darin schwingt das Ideal eines edlen Menschen mit, das sich im europäischen Mittelalter aus der Verbindung von Mönchtum und Rittertum herauskristallisierte. Die Rittertugenden stehen für Grundhaltungen, die den Edlen Menschen, also den wahren Adel, auszeichnen und kennzeichnen.

Dieser jahrtausendealten spirituellen Welt- und Werteordnung, aus der die Ritterlichkeit hervorgegangen ist und bis in unsere Zeit hineinwirkt, steht heute eine im zügigen Aufbau befindliche, dem materialistischen Fortschrittsglauben ergebene sogenannte »moderne Welt« gegenüber.

Doch gerade in unseren Tagen tun ritterliche Tugenden not. Die Erneuerung Europas und seiner Staaten ist vor allem eine Frage des persönlichen Einsatzes. »Nicht: Es muss etwas geschehen, sondern: Ich muss etwas tun«, ist in diesem Zusammenhang ein Zitat, das dem Widerstandskämpfer Hans Scholl zugeschrieben wird.[9] Menschen, die sich wieder zu den ritterlichen Tugenden bekennen, die in der Zivilcourage kulminieren, müssen aufstehen und Farbe bekennen. Der Mut eines Ritters besteht nicht darin, keine Angst zu haben, sondern darin, die Angst zu überwinden

---

9 Ohne Beleg.

und trotz aller Angst zu handeln, wie es das Gewissen befiehlt. Ein solcher Einsatz verlangt die Bereitschaft zum persönlichen Risiko. Allzu oft begegnet man aber Menschen, die auf ein neutrales Betätigungsfeld ausweichen, um ihr Gewissen zu beruhigen, ohne dabei die eigene Sicherheit aufs Spiel setzen zu müssen. Der wahrhaft ritterliche Mensch hingegen wird bereit sein, dort aufzutreten, wo es am meisten nottut, auch wenn für ihn selbst die Gefahr dort am größten ist.

Für mich sind deshalb all die Menschen, die noch Visionen haben für eine bessere Welt und mit ihrem Leben dafür einstehen, leuchtende Beispiele für Zivilcourage. Sie sind die modernen Ritter. Ich denke dabei an Menschen wie Ken Saro-Wiwa, den Bürgerrechtler, Schriftsteller und Träger des Alternativen Nobelpreises aus Nigeria, der auch den Kampf mit den mächtigen Ölgesellschaften nicht scheute und seinen Einsatz für die Umwelt und die Rechte seines Volkes im Nigerdelta mit dem Leben bezahlte. Ich denke bei modernen Rittern auch an die jungen Menschen in Afrika, im Nahen Osten und an vielen anderen Orten dieser Welt, die bereit sind, für die Freiheit ihrer Gesellschaften ins Gefängnis zu gehen, oder sogar ihr Leben aufs Spiel setzen. Rückgrat zeigen, Eintreten für das Leben – gegen Erniedrigung, Entrechtung und Gewalt, dabei eigene Nachteile in Kauf nehmen: das ist Zivilcourage. Moderne Ritter treten nicht in Kettenhemden und goldenen Rüstungen auf.

Wie all dieser Menschen gedenken? Am besten durch Nachmachen, durch eigene Zivilcourage. Doch wie oft lesen und hören wir auch vom Gegenteil: Eine Frau wird auf offener Straße angegriffen, ein Fahrgast in der U-Bahn bedroht – und keiner greift ein. »Was geht's mich an?«, »Was kann ich schon tun?« und: »Gibt es da nicht andere, die für so etwas zuständig sind?« Es sind immer die gleichen Fragen und Einwände, mit denen man vor allem vor sich selbst das Wegducken rechtfertigt. Vor allem aber fürchten wir uns vor den Unannehmlichkeiten, die das eigene Engagement mit sich bringen könnte.

Ritterlichkeit dagegen beinhaltet auch einen Begriff, der unserer gesellschaftlichen Realität wohl am allerfernsten liegt: die Ehre. Die Ehre scheint wie die Ritter endgültig untergegangenen Zeiten anzugehören. Vielleicht ist in diesem Begriff am allermeisten von dem enthalten, was uns von der Vergangenheit trennt. Die Ehre entstammt einer Zeit, in der Kollektive, auch Stände genannt, viel galten, die Zentralgewalt aber wenig. Sie war Ausdruck einer der zahlreichen Paradoxien der ständisch gegliederten Welt: Auf der einen Seite forderte sie vom Einzelnen Unterordnung und Gehorsam, auf der anderen gebot sie, dass jeder für seine Ehre mit allen Mitteln eintrete, auch wenn er sich dadurch gegen Mächte und Gesetze auflehnen musste. Die Ehre war der Ausdruck des Glaubens, dass nicht alle Fragen des menschlichen Zusammenlebens staatlich, gesetzlich und gesellschaftlich zu lösen sind. Sie forderte vom Einzelnen eine Kampfbereitschaft, die den eigenen Untergang mit einschloss. Der alte Begriff der Ehre säte andererseits den Samen der Anarchie in die gesellschaftliche und staatliche Ordnung. Die Ehre führte so auch zu grässlichen Katastrophen: Väter verstießen oder töteten gar ihre Töchter, Familien führten blutige Kriege gegeneinander, bis sie sich vollständig ausgelöscht hatten. Wer nun all das Unglück, das aus dem ritterlichen Ehrbegriff stammte, in Betracht zieht, wird dem Erlöschen dieses alteuropäischen Ehrgefühls schwerlich nachtrauern können. Und doch muss ich bekennen, dass ich mich an die eigentümliche Zahmheit des gesellschaftlichen Lebens in Europa erst gewöhnen musste, als ich aus Afrika hierherkam.

Der äthiopische Kaiser führte, wie man gerade auch in Deutschland allgemein wusste, den Titel »Negus Negest« – das heißt König der Könige, und mit diesen Königen waren die Stammeskönige gemeint, die zusammen das äthiopische Kaiserreich bildeten, aber auch in einem anderen Sinn passte dieser Titel nicht schlecht: Auch als Herrscher über den Vielvölkerstaat war der Kaiser ein »König der Könige«, weil jeder Untertan, und sei es der ärmste Bauer, sich mit seiner rostigen Flinte in der Hand als König fühlte, als souveräne letzte Instanz in allen Fragen seiner Person und seiner Familie. Man mag es für absurd halten, wenn ein solcher Mann sich unter der Herrschaft eines absoluten Monarchen für frei hielt, aber ich schwöre, dass er das tat. Und ich bin mir nicht so sicher, ob sich der durchschnittliche Europäer mit seinem Wohlstand und seiner Freizügigkeit in seinem tiefsten Innern wirklich genauso frei fühlt oder ob er sich nicht vielmehr mit tausend Fäden in die gesichtslose gesellschaftliche Maschinerie eingebunden sieht. Eines steht für mich jedenfalls fraglos fest: Zivilcourage setzt auch ein hohes Maß an persönlicher innerer Freiheit voraus. Sie zu verteidigen, nannte man einmal Ehre: das starke Bewusstsein, unter einem eigenen, für niemanden als einen selbst geltenden Gesetz zu stehen, für dessen Einhaltung man ganz allein verantwortlich ist.

Für die Zivilcourage gilt darüber hinaus eine Forderung, die der jüdische Philosoph und Schriftsteller Martin Buber einmal als Lebens-Maxime in Worte kleidete: »Man soll sich vergessen und die Welt im Sinn haben.«[10] In der jüdisch-chassidischen Tradition, aus der Martin Buber schöpft, erkennt man im Menschen ein Ringen zwischen zwei Charakteren: dem Hochmütigen, der, und sei es in der erhabensten Form, sich selbst meint, und dem Demütigen, der bei allem die Welt meint. Erst wenn der Hochmut sich der Demut beugt, wird er erlöst; und erst wenn er erlöst wird, kann die Welt erlöst werden.

Den Widerstandskämpfern des 20. Juli 1944 ging es schon längst nicht mehr um die eigene Ehre. Sie wollten Deutschland retten. Sie dachten, planten und handelten in der Erkenntnis, dass mit der nationalsozialistischen Gewaltherrschaft nichts Geringeres als der politische und, noch schlimmer, der kulturelle und moralische Untergang Deutschlands eingeleitet worden war.

Genau der begrenzte Patriotismus wird ihnen aber heute auch immer wieder zum Vorwurf gemacht. Die Philosophin Hannah

---

[10] Martin Buber, Der Weg des Menschen nach der chassidischen Lehre. Gütersloh: Gütersloher Verlagshaus, 17. Aufl. 2012, S. 46.

Arendt wirft in ihrem berühmt gewordenen Bericht »Eichmann in Jerusalem« dem Kreis um Stauffenberg vor:

Alle diese Männer, ob sie nun nach Osten oder nach Westen neigten, waren national gebunden und handelten im Sinne national-politischer Erwägungen. Gewiss mögen manche von ihnen, wie der Graf Yorck, zuerst durch »die abscheuliche Judenhetze vom November 1938 zu politischer Empörung« getrieben worden sein. (Riter) [...] Gewiss waren die Befehlshaber der Wehrmacht höchst bedrückt, als sie im Mai 1941 Hitlers sog. Kommissarbefehl für den russischen Feldzug erhielten, demzufolge alle politischen Funktionäre und natürlich alle Juden einfach niederzumachen seien. Selbstverständlich verurteilte man in allen diesen Kreisen, »dass in den besetzten Gebieten und den Juden gegenüber Methoden der Menschenbeseitigung und der Glaubensverfolgung angewendet sind, [...] die dauernd als schwere Belastung auf unserer Geschichte ruhen werden« (Goerdeler). Aber dass dies mehr und Furchtbareres besagte, als dass es »unsere Stellung (bei Friedensverhandlungen mit den Alliierten) ungeheuer erschwert«, den guten Namen Deutschlands belastet und die Moral der Armee untergräbt [...], ist ihnen offenbar nie in den Sinn gekommen.[11]

Ob die Gesinnung des Widerstandes heutigen demokratischen Maßstäben entsprach, darüber haben Historiker zu befinden – in der gebotenen Sorgfalt und noch mehr in dem notwendigen Respekt. Sicher ist: Zum Widerstand gegen das totalitäre NS-System gehörte unendlich viel Mut. Wir können dies kaum mehr nachvollziehen in einer Zeit, in der es schon als Ausdruck von Zivilcourage gilt, sich in einen Demonstrationszug einzuordnen, an dessen Spitze das Staatsoberhaupt vorausgeht.

Es war Deutschlands hartnäckigster Gegner, es war Winston

---

[11] Zitiert nach: Hannah Arendt, Eichmann in Jerusalem. Ein Bericht von der Banalität des Bösen. Mit einem einleitenden Essay und einem Nachwort zur aktuellen Ausg. von Hans Mommsen. München/Zürich: Piper Verlag, 8. Aufl. 2013, S. 189.

Churchill, der nach dem gewonnenen Krieg, im Jahr 1946, vor dem britischen Unterhaus sprach:

In Deutschland lebte eine Opposition, die durch ihre Opfer und eine entnervende internationale Politik immer schwächer wurde, aber zu dem Edelsten und Größten gehört, was in der Geschichte aller Völker je hervorgebracht wurde. Diese Männer kämpften ohne eine Hilfe von innen oder außen – einzig getrieben von der Unruhe des Gewissens. Solange sie lebten, waren sie für uns unsichtbar und unerkennbar, weil sie sich tarnen mussten. Aber an den Toten ist der Widerstand sichtbar.[12]

Auch was den Vorwurf des beengten Blicks auf die Nation betrifft, sollte man die Zeit berücksichtigen? Es ist erst ein Verdienst unserer Zeit, ein Bewusstsein für die Welt als Ganzes zu entwickeln, vielleicht begünstigt durch die neuen, weltumspannenden elektronischen Medien, die in immer raffinierteren Formen mehr und mehr unseren Alltag prägen.

Der Göttinger Professor für Neurobiologie, Gerald Hüther, stellt diesbezüglich eine interessante Frage: »*Wen meinen wir, wenn wir* ›*Wir*‹ *sagen?*« Seine Antwort: *Wo das* »*Ich*« *aufhört, ist uns einigermaßen klar. Wer* »*Wir*« *sind, fangen wir gerade erst an zu begreifen. Wir haben uns sehr weit voneinander entfernt und vergessen oft, dass wir miteinander verbundene, voneinander abhängige und aneinander wachsende Einzelwesen sind. Langsam sehen wir jetzt unsere gemeinsamen Wurzeln wieder und beginnen zu verstehen, dass alle Menschen überall auf der Welt mit den gleichen Bedürfnissen, Hoffnungen und Ängsten unterwegs sind. Das gab es in dieser globalen Weise bisher noch nicht. Unsere Kinder werden vielleicht gar nicht mehr verstehen, dass es einmal eine Zeit gab, in der die Menschen, wenn sie* »*Wir*« *sagten, nicht alle Menschen meinten. Für unsere Urgroßeltern war es noch unvorstellbar, dass sich die Beziehungen zwischen den Völ-*

---

[12] Rudolf Pechel, »Tatsachen«, Deutsche Rundschau, Oktober/November/Dezember 1946, S. 180.

kern Europas irgendwann einmal so entwickeln würden, wie das inzwischen geschehen ist. Und noch weniger hätten sie sich vorstellen können, dass sich die Gehirne von Menschen dadurch verändern, dass sie anfangen, einander kennenzulernen, sich auszutauschen, voneinander zu lernen und miteinander Probleme zu lösen. Wenn sie damals »Wir« sagten, dann verstanden sie sich zwar auch als Teil einer Gemeinschaft, zu der man gehört und in der man sich so gut wie möglich hilft, um Probleme zu lösen und Bedrohungen abzuwenden. Aber damals war der Kreis derjenigen, die sie mit diesem »Wir« meinten, noch sehr beschränkt. Für die meisten war hinter der eigenen Landesgrenze Schluss mit dem »Wir«-Bewusstsein. Bei manchen auch schon im Nachbardorf. Bei einigen bereits hinter dem eigenen Gartenzaun. Dort, auf der anderen Seite, lebten die anderen, die einem auf die Nerven gingen, die man als Konkurrenten oder Störenfriede betrachtete und manchmal mit allen Mitteln als Feinde bekämpfte. Heute gibt es Gemeinschaften mit einem anderen Geist, mit einem anderen »Wir«-Bewusstsein.[13]

Wer heute Zivilcourage einfordert, muss bereit sein, den Blick über den eigenen Tellerrand, die eigene Familie, die eigene Nation hinaus zuzulassen.

Bei Totenehrungen und Gedenkansprachen, die an die Vergehen NS-Zeit mahnen, bewegt immer wieder die Erinnerung an »die vielen Menschen, die in den Weiten des Ostens verschwanden, als hätte es sie nie gegeben«.

Pater Karl Meyer OP sagte dazu in seiner Predigt am 20. Juli 2013 in Plötzensee:

> *Das sind gefährliche Erinnerungen, wie aus Gottes Mund. Denn Jesus geht es um die Kleinen, die Namenlosen. Diese Erinnerungen wollen in der globalisierten Welt aktualisiert werden: Wir gedenken der Millionen, die in den Weiten Afrikas in Stellvertreterkriegen um wichtige Mineralien für die Elektronik oder andere Ele-*

---

[13] Zitiert nach: Thomas Gonschior, Auf den Spuren der Intuition. München: Herbig, 2013, S. 237f.

mente beseitigt werden und verschwinden, als wären sie nie gewe-
sen. Die Süddeutsche Zeitung bringt gerade gestern im Magazin
einen langen Beitrag über die unvorstellbaren Leiden von Afri-
kanern auf ihrem Fluchtweg durch die arabische Halbinsel und
titelt: »*Und niemand sieht hin.*« *Ist uns dieses Wort nicht ver-*
traut?[14]

Wir sitzen auf dieser Erde alle in einem Boot. Dieses Bewusstsein
sollte heute auch die Basis für Zivilcourage sein. Egal ob humani-
täre Katastrophen, Flüchtlingselend, Kriege oder Umweltkatastro-
phen, wir dürfen uns heute auch global gesehen nicht mehr hinter
den feigen Fragen verstecken: »Was geht's mich an?«, »Was kann
ich schon tun?« und: »Gibt es da nicht andere, die für so etwas
zuständig sind?«

Wie die allermeisten Tugenden lässt sich aber auch die Zivilcourage nicht verordnen. Doch man kann auf die hinweisen und
diejenigen ehren, die ein positives Beispiel geben. In einer Gesellschaft, in der sich die Menschen anpassen, um voranzukommen,
können so andere ermutigt und angesteckt werden. Man braucht
dazu eine Festigkeit des Herzens, und die wird einem nicht in die
Wiege gelegt. »Der Mut, den wir einzig und allein brauchen können«, schreibt Fontane, »ist das Resultat der Liebe, der Pflicht, des
Rechtsgefühls, der Begeisterung und der Ehre, er ist nicht angebo-
ren, sondern er wird, er wächst.«[15]

Von einem Politiker darf Zivilcourage erwartet werden, wenn er
aus Fraktionszwang eine Entscheidung mittragen soll, die seinem
Gewissen widerspricht. Von einem Bankberater, wenn er angewiesen wird, seinen Kunden ein Finanzprodukt zu verkaufen, das er
nicht einmal selber versteht. Von einem Wissenschaftler, wenn er
sich zu Forschungen hergeben soll, deren Ziele der Würde des

---

[14] P. Dr. Karl Meyer OP, Hamburg: Predigt beim Gottesdienst in der Gedenkstätte
Berlin-Plötzensee am 20. Juli 2013, http://www.stiftung-20-juli-1944.de/wp-content/
uploads/2013/08/Predigt-20.-Juli-2013.pdf, Zugriff: 27.02.2014.
[15] Ludwig Reiners, Sorgenfibel oder über die Kunst, durch Einsicht und Übung seiner Sorgen Meister zu werden. München: C. H. Beck, 2010, Seite 86.

Menschen zuwiderlaufen. Ebenso von einem Journalisten, wenn sein Verleger ihm verbieten will, die Wahrheit zu schreiben. Das kann unter Umständen mit persönlichen Nachteilen verbunden sein, aber gerade das zeichnet die Zivilcourage aus: dass man bei seinem couragierten Handeln auf solches nicht Rücksicht nimmt.

Ohne Zivilcourage, fürchte ich, kommt keine Gesellschaft aus – und erst recht keine Demokratie, die doch vom Gemeinsinn lebt. Ohne sie kann es gar kein dauerhaftes menschliches Miteinander geben, denn sie ist die Tugend des aufrechten Ganges.

4. Anhang

4.1 Liste der Bad-Sachsa-Kinder

Als Heiminsassen in Bad Sachsa sind nach aktuellem Forschungs-stand folgende Personen bekannt.[1]

1. Heinz Bernardis (4 Jahre),
2. Lore Bernardis (7 Jahre),
3. Heinz-Gerd von Dittersdorf (2 Jahre),
4. Karin von Dittersdorf (7 Jahre),
5. Waltraut Dieckmann (7 Jahre),
6. Dorothea Dieckmann (11 Jahre),
7. Arnd-Heinrich Dieckmann (13 Jahre),
8. Andreas Freiherr Freytag von Loringhoven (¾ Jahre),
9. Wessel Freiherr Freytag von Loringhoven (2 Jahre),
10. Axel Freiherr Freytag von Loringhoven (8 Jahre),
11. Nikolai Freiherr Freytag von Loringhoven (9 Jahre),
12. Hildegard Gehre (1 Jahr),
13. Carl Goerdeler (¾ Jahre),
14. Rainer J. C. Goerdeler (3 Jahre),
15. Volker Hayessen (1 Jahr),
16. Hans-Hayo Hayessen (2 Jahre),
17. Helmtrud von Hagen (8 Jahre),
18. Albrecht von Hagen (11 Jahre),
19. Dagmar Hansen (15 Tage),
20. Frauke Hansen (1 Jahr),
21. Karsten Hansen (6 Jahre),
22. Wolfgang Hansen (8 Jahre),

---

[1] Quellen: Gedenkstätte Deutscher Widerstand, Berlin; Horst Möller, Bad Sachsa. Geschichte einer Kurstadt. Kinder des 20. Juli 1944. 13. Mai 2014 <http://www.bad-sachsa-geschichte.de/index.php?option=com_content&view=article&id=3&Itemid=30>

23. Hans-Georg Hansen (11 Jahre),
24. Friedrich-Wilhelm von Hase (7 Jahre),
25. Renate Henke (7 Jahre),
26. Liselotte von Hofacker (5 Jahre),
27. Alfred von Hofacker (9 Jahre),
28. Christa von Hofacker (12 Jahre),
29. Gabriele Gräfin von Lehndorff (1 Jahr),
30. Vera Gräfin von Lehndorff (5 Jahre),
31. Nona Gräfin von Lehndorff (7 Jahre),
32. Marie Luise Lindemann (10 Jahre),
33. Christoph Graf von Schwerin von Schwanenfeld (11 Jahre),
− 34. Wilhelm Graf von Schwerin von Schwanenfeld (15 Jahre),
35. Ute von Seydlitz-Kurzbach (8 Jahre),
36. Ingrid von Seydlitz-Kurzbach (10 Jahre),
37. Valerie Schenk Gräfin von Stauffenberg (3 Jahre),
38. Elisabeth Schenk Gräfin von Stauffenberg (5 Jahre),
39. Franz-Ludwig Schenk Graf von Stauffenberg (6 Jahre),
40. Alfred Schenk Graf von Stauffenberg (7 Jahre),
41. Heimeran Schenk Graf von Stauffenberg (8 Jahre),
42. Berthold Schenk Graf von Stauffenberg (10 Jahre),
43. Heidi von Tresckow (4 Jahre),
44. Uta von Tresckow (13 Jahre),
45. Clarita von Trott zu Solz (1 Jahr),
46. Anna-Verena von Trott zu Solz (2 Jahre)

4.2 Antwort Heinrich Himmlers auf das Gnadengesuch Helene von Hintzes

Abschrift des Briefes (Original s. Bildteil S. 16)

Der Reichsführer-SS   *Berlin SW 11, den 26. September 1944*
und   *Prinz-Albrecht-Str. 8*
Chef der Deutschen Polizei   *z.Zt. Feld-Kommandostelle*

B.Nr. 456/44   Ads.RF/Fe.

Sehr verehrte gnädige Frau!
    Ihr Brief vom 5. September 1944, den Sie an den Führer schrieben, ist mir übergeben worden.
    Was die Schuld Ihres Schwiegersohnes Wessel Freytag von Loringhoven betrifft, muß ich Ihnen leider mitteilen, daß durch das Ermittlungsergebnis einwandfrei festgestellt worden ist, daß er sowohl von der geplanten Verschwörung als auch von dem Anschlag auf den Führer gewußt und sich sogar aktiv an den Vorbereitungen beteiligt hat. Er hat sich selbst gerichtet.
    Die nächsten Familienangehörigen mußten verhaftet werden, um bei der in der Zeit des schwersten Existenzkampfes unseres Volkes aufgekommenen Bedrohung unseres Staates pflichtgemäß festzustellen, wer von der Familie Mitwisser war. Die Kinder wurden durch die Gauleitung Salzburg in ein Kinderheim der NSV. [sic] gegeben.
    Bei all' [sic] dem Kummer, der Sie – was ich so gut begreife – zutiefst erfüllt, kann ich Ihnen heute die Mitteilung machen, daß ihre vier Enkelkinder in den nächsten Tagen zu Ihnen zurückkommen werden und daß die Untersuchung gegen Ihre Frau Tochter ebenfalls in allernächster Zeit abgeschlossen sein wird. Ich hoffe, daß auch sie dann zu Ihnen zurückkehren kann.
Mit höflichen Empfehlungen und
Heil Hitler!
Ihr sehr ergebener
gez. Heinrich Himmler.

4.3 Textnachweis

In Zeitzeugenberichten vor 1996 wurde die alte Rechtschreibung beibehalten; eindeutige orthografische Fehler wurden verbessert.

Margarethe von Hase
Archiv Friedrich-Wilhelm von Hase, Mannheim

Baronin Ina von Medem
Archiv Friedrich-Wilhelm von Hase, Mannheim

Maria-Gisela Boehringer
Archiv Maria-Gisela Boehringer, USA

Alexander von Hase
Familienarchiv von Hase, München

Karl-Günther von Hase
Karl-Günther von Hase, *Erinnerungen*. Unter Mitarbeit von Dr. Barbara Hillen. Bonn: Agentur für AutoBiografien, 2010. Die vorliegende Fassung wurde redigiert und bearbeitet von Angelica von Hase.

Berthold Schenk Graf von Stauffenberg
Der Text basiert auf einem Vortrag, gehalten von Berthold Schenk Graf von Stauffenberg am 22. November 2011 im Lions Club Welzheim und veröffentlicht in: Berthold Schenk Graf von Stauffenberg, Auf einmal ein Verräterkind. Stuttgarter Stauffenberg-Gedächtnisvorlesung (Hg. vom Haus der Geschichte Baden-Württemberg und der Baden-Württemberg Stiftung), Bd. 2011, © Wallstein Verlag, Göttingen 2012. – Für die vorliegende Publikation wurde der Text gekürzt und leicht überarbeitet.

4.4 Bildnachweis

S. 1 (Taufe von Alexander von Hase): © Familie von Hase; S. 2 (Paul von Hase bei Staatsempfang): © Familie von Hase; S. 2 (Kommandantur): © BArch, Bild 183-C17785 / o. Ang.; S. 3 (Margarethe von Hase, Porträt): © Familie von Hase; S. 3 (Konfirmation von Maria von Hase): © Familie von Hase; S. 4 (Ina von Medem, Hochzeitsfoto): © Familie von Hase; S. 4 (Maria Boehringer, Porträt): © Familie von Hase; S. 4 (Alexander von Hase, in Uniform): © Familie von Hase; S. 4 (Friedrich Wilhelm von Hase, mit jungem Löwen): © Familie von Hase; S. 5 (Karl-Günther von Hase, Verlobungsbild): © Karl-Günther von Hase; S. 5 (Paul von Hase vor Volksgerichtshof): © ullstein bild – Chronos Media GmbH; S. 6 (Berthold Schenk Graf von Stauffenberg in der »Wolfsschanze«): © BArch, Bild 146-1984-079-02 / o. Ang.; S. 6 (Graf von Stauffenberg, in Uniform): © Familie Graf von Stauffenberg ; S. 6 (Graf von Stauffenberg, mit Sohn Berthold): © Familie Graf von Stauffenberg; S. 7 (Cäsar von Hofacker, Porträt): © Gedenkstätte ; Deutscher Widerstand; S. 7 (Cäsar von Hofacker, mit Liselotte): © Familie von Hofacker; S. 7 (Ulrich-Wilhelm Graf von Schwerin von Schwanenfeld, Porträt): © Familie Graf von Schwerin von Schwanenfeld; S. 7 (Graf von Schwerin von Schwanenfelds Sohn Wilhelm, 1944): © Familie Graf von Schwerin von Schwanenfeld; S. 8 (Albrecht von Hagen, Porträt): © Familie von Hagen; S. 8 (Albrecht von Hagen mit Familie): © Familie von Hagen; S. 9 (Wessel Baron Freytag von Loringhoven mit General Cesare Amé): © Familie Freiherr Freytag von Loringhoven; S. 9 (Baron Freytag von Loringhoven mit Familie): © Familie Freiherr Freytag von Loringhoven; S. 10 (Familie von Lehndorff – Spaziergang mit Joachim von Ribbentrop): © Familie Graf von Lehndorff; S. 10 (Heinrich Graf von Lehndorff mit Nona und Vera): © Familie Graf von Lehndorff; S. 11 (Carl Friedrich Goerdeler mit Sohn Rainer Johannes Christian): © Familie Goerdeler; S. 11 (Carl Friedrich Goerdeler am Schreibtisch): © BArch, Bild; 183-1987-1223-500 / o. Ang.; S. 12 (Fey von Hassell mit Kindern): © Familie von Hassell;

S. 12 (Ulrich von Hassell als Botschafter): © Familie von Hassell; S. 13 (Hitler nach Attentat): bpk, © Bayerische Staatsbibliothek / Heinrich Hoffmann; S. 13 (Rittergut Dedeleben): © Archiv des Fördervereins Pfarr- und Heimatmuseum Dedeleben; S. 14 (Bad Sachsa, historische Postkarte): © Ralph Boehm / Bad Sachsa; S. 14 (Hinrichtungsstätte Plötzensee, historische Aufnahme): © Gedenkstätte Deutscher Widerstand; S. 15 (Rundschreiben Dr. Ernst Kaltenbrunners über die Sippenhäftlinge): © BArch, R 58/1027; S. 16 (Brief Heinrich Himmlers an Helene von Hintze): © Nicolai Freytag von Loringhoven – eine Abschrift des Briefes befindet sich u. a. in der Gedenkstätte Deutscher Widerstand, Berlin, und im Militärhistorischen Museum der Bundeswehr, Dresden.

4.5 Autorenbiografien

Prinz Dr. Asfa-Wossen Asserate, geb. 1948 in Addis Abeba/Äthiopien, ist äthiopisch-deutscher Unternehmensberater, Bestsellerautor und politischer Analyst. Er ist als Großneffe des letzten äthiopischen Kaisers Haile Selassie Mitglied des äthiopischen Kaiserhauses. Prinz Asserate studierte in Tübingen und Cambridge Jura, Volkswirtschaft und Geschichte. 1978 wurde er in Frankfurt am Main als Historiker promoviert. Er bekleidet zahlreiche Ehrenämter und ist Autor namhafter Veröffentlichungen.

Roland Hartung, geb. 1936, studierte ab 1955 in Heidelberg Rechts- und Staatswissenschaften sowie Volkswirtschaftslehre. Seit den Sechzigerjahren ist er in der Erwachsenenbildung tätig, seit 2009 stellvertretender Vorsitzender der Mannheimer Abendakademie und Volkshochschule GmbH. Er beschäftigt sich mit der Geschichte der Weimarer Republik und des »Dritten Reichs«, hier besonders mit dem Widerstand. Hartung gehört zu den Initiatoren der 2005 gegründeten Alfred-Delp-Gesellschaft Mannheim und ist seither deren Erster Vorsitzender.

Angelica von Hase, Studium der Geschichte an der University of Oxford, u.a. freie Mitarbeit in der Redaktion Zeitgeschichte des ZDF (Unternehmen Barbarossa, Serie und Publikation, 1991) sowie bei der BBC (Timewatch – The Fall of Berlin, 2001). Kontinuierliche Übersetzertätigkeit und wissenschaftliche Recherche für britische Historiker (Antony Beevor, Patrick Bishop, Adam Zamoyski u.a.) mit dem Schwerpunkt Nationalsozialismus und Zweiter Weltkrieg.

Prof. Dr. phil. Friedrich-Wilhelm von Hase, geb. 1937, Sohn von Generalleutnant Paul von Hase, ist dem deutschen militärischen Widerstand auf Grund seiner Herkunft eng verbunden. Beruflicher Werdegang: Studium der Vor- und Frühgeschichte, Klassischen Archäologie, Ethnologie und Alten Geschichte in Göttingen, Perugia und Rom. Langjährige Tätigkeit am DAI in Rom und in Deutschland vor allem am RGZM in Mainz. 1994 Verleihung einer Honorarprofessur an der Universität Wien. Nach der Pensionierung wissenschaftlicher Berater bei großen internationalen Ausstellungsprojekten. Teilnahme als Berater bei der Vorbereitung der ersten großen Dauerausstellung der Gedenkstätte Deutscher Widerstand im Bendlerblock in Berlin.

Dr. Barbara Hillen, geb. 1974, Studium der Geschichte, Alten Geschichte und Kunstgeschichte in Bonn und München, 2004 Promotion an der Universität Bonn im Bereich Verfassungs-, Sozial- und Wirtschaftsgeschichte, Mitarbeiterin der S-Wissenschaftsförderung, seit 2004 Begründerin und Inhaberin der Agentur für AutoBiografien in Bonn. 2010 erschienen in Zusammenarbeit mit Karl-Günther von Hase dessen »Erinnerungen«.

Dr. Roland Kopp, geb. 1958, Militärhistoriker, Studium der Geschichts- und Sozialwissenschaften an der Universität Göttingen, 1999 Promotion an der Universität Paderborn, Forschungsschwerpunkte Wehrmacht und Widerstand in der NS-Zeit, Verfasser einer Biografie von Generalleutnant Paul von Hase (2001).

Carmen Matussek, Historikerin und Islamwissenschaftlerin M.A., 2012 Veröffentlichung der Forschungsarbeit »Der Glaube an eine ›jüdische Weltverschwörung‹ – Die Rezeption der ›Protokolle der Weisen von Zion‹ in der arabischen Welt«. Freie Mitarbeiterin der Landeszentrale für politische Bildung Baden-Württemberg. Konzeptionelle und redaktionelle Mitarbeit am Buchprojekt »Hitlers Rache«.

Dr. jur. Arnim Ramm, geb. 1979, Volljurist. Studium der Rechtswissenschaft und Volkswirtschaftslehre in Kiel. Promotion über das Thema »Der 20. Juli vor dem Volksgerichtshof« (2007). Veröffentlichung einer »Kritische[n] Analyse der Kaltenbrunner-Berichte über die Attentäter vom 20. Juli 1944« (2003). Seit 2009 Referent im Geschäftsbereich des Bundesministeriums des Innern.

Dr. theol. Hans-Joachim Ramm, geb. 1945, Diakon, Studium der Theologie in Kiel, Ordination 1978, Promotion über »Christliche Grundüberzeugungen im militärischen Widerstand« (1995), Pastor (Kiel, Kropp); Militärpfarrer PzBrig 18 in Boostedt, Rechtsritter des Johanniter-Ordens, diverse Veröffentlichungen zur Regionalkirchengeschichte und zum militärischen Widerstand, Mitherausgeber einer schleswig-holsteinischen Kirchengeschichte. Vorstandsmitglied verschiedener kirchlicher und diakonischer Organisationen.

Johannes Salzig, StR, Studium der Fächer Geschichte, Deutsch und Politik und Wirtschaft in Marburg, Kiel und Kamloops, BC, Canada (2002–2008), Stipendiat der Konrad-Adenauer-Stiftung 2009–2012 (Thema des Dissertationsprojekts: Die nationalsozialistische Sippenhaft), Studienreferendar am Studienseminar für Gymnasien in Marburg 2012–2014, Lehrer am Gustav-Stresemann-Gymnasium in Bad Wildungen (seit 2014), diverse Vorträge und Veröffentlichungen zum Widerstand gegen den Nationalsozialismus.

Prof. Dr. Joachim Scholtyseck, geb. 1958, Studium der Geschichte, Politikwissenschaften, Kunstgeschichte und Soziologie in Bonn, 1991 Promotion, 1998 Habilitation an der Universität Karlsruhe mit einer Arbeit zum Thema »Robert Bosch und der liberale Widerstand gegen den Nationalsozialismus«. Seit 2001 Universitätsprofessor für Neuere und Neueste Geschichte an der Universität Bonn. Stellvertretender Vorsitzender der Forschungsgemeinschaft 20. Juli 1944, Mitglied des Kuratoriums der Stiftung 20. Juli 1944.

Rüdiger von Voss, geb. 1939 in Potsdam, Sohn von Oberstleutnant i. G. Hans-Alexander v. Voss (geb. 1907, gest. durch Freitod 1944), Mitglied des militärischen Widerstandes; Rechtsanwalt, zuletzt Generalsekretär des Wirtschaftsrats der CDU 1983–2004; Ehrenvorsitzender des Kuratoriums der Stiftung 20. Juli 1944, Gründer und Ehrenvorsitzender der Forschungsgemeinschaft 20. Juli 1944; Träger des Großen Verdienstkreuzes des Verdienstordens der Bundesrepublik Deutschland; zahlreiche Veröffentlichungen zur Geschichte des deutschen Widerstandes u. a.

Eric Metaxas
Bonhoeffer
Pastor, Agent, Märtyrer und Prophet

Gebunden, 15 x 21,7 cm, 768 Seiten
Nr. 395.271, ISBN 978-3-7751-5271-6

Auch als Hörbuch erhältlich, 6 CDs
Nr. 395.492, ISBN 978-3-7751-5492-5

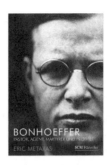

Als noch niemand ahnt, dass Hitler Deutschland zerstören wird, warnt ein junger Pastor im Rundfunk vor dem »Ver-Führer«. Metaxas zeichnet in seiner großen Bonhoefferbiografie ein vielschichtiges Bild von Leben und Glauben des Theologen, Agenten und Märtyrers. »Anschaulich und packend geschrieben, stellt das Buch – gerade für jüngere Menschen – einen wunderbaren Einstieg in die Beschäftigung mit ihm dar.« (Prof. Dr. Peter Zimmerling, Theologe und Bonhoeffer-Experte)

Eric Metaxas
Bonhoeffer
Eine Biografie in Bildern

Gebunden, 21 x 28 cm, 352 Seiten, vierfarbig
Nr. 395.446, ISBN 978-3-7751-5446-8

Hunderte, z. T. unveröffentlichte Fotos

»Eric Metaxas' Bildbiografie fasziniert mich in der bebilderten Parallelbeschreibung seines Lebens und des politischen Geschehens. Ich vergleiche dieses vorzügliche Buch mit den Hamburger Ballet-Kreationen von John Neumeyer, bei denen auch mehr ausgedrückt wird, als in einem geschriebenen Text möglich ist.« (Hans-Werner von Wedemeyer, Bruder von Maria, der Verlobten Dietrich Bonhoeffers)

Bitte fragen Sie in Ihrer Buchhandlung nach diesen Büchern!
Oder schreiben Sie an: SCM Hänssler, D-71087 Holzgerlingen;
E-Mail: info@scm-haenssler.de; Internet: www.scm-haenssler.de

Margarete Schneider, Paul Dietrich (Hrsg.),
Elsa-Ulrike Ross (Hrsg.)

Paul Schneider – Der Prediger von Buchenwald
Neu herausgegeben von Elsa-Ulrike Ross
und Paul Dieterich

Gebunden, 14 x 22 cm, 544 Seiten
Nr. 395.550, ISBN 978-3-7751-5550-2

Der Prediger Paul Schneider war der erste Märtyrer, der im KZ Buchenwald zu Tode gekommen ist. Die Lebensgeschichte Schnei-
ders zeigt, wie er Zuflucht bei Gott fand und auch anderen dadurch Kraft zum Überleben gab. 2014 ist sein 75. Todestag.

Richard Rommel, Hans-Dieter Frauer (Hrsg.)

Signale an der Front
Das geheime Kriegstagebuch von
Funker Richard Rommel

Gebunden, 13,5 x 20,5 cm, 192 Seiten
Nr. 395.447, ISBN 978-3-7751-5447-5

Den Zweiten Weltkrieg hat Richard Rommel vom ersten bis zum
letzten Tag miterlebt. Mit 19 Jahren wurde er Soldat und war als
Funker an vorderster Front im Einsatz. Sein heimliches Tagebuch
gibt nicht nur Einblicke in den Krieg und die deutsche Geschichte,
sondern auch in die Glaubenskämpfe eines jungen Christen. Die
Tagebucheinträge wurden von Hans-Dieter Frauer zusammengestellt und erläutert. Mit mehr als 50 Fotos und Karten.

Bitte fragen Sie in Ihrer Buchhandlung nach diesen Büchern!
Oder schreiben Sie an: SCM Hänssler, D-71087 Holzgerlingen;
E-Mail: info@scm-haenssler.de; Internet: www.scm-haenssler.de